HEYNE
BÜCHER

Von Janet Dailey sind
als Heyne-Taschenbücher erschienen:

Die große Sehnsucht · Band 01/6794
Der große Traum · Band 01/6914
Der große Kampf · Band 01/7620
Die große Versuchung · Band 01/7715
Santiago Blue · Band 01/7809
Stolz der Liebe · Band 01/7999
Das große Spiel · Band 01/8073

JANET DAILEY

KALTES GOLD

Roman

Deutsche Erstausgabe

WILHELM HEYNE VERLAG
MÜNCHEN

HEYNE ALLGEMEINE REIHE
Nr. 01/8146

Titel der Originalausgabe
THE GREAT ALONE
Aus dem Amerikanischen übersetzt
von Ingrid Rothmann

Wilhelm Heyne Verlag GmbH & Co. KG, München
Printed in Germany 1990
Umschlagzeichung: Walter Wyles / Luserke
Umschlaggestaltung: Atelier Ingrid Schütz, München
Gesamtherstellung: Ebner Ulm

ISBN 3-453-04548-3

Vorwort

Während die Vereinigten Staaten durch die westwärts gerichtete Expansion Gestalt annahmen, erweiterte Rußland sein Territorium nach Osten hin. Die einzigen Waren, über die das russische Reich für den Handel mit Europa und China in seinen Anfängen reichlich verfügte, waren Felle – Zobel, Hermelin, Fuchs, Bär und andere kostbare Pelze. Zu jener Zeit wurde nahezu alles in Fellen berechnet: Steuern, Löhne, Bußen und Belohnungen.

Der Promyschlenik, im Plural Promyschleniki, eine Art *coureur des bois* und vergleichbar mit den Jägern und Fallenstellern Amerikas, war es, der diese natürliche Rohstoffquelle nutzbar machte. Während im ganzen Reich Leibeigenschaft herrschte und die Menschen zwang, das Land für die adeligen Grundherren zu bearbeiten, konnten die Pelztierjäger sich frei bewegen. Sie jagten in Gruppen unter einem gewählten Führer und teilten die Beute eines Jahres untereinander und mit den Handelsherren, die diese Expeditionen finanzierten. War ein Gebiet abgejagt, zogen sie weiter – und sahen sich schließlich den unendlichen Weiten des an Pelztieren reichen Sibirien gegenüber.

Die Promyschleniki erkundeten das Land, und die Kosaken folgten und nahmen es in Besitz. Sie waren ein kriegerisches Steppenvolk aus dem Gebiet um das Schwarze Meer, eher eine soziale als eine ethnische Gruppe, die von Raub und Handel lebte und ihre Freiheit über alles schätzte.

Im 17. Jahrhundert war endlich der Pazifik erreicht. Gerüchte wollten von einem ›großen Land‹ im Osten jenseits des Wassers wissen. Gleichzeitig wurden in Europa von einigen Gelehrten Mutmaßungen über eine Nordverbindung zwischen Asien und Amerika geäußert.

Peter der Große war es, der die erste Expedition ausschickte, um den kartographisch nicht erfaßten Nordpazifik und das Nördliche Eismeer zu erkunden und festzustellen, ob die zwei Kontinente durch eine Landbrücke miteinander verbunden waren. Im Juli 1728 stach der in den Diensten der russischen Marine stehende Däne Vitus Bering an Bord der neu vom Stapel gelassenen St. Gabriel in See. Das Schiff stammte aus jener Werft, die er an der Mündung des Kamtschatka-Flusses in das Meer gegründet hatte. Nur zwei Monate später kehrte er zurück, überzeugt, daß es zwischen Asien und Amerika keine Verbindung gab, ohne dafür aber den Beweis erbracht zu haben.

Eine größere und umfassendere Expedition wurde von Zarin Elisabeth ausgerüstet, eine Expedition, die so umfangreich war, daß man acht Jahre brauchte, um Menschen, Ausrüstung und Vorräte quer durch Sibirien zu schaffen und zwei Rahsegler zu bauen, die St. Peter unter Vitus Bering und die St. Paul unter dem Befehl eines Russen namens Alexej Tschirikow. Im Juni 1741 liefen beide Schiffe aus der Awatscha-Bucht auf der Halbinsel Kamtschatka aus. Nach zwei Wochen Fahrt wurden die St. Peter und die St. Paul in Regen und Nebel getrennt.

Man nimmt an, daß die Besatzung der St. Paul die unter dem Namen Prince of Wales Island bekannte Insel im äußersten Süden Alaskas sichtete. Sie ging schließlich auf Nordkurs und folgte der stark gegliederten Küste mit ihrem Labyrinth von Kanälen, Buchten und Mündungen, das die kleinen und großen Inseln des Alexander-Archipels umgibt. Zwei Tage nachdem zum erstenmal Land gesichtet wurde, gingen sie vor der Mündung einer großen Bucht vor Anker, bei der es sich vermutlich um den Hafen von Sitka handelte. Tschirikow ließ eines seiner zwei großen Beiboote zu Wasser bringen und schickte seinen Maat mit zehn Mann zur Erkundung der Buchteinfahrt aus. Das Boot verschwand auf Nimmerwiedersehen. Einige Tage vergingen, ehe Tschirikow seinen Bootsmann mit sechs Mann im zweiten Beiboot auf die Suche nach dem ersten ausschickte. Auch dieses Boot sollte nie zurückkehren. Die St. Paul wartete noch einige Tage, doch verfügte sie über keine Boote mehr, und das Trinkwasser ging zur Neige. Tschirikow traf, nachdem er sich mit seinen Offizieren beraten hatte, die Entscheidung, schleunigst auf Heimkurs zu gehen.

Die St. Paul lief im Oktober 1741 in Petropawlowsk, ihrem

Heimathafen, ein. Die Seeleute berichteten von dem Reichtum und der Vielfalt an Wild, das sie gesichtet hatten – von den Rudeln von Seeottern, Robben und Seelöwen an den felsigen Küsten.

Ihr Schwesterschiff, die St. Peter, war auf Nordostkurs gesegelt, nachdem sie die St. Paul aus den Augen verloren hatte. Ihre Besatzung sichtete ebenfalls Land – die hochragenden Gipfel des St.-Elias-Gebirges in Alaska.

Auf der Rückfahrt nach Kamtschatka mußte die skorbutgeplagte Mannschaft gegen Nebel, Regen und heftige Stürme ankämpfen, die das Schiff Hunderte von Meilen vom Kurs abbrachten. Erst am ersten November sichteten sie wieder Land, eine Insel der Kommodore-Gruppe vor der Küste von Kamtschatka. Kapitän Bering starb und wurde auf der Insel begraben, die seinen Namen erhielt. Andere Besatzungsmitglieder überlebten, kamen wieder zu Kräften und bauten aus den Überresten ihres Schiffes, das bei der Landung gestrandet war, ein neues Boot. Im August 1742 erreichten sechsundvierzig der ursprünglichen siebenundsiebzig Besatzungsmitglieder Petropawlowsk mit einer Ladung kostbarer Pelze.

Dies war der Beweis für die Jäger und für die Kosaken, daß das Land im Osten reich an Pelztieren war. Der Seeotter, der sich ganz selten an die Küsten Sibiriens wagte, existierte anderswo in großer Zahl. Ungeachtet der Entfernung – sie hatten fünftausend Kilometer zurückgelegt – wurden sie von diesem fernen Land magnetisch angezogen. Ihr Verlangen, das Land jenseits des großen Wassers zu erkunden, es zu erobern und für den Zaren in Besitz zu nehmen, wurde übermächtig. Rußland erstreckte sich bereits über europäische und asiatische Gebiete. Warum sollte es sich nicht auch einen Teil Amerikas einverleiben?

1742 besaß England etwa ein Dutzend Kolonien an der Atlantikküste Nordamerikas, Frankreich hatte das Territorium des Mississippi von den Quellen bis zur Mündung in Besitz genommen; Spanien hatte Mexiko und die Küste Kaliforniens erobert. Nun ging auch Rußland daran, sich seinen Anteil an dem reichen, nordamerikanischen Kontinent zu sichern.

Prolog

PETROPAWLOWSK-KAMTSCHATKA, SIBIRIEN
AUGUST 1742

Von draußen hereindringende gedämpfte Rufe rissen Luka Iwanowitsch Charakow aus dem Schlaf. Er kroch aus seiner primitiven Koje und griff nach der Muskete, die er am Abend zuvor neben sich gelegt hatte. Unter der gezackten Narbe, die sein linkes Auge halb verschloß und sich über die ganze Wange zog, ehe sie in einem dichten Bart verschwand, zuckten die Nerven. Hellwach und sprungbereit hielt er inne, um sich über die Richtung klarzuwerden, aus der der Angriff kam. Jetzt erst spürte er die Erregung, die draußen herrschte. Gleichzeitig wurde ihm bewußt, daß er sich innerhalb der befestigten Mauern des *Ostrog* in Petropawlowsk befand und nicht in einer einsamen Winterhütte in der Wildnis Sibiriens.

Luka, dem noch von der durchzechten Nacht her der Schädel brummte, schlüpfte in seinen lederbesetzten Stoffumhang, zog eine handgewebte Mütze über den zottigen Schädel und ging hinaus, um die Ursache der Rufe und des Hundegekläffs zu ergründen.

Dichter, von Nebel begleiteter Regen fiel aus den bleiernen Wolken über den sommergrünen Hügeln um Petropawlowsk. Ungeachtet des jämmerlichen Wetters liefen die Bewohner der Festung zu dem an einem ruhigen Teil der Bucht von Awatscha gelegenen Hafen.

Luka schloß sich ihnen an. Schiffe ließen sich so selten an diesem südöstlichsten Zipfel des russischen Reiches der Romanows blicken, daß jedes Auftauchen eines Seglers ein Ereignis darstellte.

Erst vor wenigen Wochen hatte Luka erfahren, daß Tschirikow mit der St. Paul nach Ochotsk ausgelaufen war. Die im Ostrog stationierten Kosaken hatten ihm berichtet, was sie von den Besatzungsmitgliedern über deren Fahrt an die Nordküste des amerikanischen Kontinents gehört hatten, eine Fahrt, von der das Schwesterschiff, die St. Peter, nicht zurückgekehrt war. Womöglich hatten die tückischen, sehr oft stürmischen Gewässer dieser Meere die St. Paul zu einer Rückkehr gezwungen.

Luka hoffte es. Er wollte mehr über die zahlreichen Inseln erfahren, wo der Seeotter, der an der Küste Kamtschatkas nur selten gesichtet wurde, in großer Zahl vorkommen sollte.

Als Promyschlenik oder Pelztierjäger kannte er den Wert der Felle, besonders den der seltenen Seeotter. Für ein Fell dieser Art bekam man an der Grenze zu China neunzig Rubel oder mehr.

Als er näher kam, sah Luka, daß kein Schiff in der Bucht ankerte, sondern daß nur ein grob zusammengezimmertes Boot von sechsunddreißig Fuß Länge am Dock festgemacht hatte. Allenthalben sah man, wie die Ankömmlinge, wildaussehende, in Felle gekleidete Männer, mit Umarmungen empfangen wurden. Luka hielt einen Kosaken auf, der in die Gegenrichtung lief.

»Was soll der Aufruhr? Wer sind die Männer?«

»Die Leute von der St. Peter! Sie sind nicht umgekommen!«

Luka starrte zu der Gruppe zerlumpter Gestalten hin, etwa vierzig Mann, von denen viele ein zahnloses Lächeln sehen ließen. Alle hatten sie lange, zottige Bärte und trugen Kleidungsstücke aus Tierhäuten. Das Schiff war also nicht mit Mann und Maus auf See geblieben, wie man geglaubt hatte. Einige hatten überlebt, um die Geschichte zu erzählen, die Luka hören wollte – die Geschichte von dem großen Land.

Er drängte sich in ihre Mitte und erhaschte ein paar Gesprächsfetzen, während er ihre selbstgemachten Kleidungsstücke kritisch musterte und die Felle von Seeotter, Fuchs und Seehund erblickte.

»Unsere Seile rissen, und das Schiff wurde auf die Klippen geworfen . . .«

». . . dachten schon, wir hätten Kamtschatka erreicht . . .«

»Nein. Bering ist tot. Auch Lagunow. Wir . . .«

»Es zeigte sich, daß es eine Insel war . . .«

Luka wandte sich dem Mann zu, der eben gesprochen hatte.

»Wo ist diese Insel?« fragte er ihn.

»Östlich von hier. Wie weit, das weiß ich nicht. Wir segelten vor zehn Tagen los, vor drei Tagen wurde unser Boot leck. Wir bauten es aus den Wrackteilen der St. Peter . . . Alle Schiffszimmerleute waren umgekommen und . . .«

Luka war Jäger und nicht Seemann. Sein Interesse galt dem Fell, das der Mann trug.

»Gab es Füchse auf der Insel?« unterbrach er ihn.

»Ja, überall. Als wir an Land gingen, war der arktische Fuchs das einzige Tier, das wir zu Gesicht bekamen.«

»Und der Seeotter?« Luka deutete auf einen anderen Überlebenden, der ein langes, aus Seeotterfellen gefertigtes Gewand trug. »Gab es viele davon?«

»Die Gewässer um die Insel wimmelten davon.«

Der Mann lächelte triumphierend. Er faßte mit Klauenfingern nach Lukas Arm und drängte ihn zur Anlegestelle.

»Sieh mal.«

Auf dem Boden lagen Fellbündel, gestapelt, und die Stapel wuchsen in die Höhe, als immer neue Felle ausgeladen wurden. Zwischen Bündeln von Fuchs- und Seehundhäuten erkannte Luka die dunklen, glänzenden Felle der Seeotter. Neben einem Bündel niederkniend, ließ er die Hand über das dichte seidige Fell gleiten. Vor ein, zwei Jahren hatte er zehn Seeotter getötet, die auf einer Eisscholle an die Küste von Kamtschatka getrieben worden waren. Zehn Felle, und Luka hatte sich glücklich gepriesen; jetzt sah er Hunderte dieser Felle vor sich – Luka war von Hochachtung und Gier erfüllt.

». . . neunhundert Felle vielleicht. Nicht mitgerechnet die Blaufuchs- und Seehundfelle.«

Luka hörte die Prahlerei des Mannes neiderfüllt und voller Enttäuschung. Er war Jäger. Was fingen diese Seeleute schon mit einem Vermögen in Bälgen an? Mit jedem Winter, den er hinaus in die Wildnis zog und Fallen stellte, wurde die Beute spärlicher. Er war kaum mehr imstande, sich den Unterhalt zu verdienen, während er sein Leben in der mörderischen sibirischen Kälte unter wilden, feindseligen Eingeborenenstämmen aufs Spiel setzte. Seine Vorfahren hatten Sibirien durchquert, sie waren durch die Steppe gezogen, hatten Gebirge überwunden und auf der Jagd nach dem Zobel schließlich die Halbinsel Kamtschatka erreicht. Die alten

Jagdgründe waren ausgebeutet, doch er stand nun an der Grenze eines neuen. Er war fünfundzwanzig, und der Reichtum, dem er hinterherjagte, lag dort draußen, über dem Meer.

Daß er sich ausgerechnet an diesem Tag hier aufhielt und mit eigenen Augen den Beweis dafür sah, daß es Inseln gab, in deren Gewässer es vor Seeottern wimmelte, war gewiß ein Omen. Gestern war er so gut wie entschlossen gewesen, schon zu dem Sammelplatz aufzubrechen, an dem er sich mit Jagdgefährten treffen wollte. Er war nur geblieben, um sich den Segen des Priesters für eine erfolgreiche Jagd zu holen. Im Jahr zuvor hatte er es unterlassen, und seine Ausbeute an Zobelfellen war gering ausgefallen.

Die Heimkehr der Überlebenden von Vitus Berings schiffbrüchiger Besatzung veranlaßte Luka, seinen Aufbruch noch einen Tag zu verschieben und an dem Fest teilzunehmen. Das *prasnik*, das veranstaltet wurde, war eines der schönsten, das er je miterlebt hatte. Während des fröhlichen Feierns sprach Luka mit mehreren Mitgliedern der vom Pech so hart verfolgten Besatzung. Und alle bestätigten die Geschichte des ersten. Er hörte von zerklüfteten, baumlosen Inseln, die wie in einem Riesenbogen aus dem Meer wuchsen, von Gewässern, in denen es von jagdbaren Meeressäugetieren wimmelte. In seiner Jugend hatte er die Halbinsel Kamtschatka der Länge und Breite nach durchstreift, und jetzt sehnte seine Seele sich nach dem Land jenseits des Horizonts. Dorthin wollte er, das schwor er sich. Es war seine Bestimmung. Den Reichtum an Fellen, der ihm hier in Kamtschatka nicht zuteil geworden war, würde er auf den Inseln vor Amerika finden.

TEIL I

DIE ALEUTEN

1. Kapitel

SEPTEMBER 1745

Die vom Wind geblähten, quadratischen Segel aus bearbeiteter Rentierhaut zerrten an den Lederriemen, die sie an die Spieren des Zweimasters festbanden. Nur wenig Wasser drang durch die mit Moos abgedichteten Ritzen des aus frischem Holz gezimmerten Schiffes, während der Bug sich erst himmelwärts richtete und dann auf den Grund eines Wellentales hinabtauchte. Nach dem Vorbild der Handelsschiffe auf der Wolga hatte das Flachboot einen flachen Kiel, war damit leicht an den Strand zu ziehen und lag bemerkenswert gut im Wasser. Der Mangel an Eisen machte es notwendig, daß die Holzplanken mit Lederriemen zusammengebunden oder ›genäht‹ wurden. Das verhalf den Schiffen zu dem Namen *Schitik*, vom russischen Verb ›schi-it‹, was ›nähen‹ bedeutet.

Vom Schiffsdeck aus, auf dem sich Jäger und Kosaken drängten, war nach allen Himmelsrichtungen die finstere, wildbewegte Beringsee zu sehen. Zwei Jahre zuvor war ein ähnliches Schiff unter dem Befehl eines Kosakenkriegers aus einer Garnison auf Kamtschatka zu einer Expedition nach den Komandorski-Inseln ausgelaufen, auf denen Bering umgekommen war. Im letzten Sommer war es mit einer großen Ladung an Fellen wohlbehalten zurückgekehrt, ein Beweis für die Seetüchtigkeit des Schiffes, der alle Zweifler verstummen ließ.

Luka hatte nicht zu diesen Skeptikern gehört. Er hatte damals zugunsten überlebender Besatzungsmitglieder von Berings Schiff auf die Teilnahme an der Erkundungsfahrt verzichten müssen.

Auch kümmerte es ihn wenig, daß dieser Schitik von Männern zusammengebaut worden war, die vom Schiffsbau keine Ahnung hatten, denn er selbst hatte zu ihnen gehört. Der einzige, der das Meer kannte, war der Steuermann und Kapitän des Schitik. Von Beruf Silberschmied, war Michail Newodschikow auf der Suche nach Reichtum nach Sibirien gekommen. Auf Kamtschatka hatte man entdeckt, daß er keinen Paß besaß, und preßte ihn in den Dienst des Zaren auf Berings Schiff, der St. Peter. Ungeachtet seines zweifelhaften Rufes hielt sich hartnäckig das Gerücht, Newodschikow hätte die dem amerikanischen Kontinent vorgelagerten Inseln entdeckt, die Bering die ›trügerischen Inseln‹ nannte.

Diese Inseln waren auch das Ziel des Schitik, der auf Südostkurs lag. Sechs Tage zuvor war das Schiff aus der Mündung des Kamtschatka-Flusses ausgelaufen und hatte die Komandorski-Inseln passiert, zu denen der Garnisonskommandant eine zweite Expedition ausgeschickt hatte.

Der Geruch nach Seekrankheit vermischte sich mit der üblen Ausdünstung ungewaschener Körper und blieb im Wind hängen. Luka ließ den Blick über seine Kameraden an Deck wandern. Die Jagdexpedition setzte sich aus einem rauhen Menschenschlag zusammen, etwa fünfzig Mann, Promyschleniki von verschiedener Herkunft. Einige waren Verbrecher, Diebe, Steuerhinterzieher oder Mörder, andere wiederum Verbannte oder Leibeigene, die der Knechtschaft entflohen waren. Daneben gab es auch solche wie ihn, Söhne von Jägern, die das Fernweh nicht losließ.

Sein Blick blieb an den unverkennbaren Zügen eines Kamtschadals hängen – Augen unter schweren Lidern, dazu die breiten Wangenknochen der Mongolen. Er faßte mit der Hand nach seiner Gesichtsnarbe, von kaltem Haß gegen diesen Stammesvetter des Tschuktschi erfüllt, der seinen Vater niedergemetzelt und ihn selbst für immer entstellt hatte. Die Gruppe umfaßte auch einige Kamtschadals, die durch die heilige Taufe jedem Moskowiter gleichgestellt waren.

Luka fuhr ärgerlich herum, als er von hinten eine Berührung spürte, zügelte aber den Impuls, sich für den zufälligen Stoß zu rächen, während Jakob Petrowitsch Tschuprow auf dem schwankenden Deck mühsam um sein Gleichgewicht kämpfte. Einen Moment hielt er dem weisen Blick des Mannes stand und nickte dann kurz. Er kannte den Ruf des Alten als Jäger. Luka wollte es sich mit diesem Bärtigen, der vielleicht zum Jagdführer bestimmt werden würde, nicht verderben. Eben hatte er Tschuprow mit dem Steuermann sprechen gesehen.

»Wie weit ist es noch bis zu den Inseln? Hat Newodschikow etwas gesagt?« fragte Luka. Seit dem Passieren der Komandorski-Inseln hatten sie kein Land mehr gesichtet.

»Er meint, daß wir bald am Ziel sein werden.«

Eine Seemöwe schoß tief über den Bug des Schitik hinweg.

»Die Vögel sind ein sicheres Anzeichen dafür.«

Die Aussicht, endlich das Land zu sehen, das ihn in den letzten Jahren bis in die Träume verfolgt hatte, erfüllte Luka mit tiefer Befriedigung.

»Glaubst du Newodschikow?« fragte er.

»Die Winde waren beständig und das Wetter schön.«

Der alte Jäger zog die Schultern hoch. »Er war schon da. Ich nicht.«

Von der Steuerbordseite her rief einer der seekranken Kamtschadals nach Wasser. Schekurdin, ein hochgewachsener, aufrechter Kosake, bahnte sich den Weg über das gedrängt volle Deck. Luka sah mit Verachtung in das stolze, schmale Gesicht mit dem säuberlich gestutzten Bart.

»Willst du unser Wasser an ihn verschwenden, Wladimir Andrejewitsch?« rief er laut.

»Der Mann hat Durst.« Schekurdin ließ sich nicht beirren. Da trat ihm Beljaew, einer der Promyschleniki, ein großer, muskulöser Mann, in den Weg.

»Ebensogut könntest du das Wasser über Bord schütten. Dort landet es nämlich ohnehin.« Beljaews Grinsen enthüllte eine breite Lücke zwischen den Vorderzähnen, die ihm den Anschein von Blödheit verlieh, fälschlicherweise, denn aus seinen schwarzen, kleinen Augen blitzte Schläue. Schekurdin wollte an ihm vorüber, doch Beljaew hinderte ihn daran.

»Ich sage, er bekommt kein Wasser mehr.«

»Ich erinnere mich, daß du dich auch ein- oder zweimal über die Bordwand gehängt hast.« Der Kosake ließ sich von dem Jäger nicht einschüchtern.

»Ich holte mir selbst Wasser, als ich Durst hatte«, wandte Beljaew ein, dessen zottiger Bart die dunkle Lücke zwischen den Zähnen noch auffälliger machte.

»Wenn der Kamtschadal das nicht schafft, dann werft ihn über Bord. Unser Anteil an der Beute wird dann größer.«

Luka gab ihm insgeheim recht. Die Mitglieder der Expedition teilten die Beute untereinander. Die Hälfte der Felle gehörte den zwei Kaufleuten, die die Fahrt finanziert hatten, die andere Hälfte wurde unter der Besatzung verteilt, wobei jeder Mann einen Teil bekam, mit Ausnahme des Steuermannes, der drei, und des *peredowtschik,* des Anführers, der zwei Anteile erhielt. Überdies hatte die Kirche Anspruch auf einen Anteil. War die Jagdexpedition sehr erfolgreich, dann konnte der Anteil eines Pelztierjägers ein kleines Vermögen ausmachen, genug, um sich ein Stück Land oder einen Laden zu kaufen oder um sich ein Jahr lang mit Wodka vollaufen zu lassen.

»Seht!« rief einer. »Was ist das schwarze Ding am Horizont?«

Alles lief auf die rechte Deckseite. Gleich darauf ertönte ein allgemeiner Jubelruf, als sich in der Ferne ganz langsam gebirgiges Land aus dem Wasser schob. Selbst der schwächste unter den Seekranken hatte genug Kraft, um sich aufzurichten und den segenverheißenden Anblick des Landes in sich aufzunehmen.

Langsam, aber stetig näherte sich das primitive Schiff der Insel. Als sie an der Nordseite vorüberglitten, unterzog Luka das baumlose, grünbewachsene Gelände einer genauen Musterung. Sogar die Felsen waren grasbewachsen. Im Inselinneren türmten sich steile Wände zu schroffen Bergen auf, ein Hinweis auf den vulkanischen Ursprung der Insel. Abweisend und bar allen pflanzlichen Lebens ragten die Gipfel auf, während zu ihren Füßen ein üppig begrüntes Tal lag, dessen hohes, schilfiges Gras wellenförmig im Wind wogte. Ein Mann wurde ausgeschickt, um die Lotungen vorzunehmen, während der Steuermann Newodschikow den aus dem Wasser ragenden Felsen und den Sandbänken geschickt auswich.

Sie umrundeten die Insel und gingen auf Südkurs. Auf den Seetangfeldern vor der Felsküste sichteten sie Unmengen von Getier. In seiner Ungeduld, die Seeotter zu beobachten, die neugierig die Köpfe aus dem Wasser streckten, drängte Luka sich mit den anderen an der Reling. Wahrhaftig, ein Anblick, bei dem jedem Pelztierjäger das Herz im

Leibe lachte. Eine dichte Wolke verhüllte die Sonne, aber Luka nahm deutlich die leichte Temperaturveränderung wahr, eine leichte Erwärmung an jener Stelle, wo die kalten Gewässer der Beringsee auf die warmen Strömungen des Pazifiks treffen. Vergeblich suchte er die geschützte Bucht nach Anzeichen von Besiedlung ab, da er sich ganz deutlich entsinnen konnte, daß der Steuermann von Wilden gesprochen hatte, die auf diesen Inseln lebten.

»Ich dachte, hier lebten Wilde«, sagte er zu Schekurdin, der links neben ihm stand.

»Vielleicht sind nicht alle Inseln bewohnt«, gab der Kosake zu bedenken.

»Die Beringinsel war unbewohnt, diese hier ist es vielleicht auch.«

»Das hier ist eine große Insel – an die siebzig Werst lang, schätze ich. Könnte ja sein, daß die Dörfer von hier aus nicht zu sehen sind.« Luka hielt es für besser, in der Wachsamkeit nicht nachzulassen. Zudem behagte ihm Schekurdins herrisches Gehabe nicht.

Der Mann verfügte über alle Eigenschaften eines Führers. Er war intelligent, erfahren und trotz seiner hochgewachsenen schlanken Gestalt ungewöhnlich kräftig. Daß er Mut besaß, hatte er bewiesen, als er Beljaews Herausforderung begegnete. Doch wie er die Kamtschadals an Bord behandelte, mißfiel Luka gründlich. Die weichen Ledersegel blähten sich im Wind, als der Bug des flachen Schiffes sich von der Insel abwandte und auf neuen Kurs ging.

»Warum fahren wir weiter?« hörte man Beljaews rauhe Stimme.

»Hier gibt es Otter in Unmengen. Warum gehen wir nicht vor Anker?«

»Beljaew, das sieht dir wieder ähnlich«, spottete Luka. »Du siehst etwas, das du haben möchtest, und packst zu, ohne dir Zeit zu lassen, etwas Besseres zu suchen.«

Auf diese Bemerkung hin lachten einige auf, gedämpft zwar, damit der gelegentlich kampflustige Beljaew es ihnen nicht verübelte. Doch sein ständig bereites Lachen spaltete sein bärtiges Gesicht.

»Wenn es etwas Besseres gibt, dann nehme ich es auch!«

verkündete er. »Wenigstens wird mir das erste nicht entgehen, während wir weitersuchen.«

Der Schitik entfernte sich auf der Suche nach den nächsten Inseln immer mehr von der ersten. Luka sah das Land seiner Sicht entschwinden, das erste seit Tagen. Der Ozean war nicht sein ureigenes Element, und wie die anderen konnte er es kaum erwarten, endlich von dem überfüllten Schiff herunterzukommen und wieder festen Boden unter den Füßen zu spüren. Aber so eilig, daß er nicht gern etwas Neues erkundet hätte, hatte er es auch wieder nicht.

»Diesmal muß ich Beljaew recht geben«, sagte Schekurdin, als Luka wieder übers Wasser blickte und den Horizont nach Land absuchte. »Ich hätte vor einer der Buchten geankert.«

Luka musterte Schekurdins stolzes Profil, die schmale, gerade Nase, so schmal wie ihr Besitzer.

»Es ist erst Morgen. Wir haben genug Zeit, die nächste Insel zu suchen.«

»Vorausgesetzt, es gibt sie. Wir haben ja nur Newodschikows Wort – das Wort eines Bauern, eines Silberschmieds, dessen seemännische Erfahrung sich auf die Expedition mit Bering beschränkt.« Das sagte er halblaut und ganz nüchtern. »Wir müssen unsere Trinkwasservorräte ergänzen. Ich hätte es auf der Insel getan. Dort hätten wir uns auch mit Frischfleisch eindecken können. Mit den Vorräten sieht es alles in allem nicht gut aus.«

Seine Gründe hatten Hand und Fuß, und Luka legte sich nicht mit ihm an. Sie waren nur mit sehr knapp bemessenem Proviant ausgelaufen – ein paar Schinken, etwas ranzige Butter, Roggen- und Weizenmehl für das Feiertagsbrot, getrockneten Lachs und, was am wichtigsten war, das Treibmittel für Sauerteigbrot, als Vorbeugung gegen Skorbut. Alles übrige mußten sie selbst jagen und fischen.

»Ich möchte noch mehr von diesen Inseln sehen«, stellte Luka fest. Ein guter Jäger wählt die besten Jagdgründe aus und entscheidet sich nicht für den allerersten.

Schekurdin gab nach einigen Augenblicken seinen Platz an der Reling auf und mischte sich unter die anderen Expeditionsteilnehmer. Der Schitik setzte seine Fahrt auf Kurs Südsüdost fort.

Um die Mittagszeit wurde die zweite Insel gesichtet. Als das Schiff sich dem Land näherte, wurde die Aufmerksamkeit der Besatzung zwischen der Insel und dem Steuermann hin und her gerissen. Luka spürte die in der Luft liegende Spannung. Die Männer warteten voller Erregung, wie die Entscheidung diesmal ausfallen würde.

Die zweite Insel war kleiner als die erste. Das Schiff näherte sich ihr wie der ersten, indem es auf Parallelkurs zu der stark zerklüfteten Küste ging. Als sie sich der Einfahrt zu einer kleinen, hufeisenförmig geschwungenen Bucht näherten, die von gezackten, ins Wasser vorragenden Felsfingern gesäumt war und deren Mittelbogen ein Strandstück, weiß und sandig, umschloß, bemerkte Luka, daß Tschuprow kurz mit dem Steuermann sprach. Sekunden später kam der Befehl, eines der viereckigen Hauptsegel einzuholen.

»Wir ankern hier die Nacht über.« Newodschikow rief es mit lauter Stimme den Leuten zu.

»Gehen wir an Land?« fragte einer der Männer.

»Erst morgen. Tschuprow wird eine Gruppe, die Wasser holen soll, an Land bringen. Wir wollen das Gebiet bei Tageslicht erkunden und vorerst sichere Ankerplätze suchen, bis wir den besten Standort zum Überwintern gefunden haben.«

Luka sah, wie Schekurdin erstarrte und sein Gesicht eiskalt vor Wut wurde, weil nicht er ausgewählt worden war, den Spähtrupp an Land zu führen. Luka billigte sowohl die Entscheidung als auch die Wahl des Führers. Er schätzte Tschuprows Erfahrung und Urteil mehr als die des Kosaken.

Nachdem der Schitik in die kleine Bucht eingelaufen war, wurden die Segel eingeholt und der mit Steinen beschwerte Holzanker über die Reling geworfen. Das einladende Strandstück ließ keine Anzeichen von Besiedlung durch Eingeborene erkennen. Die Stunden des Nachmittags wurden nun nicht mit Müßiggang oder dem Beobachten des Ufers vertan. Es wurde vielmehr das Beiboot inspiziert, die Musketen gereinigt und die leeren Wasserbehälter bereitgestellt. Unterdessen schaukelte das Schiff an der Ankerkette unter dichter werdenden Wolken.

Als es tagte, regten sich auf Deck die Männer. Luka stellte sich in die Reihe derjenigen, die auf die morgendliche Wasserration warteten.

Als er an die Reihe kam, füllte er seinen Becher und führte ihn an den Mund. Nach dem ersten Schluck abgestandenen Wassers hielt er inne und warf einen zufälligen Blick zur Küste hin, wo er bald mit der von Tschuprow ausgewählten Landungsgruppe an Land gehen würde. Das Strandstück lag nun nicht mehr verlassen da, wie er bemerkte.

»Wo ist Tschuprow?« stieß er hervor, den Blick unverwandt auf das Ufer gerichtet.

»Was ist?« knurrte einer.

»Holt ihn. Wir haben Besuch bekommen.« Luka deutete auf die Gruppe von Eingeborenen am Strand. Seinen halbvollen Becher drückte er dem nächsten in die Hand und trat an die Reling. Alle anderen starrten vor Überraschung wie gelähmt zum Land hin. Jemand rief, man solle die Jäger holen, als die anderen sich um Luka an die Reling drängten.

»Wie viele sind es?« fragte jemand.

»An die hundert, wie es aussieht«, schätzte ein zweiter.

Die Eingeborenen trugen sonderbar aussehende Kleidung und unregelmäßig geformte Kopfbedeckungen. Aus der Entfernung waren sie nicht deutlich sichtbar, doch schien die Kleidung aus Federn zu bestehen und ihnen bis zu den Knöcheln zu reichen. Die Füße waren bloß. Ihre Kopfbedeckungen hatten die Form asymmetrischer Kegel, deren lange Seite vorragte, um die Augen zu beschirmen.

Beim Anblick der Männer an Deck des Schitik fingen die Eingeborenen in einer unverständlichen Sprache an zu schreien und gerieten in Bewegung, wobei sie Pfeile und Bogen über den Köpfen schwenkten. Jetzt glaubte Luka, auch dumpfen Trommelschlag zu hören – ein Geräusch, das ihm Schauer über den Rücken jagte und bewirkte, daß seine Nackenhaare sich sträubten.

»Woher sind sie nur gekommen?« wunderte sich der Mann neben ihm.

Niemand gab Antwort. Tschuprow kam an Deck, und die

Männer traten beiseite, um ihn an die Reling zu lassen. Durch ein Fernglas studierte er die stattliche Eingeborenengruppe, die am Strand tanzte und Speere in die Luft stieß.

Beljaew stand Schulter an Schulter mit Luka.

»Sieht nach einem Angriff aus. Wir sollten uns darauf einstellen.«

Tschuprow senkte das Fernglas, um die ganze Szene zu erfassen. »Musketen und Schießpulver verteilen!« befahl er, ohne sich umzudrehen.

Lächelnd löste Beljaew sich von der Reling und ging, den Befehl auszuführen. Beljaew hatte eine Vorliebe für alles, was das Blut schneller kreisen ließ – Frauen, Wodka und Kämpfe. Luka teilte diese Kampflust, seine wurzelte aber in einem tiefen, beharrlichen Haß.

Sein Platz an der Reling wurde rasch von Schekurdin eingenommen.

»Laut Newodschikows Behauptung sind diese Eingeborenen freundlich gesinnt, Michail Alexandrowitsch«, rief er dem am Heck stehenden Steuermann zu. »Sagtest du nicht, die Eingeborenen dieser Inseln leisteten euch auf der Rückfahrt Hilfe?«

Luka drehte sich halb um, um die Antwort zu verstehen, anders als Tschuprow, der kein Interesse zeigte.

»Ja«, bestätigte Newodschikow. »Unser Trinkwasser war ausgegangen. Das konnten wir ein paar Eingeborenen in einem Boot verdeutlichen, und sie brachten uns Wasser in zwei Behältern – aus Robbenblasen gefertigt.«

Den Blick wieder zum Land gerichtet, studierte Schekurdin die wilden Verrenkungen der farbenfroh gekleideten, tanzenden Eingeborenen.

»Mir scheint, sie wollen, daß wir an Land gehen. Seht, wie sie winken. Sie bedrohen uns nicht.« Er drehte den Kopf, und in seinem Blick lag die Andeutung einer Herausforderung. »Wenn ein paar Leute mit den leeren Fässern an Land gingen, dann würden sie uns vielleicht den Weg zu einer Quelle zeigen.«

»Sie sind bewaffnet und uns zahlenmäßig überlegen«, wies Luka den Vorschlag zurück.

»Kosaken waren ihren Gegnern stets zahlenmäßig unterlegen, was sie nicht abhielt, ganz Sibirien zu durchqueren und es für den Zaren zu gewinnen. Unsere Waffen sind den ihren weit überlegen. Musketen sind stets wirksamer als Speere.«

Jeder Promyschlenik an Bord hatte irgendwann im Leben gegen feindselige Eingeborene gekämpft, und nie hatten die Chancen gut für ihn gestanden. Was Luka anging, so sah er einen Unterschied darin, ob man unversehens in eine solche Situation geriet oder ob man sie suchte.

»Wir wollen warten«, erwiderte Tschuprow gleichmütig. »Wenn nötig, haben wir noch genug Zeit zum Kämpfen.«

Noch immer dröhnten die Trommeln der Eingeborenen im Rhythmus des wilden Tanzes, der keinem bestimmten Schema zu folgen schien und spontan und ansteckend wirkte. Dazu ertönte ständig Gesang, besser gesagt, ein gesangsähnliches Durcheinander von Stimmen. Die Eingeborenen schienen sich in eine Art Trance hineinzusteigern.

»Versteht jemand, was sie da schreien?« fragte Luka Tschuprow.

»Kamtschadal ist es nicht. Vielleicht Koriak?« riet er, auf einen anderen sibirischen Stamm tippend.

»Nein, Koriak verstehe ich – und auch Tschuktschi«, gab jemand aus der Gruppe zur Antwort.

»Dann handelt es sich möglicherweise um Aleuten.« Das war ein an der Küste lebender sibirischer Stamm, der sich allen Versuchen der Russen, ihn tributpflichtig zu machen, heftig widersetzte.

Der Name weckte feindseliges Grollen unter den Leuten. Begierig nahmen sie Musketen, Blei und Schießpulver in Empfang. Als Luka seine Muskete lud, drehte Tschuprow sich um und lief unter Deck. Gleich darauf kam er mit ein paar Behältern aus dem kleinen Laderaum wieder. Ihre Ladung bestand größtenteils aus billigen Glasperlen, Tuch, Zinn- und Kupfergeräten, Messern schlechter Qualität und aus Nadeln. Tschuprows kleine Kisten enthielten Messer und Nadeln.

»Was hast du damit vor?« fragte Luka.

»Das sind Geschenke, die sie vielleicht ihre feindseligen Absichten vergessen lassen.« Das Lächeln, das Tschuprows Lippen umspielte, ließ die Augen unberührt.

»Eine Kostprobe Blei wird ihre Absichten weitaus wirksamer ändern.« Beljaew hob die Muskete ein Stück und umfaßte mit dicken Fingern den Lauf.

»Nikolai Dimitrowitsch, Ihr seid blutrünstiger als diese Wilden dort drüben«, bemerkte der Kosake Schekurdin verächtlich. »Die Wilden sind vielleicht gekommen, um Handel zu treiben. Was ist, wenn sie Otterfelle mit sich führen?«

Das war ein Argument, das Beljaew ungerührt ließ. Hinter seinem Grinsen lauerte Tücke. Wurden die Eingeborenen getötet, dann fielen ihnen die Felle ohnehin zu, war seine Überlegung, und zwar umsonst – falls sie überhaupt welche hatten.

Tschuprow rief den Wilden am Strand etwas zu und schwenkte die Geschenke über seinem Kopf, um ihre Aufmerksamkeit zu wecken. Sein Verhalten schien ihre Erregung noch zu steigern. Wild umherhüpfend winkten sie ihm zu, er solle an Land gehen, während die Trommeln immer lauter ertönten. Tschuprow ließ ihre Einladung unbeachtet und schleuderte die Geschenke auf die Küste zu. Als die Wellen die kleinen Kisten auf den Sand spülten, eilten ein paar bloßfüßige Eingeborene herbei, um sie herauszuholen. Die anderen umdrängten sie, so daß man ein Nebeneinander sonderbar geformter, farbenfroh geschmückter Kopfbedekkungen sah. Der Inhalt der Pakete wanderte zur Prüfung von Hand zu Hand, wurde bestaunt und ausprobiert. Es dauerte nicht lange, und die Eingeborenen warfen als Gegenleistung frisch erlegte Vögel in die Richtung des Schitik.

»Sie wollen Handel treiben.« Schekurdin beeilte sich, seinen Landsleuten zu versichern, daß er die freundlichen Absichten der Wilden von Anfang an richtig gedeutet hatte.

Vom Ufer her wurde nun wieder gewunken, sie sollten an Land gehen. Luka, die Muskete im Arm, warf Tschuprow einen Seitenblick zu. Der Pelztierjäger sah die wilden Sprünge der Eingeborenen mit skeptischem Blick.

»Wir brauchen unbedingt Wasser«, sagte Tschuprow leise.

»Ja.«

Auf Lukas finstere Zustimmung hin drehte Tschuprow sich um.

»Laßt das Boot zu Wasser.«

Luka war unter den fünf Mann, die ausgewählt wurden, um Tschuprow an Land zu begleiten. Mit Musketen bewaffnet, stiegen sie in das Ruderboot und vergaßen nicht, ein Wasserfaß mitzunehmen. Sie warteten, bis Tschuprow zu ihnen ins Boot stieg, der weitere Tauschwaren mitnahm – Tabak und Pfeifen. Luka und ein zweiter übernahmen die Ruder mit Kurs auf die Küste.

Einige Meter vom Strand entfernt zogen sie die Ruder ein und ließen sich von einer Welle näher herantragen. Die Muskete fest in der Hand, schwang Luka sich über die Bordwand und zog, im schenkeltiefen Wasser watend, das Boot auf den Sandstrand. Ein paar Eingeborene kamen entgegengelaufen, so daß er momentan in Abwehrposition ging, doch sie wollten ihm nur mit dem Boot helfen.

Er besah ihre Waffen genau. Sie hatten primitive Speere mit Steinspitzen und dazu Bogen. Als Tschuprow ausstieg, war er rasch an dessen Seite. Einzeln war man ziemlich gefährdet, da die Eingeborenen in der Überzahl waren, als Gruppe aber stellten die Fremdlinge einen beachtlichen Gegner dar.

Die Luft war kalt. Dennoch spürte Luka, wie ihm der Schweiß ausbrach, als die Eingeborenen sie umringten und aufgeregt in ihrer fremden Sprache auf sie einredeten. Er leckte sich die trockenen Lippen und umfaßte die Muskete so, daß er einen Finger in Abzugnähe hatte. Das Blut brauste ihm in den Ohren, während er seinen Blick unausgesetzt die Runde machen ließ.

Mit fast kindischer Neugierde umringten sie Luka und seine Begleiter. Die Eingeborenen zeigten für alles Interesse – sie deuteten auf die Kleidung, die Messer, die Stiefel und ließen dazu ihr unverständliches Geplapper hören. Schulter an Schulter mit seinen Jagdgefährten glückte es Luka, die Eingeborenen im Zaum zu halten, ständig auf der Hut, ob ihre Haltung ins Feindselige umschlug.

Aus dem Augenwinkel nahm er wahr, wie Tschuprow Tabak und Pfeifen anbot. Die Eingeborenen beäugten die Dinge neugierig, offensichtlich ratlos, wozu sie dienten. Einer gab Tschuprow einen Stock, dessen Knauf ein aus

Knochen geschnitzter Seehundskopf war. Er deutete auf eine Muskete, die er dafür haben wollte.

»Nein.« Tschuprow lehnte kalt ab.

Luka sah, wie sich das Lächeln aus den Mienen der Aleuten verflüchtigte. Die ganze Stimmung schlug um. Ihre Mienen ließen Grimm erkennen, und ganz am Rand seines Gesichtsfeldes sah er, daß einige von ihnen das Boot umdrängten.

»Das Boot!« rief er den Gefährten eine Warnung zu. Sie umstellten es schützend, um nicht ihrer einzigen Rückzugsmöglichkeit beraubt zu werden. Sofort begannen die Eingeborenen mit ihren steinernen Speerspitzen auf die Bootswände einzustechen. Andere richteten die Steinspitzen gegen die Russen.

Luka wußte, daß sie auf sich allein gestellt waren, denn die Männer im Schitik konnten ihnen nicht helfen. Das Schiff war außer Musketenreichweite verankert. Jetzt war klar, daß sie sich den Weg zum Boot und zum Schiff freikämpfen mußten. Beim Geräusch der auf das Holz des Bootes eindringenden Speere fragte er sich, wie lange es dem Ansturm standhalten konnte.

»Feuer!« rief Tschuprow laut.

Sofort umspannte Lukas Finger den Abzug, und von den die Bucht umgebenden grünen Klippen widerhallte das Musketenfeuer. Aus der Hand eines Eingeborenen spritzte Blut auf den weißen Sand. Von dem Knall erschreckt, wichen die meisten Eingeborenen zurück. Während drei seiner Gefährten eilig nachluden, half Luka den anderen beiden, das Boot ins Wasser zu ziehen.

Als die Eingeborenen sahen, daß sie sich davonmachten, griffen sie die durch die Brandung zum Boot Laufenden an. Wieder ertönte ein Schuß, der diesmal jedoch die Angreifer zu einem kurzen Zögern veranlaßte. Zum Nachladen blieb keine Zeit. Die Männer kletterten im Hagel der Pfeile hastig ins Boot. Luka legte sich in die Riemen und ruderte das Boot durch die heranrollende Brandung hinaus zum wartenden Schiff. Wie durch ein Wunder erreichten sie es bis auf ein paar oberflächliche Wunden unversehrt.

Kaum waren sie wieder an Bord des Schitik, wurde Befehl

gegeben die Anker einzuholen und die Segel zu setzen. Als sie die offene See erreichten, stand Luka breitbeinig an Deck. Sein Gesicht war feucht von der Salzgischt. Er sah zu den niedrig dahinjagenden Wolken hoch, gerüstet für die zweite Begegnung mit der ersten Insel, ihrem neuen Ziel.

2. Kapitel

Am nächsten Morgen ging Tschuprow mit einer Gruppe bewaffneter Männer an Land. Sie stießen auf Fährten, die die Anwesenheit von Eingeborenen auf der Insel verrieten. Zu einer Begegnung kam es aber nicht. Da es in unmittelbarer Umgebung der Bucht kein Trinkwasser gab, segelte der Schitik wieder los, die Küste entlang, bemüht, den scharfen Riffen und den halb unter dem Wasser verborgenen Felsen auszuweichen, stets auf der Suche nach einer Stelle, wo man an Land gehen konnte.

Bei Einbruch der Nacht machte sich Unmut unter den Promyschleniki bemerkbar. Der Trinkwasservorrat war bis auf ein Faß aufgebraucht. Wie immer in solchen Situationen kam die Rede auf die vertanen Chancen, auf die Entscheidungen, die anders hätten ausfallen müssen. Wenn man gleich bei der ersten Insel an Land gegangen wäre . . . wenn man einen Eingeborenen gefangen und als Geisel genommen hätte . . . Wenn . . . Schekurdins Name fiel so häufig wie der Tschuprows.

Kurz nach Tagesanbruch wurde Luka einer Gruppe zugeteilt, die an Land gehen sollte. Sein Geschick in der Zeichensprache würde sich vielleicht als nützlich erweisen. Diesmal stand die Gruppe unter der Führung von Schekurdin.

Der in mächtigen Stößen von den zerklüfteten Bergen herwehende Wind peitschte Lukas bärtiges Gesicht und raubte ihm den Atem. Bäume gab es nicht. Der Wind ließ ihnen keine Zeit, Wurzeln zu schlagen. Da und dort sah man ein Kriechgewächs, dessen Geäst sich eng an die Felsen schmiegte, um dem fegenden Wind möglichst geringen Widerstand zu leisten.

Das Weiterkommen wurde immer mühsamer. In dem unwegsamen Gelände spürte man das vulkanische Gestein durch die Stiefelsohlen. Wenn man strauchelte und fiel, wurde die Haut aufgeschürft. Die Täler im Inselinneren waren mit hohen Gräsern, schilfartigen Halmen und Farnen dicht bewachsen. Der üppige Bewuchs verbarg den moosigen Tundraboden darunter, eine lose Mischung aus zusammengebackenem Kompost und einer dünnen Vulkanasche. Dieser Untergrund saugte die Stiefel geradezu an und ließ jeden Schritt zu einer Anstrengung werden. Die ganze Zeit über hielt sich die kleine Gruppe so nahe an der Küste, wie das Gelände es zuließ, damit sie den langsam dahintreibenden Schitik im Auge behalten konnte, um im Notfall mit einem Signal um Hilfe rufen zu können.

Nachdem sie am Spätnachmittag den Kamm eines Gebirgsausläufers erreicht hatten, hielt Luka, um Atem zu holen. Nach so vielen Tagen auf See war er außer Übung und keuchte vor Anstrengung. Auf der Leeseite des Hügelkammes fand er einen felsigen Sitzplatz. Die anderen schleppten sich matt über den Scheitel und hielten taumelnd bei Luka an, um im Schutz des Kammes Rast zu machen. Unter ihnen lag eine schaumgekrönte Bucht, die sich als Tal landeinwärts hinzog. Als Luka das Gebiet genauer überblickte, erspähte er das weiße Band eines von einer hohen begrünten Klippe herabstürzenden Wasserfalls, und mit dem nächsten Blick erfaßte er den Bach, der sich an seinem Fuße bildete und sich halb versteckt durch die hohen Gräser dahinwand, ehe er sich in die Bucht ergoß.

»Seht! Dort ist Wasser«, meldete er Schekurdin.

Die hängenden Schultern des Kosaken strafften sich.

»Los, weiter«, befahl er forsch. Daß er das Ziel seiner eigentlichen Mission gefunden hatte, verlieh ihm neue Kraft.

Luka atmete tief aus und griff zu der Muskete, die er neben sich gelegt hatte. Er zwang seine schmerzenden Beine, ihn wieder zu tragen, und rückte die einschneidenden Seile zurecht, mit denen das Holzfaß auf seinem Rücken befestigt war. Er folgte Schekurdin den steilen Abhang hinunter. Im nassen Gras drohte bei jedem Schritt ein Abrutschen. Im flachen Teil angekommen, stießen sie durch das mit hohem

Gras bestandenen Tal vor. Luka suchte das Gebiet nach Anzeichen von Leben ab, denn der Jäger in ihm lag ständig auf der Lauer nach einem Fuchs im Tal oder einem Seeotter in der Felsenbucht. Zweimal waren sie am frühen Morgen auf Fährten von Eingeborenen gestoßen.

Am Fuße des Vorgebirges, das gegen eine Seite der Bucht vorstieß, blieb sein Blick hängen. Er verlangsamte den Schritt und nahm Bewegung inmitten einiger Erdhaufen wahr. Innehaltend sah Luka angespannt zu der Stelle hin, um zu unterscheiden, ob es sich um einen Menschen oder ein Tier handelte.

»Ein Aleute.« Ohne daß Luka es bemerkt hatte, war Schekurdin stehengeblieben, als er dessen Konzentration auf ein fernes Objekt bemerkte.

»Siehst du mehrere?«

»Wir sind zu weit entfernt.« Luka schüttelte den Kopf. Das hügelige Gelände erschwerte die Sicht.

»Ich glaube nicht, daß er uns bemerkt hat.« Die vor ihnen liegende Chance ließ die Augen des Kosaken leuchten.

»Ich möchte ihn gefangennehmen und auf den Schitik bringen.«

Es gehörte zu den Gepflogenheiten der Kosaken, sich das Überleben inmitten von Eingeborenenstämmen durch Geiseln zu sichern. Am liebsten waren ihnen die Sprößlinge der Häuptlinge oder andere wichtige Stammesangehörige. Schekurdin aber war gewillt, alles zu nehmen, was sich ihm bot.

Geduckt stapften sie durch das Sumpfland auf die grasbestandenen Hügel zu, wo sie den Eingeborenen erspäht hatten, der hinter einer der niedrigen Erhebungen verschwunden war.

Als sie knapp hundert Meter von der ersten Erhebung entfernt waren, tauchte oben eine Gestalt auf. Luka erstarrte mitten in der Bewegung, um unbemerkt zu bleiben. Die hochgewachsene Gestalt war eine in ein Fellgewand gehüllte Frau. Das schwarze glänzende Haar war am Hinterkopf zu einem Knoten aufgetürmt. Einen Moment verharrte sie unbeweglich wie eine Statue, dann wurde Luka gewahr, daß sie ihn direkt ansah. Gleich darauf stieß sie einen Warnruf aus und lief den Hügel hinunter.

Schekurdin stürzte vor, mit einer Handbewegung die anderen auffordernd, es ihm gleichzutun. Luka reagierte etwas langsamer. Der nachgiebige Tundraboden ließ kein schnelles Laufen zu. Bis sie die Erhebungen erreicht hatten, sahen sie die kleine Gruppe der Eingeborenen, hauptsächlich Frauen und Kinder, eine Klippe entlanglaufen, weiter landeinwärts, zu Felsverstecken in den Bergen.

»Es ist zwecklos.« Luka blieb keuchend stehen. »Die holen wir vor Einbruch der Nacht nicht mehr ein.«

Schekurdin mußte ihm recht geben und blies die Jagd ab. »Wie viele Männer waren dabei?«

»Ich konnte nur fünf sehen«, stieß einer der Promyschleniki schwer atmend hervor.

»Das hier ist eindeutig ihr Dorf.« Der Kosake umfaßte mit einem Blick die auf dem Boden liegenden Körbe und die Ständer zum Trocknen der Fische.

»Sie leben in unterirdischen Barabaras wie die Kamtschadals.« Luka beäugte den oberen Teil des Grashügels, jene Stelle, an der er die Frau hatte auftauchen sehen.

»Vielleicht sind noch einige darin versteckt.« Mit schußbereiter Muskete erklomm er den gerundeten Erdhügel.

Als er sich der Einstiegsluke näherte, bewegte er sich mit äußerster Vorsicht. Neben dem einzigen Zugang zu der Eingeborenenbehausung niederkniend, spähte er in die Dunkelheit hinunter. Nichts rührte sich. Das einzige Geräusch war das Rascheln der windbewegten Gräser und das Rauschen der Brandung. Ein gekerbter Baumstamm diente als Leiter, über die man den Grund der Behausung erreichte. Luka stieg sie vorsichtig hinunter, halb geblendet vom Qualm einer Tranfunzel, die die unter ihm liegende Finsternis flackernd erhellte und beträchtliche Hitze ausströmte. Als er den Fuß auf den festgestampften Lehmboden setzte, raschelte das getrocknete Gras, das als Bodenbelag diente.

Er trat von der Leiter zurück, drehte sich langsam um, in sämtliche dunkle Winkel spähend. Das Barabara war groß, etwa vierzig Fuß lang und zwanzig breit. Walfischknochen dienten als Stützpfeiler für das Grasdach, vertikale, aus Treibholz gehauene Pfosten als Wandstützen, wobei die längeren als Querstreben fungierten.

Von den Balken hingen aus Gras geflochtene Matten, die die Behausung in verschiedene Bereiche abteilten. Luka schlich vorsichtig darauf zu und schob eine nach der anderen mit der Mündung seiner Waffe beiseite. Es war niemand im Bau versteckt. Ein wenig gelöster begutachtete er die zurückgelassenen Gegenstände. Ein brennender Moosdocht schwamm in einer beckenartigen Steinlampe in Tran. Die Lampe stand auf einem Ständer und sorgte für die zum Kochen benötigte Hitze und die Raumwärme. Er entdeckte eine Kinderwiege, Kochutensilien, Holzteller und Steintöpfe, zahlreiche, aus Knochen hergestellte Werkzeuge, aber keine Töpferware. Körbe gab es in den verschiedensten Größen, von winzigen – sie enthielten Nadeln aus Knochen – bis zu sehr großen. Sie waren alle aus Gräsern so dicht geflochten, daß sie aussahen, als seien sie aus gewebtem Stoff. Die meisten waren mit einem aus demselben Material geflochtenen Deckel versehen. Luka griff nach einem halbfertigen Korb, bei dem die dünnen Grassträhnen wie eine Krause hervorstanden. Aber er warf ihn beiseite, um sich ans Plündern zu machen und alle Körbe auf der Suche nach Nahrung umzudrehen.

»Luka Iwanowitsch!« rief Schekurdin durch die Lukenöffnung in der Dachwölbung zu. »Hast du etwas gefunden?«

»Nein.« Er trat an die primitive Leiter. Da erspähte er in einem finsteren Winkel einen großen Korb, den er vorhin übersehen hatte. Als er den Deckel anhob, entdeckte er, daß im Korb Robbenspeck aufbewahrt war. Mit dem Korb in den Armen kletterte er den gekerbten Baumstamm hinauf. Er tauchte aus dem Erdloch auf und schob den Korb auf das Grasdach.

»Mehr war nicht da«, sagte er zu Schekurdin.

»Wir werden hier unser Lager für die Nacht aufschlagen«, erklärte Schekurdin, ohne großes Interesse am Inhalt des Korbes zu zeigen. »Am Morgen werden wir dem Schitik signalisieren, daß man uns das Boot schicken soll.«

Das zur Neige gehende Licht des wolkenverhangenen Nachmittags nutzten sie zum Auffüllen der Wasserfässer am Bach. Sie schleppten die Fässer ins Dorf und suchten dann den Strand nach Treibholz ab. Als die Dämmerung kam, brannte ein Feuer an der Leeseite des Barabara. Alles drängte sich um die Wärmequelle und kaute an dem Robbenspeck.

Luka, der die erste Wache übernahm, saß mit der Muskete in den Armen da und studierte von seinem Aussichtspunkt auf halber Höhe des Erdhügels aus die Landschaft. Unter ihm loderte das Feuer, die ersten Schnarchlaute der Schlafenden waren zu hören. Über ihm teilten sich die Wolken und gaben den Blick auf den funkelnden Sternenhimmel frei. In aller Stille saß er da, in sein Inneres horchend und den geheimen Gedanken hingegeben, die einem Menschen in der Einsamkeit kommen. Mit seinen achtundzwanzig Jahren war er von seinen Gedanken, die eine von Visionen und Zukunftsträumen erfüllte Innenwelt geschaffen hatten, geformt worden. Er ließ seine Gedanken schweifen und dachte an verschiedene, miteinander nicht in Zusammenhang stehende Dinge – zuletzt an die voller Angst erhobene Stimme der Eingeborenenfrau. Er sah sie im Geiste vor sich, und er fragte sich, warum ihn dieses Bild verfolgte.

Er hatte schon mehrfach mit Eingeborenenfrauen geschlafen, um seinem heißen Verlangen und auch seinem Haß Erleichterung zu verschaffen. Andere Frauen kannte er nicht, von seiner Mutter abgesehen, die ihm als undeutliche Erinnerung an etwas Weiches und Warmes im Gedächtnis geblieben war. Weich. In seinem Leben gab es nichts Weiches – bis auf die Felle. Der tiefe, dunkle Glanz der Seeotterfelle ... Das war die Weichheit, die er jetzt suchte.

Am Morgen sichteten sie den Schitik, der unter halbem Segel am Eingang der Bucht auftauchte. Sie signalisierten, man solle das Boot schicken, und warteten mit den vollen Wasserfässern am Strand, während das Boot herangerudert wurde und auf dem Sand auflief. Die Fässer waren rasch verstaut, dann kletterte Schekurdin hinein. Luka schob mit zwei anderen das Boot wieder ins Wasser und watete dann an Land, um die Rückkehr des Bootes zu erwarten, das zusätzlich Leute an Land setzen sollte. Schekurdin wollte die Eingeborenen, die sie gesichtet hatten, gefangennehmen.

Noch vor Ablauf einer Stunde nahm das mit Promyschleniki vollbeladene Boot wieder Kurs auf den Küstenabschnitt. Luka überflog mit einem Blick die Insassen des Bootes und konnte Schekurdin ausmachen. Nachdem der Spähtrupp, dessen Kopfzahl sich nun verdoppelt hatte, sich am Strand zusammengefunden hatte, wurde das Boot wieder zurück zum Mutterschiff gerudert. Schekurdin führte seinen bewaffneten Trupp landeinwärts, der Richtung folgend, welche die flüchtenden Eingeborenen eingeschlagen hatten.

Kurz nach Mittag sichteten sie eine Gruppe von Eingeborenen auf einer parallel zur Küste verlaufenden Klippe. Es waren an die fünfzehn, doch konnte man nicht erkennen, ob es dieselbe Gruppe war, auf die sie tags zuvor gestoßen waren. Wieder trieb Schekurdin seine Leute an, überzeugt, die Eingeborenen auf der Klippe zu stellen und gefangennehmen zu können.

»Niemand feuert, ehe ich nicht den Befehl dazu gebe«, wies der Kosake sie an. »Wir wollen Geiseln und keine Toten.«

Der Wind übertönte die Geräusche, die sie verursachten, als sie sich näherten; zudem war die Wachsamkeit der Eingeborenen seewärts gerichtet. Sie galt offensichtlich einem bestimmten Objekt, vermutlich dem Schitik, der sich auf Erkundungsfahrt entlang der Küste befand. Der Angriff erfolgte, ehe ein Warnruf erscholl. Sofort griffen die erwachsenen Männer nach ihren Waffen und bildeten eine Nachhut, die den Rückzug der Frauen und Kinder deckte.

Luka gewahrte im Vorwärtsstürmen eine Eingeborene, die mit einem Kind in den Armen vor ihm floh. Im nächsten Augenblick sah er sich einem speerschwingenden Eingeborenen gegenüber. Den langen Musketenlauf wie einen Kampfstab umfassend, stieß Luka den heransirrenden Speer beiseite und rammte sodann dem Gegner den gerundeten Kolbenteil in den Leib. Als der Eingeborene vornübersank, schlug er ihm mit dem Lauf seitlich gegen den Kopf und schickte ihn zu Boden. Instinktiv rollte der Mann weg und kam unsicher wieder auf die Beine. Wie ein Betrunkener schwankend, blickte er sich suchend nach seiner Waffe um.

Luka tat einen Schritt auf ihn zu, entschlossen, den Gegner zu vernichten und die verhaßten Züge zu zerschmettern. Im allerletzten Moment sah er den Speer auf sich zuschnellen und wich der Spitze aus, um sich sofort umzudrehen und auf den Angreifer zu stürzen. Kampflust durchströmte seine Adern, ein gutes, heißes Gefühl, das alle seine Sinne zum Leben erweckte. Der Mann verfügte über Bärenkräfte. Luka wich zurück, ließ sich fallen und riß den Gegner unter Ausnutzung der Hebelwirkung kopfüber zu Boden. Als er sich aufrichtete, sah er, daß der andere schon auf den Beinen war und den Frauen und Kindern nachlief. Luka wollte die Verfolgung aufnehmen.

»Laß ihn laufen!« vernahm er Schekurdins gebrüllten Befehl. »Wir haben unsere Geisel!«

Nach Atem ringend, drehte Luka sich um und sah einen jungen Mann, einen Jüngling von etwa fünfzehn Jahren, der sich den Griffen zweier Promyschleniki heftig zur Wehr setzte. Nach beendetem Gefecht umdrängten die Promyschleniki die Geisel. Luka ging einen Schritt auf die Gruppe zu, als dem Jungen der Arm auf den Rücken gedreht wurde und er vor Schmerz stumm das Gesicht verzerrte. Ein jäher Schrei ließ Luka zusammenfahren. Er drehte sich blitzartig um, den Lauf seiner Muskete hebend.

Neben einigen aufgetürmten Felsblöcken, hinter denen sie sich während des Angriffs versteckt haben mußte, stand eine alte Frau. Sie hielt sich die Schulter, als wäre sie verletzt. Die Jahre hatten ihre einstmals hochgewachsene Gestalt gebeugt und ihre Haare grau wie die Wolken werden lassen, doch ihr gebräuntes Gesicht war relativ glatt, wenn man von dem Fältchenfächer in den Augenwinkeln absah. Lukas Blick wurde von der quer über die Wange tätowierten Pünktchenreihe und den zwei parallel übers Kinn verlaufenden Linien angezogen. Zwei Beinstücke von Knopfgröße ragten aus der Haut unterhalb ihrer Mundwinkel. Zuletzt fiel sein Blick auf den langen, aus Seeotterfellen gefertigten Mantel.

»Woher kommt die Alte?« Schekurdins Frage rief die allgemeine Wachsamkeit wieder auf den Plan, denn das plötzliche Auftauchen der Frau ließ vermuten, daß sich noch andere Eingeborene in der Nähe versteckt hielten und nur darauf lauerten, über sie herzufallen und zu vernichten.

»Ich drehte mich um, und da stand sie«, sagte Luka. »Sie muß sich hinter den Felsblöcken versteckt haben.«

Schekurdin befahl zwei Jägern, das Gelände abzusuchen und festzustellen, ob sich noch andere Eingeborene hier verbargen. Unterdessen war die Kette der Wachen um die Geisel dichter geworden, doch die Alte lief auf sie zu, anstatt davonzulaufen. Luka beobachtete ihr Verhalten finsteren Blicks. Der gefangene Jüngling rief ihr in warnendem Ton etwas zu. Der ihm am nächsten stehende Promyschlenik brachte ihn mit einem Hieb der Muskete gegen den Kopf zum Schweigen. Benommen von dem Schlag sank der Junge zu Boden. Wieder stieß die Alte einen Schrei aus und drückte eine Hand gegen ihren Kopf, so als hätte sie den Hieb erhalten. Sie wollte sich auf den Jungen stürzen, doch Schekurdin hielt sie auf und stieß sie zurück.

»Geh!« Er winkte und bedeutete ihr, den Flüchtenden zu folgen. Sie starrte ihn nur an und ließ die Gelegenheit zur Flucht ungenutzt.

»Geh! Verschwinde mit den anderen!« Ungeduld färbte seinen Ton und ließ ihn mit dem Arm heftig ausholen. Die Alte sah an ihm vorbei zu dem Jungen hin und sprach zu Schekurdin in ihrer sonderbaren fremdartigen Sprache, ständig auf den Gefangenen deutend.

»Stellt ihn auf und zeigt ihr, daß er unversehrt ist«, befahl er den Männern, die den Jungen bewachten. Sie zerrten ihn daraufhin hoch.

»Du siehst, daß er unverletzt ist«, sagte Schekurdin zur Alten. Seine Worte waren von den entsprechenden Handbewegungen begleitet, die ihr alles verdeutlichen sollten.

»Geh und sag das deinen Leuten.«

Stumm stand sie da, ohne ein Wort zu verstehen. Da packte Schekurdin sie an den Schultern, drehte sie um und versetzte ihr einen Stoß in Richtung, in der die Eingeborenen verschwunden waren. Die Stoßkraft trieb sie ein paar Schritte weit, dann hielt sie an und drehte sich wieder um. Von ihrer Verständnislosigkeit erbittert, ließ der Kosake sie mit einer wegwerfenden Handbewegung stehen.

»Alles vorwärts!« befahl er.

Ehe er sich mit den anderen in Bewegung setzte, warf Luka der Alten einen letzten wachsamen Blick zu. Er neigte eher zu der Ansicht, daß sie nicht so sehr dumm als vielleicht eigensinnig war, obwohl er seine Vermutung nicht erklären hätte können. So war er auch nicht weiter verwundert, als sie ihnen folgte.

»Vielleicht ist sie seine Mutter«, meinte einer aus der Gruppe.

»Dazu ist sie zu alt«, meinte ein anderer.

Noch einige Male versuchten sie, sie zu verscheuchen, und jedesmal wich sie ein paar Schritte zurück, hielt an und folgte ihnen von neuem, sobald sie weitermarschierten. Schließlich ließen sie sie unbeachtet, alle bis auf Luka. Es war ein unbehagliches Gefühl, hinter sich eine Eingeborene zu wissen – auch wenn es nur ein altes Weib war. Sie folgte ihnen auch noch, als sie einen Küstenabschnitt erreichten, auf dem ein Boot gut landen konnte. Während sie auf das Eintreffen des Schitik warteten, hielt sich die Alte etwas abseits, ohne den Jüngling aus den Augen zu lassen. Vermutlich wollte sie in Erfahrung bringen, wohin er geschafft wurde.

Als der Schitik auftauchte, signalisierte Schekurdin, das Boot solle ihnen geschickt werden. Luka war nicht unter der ersten Gruppe, die mit der Geisel zum Schiff zurückkehrte. Er stand da und sah zu, wie der junge Mann gezwungen wurde, ins Boot zu steigen. Als die Alte es sah, kam sie gelaufen.

»Verschwinde, du alte Törin!« Schekurdin stieß sie unsanft zurück, so daß sie in den Sand fiel. Mit einem finsteren Blick zu ihr hin nahm der Kosake seinen Platz am Bug ein und bedeutete seinen an Land bleibenden Leuten, das Boot ins Wasser zu schieben.

Die Frau raffte sich auf, doch Luka packte sie, ehe sie ins Wasser und dem Boot nachlaufen konnte. Aufgeregt ein paar unverständliche Worte hervorstoßend, deutete sie auf den vor der Küste mit eingeholten Segeln ankernden Schitik. Er schüttelte den Kopf und bedeutete ihr mit erhobener Hand, sich nicht von der Stelle zu rühren.

Um ihren Mund legte sich ein entschlossener Zug, jedoch unternahm sie keine weiteren Versuche, dem Boot nachzulaufen. Einige Sekunden lang behielt er sie noch im Auge. Als er befriedigt feststellte, daß es sich um keine List handelte, ließ er sie stehen und gesellte sich zu den sechs anderen Promyschleniki, die auf die Rückkehr des Bootes warteten. Während sie die hervorragenden Jagdmöglichkeiten der Insel diskutierten, behielt er die Alte ständig im Auge.

Als das Boot sich wieder näherte, ging Luka ans Wasser, um es zu empfangen. Kaum hatte der Bug seichtes Wasser erreicht, als die Alte an ihm vorüberlief und hineinkletterte, ehe jemand sie daran hindern konnte. Sie ließ sich auf einem Sitz nieder, die Hände verschränkt, ganz so, als hätte sie nicht die Absicht zu weichen.

Luka sah es voller Ingrimm.

»Wenn du unbedingt an Bord des Schitik kommen willst, Alte, dann nehmen wir dich mit«, grollte er.

Er bedeutete den anderen, sie in Ruhe zu lassen.

Mit Hilfe eines anderen schob Luka das Boot ins Wasser und kletterte dann hinein. Neben der Alten war noch Platz, deshalb ließ er sich neben ihr nieder. Er warf ihr einen Seitenblick zu, verwundert, daß sie keine Angst zeigte. Sie blickte geradeaus, weder links noch rechts.

Kaum hatte das Boot am Schitik festgemacht, als Luka an Bord kletterte und an der Reling wartete, um der Alten zu helfen. Als Schekurdin sie sah, explodierte er.

»Was hat sie hier zu suchen? Warum hast du sie nicht auf der Insel gelassen?«

»Sie wollte unbedingt mit«, gab Luka zurück. »Und ich dachte . . .« Luka ging weiter und stieß die Alte nach vorne, so daß die anderen sie sehen konnten, »die Männer würden vielleicht ihr Seeotterfellgewand sehen wollen.«

Beljaew war er erste, der näher hinzutrat und die Qualität der Felle studierte. Dann faßte er der Alten unters Kinn, so daß er ihr Gesicht sehen konnte.

»Häßliches altes Weib!« Er grinste. »Ob die noch ein paar Zähne hat?« Mit Daumen und Zeigefinger stemmte er ihr den Mund auf, und sie biß zu – sehr fest, nach der Art zu schließen, wie Beljaew aufschrie und den verletzten Finger wegzog.

»Du alte Hexe . . .« Er hob den Arm, um sie mit dem Handrücken zu schlagen, Tschuprow aber hielt ihn mit stählernem Griff fest.

»Die Geiseln dürfen nicht mißhandelt werden.« Dieser Befehl war an alle gerichtet. »Wir werden nichts ausrichten, wenn die Eingeborenen erfahren, daß wir die Geiseln schlecht behandelt haben.«

Mit Mühe zügelte Beljaew seine Wut und ließ den Arm sinken. Naserümpfend wandte er sich ab. Seine Verachtung ging in ein spöttisches Lächeln über, als er Luka anredete:

»Wenn du wieder kratzbürstige weibliche Geiseln heranschleppst, Luka Iwanowitsch, dann sorge dafür, daß es wenigstens junge sind. Eine alte Hexe wie diese bereitet mir kein Vergnügen.«

»Frau ist Frau. Und die Nächte sind dunkel. Da kann man ihr Gesicht ohnehin nicht sehen.« Luka lächelte. »Oder hast du etwa Angst, sie könnte dir sonst was abbeißen?«

Beljaew lief hochrot an, als die Bemerkung mit grölendem Gelächter quittiert wurde. Nach einem finsteren Blick zu Luka hin drehte er sich mit einem unverständlichen, verächtlichen Ausruf um. Die Alte nutzte diese Augenblicke allgemeiner Ablenkung und lief rasch übers Deck zu dem Jungen.

3. Kapitel

Die Korbflechterin, wie sie von ihren Leuten genannt wurde, untersuchte Kleinen Speer nach Verletzungen. An der Schläfe hatte er eine Beule von der Größe eines Möweneis, seine Augen waren aber klar. Sie las in ihnen einen Anflug von Freude, weil sie bei ihm war und sein Los teilte.

Aber genauso sollte es sein. Sie waren *anaaqisagh* füreinander, was soviel heißt wie voneinander abhängig. Bei ihrem Volk war es Sitte, bei der Geburt eines Kindes einen Älteren als *anaaqisagh* für das Kind zu bestimmen. Seit seiner frühen Kindheit hatte die Korbflechterin dafür gesorgt, daß Kleiner Speer Nahrung, Kleidung und Unterricht hatte. Sie teilten alles miteinander. Nie wurde er getadelt, ohne daß auch sie der Tadel traf; litt er Schmerzen, dann weinte sie um ihn.

Die Korbflechterin hatte sechzig Sommer erlebt, Kleiner

Speer erst sechzehn, doch das Band fesselte sie untrennbar aneinander. Langsam ließ das Alter ihre Knochen steif werden, und ihre knotigen Finger schmerzten, aber noch immer zwang sie sich, die Gräser zu schönen Körben zu flechten, die von ihrem großen Geschick kündeten. Sehr bald, in wenigen Sommern, würde Kleiner Speer ihr aus dieser Welt helfen, wie sie ihm in die Welt geholfen hatte. Er würde sich um sie sorgen, wie sie sich um ihn gesorgt hatte.

So wollte es die Sitte. Das war der Grund dafür, daß sie auf diesem fremdartigen, aus Holz gebauten Schiff unter dieser merkwürdig aussehenden Menschenrasse saß. Alles, was Kleinem Speer zustieß, mußte auch ihr zustoßen. Wäre sie ihm nicht gefolgt, sie hätte ihre Verpflichtung ihm gegenüber nicht erfüllt.

Ihre Beine waren so müde, daß sie sich auf den rauhen Planken niederließ. Kleiner Speer setzte sich zu ihr. Beobachtung hatte beide gelehrt, wann es Zeit war, mit einem Menschen zu reden, und wann, ihm aus dem Weg zu gehen. Bei dieser Gruppe hier deutete alles auf letzteres hin, das zeigten die Anzeichen, die für jeden Kundigen klar ersichtlich waren – ihre Mienen, die pochenden Venen an den Schläfen, die verkniffenen Lippen. Deswegen saßen sie da und schwiegen.

Verstohlen beobachteten sie die Männer, die sich auf dem Deck drängten. Am Himmel standen die Zeichen auf Sturm. Die Korbflechterin fragte sich, wieso diese Männer es nicht sahen. Voller Abneigung blieb ihr Blick an dem Großen mit dem schwarzen Schnurrbart hängen. Er war es gewesen, der ihr die Finger in den Mund gesteckt hatte. Er hatte den kalten, grausamen Blick des Weißkopfadlers, einen Blick, dessen dunkle Mitte von Bösem kündete. Sie mißtraute ihm. Derjenige, der ihn gehindert hatte, sie zu schlagen, mußte der Anführer sein, folgerte die Korbflechterin. Aus ihm war sie noch nicht klug geworden. Ihn hatte der Mann ihrer Tochter beschrieben, nachdem er am Tag zuvor von der Insel Agattu herübergepaddelt war, um sie vor den fremden Angreifern mit den Donnerstöcken zu warnen. Sein Dorf hatte zur Begrüßung getanzt, doch als dieser Mann seine Krieger an Land gebracht und einen sehr kostbaren, kunstvoll geschnitzten Stock aus Walfischbein als Geschenk angenommen hatte, war er nicht gewillt gewesen, seinen eisernen Stock als Gegengabe zu geben. Kein gutes Zeichen. Der Mann ihrer Tochter hatte berichtet, daß der Fremde den Stöcken etwas zugerufen hätte, worauf diese ein lautes Krachen von sich gaben – lauter als Donner. Und ein Vetter, der zu nahe gewesen war, hatte ein Loch in die Hand bekommen. Nach Meinung der Korbflechterin achtete der hellhaarige Mann die Sitten und Gebräuche nicht.

Ängstlich fragte sie sich, was aus ihnen werden sollte. Vermutlich würde man sie mit dem Schiff zu dem Dorf dieser Männer bringen und zu Sklaven machen. Kleiner Speer war jung und stark, sie aber war alt und schon nutzlos. Man würde sie wahrscheinlich gar nicht behalten. Als ihr dieser Gedanke kam, blickte sie zu dem Mann mit der Narbe hin. Das gezackte Zeichen verlieh seinem Gesicht einen gemeinen Ausdruck. Sie hatte in seinem Blick Mordlust gelesen, und doch hatte er sie nicht aus dem Boot geworfen, sondern erreicht, daß die anderen sie mitfahren ließen.

Der Wind frischte auf. Die Korbflechterin zog die Schultern hoch und drückte das Kinn tiefer, so daß der Stehkragen ihres Parkas ihr einigermaßen Schutz vor den Windstößen gewährte. Das Unwetter hielt auf das Schiff zu wie eine festgefügte, schwarze Wand. Jetzt erst nahmen es diese sonderbar gekleideten Menschen wahr.

Sie hörte ihre Ausrufe, registrierte die Verzweiflung, die aus ihrem Ton sprach, ohne daß sie die Worte verstanden hätte, und beobachtete, wie sie durcheinanderliefen. Sie fragte sich, ob sie von *alyeska* stammten, vom Festland. Von den Inseln konnten sie nicht sein, sonst hätten sie gewußt, wie rasch die Unwetter kommen, und sie hätten die Zeichen richtig gedeutet, ehe der Wind die See wild aufpeitschte.

Die Wogen warfen das Schiff hin und her, so daß das Holz ächzte wie in Todespein. Jemand schrie auf, und sie sah, wie das kleine Boot davontrieb, das Seil hinter sich herziehend. Nun regnete es in Strömen, und alles und alle wurden naß. Ein paar Männer packten sie und Kleinen Speer und zwangen sie hinunter in das Innere des Schiffes.

Das Wüten des Unwetters ließ den Schitik hilflos in der schweren See tanzen. Der Wind, der Sturmstärke erreicht hatte, trieb das Schiff von der Inselkette fort. Nur der Steuermann, sein Maat und ab und zu Tschuprow blieben an Deck und versuchten, das Schiff einigermaßen zu manövrieren. Alle anderen suchten unter Deck Zuflucht.

Mit dem Fortschreiten des Tages sank die Nervenkraft und Stimmung der Leute stetig, da das Unwetter nicht nachlassen wollte. Das Gefühl völliger Hilflosigkeit machte auch Luka schwer zu schaffen. Diese Hölle, die kein Ende nehmen wollte, ließ ihn mit Zorn reagieren. Er fand es empörend, daß er so weit gekommen war und jetzt durch das Unwetter um die ersehnten Reichtümer gebracht werden sollte. Die erzwungene Untätigkeit machte ihn fast wahnsinnig. Sich aufraffend, suchte er Halt an einem Balken, um sich gegen das heftige Schlingern des Schiffes abzustützen. Er tastete sich zu dem Faß mit getrocknetem Lachs durch.

»Will jemand einen Happen?« Er hob den Deckel und holte eine Handvoll getrockneter Stücke heraus. Aus einem nahen Winkel kam eine zustimmende Antwort, und Luka warf ein Stück in diese Richtung, ehe er weiterging. Vor Schekurdin, der es schaffte, etwas mehr Haltung zu bewahren als die anderen, hielt er inne und begegnete dem leeren, hohläugigen Starren des Kosaken.

»Iß lieber etwas, wenn der Magen es verträgt«, riet Luka ihm.

Schekurdin streckte die Hand nach einem Stück Lachs aus, um es zum Mund zu führen, und riß mit den Zähnen ein trockenes faseriges Stück ab.

»Gib den Geiseln auch etwas«, sagte er.

Lukas Instinkte rebellierten gegen die Vorstellung, die kargen Vorräte mit Wilden teilen zu müssen, doch er unterdrückte sie, da er den praktischen Wert einsah, Geiseln gut zu behandeln. Er nahm Schekurdins Anordnung mit einem ärgerlichen Nicken zur Kenntnis.

Er erspähte die beiden Geiseln zusammengekauert in einem Winkel und kämpfte sich zwischen zusammengesunkenen Leibern – von denen einige krank waren, andere aber nur mutlos – bis zu den Geiseln durch. Sich mit einer Hand an dem Schott abstützend, bot er ihnen getrocknete Fischstücke an. Der Junge wandte sein bleiches Gesicht ab, offensichtlich gegen Übelkeit ankämpfend. Luka warf ihm ein Stück in den Schoß. Als er der Alten ein Stück geben wollte, erhielt er einen seitlichen Stoß. Dieser und das Schwanken des Schiffes bewirkten, daß er hinfiel und sich den Kopf anstieß. Er rollte sich seitlich weg und versuchte, seiner Benommenheit Herr zu werden.

»Dieses alte Weib . . .«, kam es drohend von Beljaew über ihm. »Sie wird ohnehin sterben, warum soll man sie füttern?«

»Du bist ein Narr, Beljaew«, gab Luka verächtlich von sich, als der Schitik von einer Woge überspült wurde und ein Wasserschwall durch die Luke herunterschoß.

»Vermutlich werden wir alle draufgehen.«

Metall blitzte auf, als Beljaew sein Messer aus dem Gürtel zog.

»Dann wollen wir sie auf der Stelle töten. Wenn wir schon sterben müssen, wollen wir dafür sorgen, daß sie als erste dran glauben.«

Luka las den Wahnsinn eines gefangenen Tieres in Beljaews Miene, die Grausamkeit, die mit Todesangst einhergeht. Obschon es seiner Meinung nicht der richtige Augenblick war, die Geiseln zu töten, hatte er nicht die Absicht, sein Leben ihretwegen aufs Spiel zu setzen. Die Eingeborenen waren nicht unersetzlich, man konnte sich andere Geiseln verschaffen. Reglos lag er da, als Beljaew sich drohend den zwei Eingeborenen zuwandte.

Da trat Schekurdin aus dem Dunkel und stellte sich zwischen Beljaew und die Geiseln.

»Ich nahm sie gefangen, und ich bestimme, wann sie getötet werden, und nicht du, Beljaew.«

»Aus dem Weg, Kosake!« Beljaew wollte ihn beiseite schieben.

Mit überraschender Behendigkeit warf sich Schekurdin auf Beljaew und packte seinen Arm. Beide gingen polternd zu Boden. Luka hörte, wie das Messer klirrend über die Planken glitt. Beljaew war jetzt unbewaffnet.

Im engen Raum des Schiffsinneren war der schwerere und

muskulösere Beljaew im Vorteil, und Schekurdin konnte seine überlegene Behendigkeit nicht nützen. Nach wenigen Minuten hatte Beljaew ihn überwältigt und saß rittlings auf dem Kosaken, dessen Kehle er mit seinen derben Händen zudrückte. Luka sah die Mordlust in Beljaews verzerrtem Gesicht, als dieser dem Gegner die Luft abdrückte und gleichzeitig außer Reichweite der Finger blieb, die trachteten, ihm die Augen auszukratzen.

Schekurdins Kräfte ließen sichtlich nach. Luka raffte sich auf. Die Tötung eines Jagdgefährten war Mord. Da konnte er nicht untätig bleiben und zusehen. Er legte von hinten den Arm um Beljaews Hals und zwang ihn nach rückwärts, damit er seinen Würgegriff lockerte. Schließlich ließ Beljaew die Kehle des Kosaken los. Mit einem Schritt zur Seite nutzte Luka die Hebelwirkung, um Beljaew rücklings zu Boden zu werfen. Als er wieder aufstehen wollte, schickte Luka ihn mit einem Tritt wieder zu Boden.

»Der Kosake besitzt Freunde, die dich gern tot sehen würden«, warnte er ihn, um sich sogleich um das Opfer zu kümmern. Er fühlte Schekurdins schwachen Puls unter dem braunen Bart.

»Beljaew, du hast Glück gehabt. Er lebt noch.«

Luka richtete sich auf, als Schekurdin sich regte und an seine Kehle faßte. Als er sich entfernte, um das Messer zu suchen, hörte er, wie Schekurdin nach Atem rang und sich gekrümmt aufsetzte.

Luka ging an ihm vorbei zu Beljaew, dem er das Messer, mit dem Griff voran, zurückgab.

»Steck es ein.«

Rachegelüste ließen Beljaews Augen aufblitzen, doch er steckte das Messer in die Lederscheide.

»Beljaew, dafür wirst du büßen!« stieß Schekurdin heiser hervor.

»Ich fange jetzt schon zu zittern an«, spottete Beljaew. Mit einem wilden Blick zu Luka hin, murmelte er wütend: »Du hättest mich nicht hindern sollen, ihn zu töten.«

Luka, der sich umdrehte, las in Schekurdins Augen Verbitterung und Haß. Er sah ihm nach, wie er wieder an seinen Platz kroch, ein Verlierer, und er ahnte, daß der Kosake den

Tod der Schmach der Niederlage vorgezogen hätte. Jetzt würden die Promyschleniki ihn nie zu ihrem Anführer wählen. Die Gelegenheit, sich den in Sibirien Einflußreichen als Anführer der Pelztierjäger zu präsentieren, war vertan. Wenn der Sturm nicht bald zu Ende ging, würden sie alle noch den Verstand verlieren und einander umbringen. Sogar Luka zweifelte, ob er noch einen Tag wie diesen überstehen würde.

In der Nacht aber hatte sich das Unwetter ausgetobt, und als Luka erwachte, regnete es. Er ging an Deck und ließ sich vom Regen den Gestank des Schiffsinneren abwaschen – einen Gestank, der den Geruch des Wahnsinns an sich hatte.

Die Segel wurden gesetzt, und der Steuermann ging auf einen Kurs, der sie, wie er hoffte, zu den Inseln bringen würde. Tschuprow blieb bei ihm stehen.

»Jetzt haben wir keine andere Wahl mehr. Wenn wir die Insel finden, müssen wir uns ein Winterquartier suchen, wo wir den Schitik an Land ziehen können. Anker und Beiboot haben wir verloren.«

Luka sah zu den zwei Aleuten hinüber, die ebenfalls auf Deck waren. In diesem Moment drehte die Alte sich um. Ein Lächeln erhellte ihre Züge, und sie deutete nach backbord.

»Attu!« rief sie aus. Ganz in der Ferne am Horizont konnte Luka das Vorgebirge der Insel ausmachen.

Sie brauchten einen halben Tag, um dorthin zu gelangen. Bei ihrer ersten Erkundung der Insel, die die Eingeborene Attu nannte, hatten sie eine fürs Überwintern geeignete Bucht gesichtet. Sie suchten nun diese Bucht und warteten auf die Flut, damit sie möglichst nahe an die Küste heransegeln konnten. Dann wurde das flache Schiff an Land gezogen.

Auf See war Newodschikow, der Steuermann, die oberste Autorität. An Land wählten die Promyschleniki ihren eigenen Anführer. Die Wahl fiel auf Jakow Petrowitsch Tschuprow.

An jenem Abend betete Tschuprow zum Schutzpatron der Expedition, dann befahl er, daß aus den rationierten Beständen an Mehl und Sauerteig Brot gebacken würde. Weiter ließ er klugerweise die Kwaskrüge kreisen, die ein aus vergorenem Getreide gebrautes Getränk enthielten. Mit vollen Bäuchen und mit Blicken, die der Alkohol rosa gefärbt hatte, sah das Leben schon viel besser aus, und sie waren imstande, auf das Meer zu trinken, das sie bis zum nächsten Jahr nicht mehr befahren mußten. Und dann würden ihre Laderäume vor Seeotterfellen überquellen.

Am nächsten Morgen ließ Tschuprow sich von Luka begleiten, als er die alte Frau ein Stück von dem an Strand gezogenen Schiff wegführte. Durch Luka ließ er ihr Geschenke überreichen – ein Tuch, Metallnadeln und einen Fingerhut, dessen Gebrauch Luka ihr demonstrieren mußte. Auf Tschuprows Aufforderung hin gab Luka ihr zu verstehen:

»Du sollst zurück in dein Dorf.« Er berührte ihre Schulter und ließ dann seinen Finger schrittweise auf die Berge zuwandern.

»Sag deinem Volk«, er deutete auf seinen Mund, »daß unser Anführer eure Leute zu sehen wünscht. Er möchte mit ihnen Handel treiben.«

Luka hegte Zweifel, ob die Alte ihn trotz ihres bestätigenden Nickens verstanden hatte. Er machte ihr nach besten Kräften deutlich, daß der Junge eine Zeitlang bei ihm bleiben würde und ließ sie in dem Glauben, man würde ihn freilassen, sobald sie mit ihren Leuten zurückkäme. Da er nicht wußte, wie weit sie es bis zu ihrem Dorf hatte, gab er ihr etwas von dem aus der Hütte mitgenommenen Robbenspeck und einen Wasserbehälter mit. Als sie sich schnellen Schrittes auf die schroffen Klippen zu entfernte, blickte er ihr nach.

»Glaubst du, sie kommt wieder?« fragte Tschuprow.

»Wir haben den Jungen. Jemand wird ihn holen kommen«, meinte Luka darauf. »Fragt sich nur, ob sie mit Speeren kommen oder nicht.«

Von seinem Beobachtungsposten auf dem Abhang der Erhebung aus ließ Dichter Bart seinen Blick über das Gelände um das Dorf herum schweifen, über den Himmel, das Meer und das Land. Er hielt nach mancherlei Ausschau – nach den Booten der Eindringlinge, nach Treibholz, nach Walen oder Seelöwen, die nahe an die Insel heranschwammen, nach Entenschwärmen und nach dem Kommen und Gehen aus dem Dorf.

Während seine Augen ständig zu tun hatten, ließ er die Gedanken wandern. Es gab so vieles zu überlegen. Das Dorf machte schlechte Zeiten durch. Er brauchte nur den Frauen zuzusehen, die Totenmatten für die Leichname seines Sohnes Kleine Hand und seines Vetters Mondgesicht flochten. Beide waren den Wunden erlegen, die sie bei dem Kampf mit den Eindringlingen davongetragen hatten, als Kleiner Speer und die Korbflechterin gefangengenommen wurden. Er war den Fremdlingen gefolgt und hatte gesehen, wie sie seine Mutter und seinen Vetter in ihr großes hölzernes Boot schafften. Es war ein großer Verlust, den er tragen mußte, Mutter und Sohn waren ihm genommen worden – die Vergangenheit und die Zukunft.

Unter seinen Stammesangehörigen gingen viele Geschichten um von fremden Booten, die an ihren Küsten Schiffbruch erlitten mit Männern einer fremden Rasse an Bord. Ihre Boote waren aus Holz, das von einer harten Masse zusammengehalten wurde – härter als Felsgestein. Dichter Bart wußte, daß diese Geschichten stimmten. Sein Bruder Starker Mann hatte viele Felle für ein handtellergroßes Stück dieser steinharten Masse eingetauscht. Mit viel Kraftaufwand und Gehämmer hatte Starker Mann das Ding zu einer Harpunenspitze geformt. Dichter Bart hatte es gesehen und angefaßt. Und die Angreifer, die seinen Sohn getötet und seine Mutter mitgenommen hatten, waren mit langen ausgehöhlten Stökken aus diesem Material ausgerüstet. Er hatte sie im Kampf gesehen, wenngleich er ihren Donner nicht kannte, von dem der Mann seiner Schwester berichtet hatte. Er erspähte ein Objekt, das in die Bucht einfuhr. Dichter Bart erkannte es sofort als Kajak, der von einem Mann gepaddelt wurde. Starker Mann hatte das Dorf verlassen und war zum Fischen gefahren. Er wartete, bis er sehen konnte, ob es Starker Mann war, der zurückkam, oder Besuch aus einem anderen Dorf. Als der Kajak sich dem Strandstück vor dem Dorf näherte und sich von einer Woge an Land tragen ließ, erkannte er seinen Bruder Starker Mann und sah den Heilbuttfang, der auf der Abdeckung des Kajaks festgezurrt war.

Als Dichter Bart wieder zum Dorf hinsah, bemerkte er eine alte Frau mühsam den Pfad herunterkommen, der von den grünen Klippen hinter dem Dorf herabführte. Sie sah aus wie die Korbflechterin. Er rieb sich die Augen. Ja, sie war es. Laut rufend lief er ins Dorf hinunter, um den anderen die Kunde zu bringen.

Kaum vernahm Winterschwan seine Rufe, als Angst sie erfaßte, da sie glaubte, die Eindringlinge wären wieder gekommen. Sie sprang auf, lief zu ihrem Söhnchen Aufrechter Gang und nahm es in die Arme, während ihr Herz zu zerspringen drohte. Als sie sich umblickte, sah sie Dichten Bart, den Bruder ihres Mannes, der furchtlos schien und aus dessen Blick Verwunderung sprach.

»Die Korbflechterin kommt wieder! Sie kommt wieder!« berichtete er und deutete zu den Klippen hin.

Ja, die Gestalt, die auf das Dorf zuhielt, war die Korbflechterin. Ohne den Blick von ihr zu wenden, stellte Winterschwan ihren Sohn wieder auf die Erde und ging dann erstaunt mit den anderen der Alten entgegen, um sie im Dorf willkommen zu heißen. Die gewohnte Stille, das Vermeiden unnützer Redereien, das so weit ging, daß manchmal ein ganzer Tag verging, ohne daß Worte gewechselt wurden, wurde von einem Durcheinander von Fragen abgelöst.

»Wie konntest du den Angreifern entkommen?«

»Was macht Kleiner Speer?«

»Er ist bei ihnen.« Die grauhaarige Alte war wieder zu Atem gekommen, und alles schwieg, als sie zu berichten anfing.

». . . nach dem Unwetter ließ man mich gehen. Die See war zornig und schüttelte ihr Boot tüchtig durch, so daß es vor Schmerz ächzte und stöhnte. Einige Male dachte ich schon, das Wasser würde das Boot verschlingen.«

Einige Männer nickten verstehend. Sie hatten in ihren Kajaks schon ähnliches erlebt.

»Wo ist das Boot jetzt?« fragte einer.

»Sie haben es aus dem Wasser gezogen und an Land geschleppt.« Die Korbflechterin nannte ihnen die Bucht, in der die Fremden an Land gegangen waren.

»Ich glaube, sie wollen auf der Insel bleiben und auf die

Jagd gehen. Ihr Anführer gab mir diese Dinge mit, ehe er mich gehen ließ.« Sie zeigte ihnen das wundervolle Material, dessen Nähte so fein und dicht waren, daß sie sich mit all ihrer Kunst nicht damit messen konnte.

»Und seht diese Nadeln aus kleinen Stücken des Härter-als-Stein-Materials. Und das da.« Sie hob den Fingerhut hoch und erklärte ihnen dessen Gebrauch.

»Und Kleiner Speer?«

»Er ist am Leben«, beruhigte sie die Mutter des Jungen. »Der Anführer hat ihn behalten. Warum, weiß ich nicht. Ich glaube, er möchte, daß ihr ihn holt.« Ihr Blick umfaßte alle, die sich um sie geschart hatten.

»Er möchte, daß ihr alle kommt.«

Diese Aufforderung erregte Unbehagen. Dichter Bart erklärte seiner Mutter, daß Mondgesicht und Kleine Hand bei dem Kampf mit den Eindringlingen schwere Verwundungen davongetragen hatten und ihren Verletzungen erlegen waren.

»Was wollen sie von uns?« Steinleuchte, der Dorfhäuptling und Vater von Kleinem Speer, war voller Argwohn.

»Vielleicht ist es eine List, mit der sie uns alle gefangennehmen wollen, um uns zu Sklaven zu machen«, mutmaßte Flinkes Auge und sah zur Küste hin.

»Wir wollen Starken Mann fragen, was er davon hält.« Erleichtert sah Winterschwan ihren Mann auf das Dorf zukommen. Die drei großen Heilbutte, die er gefangen hatte, trug er so mühelos, als würden sie nicht mehr als ein Korb Entenfedern wiegen. Ein hölzerner Sichtschutz umgab seinen Kopf und beschattete die schmalen Augen. Sein Haar war glatt und schwarz, ein dünner, stacheliger Schnurrbart bedeckte die Oberlippe. Sofort fühlte sie sich allein durch seine Gegenwart beruhigt. Dazu verspürte sie Stolz, daß er ihr Mann war. Sein muskulöser Nacken deutete an, was sich an Kraft unter dem wasserdichten, aus Eingeweideteilen des Seelöwen gefertigten Parka verbarg. Doch Winterschwan wußte, daß es vor allem die durch seine Körperkraft erworbene geistige Kraft war, die bewirkte, daß die Dorfältesten seinen Rat suchten.

Starker Mann hörte aufmerksam zu, während die Korbflechterin ihm ihre Geschichte erzählte und ihm die von den Angreifern stammenden Geschenke zeigte. Sie schloß mit der Einladung der Fremden.

Nach längerer Überlegung verkündete er: »Wir sollten mit ihnen reden. Sind sie auf Attu, um zu jagen, dann soll Frieden zwischen uns sein.« Sie selbst waren aus purer Notwendigkeit ein friedliebendes Volk. Die Nahrungsbeschaffung aus dem Meer nahm sämtliche Energien eines Jägers in Anspruch. Sollte das Dorf satt werden, dann blieb wenig Zeit für Kriegszüge.

»Und der Tod von Kleiner Hand und Mondgesicht?«

»Würde es den Frieden herstellen, wenn wir zur Strafe zwei Fremde töten?« Die Frage verdeutlichte ihnen, daß es nicht der Fall sein würde. Vielleicht hatten die zwei Toten ihre Wut verrauchen lassen und die Verbrechen würden sich nicht wiederholen. So oder so, den Dorfbewohnern war klar, daß durch eine feindselige Haltung nichts zu gewinnen war.

4. Kapitel

Sämtliche der über dreißig Dorfbewohner, die Kinder mit eingerechnet, fuhren mit dem großen, offenen, aus Häuten zusammengefügten Dorfboot zu der Bucht, in der die Fremden warteten. Die Korbflechterin hatte wie alle anderen ihren gesamten Schmuck angelegt, mit Ausnahme einer Halskette aus Bernstein, die sie Winterschwan überlassen hatte, damit diese sie anlegte. Die Frau ihres Sohnes war jung und besaß nicht so viele Schmuckstücke wie die Korbflechterin. Doch sie selbst hatte auch nur wenig besessen, als Tötet-viele-Wale sie ins Dorf gebracht hatte, damit sie in der Hütte seiner Familie leben und ihm Kinder schenken sollte. Ihr Mann war seit vielen Jahren tot, getötet von dem Tier, durch dessen Jagd er zu Ruhm gelangt war. Die Bernsteinkette war ein Geschenk aus jenem Sommer, als er den Tod gefunden hatte.

Sie warf einen Blick auf die Kette aus hartem, gelbem Stein, die auf dem dunklen Fell von Winterschwans Mantel lag, dann sah sie die junge Frau an. In Blumenform geschnitzte Ohrringe schmückten ihre Ohren, deren Weiß stark mit ihrem tiefschwarzen Haar kontrastierte. Die Lippenpflöcke unter ihren Mundwinkeln waren dünne Knochenscheiben, die raffiniert die weiche volle Wölbung ihrer Lippen betonten. Ihre leicht gebräunte Haut war glatt wie der Wasserspiegel in einem Steingefäß, die Wangen rosig angehaucht. Aus ihren Zügen sprach stille Kraft, die wie ein inneres Leuchten wirkte. Die Korbflechterin schätzte die Frau ihres Sohnes. In gewisser Hinsicht hatte sie das Gefühl, daß sie sich ähnlich waren und daß eine Bindung zwischen ihnen bestand.

Ein kleiner Junge, fünf Sommer alt, nahm ihr die Sicht auf Winterschwan, als er sich aufrichtete und auf den Sitz kletterte, damit er über die hohen Bordwände sehen konnte. Dichtes, glattes Haar bedeckte den Kopf wie eine schimmernde schwarze Mütze. Seine aufrechte Haltung ließ ihn groß erscheinen, so daß er wie ein kleiner Mann wirkte. Sein Anblick linderte den Schmerz in ihren Knochen. Dies hier war das Weiterleben ihres Fleisches, jung und lebendig, nicht alt und müde.

Zwei Sitze vor ihr drehte sich eine junge Frau um und sah die Korbflechterin an. Neugierde glitzerte in den dunklen Augen, die aus einem freundlichen und hübschen Gesicht blickten.

»Warum brachten diese Fremden nicht ihre Frauen mit, wenn sie keinen Angriff planen?« fragte Sommergesicht keck.

»Weil sie gekommen sind, um zu jagen. Das Wassergetier würde die Frauen wittern und die Flucht ergreifen.«

Die Korbflechterin brachte keine Geduld für sie und ihre Frage auf. Sie empfand Mitleid mit ihrem Enkel Felskletterer, weil dessen Wahl auf diese Frau gefallen war, deren Augen ständig wanderten. Nachdem sie ihrer Antwort nachgesonnen hatte, wandte die Korbflechterin sich an ihren ältesten Sohn Flinkes Auge.

»Ich glaube, diese Männer werden um die Erlaubnis bitten, in unserem Jagdgebiet zu jagen.«

Er ließ einen Kehllaut ertönen, der erkennen ließ, daß er

sie gehört hatte. Seine Meinung behielt er für sich. Es war Sache des Dorfältesten, in dieser Sache eine Entscheidung zu treffen. Sein weitreichender Blick umfaßte die Einfahrt zur Bucht und suchte die von versteckten Riffen freie Fahrrinne.

Wie alle anderen Männer war auch er mit einem reichgeschmückten Parka aus Vogelbälgen bekleidet, wobei die gefiederte Seite nach außen getragen wurde. Ein Büschel Seelöwenbarthaare schmückte die Spitze seiner hölzernen, mit wilden Farbornamenten bemalten Kopfbedeckung. Es war sehr wichtig, die Besucher zu beeindrucken und gute Beziehungen zu ihnen herzustellen.

Als ihr Boot – aus zusammengenähten, über einen Rahmen aus Treibholz gespannten Seelöwenfellen – in die Bucht einfuhr, sahen die Eingeborenen das große hölzerne Boot wie einen Wal an Land hocken. Die Männer mit den behaarten Gesichtern standen am Strand und sahen den Ankommenden schweigend entgegen.

»Warum tanzen sie nicht zur Begrüßung?« fragte Flinkes Auge die Korbflechterin.

»Das ist bei ihnen nicht Sitte.«

»Sie sind die Gäste«, sagte Steinleuchte, der Dorfälteste. »Wir müssen sie willkommen heißen.«

»Sie haben ihre Donnerstöcke bei sich«, bemerkte einer der Männer.

»Ich glaube nicht, daß sie so stark sind, daß Starker Mann ihrer nicht Herr werden könnte«, meinte Sommergesicht, die dem Mann Winterschwans einen bewundernden Blick zuwarf.

Der Parka aus den Bälgen von Papageitauchern verbarg die Arme und den Körper von Starkem Mann, die mächtigen Muskeln, denen er seinen Namen verdankte. Von Kindesbeinen an hatte er sich einem besonderen Training unterworfen, um diese Körperkraft zu erlangen. Nur wenige nahmen an diesen Übungen teil, und noch weniger vollendeten die Ausbildung. Alle wußten, daß große Kraft einen vorzeitigen Tod bedeuten konnte, und das Leben war kostbar.

Diejenigen aber, die sich den Titel Starker Mann verdient hatten, verfügten neben der Körperkraft auch über Geisteskraft und Weisheit. So kam es, daß Starker Mann den Kopf nicht wandte, um sich in der Wärme von Sommergesichts Blick zu sonnen. Dergleichen war nicht von Bestand – ähnlich der kurzen Wärme, ehe die Wolken sich wieder um die Sonne schlossen, ähnlich den warmen Tagen, die Wildblumen zum Leben erweckten, um allzu rasch der Jahreszeit voller Kälte und Regen zu weichen. Die Korbflechterin freute sich, daß ihr Sohn dies wußte.

Alle Promyschleniki erwarteten das Boot der Eingeborenen voll gespannter Aufmerksamkeit. Musketen wurden verteilt, ein halbes Dutzend Männer begleitete Tschuprow ans Wasser, um sich den Insassen des Bootes zu stellen, während die übrigen weiter hinten blieben und den an Land gezogenen Schitik bewachten. Drei Tage waren vergangen, seitdem sie die Alte freigelassen hatten. Zwar hatten sie noch den Jungen in ihrer Gewalt, waren aber durch ihre vorangegangenen Begegnungen mit den Inselbewohnern gewitzigt geworden. Und Luka war doppelt wachsam und argwöhnisch. Seine Wangennarbe zuckte nervös.

»Sind sie bewaffnet?« Durch das Fernglas konnte Tschuprow sehen, was Luka mit bloßem Auge aus dieser Entfernung nicht ausmachen konnte.

»Nein. Frauen und Kinder sind mit von der Partie.« Tschuprow senkte befriedigt das Fernglas. »Sie würden sie nie einer Gefahr aussetzen. Ich glaube, wir können unbesorgt sein.«

Luka teilte diese Ansicht und nahm eine entspanntere Haltung ein. Als das große Boot näher kam, stellte Tschuprow zwei Mann ab, die den Eingeborenen helfen sollten, es an Land zu ziehen.

»Ihr Boot ähnelt den Baidars der Bewohner Sibiriens«, bemerkte Tschuprow. »So ein Baidar könnte für uns sehr von Nutzen sein, da wir kein Beiboot mehr haben. Möchte wissen, wogegen sie es eintauschen würden.«

Luka wußte sehr wohl, wie dringend sie ein Beiboot zu dem Schitik brauchten. Die Seeotter tummelten sich in küstennahen Gewässern und wagten sich nur selten aus ihrem angestammten Element ans Land. Zu einer erfolgreichen Jagd gehörte daher unbedingt ein Boot. Holz gab es hier nur als Treibholz, das gelegentlich an Land geschwemmt wurde. Der Baidar bot sich als Lösung dieses Problems an. Luka beobachtete die Eingeborenen, die dem Boot entstiegen. Von den männlichen Erwachsenen waren nur sieben im kampffähigen Alter, die anderen waren entweder zu jung oder zu alt. Waren die Eingeborenen zum Tauschhandel nicht bereit, konnte man sie mit Leichtigkeit überwältigen und sich des Bootes bemächtigen. Er entdeckte die grauhaarige alte Frau in der Gruppe farbenfroh gekleideter Eingeborener, die dem Baidar entstieg.

»Die Alte ist bei ihnen.«

»Gut«, murmelte Tschuprow. Auch er hatte sie rasch unter den Mitgliedern der Dorfgemeinschaft, die sich auf dem Strand versammelten, entdeckt. Als die ersten Schläge eines tamburinförmigen Trommelinstrumentes an sein Ohr drangen, zog er die Brauen hoch, eine Geste erzwungener Geduld.

»Ich habe das Gefühl, wir müssen noch eine Tanzdarbietung über uns ergehen lassen.«

Als der Tanz begann, drängten die den Schitik bewachenden Promyschleniki, angezogen von der Anwesenheit der Kinder, nach vorne. Diese zuweilen barbarischen, ja sogar zur Grausamkeit neigenden russischen Pelztierjäger brachten Kindern eine spontane Zuneigung entgegen. Sogar Luka, dessen Vorurteil sehr tief saß, fand es sehr drollig, als die schwarzhaarigen und dunkeläugigen Kinder den Tanz der Großen nachzuahmen versuchten.

Nachdem das letzte Echo der Trommeln und Gesänge von den grünen Klippen zurückgeworfen worden war, brachte die Alte den Dorfältesten zu Tschuprow. Er war ein großer Mann mit den für die Eingeborenen typischen breiten Zügen und lederglatter Haut. Einziges Zeichen seines Alters waren einige graue Haarsträhnen.

Tschuprow ordnete an, Taschentücher, Nadeln und Fingerhüte als Geschenke an die Eingeborenen zu verteilen. Nachdem die allgemeine Aufregung sich gelegt hatte, gab er Luka zu verstehen, er solle seine Worte mittels Zeichensprache dem Anführer verdeutlichen. »Sag ihm, daß wir von einem Land kommen, das weit jenseits des Wassers liegt, viele Tage westwärts. Unser Herrscher, eine kluge und mächtige Frau, ist für ihre Großherzigkeit bekannt.«

Die Reaktion der Eingeborenen auf die Eröffnung, daß die Russen einem weiblichen Anführer folgten, zeigte ihm, daß seine Zeichen verstanden wurden.

»Ich glaube, er findet es sonderbar, daß Männer sich von einer Frau beherrschen lassen«, bemerkte er zu Tschuprow.

»Betone noch einmal, wie mächtig sie ist, wie groß ihr Reich und wie zahlreich die untertänigen Stämme und Völker sind«, wies Tschuprow ihn an, und wartete, bis Luka ihnen dieses vermittelt hatte.

»Sag dem Anführer, daß unsere Zarin ähnlich den Frauen seines Dorfes die Felle der Seeotter über alles schätzt. Sag ihm, daß wir das reiche Vorkommen dieses Tieres um diese Inseln gesehen haben und daß wir gekommen sind, um sie zu jagen.«

Luka, der die Handbewegungen der Eingeborenen beobachtete und sie deutete, übersetzte: »Er sagt, daß es stimmt, daß der Seeotter . . .« Luka zögerte unsicher, »ich glaube, er spricht vom Seeotter als von seinem Bruder – also, sein Bruder Seeotter lebt in großer Zahl in den Inselgewässern, und der Anführer gibt uns die Erlaubnis, sie im Jagdgebiet seines Dorfes zu jagen.«

»Sag ihm, daß wir Handel treiben wollen, wenn seine Jäger uns die Felle der Seeotter bringen.« Tschuprow wies auf die Auswahl von Waren auf einer Decke hinter ihm – Halsketten aus billigen Perlen, Kupfer- und Zinnutensilien und Messer minderer Qualität.

Der Anführer der Aleuten besah die Dinge voller Interesse und antwortete in Zeichensprache.

»Er sagt, er werde seinen Jägern von dem Angebot berichten. Doch bedeutet es viel Mühsal, einen Seeotter zu erlegen. Dazu bedarf es vieler Jäger. Die Männer seines Dorfes würden uns vielleicht einige Felle bringen, doch sei das Fleisch der Seeotter nicht schmackhaft, und seine Jäger müßten vor allem Nahrung für die Bäuche ihrer Familien heranschaffen.«

»Sag ihm, daß ich verstanden habe.« Tschuprow warf Luka einen listigen Blick zu.

»Sag ihm auch, daß unsere Zarin Tribut von seinem Dorf erwartet – zehn Seeotterfelle von jedem Jäger. Wenn wir nächsten Sommer heimsegeln, werden wir ihr den Tribut abliefern.«

Luka vermittelte diese Botschaft dem Dorfältesten, wobei ihm bewußt war, daß das Gesetz, das von Eingeborenen Abgaben forderte, sich nicht auf dieses Territorium bezog. Sollte der Tribut geleistet werden, dann würde Tschuprow dem Bevollmächtigten der Regierung in Sibirien als Geste ein paar Felle überlassen, der Rest würde dem Jahresfang anheimfallen und damit den Anteil jedes einzelnen erhöhen.

Der Anführer ließ auf den Versuch, Felle ohne Gegenleistung zu bekommen, keine Reaktion erkennen, statt dessen wechselte er das Thema.

»Er möchte wissen, was mit dem Jungen ist«, sagte Luka.

»Beljaew, bring ihn her«, befahl Tschuprow.

Stille senkte sich über die Eingeborenen, als sie dem schwarzbärtigen Jäger nachsahen, der zu dem Holzboot ging, das weit jenseits der Gezeitenlinie auf dem Sand lag. Als Beljaew in Begleitung des Jungen wiederkam, der frei an seiner Seite einherging, durchlief ein Gemurmel ihre Reihen, und die Anspannung wich aus ihren Mienen. Tschuprow geleitete den Jungen die letzten Schritte zum Dorfältesten.

»Sag ihm, daß wir dem jungen Jäger nichts getan haben und daß wir seinen Bauch füllten.«

»Er sagt, er sei froh, seinen Sohn zu sehen«, erklärte Luka mit Nachdruck. Es war ein Glücksfall, daß sie über so eine wertvolle Geisel verfügten.

Tschuprow lächelte andeutungsweise.

»Mach ihm klar, daß wir seinen Sohn gern behalten würden – er ist ein intelligenter Junge.« Und nach einer Pause fuhr er fort: »Luka Iwanowitsch, du weißt, was du zu sagen hast. Bringe ihm bei, daß wir den Jungen unsere Sprache lehren möchten. Wir wollen ihn um jeden Preis behalten.«

Zu ihrer Verwunderung zeigte sich der Dorfälteste widerspruchslos einverstanden, und die Stimmung wurde geradezu freundschaftlich. Nachdem Tschuprow die Dorfbewohner aufgefordert hatte, die ausgestellten Waren näher zu betrachten, zog er den Anführer beiseite.

»Sag dem Häuptling, wir würden ihm gerne das wertlose Boot abnehmen«, wies er Luka an. »Frag ihn, was er dafür haben möchte.«

»Der Anführer sagt, der Baidar sei der einzige, den seine Leute hätten. Wenn sie ihn eintauschen, dann hätten sie nichts, um ins Dorf zurückzukehren.« Luka beobachtete die geschmeidigen Handbewegungen des Mannes. »Er sagt, es sei weit und es sei gefährlich, die Berge im Inselinneren zu überwinden. Oft bebt dort die Erde, und Felsen stürzen herab.«

»Sag ihm, er solle es sich gut überlegen«, beharrte Tschuprow. »Sag ihm, seine Leute könnten sich ein besseres Boot bauen.«

»Er verspricht, daß er darüber nachdenken werde.«

Tschuprow deutete auf die Tauschwaren.

»Er soll sich die Sachen ansehen und sagen, was er gern tauschen möchte.«

Der Anführer ging auf den Vorschlag ein und gesellte sich zu den Dorfbewohnern, die die Dinge eingehend begutachteten. Einige der Promyschleniki mischten sich unter die Eingeborenen, doch Luka hielt sich abseits und beschränkte sich aufs Zusehen. Es dauerte nicht lang und die Eingeborenen nahmen die Geschenke an sich und bestiegen das Boot zur Heimfahrt.

»Was ist mit dem Boot?« Luka ließ das Boot nicht aus den Augen.

»Es gibt noch viel zu tun, ehe wir mit der Jagd beginnen können. Wir haben viel Zeit«, stellte Tschuprow mit einem Lächeln fest. »Der Anführer scheint zur Zusammenarbeit bereit. Ich glaube, wir könnten ihn mit der Zeit dazu bringen, sich von dem Boot zu trennen.«

Während der nächsten zwei Wochen errichteten die Promyschleniki ihr Basislager in der Bucht und legten Lebensmittelvorräte an. Das Meer lieferte ihnen Unmengen an Fischen, der Himmel reiche Beute an Seevögeln. Die Freude der Jäger war groß, als sie entdeckten, daß im Tal süßes Gras sehr üppig wuchs, denn damit war der Wintervorrat an Alkohol gesichert.

Die Sonne machte sich allmählich rar, um so häufiger gab es dichten Nebel und Wind. Und doch erschien ihnen das Klima dieser Insel im Vergleich zu den brutalen, kalten Wintern Sibiriens geradezu mild. In der dritten Woche teilte Tschuprow die Promyschleniki in fünf Gruppen ein. Die größte sollte unter seiner persönlichen Führung im Basislager bleiben, die Verteilung der Vorräte überwachen und ihre Geisel, den Sohn des Stammesältesten, bewachen. Die anderen vier Gruppen sollten zu verschiedenen Punkten der Insel vordringen, um Kontakte zu anderen Dörfern zu knüpfen und Außenlager zu errichten, von denen aus man jagen konnte.

Zusätzlich ernannte er vier Männer, die jede Jagdgruppe anführen sollte. Als Tschuprow daranging, den Anführer der Gruppe zu bestimmen, der Luka angehörte, bemerkte dieser, daß der Kosake Schekurdin unwillkürlich seine Schultern straffte und eine aufrechte Haltung einnahm. Zweifellos erwartete er, die Gruppe anzuführen. Doch als dann Nikolai Dimitrowitsch Beljaew aufgerufen wurde, erstarrte Schekurdin und ballte die Hände zu Fäusten. Luka sah es und lächelte unmerklich. Er wußte, wie sehr der Kosake Beljaew haßte und wie beschämend es für ihn sein mußte, hinter ihm zurückstehen zu müssen.

»Von den Führern der einzelnen Gruppen erwarte ich, daß sie ihre Leute aufmerksam im Auge behalten«, begann Tschuprow mit seinen Instruktionen. »Sorgt dafür, daß sie ehrlich bleiben. Beobachtet sie, damit sie nichts zu eigenem Gebrauch verstecken können. Seht zu, daß sie nicht heimlich den Proviant aufzehren. Und ihr, Promyschleniki, behaltet eure Anführer im Auge und sorgt dafür, daß sie alle Regeln einhalten. Bei eurer Rückkehr sind mir sämtliche Übertretungen zu melden.«

Die Versammlung schloß mit einem Gebet um erfolgreiche Jagd, dann gingen die Jäger auseinander. Diejenigen, die das Basislager verlassen sollten, machten sich daran, Ausrüstung und Proviant zusammenzustellen.

Am späten Morgen brachen die vier Gruppen auf, jede zu ihrem Ziel. Lukas Gruppe war die südöstliche Seite der Insel zugewiesen worden, ein Gebiet, das ihm bereits vertraut war. Das Gewicht seines Packsacks machte ihm sehr zu schaffen. Alles, was sie brauchten, mußten sie auf dem Rükken mitschleppen. Neben ihren persönlichen Habseligkeiten enthielt der Packsack eines jeden Proviant für einige Tage, dazu einen Sack Mehl zum Brotbacken an den Feiertagen, Fuchsfallen, Harpunen und Netze für die Jagd auf Seeotter. Bewaffnet waren sie mit Musketen, Schwertern, Lanzen und Pistolen. Einzig Beljaew führte den gesamten Vorrat an Treibmittel für den Sauerteig mit sich. Nachmittags ließ Beljaew Rast machen. Erleichtert streifte Luka die schwere Last von den schmerzenden Schultern und ließ sich neben seinem Packsack nieder. Als er einen Blick zurückwarf, glaubte er die Klippe zu erkennen, an der sie den Jungen gefangengenommen hatten.

»War es nicht hier in der Nähe, wo ihr den Häuptlingssohn gefangen habt?« Auf diese Frage hin drehte Luka sich um und sah Beljaew an.

»Die Klippe dort drüben.« Luka deutete mit einer Kopfbewegung die Richtung an.

»Wie weit ist es von hier bis zum Dorf?«

»Zwei, vielleicht auch drei Stunden.« Luka ließ den Blick über die Küste schweifen und versuchte, auffallende Landmarken zu erkennen.

»Siehst du diese Landspitze? Sie befindet sich auf der anderen Seite einer Bucht.«

Beljaew musterte den verhangenen Himmel und versuchte, abzuschätzen, wieviel Stunden sie noch Tageslicht hatten.

»Wir sollten vor Einbruch der Dunkelheit dort sein«, sagte er mit einem Grinsen. »Ein guter Platz für ein Nachtlager – und vielleicht finden wir jemanden, der für uns kocht.«

»Das Dorf besitzt auch ein Baidar«, rief Luka ihm in Erinnerung. »Wir werden eines brauchen.«

»Ja.« Beljaews Grinsen wurde breiter. Er stand auf und gab den Befehl zum Aufbruch. Die Packsäcke wurden geschultert, die Gruppe setzte sich wieder in Bewegung. Beljaew schritt nun rascher aus, gewillt, das Ziel vor Einbruch der Dunkelheit zu erreichen.

Als sie die Klippe hinter dem Dorf erklommen hatten,

hielt Luka inne, um die Lage und die Schlagkraft der Eingeborenen abzuschätzen. Er zählte fünfzehn Männer, verstreut über die Ansiedlung, von denen einige nur dahockten und zum Wasser hinstarrten, während andere verschiedene Arbeiten verrichteten. Zwei waren am Strand, wo ein halbes Dutzend Kajaks – Ein- und Zweisitzer, die in Sibirien als Bidarkas bekannt waren – auf dem Sand lagen. Eine Gruppe Frauen war dabei, Fische auszunehmen. Der Wind trug einen Warnruf vom Dorf heran. Im nächsten Moment sah Luka den Mann, der den Erdhügel herunterlief, welcher die Eingeborenenhütten krönte. Er würde die Dorfbewohner vor den Russen warnen.

Beunruhigt beobachtete Winterschwan die Fremden, die den Felspfad herunterkamen. Instinktiv umfaßte sie den geschnitzten Beingriff des fächerförmigen Messers fester. Vergessen war der gesäuberte Heilbutt, den sie hatte in Stücke schneiden wollen. Starker Mann tauchte hinter ihr lautlos auf, denn seine bloßen, schwieligen Füße waren im Sand nicht zu hören. Als sie sich zu ihm umdrehte, sah sie, daß seine Aufmerksamkeit den fremden Besuchern galt.

»Warum kommen sie?« fragte sie.

»Sie wollen uns besuchen und vielleicht Handel treiben.« Er schien unbesorgt.

Sie konnte seine Zuversicht nicht teilen. Voller Sorge sah Winterschwan ihrem Mann nach, der auf den Anführer der Fremden zuging, um ihn zu begrüßen.

Neben ihr machte sich Sommergesicht mit erneutem Schwung über den ausgenommenen Fisch und schnitt das weiße Fleisch streifenförmig von den Gräten. »Wir müssen den Fisch vorbereiten, damit wir unseren Gästen etwas vorsetzen können«, sagte sie mit einem flüchtigen Lächeln zu Winterschwan. »Heute abend wird es ein Singen und Tanzen geben.«

»Ja.« Winterschwan widmete sich wieder dem Fisch, doch fehlte es ihr an der Arbeitslust, die Sommergesicht an den Tag legte.

»Vielleicht wird einer der Fremden mir Geschenke anbieten, damit ich mit ihm schlafe.« Eine Aussicht, die Sommergesichts Augen aufleuchten ließ.

Winterschwan wußte, daß sie selbst ein solches Anerbieten nicht annehmen würde, obwohl es ihr gutes Recht war. Der Körper einer Frau war nicht Besitz des Ehemannes. Es stand ihr frei, das Lager mit einem anderen nach Belieben zu teilen. Winterschwan aber hatte in den Armen eines anderen nie die Wonne erlebt wie bei Starkem Mann. Und sie litt nicht an Sommergesichts Neugierde, die wissen wollte, wie es wohl sein mochte, bei einem Fremden zu liegen. Aus dem Augenwinkel sah sie die Männer aus dem fernen Land das Dorf betreten. Alle Männer des Dorfes waren da, um sie willkommen zu heißen – bis auf Dichten Bart und drei andere, die auf Jagd waren. Kaum war der Fisch zerschnitten, als Winterschwan den anderen Frauen bei den überstürzten Vorbereitungen zur Unterbringung der Gäste im Dorf an die Hand ging.

Während das Mahl zubereitet wurde, entfernten Winterschwan und die Korbflechterin die Decke aus getrocknetem Gras von der festgestampften Bodenfläche, auf der getanzt werden sollte. Kaum waren sie damit fertig, als der Anführer die von der Öffnung herunterführende Kerbenleiter herunterkam und die Besucher in seine Behausung führte. Sofort spürte Winterschwan die in der Luft liegende Spannung. Ihr entgingen auch nicht die argwöhnischen Blicke der Fremden, die ihre Donnerstöcke umfaßten, als wollten sie sie jeden Moment anwenden. Dieses Verhalten bereitete ihr Unbehagen, und sie beeilte sich, ihnen aus dem Weg zu gehen.

Das Barabara war bald gedrängt voll mit Dorfbewohnern und Gästen. Als die Frauen den mit Beeren gewürzten rohen Fisch zum Mahl servierten, schien die Spannung sich zu lokkern. Mit Hilfe der Zeichensprache führten Starker Mann und seine männlichen Verwandten ein stockendes, von zahlreichen Pausen unterbrochenes Gespräch mit den Fremden.

Die Lehmwände des halb in die Erde gegrabenen Barabara speicherten die von den Steinlampen und der Körperwärme ausgestrahlte Wärme. Dem Beispiel der anderen Dorfbewohner folgend, entledigte sich Winterschwan ihres langen Otterfellparkas, so daß die Luft an ihre nackte Haut herankonnte. Im Inneren des Barabara wurde, von den kältesten Wintertagen abgesehen, nur selten Bekleidung getragen. An sehr warmen Sommertagen gingen sie auch im Freien ihrer Arbeit unbekleidet nach. Als sie sich nun unter Fremden bewegte und die leeren Näpfe einsammelte, spürte Winterschwan, wie sie angestarrt wurde. Allmählich hatte sie sich an die Fremdartigkeit dieser Menschen gewöhnt, an ihre runden Augen und an die mit dichten Bärten bedeckten Gesichter, doch ihre sonderbare Art, sich zu kleiden, die keine Luft an den Körper ließ, erschien ihr höchst sonderbar.

Nach dem Festmahl war die Zeit für den Tanz gekommen. Winterschwan sah voller Stolz, wie Starker Mann seinen Vogelbalgparka ablegte und diesen in ihrem Privatbereich des Barabara verstaute. Sein nackter Körper strotzte vor Muskeln, Arme und Beine ähnelten sehnigen Baumstämmen, Brust und Schultern waren wie Felsen, vom Meer geglättet. Als Winterschwan das Gemurmel der Fremden in ihrer Sprache hörte, wußte sie, daß sie von der Körperkraft ihres Mannes sehr beeindruckt waren.

Als Luka sah, daß die Eingeborenen ihre Parkas ablegten und darunter nackt waren, galt sein Interesse zuerst ihrer weißen Haut. Anders als die rötlichen Gesichter und Hände, die ständig den Elementen ausgesetzt waren, wiesen ihre Körper einen cremefarbigen Elfenbeinton auf. Er starrte die barbrüstigen Frauen an, die sich zwischen ihnen bewegten, und dann fiel sein Blick auf dieses muskelbepackte Ungeheuer.

»Sieh dir den dort an«, raunte er dem neben ihm sitzenden Beljaew zu. Widerstrebend riß der russische Pelztierjäger seinen Blick von den nackten Frauen in ihrer Mitte los.

»Dem möchte ich nicht in die Quere kommen«, meinte Beljaew nachdenklich. »Jede Wette, daß er mit jeder Hand einem Mann die Kehle zudrücken kann, während er die Beine um einen dritten schlingt und auch den erdrosselt.«

»Wir müssen ihn im Auge behalten.«

Beljaew gab ein zustimmendes Knurren von sich. »Hast du die Weiber gesehen? Gar nicht so übel, trotz der Knochenstücke, die an den Lippen hervorsehen. Ich befürchtete schon, alle würden so aussehen wie die Alte, die uns nachlief. Möchte wissen, ob wir eine von denen dazu bringen könnten, unsere Lagerstatt zu wärmen.«

»Na, an deiner Stelle würde ich gar nicht versuchen, es herauszufinden, solange dieser bärenstarke Mann in der Nähe ist«, riet Luka ihm nüchtern. »Es sei denn, du hast die Muskete schußbereit in der Hand.«

»Hast du dir je eine Eingeborene gehalten, Luka Iwanowitsch?«

»Nein.« Das hätte bedeutet, einer Fremdrassigen den Rükken zuzukehren und sich ihr bis zu einem gewissen Grad auszuliefern. Soweit hatte er sich nie überwinden können. Seine Kontakte zu Eingeborenenfrauen beschränkten sich auf die Dauer des Geschlechtsverkehrs. Hinterher pflegte er sie aus dem Bett zu werfen.

»Einmal hatte ich eine. Eine Frau zu haben, wenn einem danach ist, hat viel für sich«, gab Beljaew mit schiefem Grinsen von sich. »Sie konnte mehr als nur das Lager wärmen. Sie kochte und nähte und kümmerte sich um einen. Mit der Zeit fangen zwar alle mit Forderungen an, aber dann schickt man sie zurück in ihr Dorf und holt sich eine neue.«

»Recht hast du.« Luka sah den vier nackten Männern zu, die sich nahe der von der Grasdecke befreiten Fläche zusammenfanden. Andere gesellten sich zu ihnen, Blasenhauttrommeln in der Hand. Mit all diesen Eingeborenen im Barabara wie in einer Falle zu hocken, behagte ihm gar nicht. Hier drinnen war der Platz zum Kämpfen zu eng. Griffen die Eingeborenen hier drinnen an, dann würde man nur mit Mühe hinauskommen. Und es würde ein Handgemenge geben, denn die Musketen nützten ihnen hier gar nichts. Das viele Essen, der Tanz, die Gastfreundschaft, das alles war dazu angetan, die Promyschleniki einzulullen, so daß sie in ihrer Wachsamkeit nachließen. Und dann würden die Eingeborenen über sie herfallen.

»Ich habe mir alles überlegt.« Beljaew sah einer Frau nach, deren schwingende Hüften es ihm angetan hatten.

»Hier wäre der ideale Ort für unser Winterlager. Die Klippen schützen das Tal vor Wind, der Bach versorgt uns mit Wasser, und in der Bucht gibt es Fische . . . Zudem wimmelt es hier von Seeotter. Wenn wir unser Lager neben dem Dorf errichten, haben wir Zugang zu den Booten der Eingeborenen – und zu ihren Frauen.«

»Und wir machen es ihnen leicht, uns im Schlaf abzuschlachten«, bemerkte Luka dazu.

»Auch das habe ich überlegt.« Sein breites Grinsen gab den Blick auf die Lücke zwischen den Vorderzähnen frei.

»Und ich finde, daß diese Eingeborenen zu nichts gut sind. Sie leisten keinen Tribut, sie wollen keine Seeotter für uns jagen. Und sie wollen ihre Boote nicht eintauschen. Sie tun freundlich, aber das war auf der anderen Insel nicht anders. Und damals mußten wir uns den Weg zum Schiff freikämpfen. Mir scheint, wir könnten uns ein riesiges Problem ersparen, wenn wir hier ein paar Hindernisse beseitigen.«

Luka ließ den Blick abschätzend durch den Raum schweifen. Er hatte so wenig Bedenken, einen Eingeborenen zu töten, wie ein Ungeziefer zu zertreten. Letzten Endes lief doch alles darauf hinaus, zu töten oder getötet zu werden.

»Nicht hier. Nicht jetzt«, raunte Beljaew. Doch er hatte Luka klar zu verstehen gegeben, daß die Promyschleniki sich mit Gewalt verschaffen würden, was sie wollten, wenn sie es anders nicht bekommen konnten.

5. Kapitel

Während Winterschwan mit der Zubereitung der ersten Mahlzeit beschäftigt war, erledigte ihr Mann mit ihrem Sohn das morgendliche Ritual körperlicher Übungen auf spielerische Art. Sie hörte die Laute, die Starker Mann von sich gab, während er die Arme von Aufrechtem Gang bis hinter den Kopf hochzog, um die Gelenke geschmeidig zu machen. Gewöhnlich spielte Dichter Bart, der Onkel ihres Kindes, mit dem Jungen, heute aber war er von der Jagd noch nicht zurück.

Sie sah hinüber zu ihrem Mann, der die Knie des Kindes massierte. Aufrechter Gang saß auf einer Kiste, die Beine ausgestreckt. Die Füße ruhten auf einer anderen Kiste, während Starker Mann die Knie leicht nach unten drückte. Indem er den Fuß möglichst weit nach vorne und hinten drückte, streckte Aufrechter Gang die Muskeln an der Rückseite der Beine. Noch fünf Sommer, und Aufrechter Gang würde das Sitzen im Kajak ohne Krämpfe aushalten, ein Vorteil, der ihm in Zukunft zugute kommen würde, doch im Moment war es nur für Winterschwan ein schöner Anblick. Die unverständlichen Laute der Fremden drangen durch die Dachöffnung ins Barabara.

»Werden sie heute gehen?« fragte sie ihren Mann.

»Nein, sie bleiben.«

»Wie lange?«

»Bis zum nächsten Sommer. Dann erst brechen sie auf und kehren in ihr Land jenseits des Wassers zurück.«

»Aber hier können sie nicht bleiben. Der Platz reicht nicht.«

Ihr Blick umfaßte die Behausung, die am Vorabend gedrängt voll war. Mehr aber noch als der Raummangel waren es die Blicke der Fremden, die ihr Sorgen bereiteten. Sie hatte sehr wohl bemerkt, wie manche sie angestarrt hatten. Wenn Männer aus anderen Dörfern sie angesehen und ihr Verlangen gezeigt hatten, bei ihr zu liegen, hatte sie nie dieses Gefühl gehabt. Es war ein Gefühl, das sie nicht erklären konnte, sie wußte nur, daß es ihr nicht behagte.

»Sie werden ihre eigenen Hütten bauen.«

»Warum vertraust du diesen Fremden?« Sein ruhiges Hinnehmen der Situation machte ihr Sorgen. »Ich traue ihnen nicht. Sehen sie mich an, so lese ich nichts Gutes in ihren Augen.«

»Das kommt davon, daß ihre Gesichter anders sind.«

»Ihre Gesichter und ihre Sitten«, wandte Winterschwan ein. »Hast du vergessen, daß sie Kleine Hand und Mondgesicht getötet haben? Sie benahmen sich feindselig gegen die Menschen aus meinem Dorf auf Agattu. Ich glaube, daß sie schlecht sind. Wir sollten nicht zulassen, daß sie bleiben. Wir sollten vielmehr dafür sorgen, daß sie die Insel verlassen . . . und falls sie sich weigern, müssen wir sie bekämpfen, so wie mein Volk sie bekämpfte. Sprich mit dem Häuptling, und warne ihn vor der Gefahr. Er wird auf dich hören.«

»Aber sie sind gekommen, um friedfertig Jagd auf unseren Bruder Seeotter zu machen. Wie können wir sie bekämpfen?« Starker Mann runzelte die Stirn. »Das wäre falsch.«

»Sie werden Leiden über unser Dorf bringen. Das fühle ich.«

»Solange sie friedfertig sind, werden wir friedlich mit ihnen zusammenleben. Leiden kommen erst, wenn wir gegen sie kämpfen.«

Winterschwan sah ihrem Mann beim Essen zu. Verzweifelt wünschte sie sich, sie hätte an seine Weisheit glauben können.

Luka sah den Aleuten aus der Dachluke des Barabara steigen. Der ockerfarbene Vogelbalgparka hing ihm bis zu den Knöcheln und verbarg seinen mächtigen Körperbau, so daß er nicht anders aussah als die anderen Eingeborenen, doch Luka wußte es besser. Ein Blick auf den starken Nacken genügte, um ihn wiederzuerkennen. Am Vorabend hatte er gesehen, wie geschmeidig und behende er sich im Tanz bewegte. Die Behendigkeit fiel ihm auch jetzt wieder auf, als er den Mann zum Dorfplatz gehen sah. Der Kleine an seiner Seite ahmte seine Bewegungen genau nach.

Hatte er richtig gezählt, dann lebten hier im Dorf fünfzehn Männer, junge und alte. Er warf Beljaew einen Blick zu, von der Frage bewegt, welche Absichten dieser nach allem hatte, was er am Abend zuvor gesagt hatte. Im Moment war Beljaews Aufmerksamkeit von einer Eingeborenen gefesselt. Luka sah, wie Beljaew ihr folgte. Als sie ihn ansah, leuchtete Verlockung aus ihren dunklen Augen.

»Dein Parka gefällt mir.« Lächelnd gab Beljaew vor, er bewundere ihr Kleidungsstück und befingerte das dichte Otterfell an ihrer Schulter. Sie rückte etwas ab, entzog sich seiner Berührung jedoch nicht gänzlich. Beljaew wurde kühner.

»Das Fell ist ganz weich. Möchte wissen, ob deine Haut darunter ebenso weich ist.« Über die Vorderfront des Kleidungsstückes streichelnd, hielt er über der Brust in der Bewegung inne. »Jede Wette, sie ist es.«

Sein Handeln und sein Ton schienen der Frau nicht zu gefallen. Sie ging auf Distanz und wollte weglaufen. Da packte Beljaew sie am Arm.

»Lauf nicht weg. Wir sind eben erst bekannt geworden.« Sie setzte sich zur Wehr und versuchte, sich loszumachen. Aus ihrer Miene sprach Angst. Einer der Eingeborenen trat vor und sagte etwas in scharfem Ton zu Beljaew. Eine Übersetzung war nicht nötig, die drohende Haltung und die Aufforderung, die Frau loszulassen, waren unmißverständlich. Luka war gespannt, ob sich ein Kampf entwickeln würde.

»Sie gehört dir?« Kalten Lächelns gab Beljaew die Frau frei. »Ich bewunderte nur ihren Parka«, gab er dem Mann mittels Zeichensprache zu verstehen und starrte ihn an, bis dieser zurückwich.

»Vielleicht möchte deine Frau ihren Parka für ein paar Geschmeide eintauschen?«

Er bedeutete dem Mann, ihm zu seinem auf dem Boden liegenden Packsack zu folgen. Als er den Sack öffnete und den Inhalt eines kleinen Beutels auf das zertrampelte Gras leerte, drängten sich weitere Eingeborene hinzu. Beljaew hielt eine rote Perlenkette in die Höhe, doch einer der Eingeborenen, der etwas anderes in dem Häufchen erspähte, faßte unter erregten Ausrufen danach. Neugierig trat Luka näher. Das Ding sah aus wie ein rostiger Eisenbolzen. Die Eingeborenen stritten sich heftig darum, ihn näher zu begutachten.

Luka zog die Brauen zusammen. Kein anderer Tauschartikel hatte unter den Wilden derart hitzige Erregung verursacht. Aufgeregt zeigten sie das Ding dem Samson ihres Stammes und sahen zu, wie er es prüfte. Sein zustimmendes Nicken löste von neuem aufgeregtes Stimmengewirr aus. Da forderte Beljaew den Bolzen zurück. Widerwillig wurde das Ding zurückgegeben. Sofort folgten Tauschangebote, auf die er verneinend reagierte. Er verstaute alles wieder in seinem Sack.

»Warum tauscht er das wertlose Eisenstück nicht für das Bidarka ein?« meinte Schekurdin mißbilligend, während Luka sich dieselbe Frage stellte.

»Er muß einen Grund haben.« Luka konnte sich aber nicht vorstellen, was das sein konnte.

»Und welchen Grund hat er, den ganzen Morgen zu verschwenden? Wir täten besser daran, unser Winterlager und Lebensmittelvorräte anzulegen. Auch hat er noch keine

Männer zur Erkundung der ergiebigen Jagdgründe ausgeschickt. Er behält sie alle hier – zum Müßiggang. Einen feinen Anführer haben wir«, erklärte der Kosake verächtlich.

»Vielleicht rechnet er mit Schwierigkeiten.«

»Doch nicht von diesen Eingeborenen. Tschuprow hat den Häuptlingssohn als Geisel. Und der Häuptling bot uns bereits Hilfe beim Bau des Lagers an. Von denen haben wir nichts zu befürchten.«

Luka teilte diese Meinung nicht. Beljaew, der seinem Packsack den Rücken kehrte, stand auf und faßte in sein Hemd. Dann ging er auf die Eingeborenen zu. Luka runzelte die Stirn. Hätte er nicht vorhin gesehen, wie Beljaew den Eisenbolzen in seinen Sack tat, dann hätte er geschworen, der Bolzen wäre in diesem Moment unter seinem Hemd verschwunden.

»Ich habe das Gefühl, die würden die eigene Mutter für das Stückchen Eisen hergeben.« Beljaew traf diese Feststellung mit einem Lächeln.

»Warum versuchen wir nicht, es herauszufinden?« meinte Schekurdin herausfordernd.

»Du weißt wohl nicht, wie man handelt?« Beljaew war die Verachtung anzusehen, die er für den Kosaken empfand. »Bei diesen Wilden muß man sich Zeit lassen. Je länger man wartet, desto begehrlicher werden sie und desto höher klettert der Preis.«

»Sind wir Händler oder Jäger?« erwiderte Schekurdin abschätzig.

»Was du bist, weiß ich nicht, Kosake«, höhnte Beljaew. »Ich weiß nur, daß du Glück hast, wenn du überhaupt noch am Leben bist. Wenn dir dein Leben lieb ist, dann geh mir aus dem Weg.«

Das Gesicht des Kosaken verfärbte sich vor ohnmächtigem Zorn. Nach kurzem Zögern drehte er sich auf dem Absatz um und ging davon. Da er schon einmal im Kampf gegen ihn den kürzeren gezogen hatte, wollte er Beljaew nicht herausfordern. Aber Luka wußte, daß er andere Mittel und Wege finden würde, um ihn zu vernichten.

»He! Weg von meinem Sack!« Auf Beljaews plötzlichen Ausruf hin drehte Luka sich blitzschnell zu den Eingeborenen um. Einer stand näher beim Sack als die anderen. Beljaew lief zu seinem Sack und machte sich unverzüglich daran, den Inhalt zu durchsuchen.

»Es ist weg«, stellte er sich aufrichtend fest, und blickte den Eingeborenen an, der als erster den Eisenbolzen in der Hand gehabt hatte. »Du hast ihn gestohlen, du tückischer Dieb! Wo ist das Ding?« Er packte das Handgelenk des Aleuten und zwang ihn, die Hand zu öffnen. Sie war leer. Die andere Hand ebenfalls. »Sag, wo hast du es versteckt? Welchem Komplizen hast du es zugesteckt?«

Beljaew grub die Finger in den Stehkragen des Parkas und zog so heftig daran, so daß seine Faust gegen die Kehle des anderen gedrückt wurde. Der Aleute wehrte sich verzweifelt gegen diesen Griff, während seine Stammesgenossen argwöhnisch die Szene beobachteten. Beljaew versetzte ihm plötzlich einen Stoß, daß er rücklings gegen die anderen taumelte.

»Er hat das Eisenstück gestohlen«, verkündete Beljaew den Promyschleniki. »Wenn wir es durchgehen lassen, dann stehlen sie uns alles, was wir haben. Wir müssen ein Exempel statuieren.« Er wandte sich an den Jäger zu seiner Linken. »Erschieß ihn.«

Auf diese Distanz konnte man nicht danebenschießen. Als der Jäger den hölzernen Kolben gegen die Schulter drückte, wappnete Luka sich für den Knall. Die Muskete donnerte, spie Feuer und Pulverqualm. Eine Frau schrie auf, und die Wucht der Bleikugel warf den Eingeborenen tödlich getroffen zu Boden. Anstatt vor Entsetzen zurückzuweichen, sprang Starker Mann vor – zu rasch, als daß Luka hätte reagieren können. Er packte die Muskete des Jägers, und ehe sie es sich versahen, bog er den langen Lauf, bis er Hufeisenform hatte. Dieser Kraftakt ließ alle zunächst erstarren. Dann aber zog der entwaffnete Jäger sein Messer und ging damit auf den starken Aleuten los.

»Nicht!« stieß Luka eine Warnung aus, da ihm klar war, daß der Wilde sich durch die Klinge nicht abschrecken lassen würde. Doch der Promyschlenik beachtete ihn nicht. Da packte der Aleute den bewaffneten Arm und knickte ihn wie einen Zweig, um sogleich die Finger um die Kehle des Mannes zu legen. Als seine Stammesbrüder den erfolgreichen Widerstand sahen, gingen sie sofort zum Angriff über.

»Tötet sie! Tötet sie alle!« Dieser gebrüllte Befehl wirkte auf die Russen wie ein Stromstoß.

Luka ging sofort in Stellung und zielte auf den muskulösen Aleuten. Der Mann erstarrte im Todesschock, auf seiner Schläfe wurde ein kleines kreisrundes Loch sichtbar. Es blieb keine Zeit, um zuzusehen, wie er zu Boden sank, keine Zeit, um nachzuladen. Aus dem Augenwinkel nahm Luka eine Bewegung wahr und drehte sich um, eben noch rechtzeitig, um einem Messerstich zu entgehen.

Er packte das Handgelenk des Angreifers und verdrehte ihm den Arm so, daß die Klinge sich gegen dessen Leib richtete. Ein Stoß, und der Mann war tot, die rote Fontäne aus dem Mund des Toten ergoß sich über Luka. Wie aus weiter Ferne hörte er das Stakkato des Musketenfeuers, Schreie und Rufe, das angsterfüllte Gebrüll erschrockener Kinder. Dies alles aber war nicht so laut wie das Sausen des Blutes in seinen Ohren und sein Herzschlag.

Das Töten hatte seinen Anfang genommen. Jetzt gab es kein Halten mehr.

Winterschwan verließ das Barabara kurz nach Starkem Mann. Da sie den Fremden, die ihr soviel Unbehagen bereiteten, ausweichen wollte, gesellte sie sich nicht zu den anderen Frauen des Dorfes. Statt dessen nahm sie einen Korb und ging auf die Wiese hinter dem Dorf, um Beeren zu sammeln.

Sie war noch nicht weit gekommen, als sie ein Dröhnen vernahm, gefolgt von dem Aufschrei einer Frau. Winterschwan ließ den Korb fallen. Das mußte der Donnerstock sein. Sie sah die Bewegung im Dorf, Menschen, die wie aufgescheucht durcheinanderliefen. Das Schluchzen eines verängstigten Kindes drang an ihr Ohr. Aus Angst um ihren Sohn Aufrechter Gang lief sie zum Dorf.

Inmitten des Aufruhrs sah sie Starken Mann, bleich vor Zorn, die Hände um die Kehle eines der Fremden. Gleich darauf sah sie Aufrechten Gang, der ernst seinen Vater beobachtete. Vor Erleichterung weinend, drückte sie ihn an sich, unter dem betäubenden Krachen der Donnerstöcke zusammenzuckend. Sie fing zu laufen an, fort vom Dorf, um ihren Sohn zu retten.

Aufrechter Gang schrie plötzlich auf. Als Winterschwan sich umdrehte, sah sie Starken Mann zu Boden sinken. Seine Züge waren vom Tod erstarrt. Blut lief aus einem Loch an der Schläfe. Winterschwan rang nach Atem, dann erst sah sie die anderen blutenden Leiber – aber kein Fremder war darunter.

Der Widerstand der Attuan war gebrochen. Die überlebenden Männer flüchteten, doch die Angreifer nahmen die Verfolgung auf. Sie sah, wie drei Fremde Steinleuchte, den bejahrten Dorfältesten, packten und mit ihren Klingen über ihn herfielen.

Voller Entsetzen wurde ihr klar, daß man sie alle töten würde. Ihr einziger Gedanke galt dem Klippenweg und einem Versteck in den Bergen. Doch als sie in diese Richtung wollte, hielt die Korbflechterin sie auf.

»Nein, es gibt kein Entkommen.« Tränen liefen der Alten übers Gesicht, ihr Blick aber war frei von Furcht.

»Sie verfolgen alle und hacken sie in Stücke.«

»Mein Sohn.« Sie drückte sein Köpfchen an sich. »Ich muß ihn vor den Fremden verstecken.«

»Komm mit.« Die Korbflechterin lief den Hang des Barabara zum Dacheinstieg hinauf und ließ Winterschwan den Vortritt auf der Kerbenleiter, denn ihre eigenen Beine waren nicht mehr so behende wie die der jüngeren.

»Versteck ihn in der Wandnische.« Sie deutete auf einen in die Wand eingelassenen Hohlraum.

»Ja.« Endlich hatte Winterschwan begriffen.

Sie lief zu dem Abteil, das ihr gehörte, und hob die lange, davorhängende Grasmatte. Dahinter war in die Erdwand der Behausung ein Hohlraum gegraben, der als kleiner Vorratsraum diente.

Noch einmal drückte sie Aufrechten Gang ganz fest an sich, von der Frage bewegt, ob sie seinen kleinen Körper jemals wieder in den Armen halten würde, dann setzte sie ihn in das Versteck.

»Hör gut zu.« Ihre Stimme wollte ihr angesichts der Angst und Verwirrung im Blick des Kleinen nicht gehorchen. »Du mußt hier drinnen bleiben und dich verstecken. Sei ganz still. Ganz gleich, was auch passieren mag – ganz gleich, was du auch hörst, du bleibst hier ... bis ... bis alle Fremden wieder fort sind.«

»Und wo bist du?«

»Mach dir um mich keine Sorgen.« Winterschwan rang sich ein Lächeln ab, um nicht in Tränen auszubrechen. »Rühr dich nicht vom Fleck.«

Das Geschrei und Getöse von draußen hatte nachgelassen. Bald würden die Fremden kommen und Nachschau halten, ob sich jemand hier drinnen aufhielt.

Winterschwan riß den Blick von ihrem Sohn los und hing die Matte vor die Öffnung. Die Korbflechterin half ihr, das geflochtene Gras zu glätten, damit man nichts sehen konnte. Dann entfernten sie sich rasch und blieben in der Mitte des Barabara stehen.

In der Dachöffnung wurde ein Gesicht sichtbar – ein bärtiges Gesicht mit großen Augen. Winterschwan zuckte zurück, doch gab es hier keine Fluchtmöglichkeit. Die Korbflechterin hingegen blieb ruhig stehen. Der Mann wandte den Kopf und rief etwas, dann kletterte er herunter, den Donnerstock in der Hand. Ein zweiter Fremder wurde im Einstieg sichtbar.

Der erste sprang von der halben Höhe der Leiter zu Boden. Wachsam schritt er das Barabara ab und durchsuchte die Wandnischen, immer wieder einen Blick zu den zwei Frauen werfend. Winterschwan wartete mit angehaltenem Atem, daß er auf das Versteck ihres Sohnes stieße. Schließlich kam der Mann auf die beiden zu und bedeutete ihnen, sie sollten die Leiter hinaufsteigen.

Von der Luke aus konnte sie den Schauplatz des Gemetzels sehen, die Leiber der Getöteten, die Frauen, die wehklagend von einem zum anderen gingen, die Kinder, die tränenüberströmt zwischen den Toten umherirrten. Alle Männer waren tot. Die Fremden hatten nur Frauen und Kinder verschont, vermutlich mit der Absicht, sie über das große Wasser mitzunehmen und sie in die Sklaverei zu führen, wie Winterschwan befürchtete. Ihre Füße trugen sie wie von einem eigenen Willen beseelt den Erdhügel hinunter zum

Leichnam ihres Mannes. Die Fremden ließen sie gewähren. Sie kniete neben dem Toten nieder und starrte in seine leblosen Augen. Von lautlosem Schluchzen geschüttelt, schloß sie ihm sanft die Augen.

Luka, der den Blick über die Kampfstätte wandern ließ, zählte fünfzehn Tote, alle erwachsenen Männer des Dorfes. Er sah seine Jagdgefährten an und las Wildheit in ihren Mienen. Ihre Verletzungen waren geringfügig, ein paar Schnitte und ein gebrochener Arm. Er holte tief Luft, um seine aufgeregten Nerven zu beruhigen, und roch Blut, Pulverdampf und den Schweiß des Kampfes an seinen Kleidern. Die Auslöschung der Eingeborenen erweckte in ihm weder Befriedigung noch Bedauern. Er ging, um Beljaew Bericht zu erstatten.

»Alle sind tot«, bekräftigte er. »Was soll mit den Toten geschehen?«

»Die Frauen sollen sich ihrer annehmen, wie es bei ihnen Brauch ist. Dann sind sie wenigstens beschäftigt.« Aus seinem Lächeln sprach Kälte.

Luka nickte. Zufällig fiel sein Blick auf die Frau, die neben Starkem Mann kniete, den er getötet hatte. Er sah, wie sie die Augen des Toten zudrückte. Die Tränen, die ihre Wangen benetzten, erregten in ihm ein vages Unbehagen. Das Gefühl verflog sofort, als Schekurdin in sein Blickfeld trat. Seine Hemdbrust war blutbefleckt. Er schien angewidert von dem Anblick, der sich ihm bot. Wutschnaubend stellte er Beljaew zur Rede.

»Beljaew, du bist kein Jäger, du bist vielmehr ein blutrünstiger Mörder, der um des Tötens willen tötet.«

»Kosake, du siehst bleich aus.«

»Du hast diese Menschen wegen eines wertlosen Stükkes Eisen niedergemetzelt«, stieß er zähneknirschend hervor. »Beljaew, wo ist das Eisenstück jetzt? Wo ist das Metallstück, dessentwegen du diese Menschen ermorden ließest?«

Beljaew faßte unter sein Hemd und zog den Eisenbolzen hervor.

»Hier habe ich es.«

»Und ich wette, du hattest es die ganze Zeit über«, klagte

Schekurdin ihn mit belegter Stimme an. »Du hast einen Vorwand gebraucht, um sie zu töten. Das war von Anfang an dein Ziel.«

»Ja. Jetzt habe ich Boote, die uns nichts gekostet haben, ein Winterquartier, das bereitsteht – und Weiber, die nähen, kochen und unsere Betten wärmen.«

»Die Frauen waren es also. Dies alles nur, damit du eine Frau kriegst. Deswegen hast du Frauen am Leben gelassen.« Angewidert verzog er den Mund.

»Komm, Schekurdin, willst du behaupten, du möchtest auf die Gesellschaft einer dieser Weiber verzichten?« spottete Beljaew. »Oder bist du etwa nicht Manns genug?«

»Bei dir fehlt das Hirn. Du denkst mit dem Schwanz. Ist dir nicht klar, was du angerichtet hast? Die Geisel, die Tschuprow hat, ist jetzt wertlos.«

»Tschuprow kann sich eine andere beschaffen«, sagte Beljaew mit einem achtlosen Hochziehen der Schultern.

»Du Narr! Warum sollten uns die Eingeborenen noch trauen?«

»Was kümmert es mich, ob sie mir trauen? Sollen sie mich getrost fürchten«, erklärte Beljaew.

»Beljaew, für dieses grundlose Massaker wirst du Rede und Antwort stehen müssen«, drohte Schekurdin. »Ich werde Meldung erstatten und nichts verschweigen.«

»Nur zu.« Ein spöttisches Lächeln lag über Beljaews Zügen. »Wen kümmert schon der Tod von fünfzehn Wilden? Gott ist im Himmel, und unsere Zarin ist weit. Sag es ruhig Tschuprow. Das ändert gar nichts.«

»Ich werde es ihm sagen. Und wenn er dich nicht auspeitschen läßt, dann werde ich es dem Regierungsagenten in Bolscheretsk melden.«

»Kosake, deine Drohungen lassen mich erzittern«, entgegnete Beljaew und lachte schallend, den Kopf in den Nakken gelegt. »Geh nur. Geh und berichte Tschuprow meine Verbrechen.«

»Das werde ich. Und dann werde ich zusehen, wenn die Peitsche dir die Haut vom Rücken streift«, versprach Schekurdin ihm und wandte sich zum Gehen.

»Kosake, nimm lieber zwei Mann mit«, rief Beljaew ihm

nach, »damit sie das Pulver und die Munition tragen helfen, die Tschuprow uns schicken wird.«

6. Kapitel

Nebel verhüllte den Schauplatz des Massakers. Dünne Schwaden drangen durch den Dacheinstieg in die halb unterirdische Behausung und wurden von den lodernden Flammen der Steinlampen, deren auf Robbentran schwimmende Moosdochte dunkle Rauchkringel aufsteigen ließen, in Schach gehalten. Die lärmenden Promyschleniki hockten im Lichtkreis auf dem Boden und ließen sich das Essen schmecken, das ihnen die Aleutenfrauen, die sich im dunklen Teil zusammendrückten, zubereitet hatten.

Beljaew rief um Wasser und sah dann mit glänzenden Augen, wie eine junge Frau auf sein Geheiß vortrat und sich beeilte, ihm einen aus dem Herzbeutel eines Seelöwen gefertigten Wasserbehälter zu bringen. Er nahm ihn entgegen, schüttete etwas Wasser in den Mund und spuckte den größten Teil wieder aus.

»Ein Mann braucht etwas Stärkeres«, erklärte er seinen Leuten. »Morgen schicken wir die Frauen um Süßgras. Dann können wir uns etwas Geistiges destillieren. Ein Mann braucht täglich ein paar Schlückchen, um die Kälte von den Knochen fernzuhalten.«

Die Pelztierjäger äußerten Beifall. Beljaew hielt den Behälter der Eingeborenenfrau hin. Als sie ihn in Empfang nahm, wurde sein Interesse durch das Spiel des Lichts auf ihrem Gesicht geweckt. Er umschloß ihr Handgelenk und hielt sie fest.

»Genug gegessen.« Er schob die hölzerne Schüssel mit lüsternem Grinsen beiseite. »Höchste Zeit, daß wir den Rest unserer Beute genießen.«

Seine Hand glitt an ihrem Bein hoch und verschob den knöchellangen Parka, so daß eine muskulöse Wade sichtbar wurde. Sie machte sich los und wich zurück zu der in der Dunkelheit zusammengedrängten Gruppe der Frauen. Beljaew stand auf und ging ihr ohne Eile nach, wobei er einen Bogen beschrieb, um sie von den anderen Frauen abzuschneiden. Er packte sie und drückte sie an sich. Als sie versuchte, sich zu befreien, versetzte er ihr seitlich einen Kopfhieb. Ihr Widerstand war sofort gebrochen. In ihren schwarzen Haarknoten fassend, zwang er sie, ihn anzusehen.

»Heute morgen hattest du Augen für mich«, rief er ihr grinsend ins Gedächtnis. »Jetzt hast du mich.« Er drehte sich um und sagte zu den andern: »Worauf wartet ihr noch? Hier, Luka Iwanowitsch.« Ohne die erste loszulassen, ergriff er den Arm der nächsten und zog sie mit einem Ruck nach vorne. »Nimm diese da.«

Die Frau taumelte und fiel auf den mit Gras bestreuten Boden nieder, genau neben Luka. Sie unternahm gar nicht den Versuch, aufzustehen, auch hob sie den Kopf nicht, um ihn anzusehen. Ihre Haltung deutete völlige Unterwerfung an. Luka sah ihr pechschwarzes Haar und das weiße Knochenstückchen, das durch ihr Ohrläppchen gesteckt war. Sein Verlangen hielt sich in Grenzen, er wußte aber, was die anderen von ihm erwarteten.

Im Aufstehen packte er den Arm, mit dem sie sich vom Boden abstützte, und zog sie mit sich. Er ließ den Blick über die abgeteilten kleinen Kammern wandern, die die Wand des Barabara säumten, und entschied sich für die nächstgelegene. Als er darauf zuging und die Frau mit sich zerrte, leistete sie zum erstenmal Widerstand. Trotz des Halbdunkels erkannte er die Frau als diejenige, die neben dem Leichnam des Starken Mannes gekniet hatte – des Mannes, den er getötet hatte.

Er zögerte nur kurz. Dann bedeutete er ihr, sie solle den Seeotterparka ausziehen. Er wollte es rasch hinter sich bringen und schob seine Hose hinunter, so daß diese ihm um die Knie hing. Die Frau hatte sich mit abgewandtem Gesicht und geschlossenen Augen auf die Schlafmatte gelegt. Sie war gewappnet, ihn zu empfangen.

Luka schlief mit ihr ohne Vorspiel, während sie reglos dalag und die Lippen zusammenpreßte. Wochenlange sexuelle Enthaltsamkeit beschleunigte seine Ejakulation. Dann löste er sich von ihr und richtete sich auf, um die Hose heraufzuziehen, wobei ihm bewußt war, daß sie sich noch immer nicht gerührt hatte.

Abrupt verließ er die Kammer, um sich wieder zu den anderen zu gesellen, und machte im Gehen seine Hose fest.

Gegen die Erdwand seines Verstecks gepreßt, bekam Aufrechter Gang Angst, als er die Geräusche von draußen hörte. Er hatte Geräusche aus der Kammer seiner Eltern gehört – die keuchenden Atemzüge eines Mannes und die rhythmischen Bewegungen zweier sich paarender Körper. Doch er hatte nicht die weichen Katzentöne gehört, die seine Mutter von sich gab, wenn sie ihren Körper mit dem des Vaters verflocht. Der Mann war gegangen, doch war der Kleine sicher, daß seine Mutter noch da war.

Er war verängstigt und hungrig. Er wußte, sie hatte ihm gesagt, er solle an seinem Platz bleiben, doch hier war es dunkel, und er wollte nicht mehr allein sein. Leise und behutsam schob Aufrechter Gang die geflochtene Matte beiseite, bis er in die Kammer sehen konnte. Nach der tiefen Dunkelheit seines Verstecks erschien ihm das Licht, das seitlich an den Grasmatten hereindrang, sehr hell. Seine Mutter lag nackt auf der Schlafmatte und starrte mit leerem Blick zum grasbedeckten Hüttendach. Sie war so ruhig – so wie sein Vater, nachdem er zu Boden gegangen war.

In seiner Angst ließ Aufrechter Gang jede Vorsicht außer acht und stahl sich aus dem ausgehöhlten Erdloch. Das Rascheln der Grasmatte bewirkte, daß Winterschwan den Kopf wandte. Er hielt schuldbewußt inne, da er wußte, daß er in dem dunklen, stickigen Loch hätte bleiben müssen. Als sie sich eilig aufsetzte, warf sie einen erschrockenen Blick über die Schulter und streckte dann die Arme nach ihm aus. Sie versuchte, ihn zurück in sein Versteck zu stoßen, zögerte dann und nahm ihn in die Arme.

Etwas war ganz falsch, doch sie wußte nicht was. Sie hielt ihn umschlungen, und er spürte, wie sich ihre festen Brüste an seine Haut preßten. In ihren Armen war keine Sicherheit, kein Trost, und seine Angst wurde noch größer.

Plötzlich wurde die Grasmatte, die das Abteil vom großen

Innenraum des Barabara abteilte, gehoben. Aufrechter Gang zwinkerte im ungewohnten Licht. Die aufragende Gestalt eines Mannes – eines Fremden – blockierte das Licht. Als seine Mutter ihn fester umschlang und eine Bewegung machte, als wolle sie ihn abschirmen, starrte Aufrechter Gang in das Gesicht des Mannes und sah die gezackte weiße Narbe, die das Auge halb schloß. Der Mann streckte die Hand aus, und seine Mutter stieß einen leisen Schrei aus, doch der Mann hob nur die verschobene Grasmatte, die das frühere Versteck verdeckt hatte. Aufrechter Gang sah, wie der Mann ihn anblickte, dann drehte er sich um und verließ den kleinen Raum. Minuten vergingen, ehe die Anspannung seiner Mutter nachließ und sie ihre Umarmung lockerte.

Die Sonne drang durch einen Spalt in den Wolken, und die Wellen reflektierten die Helligkeit. Zwei russische Pelztierjäger standen schenkeltief im Wasser der Bucht und hielten das Bidarka, während Luka in den langen und schlanken Kajak der Aleuten stieg. Er setzte sich zurecht, streckte die Beine aus und spürte sofort, wie seine Rückenmuskeln beansprucht wurden. Man reichte ihm das doppelblättrige Paddel. Durch ein Nicken gab er seinen zwei Helfern zu verstehen, daß er bereit war.

Mit einem Stoß schoben die Promyschleniki das Bidarka in die Wellen. Luka tauchte ein Blatt ins Wasser. Sofort kippte das aus Häuten gefertigte Boot um, und Luka tauchte kopfüber in das trübe grüne Wasser. Wild mit dem Paddel um sich schlagend, versuchte er, sich und das Boot aufzurichten. Seine Lungen brannten, sein Körper lechzte nach Sauerstoff. Er stemmte ein Paddelende gegen den Meeresboden, erreichte damit aber nur, daß trüber Schlick hochgewirbelt wurde und das Wasser noch undurchsichtiger wurde.

Plötzlich richtete sich das Bidarka von selbst auf – zumindest hatte er diesen Eindruck. Hände hatten ihn gepackt und samt dem Boot hochgehoben. Keuchend und würgend faßte er die zwei Männer ins Auge, die ihn gerettet hatten und nun das Boot ins seichtere Wasser zogen.

Als der lange, spitze Bug den Sandboden des flachen

Ufers berührte, kletterte Luka rasch heraus und watete an Land.

Winterschwan, die Muscheln und Seeigel gesammelt hatte, war Augenzeugin seines Ungeschicks geworden. Sie hatte aus ganzem Herzen gewünscht, die See möge die Lungen des Mannes mit Salzwasser füllen, doch der Mann, dessen Sklavin sie geworden war, watete an Land. Ihre Hoffnung war zunichte. Nichts konnte ihr Freiheit bringen – ihr nicht und dem Dorf nicht. Die Donnerstöcke verliehen den Fremden zuviel Macht. Sie hatte sich verbittert damit abfinden müssen, daß ihr Volk nicht kämpfen und siegen konnte.

Nahe der Mündung der Bucht fesselte etwas ihren Blick. Die Wolken zogen sich zusammen und verdunkelten die Sonne. Als das Licht ihr nicht mehr in die Augen schien, konnte sie zwei Bidarkas ausmachen, die auf die Küste zusteuerten. Sie hatte schon mit Bangen dem Tag entgegengesehen, an dem Dichter Bart, der Bruder von Starkem Mann, mit den anderen Jägern ins Dorf zurückkehren würde. Die Fremden hatten alle Männer getötet. Sie würden gewiß auch die Heimkehrenden töten. Winterschwan rief ihnen eine Warnung zu, doch der Wind trieb ihre Worte in Richtung der Fremden. Der Anblick der Bidarkas ließ sie sofort zu ihren Waffen greifen. Winterschwan mußte hilflos mit ansehen, wie Dichter Bart und die anderen nichtsahnend an Land gingen.

Luka beobachtete genau, wie die Eingeborenen ihre Bidarkas ausrichteten, um sicher durch die Brandung zu gelangen. Widerstrebend empfand er so etwas wie Bewunderung für ihr Geschick. Als er die Seelöwen und Otterfelle sah, die auf den Booten festgeschnallt waren, wuchs seine Achtung noch mehr.

»Sollen wir sie töten?« fragte jemand Beljaew.

»Nein«, sagte Luka. »Sie sollen uns beibringen, wie man mit den Booten umgeht.«

Beljaew wollte widersprechen, überdachte dann aber den Vorschlag und gab mit einem bedächtigen Nicken seine Zustimmung.

»Recht hast du. Sie können uns in vielfacher Hinsicht nützlich sein. Und was können uns vier Jäger schon anhaben? Wir haben ihre Weiber und Kinder in der Gewalt. Sie werden tun, was wir von ihnen fordern.«

Als die Jäger an Land kamen, wurden sie überrumpelt, entwaffnet und von den Promyschleniki gefangengenommen. Sie führten die Heimkehrenden ins Dorf, wobei deren Rückkehr mit der Rückkehr Schekurdins und den zwei anderen Jägern aus dem Hauptlager der Gruppe zusammenfiel.

»Na, was hat Tschuprow gesagt?« fragte Beljaew den schmallippigen Kosaken, als er ihm Bericht erstattete.

»Nichts«, erwiderte Schekurdin und entblößte seine Zähne.

»Er schickt uns Schießpulver und Blei«, antwortete einer aus der Gruppe mit der Andeutung eines Lächelns.

»Na, was habe ich gesagt?« brüstete sich Beljaew.

7. Kapitel

Luka wählte den Aleuten mit dem ungewöhnlich dichten Schnauzbart zu seinem Lehrmeister in der Handhabung des Bidarkas. Es dauerte knapp vier Wochen, bis Luka die Länge und Breite der Bucht meisterte und sich hinaus aufs offene Meer wagte. Auch hatte er ein paar Brocken der Aleutensprache gelernt und dem Eingeborenen ein paar russische Ausdrücke beigebracht.

Die Promyschleniki hatten sich unterdessen mit diesem Teil der Insel vertraut gemacht und eine Lebensmittelvoratskammer angelegt, was für die Aleuten ungewohnt war. Das Meer war ihr Nährboden, den sie nach Bedarf abernteten, und ihre mageren Zeiten dauerten nie lange. Die größte Hürde für die Russen aber war es, den Eingeborenenfrauen beizubringen, daß sie ihr Essen gekocht und nicht roh vorgesetzt bekommen wollten.

Begierig, am Reichtum des Meeres an Fellen teilzuhaben, brach Luka mit hochgespannten Erwartungen zur Jagd auf. Um so größer war seine Enttäuschung. Als erstes mußte er feststellen, wie begrenzt die Jagdmöglichkeit in dem großen, offenen Häuteboot waren. Im Baidar hatte zwar eine ganze

Gruppe von Jägern Platz, die Größe des Bootes erschwerte aber das Anpirschen an die Seeotter, und bei einer Verfolgung war es eher unbeholfen. Nur selten kamen sie nahe genug heran, um eine Harpune werfen zu können. Sie versuchten, die Otter mit Musketen zu erlegen, um dann feststellen zu müssen, daß ein toter Meeressäuger sofort im Wasser untergeht.

Das lange, schlanke Bidarka war für die Jagd am besten geeignet. Wieder versicherte Luka sich der Dienste des Aleuten, dessen Name, wie er inzwischen wußte, Dichter Bart war. Diesmal brauchte er ihn als Führer. Als erstes fuhren sie mit einem Zweimannbidarka auf Jagd, in dem Luka hinten saß, damit er den Eingeborenen im Auge behalten konnte.

Luka hatte sich immer seines Jagdgeschickes gebrüstet. Doch es bestand ein gewaltiger Unterschied zwischen der Jagd an Land und der Jagd auf dem Meer. Unzählige Male verlor er völlig die Orientierung und wußte nicht mehr, in welcher Richtung die Insel lag. Zunächst glaubte er, Dichter Bart hätte ihn mit Absicht in die Irre geführt. Doch der Aleute wußte immer, wo sie sich befanden, und brachte ihn sicher zu der Insel zurück. Zudem mußte Luka feststellen, daß die Ausrüstung des Aleuten der seinen überlegen war. Die von einem Wurfbrett aus geschleuderte Harpune des Eingeborenen hatte eine größere Reichweite als seine eigene, wurfspießähnliche Harpune. Die größte Enttäuschung aber war die Entdeckung, daß er nicht imstande war, ein Einmannbidarka zu steuern und gleichzeitig zu jagen. Erfolg hatte er nur, wenn er gemeinsam mit dem Aleuten auf die Jagd ging.

Im Inneren des Barabara war es gemütlich und warm, während draußen ein Februarblizzard tobte. Ein halbes Dutzend Promyschleniki hockte auf dem grasbedeckten Boden beim Kartenspiel. Immer wieder ertönte in ihrer Mitte ein Gemisch aus unwilligem Knurren und Triumphgeschrei.

Luka, der allein etwas abseits saß, sog an einer erkalteten Pfeife und hielt den Blick geistesabwesend auf den Musketenlauf gerichtet, der aus dem rohen Holzdeckel des Kessels ragte. Es war ein Zeichen des Friedens und der Sicherheit, deren sie sich im Dorf erfreuten, daß sie es sich erlauben konnten, eine ihrer Waffen zu zerbrechen und zum Alkoholbrennen zu verwenden. Von den Eingeborenen hatten sie nichts zu fürchten. Zwar fehlte Luka jegliches Verständnis für diese Menschen, die offenbar keinen Haß kannten. Sie hatten ihre Männer getötet und ihre Weiber weggenommen, und doch ließen die Aleuten keine Rachegelüste erkennen.

Er rieb die Narbe auf seiner Wange, in die Betrachtung eines der wachsenden Stapel gebündelter Otterfelle versunken, der an einer Wand des Barabara aufgehäuft war. Ja, er hatte seinen Anteil erjagt, so wie jeder andere seiner Gefährten, doch den überwiegenden Teil hatten sie den vier Eingeborenen zu verdanken, die sie zwangen, mit auf die Jagd zu gehen. Frustriert kaute er am Pfeifenstiel.

Luka richtete sich auf. Er hatte keine Lust, sich zu den lärmenden Kartenspielern zu setzen, und hielt neben der Kerbenleiter inne. Er spürte den kalten Luftzug, der durch die Einstiegsluke hereindrang und die Flammen der Steinlampen flackern ließ. Wie lang mag der Sturm noch dauern? Er konnte es kaum erwarten, wieder auf die Jagd zu gehen und die verlorenen Felle wettzumachen.

Zwei kleine Jungen balgten sich auf dem Boden. Sie waren wegen eines Pfeiles in Streit geraten. Luka erkannte den Jüngeren als Aufrechten Gang, den Sohn seiner Konkubine Winterschwan. Wie Dichter Bart ihm erklärt hatte, war sie nach dem Schwan benannt worden, der nur im Frühwinter auf der Insel zu sehen war. Luka hatte den anmutigen Vogel erkannt, der auf seiner alljährlichen Wanderung hier haltmachte – der wilde Schwan kam aus Rußland. Und die Frau verfügte über Anmut und disziplinierte Kraft, über angeborene Würde trotz des oft gebeugten Hauptes. Er sah zu, wie sie die Näharbeit an dem Vogelbalgparka wiederaufnahm, den sie für ihn anfertigte. Als er in der Nacht in der Dunkelheit neben ihr lag, ohne sich ihr zu nähern, überlegte er, wie sehr er sich an ihre merkwürdige Art, sich zu schmücken, gewöhnt hatte. Die Lippenpflöcke und Tätowierungen kamen ihm nicht mehr abstoßend vor, nicht störender jedenfalls als seine Narbe. Winterschwan kochte, nähte, reinigte seine Felle und gehorchte. Für ein Eingeborenenweib war sie sehr gut.

Das Verlangen, das er anfangs nicht verspürt hatte, brannte nun in ihm. Obwohl Berührung nicht Teil des Aktes war, ließ er seine Hand unter ihr Gewand gleiten und strich über ihren Leib, um ihr sein Begehren zu vermitteln. Als er eine Wölbung ertastete, wo ihr Bauch immer flach gewesen war, hielt Luka inne.

»Bist du schwanger?« fragte er sie stirnrunzelnd und wurde dann erst gewahr, daß sie ihn nicht verstand. Ihr neuerworbener und begrenzter russischer Wortschatz reichte nicht aus.

»Kind«, sagte er nun und deutete auf ihren Leib.

»Ja.« Sie nickte einmal.

Er spürte eine kleine Bewegung unter seiner Hand. Luka zog die Hand zurück und rollte sich auf den Rücken. An die Möglichkeit, daß sie schwanger werden könnte, hatte er nicht gedacht.

Die Promyschleniki drängten nun mit größerem Nachdruck zur Jagd, da die Zeit knapp wurde. Bald, sehr bald, würden sie die Heimreise antreten müssen, doch gab es noch so viele Seeotter, Robben und Seelöwen, die es zu jagen galt. Die Gier trieb sie an. Je mehr Felle, desto größer würde ihr Anteil sein. Wenn das Wetter es zuließ, nutzten sie jede Minute.

Nach erfolgreicher Jagd half Luka seinem Partner Dichter Bart das Bidarka an Land zu ziehen. Ganz vorsichtig, damit kein scharfer Stein die Haut des Seelöwenfells durchbohren konnte. Die langen Stunden des Kniens im Boot hatten seine Beine verkrampft und steif werden lassen. Mit ausgestreckten Beinen wie Eingeborene konnte er nicht im Boot sitzen. Dabei wurden die Muskeln zu stark beansprucht. Nun wurden die blutigen Felle ausgeladen, die sie im Inneren des Kajaks verstaut hatten. Sie hatten die erbeuteten Tiere abgebalgt, damit die Ladung nicht zu schwer und umfangreich wurde und sie länger jagen konnten. Gemeinsam schleppten sie nun die Felle ins Dorf.

Er erblickte Winterschwan, die über ein Robbenfell gebeugt auf den Knien lag und Fleischstückchen von der Haut kratzte. In ihrer Arbeit innehaltend, richtete sie sich auf und drückte die Hand gegen das Kreuz, wobei sie sich kräftig reckte. Ihr Leib trat schon stark vor. Luka vermutete, daß ihre Zeit bald kommen würde. Dennoch verschwendete er keinen Gedanken an die stundenlange schwere Arbeit, die sie leistete. Winterschwan klagte nie, und die Eingeborenenfrauen waren zäh und ausdauernd. Er ging zu ihr und ließ die frischen Felle neben ihr fallen.

»Ich habe Hunger. Mach mir etwas zurecht«, befahl er und beeilte sich, fortzukommen, um dem Gestank des fauligen Robbenfleisches zu entgehen. Müde ließ er sich zu Boden fallen und beobachtete ihren unbeholfenen Versuch, seine Anordnung zu befolgen.

»Männer kommen.« Dichter Bart deutete zum Felspfad hin. Luka hob den Kopf und sah zu den russisch gekleideten Gestalten hin. Als sie näher kamen, konnte er das sandfarbige Haar des einen erkennen – Tschuprow. Seine Müdigkeit überwindend, erhob er sich, um den Anführer der Jagdgruppe zu begrüßen.

»Sag es den anderen im Lager«, befahl er dem Aleuten. Als Tschuprow im Dorf eintraf, hatten sich die übrigen Promyschleniki versammelt, um ihn zu begrüßen. Humpen mit frischem Raka, einem starken, aus gegorenem Süßgras destillierten Alkohol, machten die Runde. Beljaew wartete, bis die Neuankömmlinge ihren Durst gestillt und sich ein wenig ausgeruht hatten, ehe er sich nach dem Grund des Besuchs erkundigte.

»Was führt dich in unser Lager, Jakow Petrowitsch?«

»Newodschikow sagt, wir müßten in zwei Wochen die Heimfahrt antreten«, erklärte Tschuprow. »So lange brauchen wir, um die Felle ins Basislager zu bringen und den Schitik auslaufbereit zu machen.«

»Nein«, widersprach Luka unwillkürlich, und da er sich gegen die Entscheidung ausgesprochen hatte, verteidigte er seine Meinung. »Wir haben hier reiche Jagdbeute. Das Wetter ist gut. Warum jetzt aufbrechen? Warum warten wir nicht noch ein paar Wochen?«

»Newodschikow behauptet, um diese Zeit seien die Winde günstig, und es würde eine leichte Fahrt.«

»Was macht es schon aus, ob die Winde uns begünstigen?« Luka richtete die Frage an die gesamte Gruppe. »Spielt es für euch eine Rolle, ob die See rauh ist und die Fahrt ein paar Tage länger dauert, solange der Frachtraum voller Felle überquillt? Haben wir die ganze lange Strecke hinter uns gebracht, nur um mit weniger Fellen zurückzukehren, als wir jagen könnten, wenn wir ein paar Wochen länger bleiben?«

Vielstimmige Zustimmung schwoll ihm entgegen. Luka lächelte befriedigt. Er wußte, daß die Promyschleniki Tschuprow als Anführer absetzen würden, wenn er auf einen frühen Aufbruch bestand.

Tschuprow ließ den Blick über die Gruppe der Jäger schweifen. Dann beugte er sich der Meinung der Mehrheit.

»Wir segeln Mitte August. Nicht später.«

Aus dem Eisenhutdickicht drang lautes und stetiges Bienengesumm. Die tiefblauen Blüten wiegten sich im Wind und leuchteten um die Wette mit dem seltenen Blau des Himmels. Winterschwan ließ die stark giftige Pflanze unbeachtet, sie war auf der Suche nach eßbaren Wurzeln. Es gelang ihr aber nicht, die stechenden Rückenschmerzen ebenso unbeachtet zu lassen. Als sie sich nach ihrem Korb bückte, durchjagte sie die erste schmerzhafte Wehe, die zwar rasch wieder verebbte, doch Winterschwan wußte nun, daß ihre Zeit gekommen war. Sie rief die Korbflechterin, die an ihre Seite eilte. Gemeinsam gingen sie sofort zurück ins Dorf. Als sie im Dorf anlangten, waren die Wehen schon sehr stark und kamen in regelmäßigen Abständen. Kleine Blume, die Witwe von Steinleuchte und Hebamme des Dorfes, wurde geholt, während die anderen Frauen Winterschwan in das Barabara halfen.

Geburten, bei denen Kleine Blume half, verliefen immer gut. Es hatte nie Todesfälle gegeben, weder bei Müttern noch bei den Neugeborenen. Auch wenn das Kleine keine normale Lage hatte, wußte sie Rat. Einmal hatte sie sogar eine Gebärende aufgeschnitten, das Kind herausgeholt, die Mutter wieder zugenäht, und beide hatten überlebt. Winterschwan verspürte keine Angst, da Kleine Blume bei ihr war, auch nicht, als die Schmerzen so arg wurden, daß sie glaubte, sie würde auseinandergerissen.

»Der Kopf kommt schon«, beruhigte Kleine Blume die hokkende Gebärende.

Nun spürte auch Winterschwan, wie das Leben sich den Weg ins Freie bahnte. Als sie gleich darauf den Schrei des Neugeborenen hörte, lächelte sie vor Freude und Erleichterung. Sie sah, wie Kleine Blume das rote und verrunzelte Neugeborene der Korbflechterin zum Waschen reichte.

»Es ist ein Mädchen«, sagte sie zu Winterschwan. »Kräftig wie die Mutter.«

Als man ihr gleich darauf das Kleine in die Arme legte, begutachtete sie es liebevoll. Schwarzes Haar, dicht und weich wie Entenflaum, bedeckte das Köpfchen. Doch die Augen waren rund wie die des Mannes, der Luka hieß. Doch das störte Winterschwan nicht. Sie hatte Glück, einen so guten Herrn zu haben. Er behandelte sie gut und hatte sie nie im Zorn geschlagen, wie es manche der anderen Männer mit ihren Frauen taten. Und sehnte sich ihr Herz zuweilen zurück nach glücklicheren Zeiten, dann dachte sie an ihren eigenen Fehler, als sie sich gegen den Frieden ausgesprochen hatte.

Aber mit diesem Kind in den Armen war sie wieder glücklich. Sie war auch froh, daß es ein Mädchen war, obschon sie wußte, daß das Dorf Jäger brauchte. Ein Mädchen konnte ihr bei der Arbeit zur Hand gehen und verstand Dinge, die ein Junge nie begreifen würde.

Später, als das Kleine schlief, brachte die Korbflechterin Aufrechten Gang, damit er seine kleine Schwester betrachten konnte. Verlegen lugte er in die hölzerne Wiege, die Dichter Bart gemacht hatte. Eine kleine Faust schwankte in der Luft. Als er sie anfaßte, umschlossen winzige Finger seinen Zeigefinger. Sein Lächeln war voll Verwunderung. Winterschwan sah stolz auf ihre zwei schönen Kinder.

Die Wolken trugen den rosa Saum der Dämmerung, als Luka von der Jagd heimkehrte. Leicht verärgert sah er sich nach Winterschwan um. Er wollte essen und einen Becher Raka, und seine schmerzenden Rückenmuskeln sehnten sich danach, geknetet zu werden. Ihre Hände verstanden sich darauf, die Muskeln zu entspannen.

»Winterschwan hat Kind«, sagte Dichter Bart.

Momentan begriff Luka nicht und starrte verständnislos in die lächelnden Augen des Aleuten. Sein Kind war geboren. Er versuchte sich vorzustellen, was das bedeutet. Doch plötzlich war er umringt von seinen Jagdgenossen und hörte ihre rauhen Stimmen, die ihn polternd und mit Spottworten beglückwünschten.

Sie hieben ihn auf den Rücken und stießen ihn unter Gelächter zum Barabara. Zunächst kam er sich reichlich töricht vor, doch als er zur Dachluke hochstieg, war sein Schritt behender geworden.

Er war die Leiter erst zur Hälfte hinuntergestiegen, als er Winterschwan neben der Wiege sitzen sah, die Füße unter den Parka gezogen. Nur ein Fuß lugte hervor. Ihr Kopf war über das noch unsichtbare Kind gebeugt, der Schein der Steinlampe fiel auf ihr Haar. Der Anblick rief ihm ein anderes Bild ins Gedächtnis – die Ikone der Jungfrau in der Kirche. Winterschwan blickte auf, und die Vision verflüchtigte sich vor der Realität der Lippenpflöcke unter den Mundwinkeln.

Luka war mit wenigen Schritten an der Wiege und kniete nieder, um einen ersten Blick auf seinen Sohn zu werfen. Wie winzig das Kleine aussah, das im Schlaf Grimassen schnitt. Er sah so ganz anders aus, als Luka erwartet hatte. Eigentlich sah er sogar ziemlich häßlich aus. Vorsichtig strich Luka mit den Fingerspitzen über das dichte Haar, das tiefschwarz und daunenweich war. Das Kleine runzelte die Stirn.

»Na, wie fühlt man sich als Vater, Luka Iwanowitsch?« Beljaew ließ grinsend die Lücke zwischen den Vorderzähnen sehen. Luka richtete sich zu voller Größe auf.

»Aus dem wird einmal ein guter Jäger.« Er sagte es schroff, um jeglichen Anschein von Rührung zu vermeiden, und trat dann zurück, damit seine Jagdgefährten seinen Sohn sehen konnten.

»Kein Jäger«, sagte Winterschwan und schob die Decke zurück. »Mädchen!«

Tiefe Enttäuschung folgte dem anfänglichen Schock. Niemals war ihm der Gedanke gekommen, das Kind könnte ein

Mädchen sein. Das spöttische Gelächter seiner Gefährten vergrößerte seine Enttäuschung. Wozu soll ein Mädchen gut sein? dachte er angewidert.

»Wie wirst du deine Tochter nennen?« wollte der spottlustige Beljaew wissen. »Komm schon, Luka Iwanowitsch, das Kind muß einen Namen bekommen.«

Luka zögerte. Doch wenn er dem Kind keinen Namen gab, würden ihn die Gefährten nie in Ruhe lassen.

»Tascha.« Es war ein gebräuchlicher Name.

»Tascha Lukjewna«, sagte er und erkannte damit das Neugeborene als seine Tochter an.

8. Kapitel

Das beständige gute Wetter und die reiche Jagdbeute waren gute Gründe, den Aufbruch von der Insel Attu ein zweites Mal zu verschieben. Erst gegen Ende August beluden die Promyschleniki den großen Baidar mit den erjagten Fellen.

Die ganze Woche über hatte Winterschwan sie vom Aufbruch reden gehört, und dann sah sie zu, wie sie ihre Fellbündel auf den Baidar schafften. Sie stand im Barabara, inmitten des Lärms und Aufruhrs, ihre Tochter Tascha in den Armen, ihren Sohn an der Hand. Um sie herum durchstöberten die Männer die verschiedenen Abteile, suchten ihre Habseligkeiten zusammen und rollten sie zu Bündeln.

Sie sah, wie Luka sein Bündel schnürte, und wartete auf Anweisungen. Sie war seine Sklavin. Gewiß würde er sie in sein Dorf jenseits des Wassers mitnehmen. Doch er hatte sie noch nicht angewiesen, ihre Sachen zu packen. Plötzlich befürchtete sie, er würde sie mitnehmen, ohne daß sie ihre Besitztümer packen konnte. Der Gedanke, alles zurücklassen zu müssen, war ihr unerträglich. Rasch entschlossen legte sie Tascha in die Wiege und machte sich daran, ein paar unentbehrliche Dinge zusammenzusuchen – ein winziges Körbchen für Nadeln, ihre halbmondförmigen Messer zum Reinigen und Abhäuten, einen Wurzelrechen und ein paar andere Dinge.

Als sie an Luka vorbei nach ihrem besten Parka und ihrem Schmuckbeutel fassen wollte, packte er ihren Arm.

»Was machst du da?«

»Wir gehen in dein Dorf«, sagte sie und sah dann sein erstauntes Stirnrunzeln. »Du nimmst uns?«

»Nein.« Er wich ihrem Blick aus und schnürte sein Bündel mit gesenktem Kopf fertig.

»Du bleibst hier. Für dich ist kein Platz.«

Verwirrt hockte sie sich hin. Später stand sie dann mit den anderen Frauen und Kindern am Strand und sah zu, wie Dichter Bart und die anderen drei Aleuten, die einzigen erwachsenen Männer des Dorfes, die noch am Leben waren, den schwer beladenen Baidar ins tiefere Wasser schoben. Der Wind trieb ihr den dichten Regen ins Gesicht und nahm ihr die Sicht auf das Boot voller Männer.

Als der Baidar Kurs auf das offene Meer nahm, wurde Winterschwan klar, daß das Dorf nun befreit war. Ihre Herren waren fort. Doch diese Hochstimmung hielt nicht lange an, und ein Gefühl des Verlassenseins beeinträchtigte sie. Ja, sie waren frei, doch wie sollten sie überleben mit nur vier Männern, die für das ganze Dorf auf Jagd gehen und für dessen Unterhalt sorgen sollten? Sie drückte das Kleine fester an die Brust.

Es vergingen weitere zwei Wochen, bis die Promyschleniki sich alle im Basislager versammelt hatten, die Winterschäden am Schitik behoben und die Fugen abgedichtet waren, bis die Vorräte für die Heimfahrt zusammengetragen waren und das Schiff zu Wasser gebracht und die kostbare Fracht an Fellen verstaut war. Mitte September holten sie den neuen hölzernen Anker ein, setzten die Rentierhautsegel der Zwillingsmaste und stachen mit Kurs auf Sibirien in See. Ihre junge, verwaiste Geisel begleitete sie. Er war jetzt das Mündel des Steuermanns Newodschikow, dem sich der Junge im Laufe des Jahres eng angeschlossen hatte.

Schwere graue Wolken verhüllten die Vulkangipfel der Insel, stürmische Brandung donnerte gegen die Felsküste. Luka stand am Heck des flachen Schiffes und sah die Insel immer kleiner werden. Breitbeinig hielt er das Gleichgewicht. Beljaew ging über die Länge des schwankenden Decks auf ihn zu.

»Na, Luka Iwanowitsch, wieviel ist unsere Ladung deiner Meinung nach wert?« Der Wert war Gegenstand ständiger Spekulationen unter den Jagdgefährten.

»Ich denke, so an die hunderttausend Rubel.« Er glaubte nicht, daß sich die Preise in dem Jahr ihrer Abwesenheit geändert hatten.

»Und was fängst du mit deinem Anteil an?« Alle machten schon eifrig Pläne, wie sie ihr Vermögen ausgeben wollten. Es war nicht mehr als ein Zeitvertreib. Luka argwöhnte, daß die meisten ihr Geld vertrinken und verspielen würden. In den öden abgeschiedenen Orten Sibiriens gab es sonst wenig, wofür man sein Geld ausgeben konnte. Wer zu Vermögen gekommen war, der kehrte dieser Wildnis für gewöhnlich den Rücken. Wer blieb, der hatte bald kein Vermögen mehr.

»Ich werde es jedenfalls nicht in einer Kneipe beim Kartenspiel verlieren«, stellte Luka fest.

Beljaew lachte. Das sagten alle.

»Was hast du dann vor?«

Den Blick noch immer auf die Insel gerichtet, bemerkte Luka einen Seeotter, der aus sicherer Entferung den Schitik beobachtete. Sein Schädel tanzte auf dem Wasser wie ein Korken.

»Vielleicht komme ich zurück«, sagte er nachdenklich. »Vielleicht baue ich mit meinem Anteil ein eigenes Schiff und finanziere noch eine Expedition zu den Inseln.« Ihm war klar, daß der Profit eines solchen Unternehmens gewaltig sein würde. In diesem Gebiet gab es so viele Seeotter, daß man immer wieder kommen konnte.

»Ja, auf der Insel war es nicht übel – Pelztiere gab es in Hülle und Fülle. Und die Frauen waren auch nicht schlecht, wie?« Beljaew grinste und schlug Luka fest auf die Schulter.

Der Gedanke an die hochgewachsene, stattliche Winterschwan ließ Lukas Mund zucken. Wieder verspürte er Bedauern darüber, daß das Kind kein Junge war.

Daß die verspätete Heimfahrt einen Kampf mit schlechten

Witterungsbedingungen unausweichlich machte, hatten alle von Anfang an gewußt. Bereits am zweiten Tag verschlechterte sich das Wetter zusehends. Der Seegang wurde schwer, Wind und Regen machten dem Schiff schwer zu schaffen. Eine Besserung hielt nie lange an.

In der vierten Woche beschränkte sich ihre Wasserration auf den Regen, den sie sammeln konnten, die Lebensmittel waren nahezu aufgebraucht. Skorbut schwächte die Männer. Allmählich wurden Befürchtungen laut, daß man sich mit dem Aufbruch zu lange Zeit gelassen hatte.

Zwei weitere Wochen kämpfte sich der Schitik durch Wogen und widrige Winde, während die Männer unausgesetzt damit beschäftigt waren, ihr Schiff seetüchtig zu erhalten, indem sie zerfetzte Segel nähten, Maste verstärkten, Risse abdichteten und darum beteten, daß ihr Glück sie nicht im Stich lassen möge. Niemand war eifriger bei der Arbeit als Luka. Von den heftigen Schlingerbewegungen des Bootes hin und her geworfen, arbeitete er sich zu den zwei Jägern vor, die die Pumpe bedienten, und tippte dem einen auf die Schulter, da er ihn ablösen wollte. Die Männer waren kaum imstande, des einsickernden Wassers Herr zu werden, obwohl sie ständig die Pumpe bedienten.

Vom Deck her war ein erstickter Aufschrei zu hören. Gleich darauf rief eine vor Freude fast hysterische Stimme: »Land! Land!«

Bis zu diesem Moment war Luka nicht bewußt gewesen, wie nahe er daran gewesen war, jede Hoffnung aufzugeben. Jetzt durchströmte sie ihn von neuem, verlieh ihm die Kraft von zehn Mann und ließ ihn die Qual des blutenden Zahnfleisches vergessen. Er verließ seinen Posten an der Pumpe und arbeitete sich zur Luke durch, um selbst einen Blick auf das Land zu werfen. Gegen das brennende Salzwasser zwinkernd, starrte Luka zum Horizont hin. Zuerst sah er nur eine schwarze Wolkenbank, fast gleichzeitig wurde ihm klar, daß es Land war und keine Wolken.

»Kamtschatka! Das muß Kamtschatka sein! Wir haben es geschafft!« rief er aufgeregt und lachte wie befreit auf.

Mit seinen Rahsegeln war der Schitik schon bei günstigem Wetter nicht besonders manövrierfähig, bei Sturm überhaupt nicht. Als das Schiff sich der Küste näherte, sah Luka plötzlich die Spitze eines schimmernden schwarzen Felsens direkt vor dem Bug aus dem Wasser wachsen und rief dem Steuermann eine Warnung zu. Ächzend reagierte das Schiff auf das Ruder, wobei der Bug der Felsspitze um ein geringes auswich, zu wenig, wie sich zeigte. In der nächsten Sekunde hörte man ein tödliches Kratzen, gefolgt vom malmenden Zersplittern des Holzes. Ein Zittern ging durch das Schiff, das keine Fahrt mehr machte, als seine Balken auseinanderbrachen. Dann erbebte der Schitik heftig, so daß Luka durch die Wucht auf die Knie fiel.

»Bringt das Beiboot zu Wasser!«

»Das Schiff zerbricht«, rief jemand voller Entsetzen.

Wasser drang in den Schiffsrumpf. Ein Chaos brach aus, als alles von Bord drängte und sich in Sicherheit bringen wollte. Luka kämpfte sich durch die Menschenwoge. Als Schekurdin versuchte, an ihm vorüber ins Boot zu gelangen, packte Luka ihn.

»Die Felle! Wir müssen sie retten!«

»Das überlasse ich dir«, stieß der Kosake erregt hervor. »Ich rette lieber mich selbst.«

Luka ließ ihn vorbei und suchte unter den in Panik geratenen Jägern einen anderen.

»Beljaew!« rief er dem schwarzbärtigen Promyschlenik zu. »Die Felle! Wir müssen sie ins Boot schaffen.«

Der untersetzte Jäger hielt an der Reling inne, wich dann zurück und drängte sich zu Luka durch.

»Rasch, Eile tut not!« stieß er hervor.

Sie brachen die Ladeluke auf, und Luka schwang sich in den überfluteten Rumpf hinunter, um durch die Öffnung Beljaew Fellbündel zuzuwerfen. Sie waren mit fieberhaftem Eifer bei der Arbeit und registrierten angstvoll jedes Ächzen des bebenden Schitik. Jedes Bündel, das an Deck landete, wurde von Beljaew gepackt und ins Boot geworfen, das längsseits lag, während die Männer die Reling überkletterten oder einfach ins brodelnde Wasser sprangen, um das etwa dreißig Meter entfernte Ufer zu erreichen. Die Wellen ließen das aufgelaufene Schiff immer wieder gegen den Felsen prallen.

Im Laderaum watete Luka durch das kalte Salzwasser und wuchtete wieder ein Bündel vom Stapel, um es zurück zur Luke zu schleppen. Da hörte er erneut das laute, unheilverkündende Beben des Holzes und spürte, wie das Boot sich unter seinen Füßen bewegte, als er die Felle durch die Luke schleuderte.

Beljaews Kopf tauchte in der Öffnung auf.

»Schluß jetzt! Komm schon!«

Er bedeutete Luka mit drängenden Handbewegungen, den Rest der Felle im Stich zu lassen.

»Das Boot legt ab. Die warten nicht länger.« Beljaew verschwand.

Luka tat einen Schritt auf die Luke zu, überlegte es sich anders und machte für ein weiteres Fellbündel kehrt. Da traf eine mächtige Woge das Schiff und brach es in zwei Hälften wie einen Zweig, der über dem Knie geknickt wird. Beljaew sprang von der Reling und tauchte ins Wasser. Er kam rasch wieder nach oben und schwamm dem Boot nach. Jemand warf ihm ein Tau zu, das er erfaßte, um den Arm schlang und sich damit ins Boot ziehen ließ.

Ein Jagdgefährte fragte ihn, kaum daß er im Boot saß: »Wo ist Luka Iwanowitsch?«

»Dort.« Keuchend deutete Beljaew zu der Stelle hin, wo das Schiff sich befunden hatte, von dem nur mehr im Wasser treibende Wrackteile zu sehen waren.

9. Kapitel

Fünf Sommer lang liefen keine fremden Boote mehr die Insel Attu an, und die Aleuten lebten wie eh und je, während ihr Bruder, der Seeotter, sich unbehelligt in den Gewässern tummelte. An langen Winterabenden geschah es hin und wieder, daß ein Geschichtenerzähler anfing, von damals zu erzählen, als die Bärtigen auf der Insel gehaust hatten. Und nahezu in jedem Barabara gab es ein rundäugiges Kind als Beweis.

Doch dann tauchte wieder ein Boot vor Attu auf und

brachte Männer, die dieselbe Sprache sprachen wie die ersten Besucher. Kosaken nannten sie sich. Sie machten den eingeborenen Jägern klar, daß sie der großen und mächtigen Herrscherin jenseits des Wassers Tribut in Form möglichst vieler Seeotterfelle leisten müßten. Sie versprachen ihnen Eisenstücke im Austausch für die Felle. Aber als die Aleuten auf die Jagd gingen, verfuhren die Kosaken mit ihren Frauen nach Belieben. Es trafen weitere Boote ein. Lief eines aus, dann kam ein anderes und nahm seine Stelle ein. Unter den Fremden waren einige, die zu den Eingeborenen anständig waren, andere wiederum waren es nicht. Jeglicher Widerstand wurde jedenfalls rasch und brutal unterdrückt.

Zehn Sommer nach der Ankunft des ersten Bootes kam eines, das aussah wie alle anderen. Nur der Mann, der es befehligte, war anders. Sein Name war Andrej Nikolajewitsch Tolstych. Seine Augen waren von der Farbe des wolkenlosen Himmels. Auch trug er nicht die übliche einfache Kleidung der Kosaken. Seine Kleider waren von anderem Stil und aus feinerem Tuch gefertigt. Am Finger trug er einen Ring, auf dem ein zweiköpfiger Vogel zu sehen war.

Es war mehr als seine Erscheinung, die diesen Kosaken von jenen anderen unterschied, die an der Stelle an Land gegangen waren, die fortan Bucht des Massakers heißen sollte. Er behandelte die Eingeborenen anständig und bestrafte diejenigen seiner Leute, die versuchten, die Aleuten zu betrügen. Die Eingeborenen, die für ihn jagten, bezahlte er und tauschte Eisen gegen Otterfelle. Unter den Kindern, die seiner Obhut übergeben wurden, befanden sich Aufrechter Gang und seine Halbschwester Tascha. Sie wurden gut behandelt und lernten die Sprache der Kosaken.

Von Andrej Nikolajewitsch Tolstych hatten die Aleuten der Bucht des Massakers erfahren, daß die große Herrscherin seines Landes sehr erzürnt gewesen war, als sie von den Morden hörte, und daß die Schuldigen bestraft worden seien. Er wies die Aleuten an, sich an ihn zu wenden, falls seine Leute sie mißhandelten oder unbillig mit ihnen verfuhren. Auch er wollte dafür sorgen, daß sie bestraft würden.

So kam es, daß die Aleuten für ihn eifrig auf die Jagd gingen. Und auf der Insel war Frieden. Alle waren betrübt, als sein Boot im Sommer darauf die Insel verließ. Als Fracht hatte es über fünftausend Otterfelle geladen. Auch Tascha bedauerte, daß er fortging, aber die Kosaken blieben nie für immer. Viele sagten, sie würden wiederkommen, doch nur wenige kehrten tatsächlich zurück.

Solange Taschas Gedächtnis zurückreichte, waren immer Kosaken auf der Insel gewesen, obwohl ihre Mutter ihr auch von anderen Zeiten erzählt hatte. Mit fünfzehn Sommern war Tascha nun so groß wie ihre Mutter, von der sie die starken Backenknochen und die glatte Haut geerbt hatte. Ihr Gesicht war jedoch schmäler, die Züge nicht so flach. Unter den Mundwinkeln waren zwei Narben schwach sichtbar, wo man ihr als Kind Lippenpflöcke eingesetzt hatte. Vor langer, langer Zeit hatte ein Kosake darauf bestanden, daß ihre Mutter Winterschwan sie entfernte und die Stellen zuwachsen ließ.

Tascha kam mit einem Korb voller Seeigel ins Dorf, die sie im Watt gesammelt hatte. Eine Gruppe von Kosaken lungerte vor einem von ihnen erbauten Barabara herum, dessen Öffnung sich nicht oben, sondern an der Seite befand. Sie sahen sie kommen und drehten sich nach ihr um.

»Tascha, was hast du in deinem Korb?« rief einer ihr zu.

»Seeigel, ganz junge, zarte«, gab sie zurück.

»Hast du die gern, Fedor Petrowitsch? Jung und zart?«

Ein anderer stieß den Kosaken, der sie so intensiv anstarrte, lachend in die Seite. Dieser holte mit seinem Arm aus und schlug zu.

Tascha ging zu ihrem Barabara. Sie war sich des Interesses bewußt, das Fedor für sie zeigte. Bislang hatte er ihr keine Geschenke angeboten, doch sie erwartete, daß er es bald tun würde. Sie war im heiratsfähigen Alter.

»Warum sprichst du mit diesen Kosaken?« Die unvermittelt gestellte Frage ihres Halbbruders Aufrechter Gang überrumpelte sie. Sie hatte nicht bemerkt, daß er ausgestreckt auf der Leeseite des Barabara lag.

»Sie stellten mir eine Frage, die ich beantwortete«, erwiderte sie.

Mit einer einzigen behenden Bewegung war Aufrechter Gang auf den Beinen. Die stolze, aufrechte Haltung, die ihn schon als Jungen ausgezeichnet hatte, war auch jetzt mit einundzwanzig Jahren für ihn typisch. Brust- und Schultermuskulatur waren durch die vielen Stunden, die er auf der Jagd paddelnd in seinem Bidarka verbrachte, sehr stark entwikkelt. Glattes schwarzes Haar, schimmernd wie Rabenschwingen, hing ihm bis zum Stehkragen seines Parkas und umrahmte sein gebräuntes Gesicht mit den breiten Zügen.

Er besaß das scharfe Auge des Jägers, dem keine Einzelheit entging, auch nicht die Gier in den Blicken der Kosaken. Ein weiterer Grund, sie abzulehnen. Sie nahmen den Aleuten alles weg, und sein Stolz litt darunter. Um so unbegreiflicher war es für ihn, wieso seine Stammesbrüder mit Schwäche darauf reagierten.

»Tascha, du wechselst mit ihnen zu viele Worte.« Er folgte ihr die Gestelle entlang, an denen Lachs getrocknet wurde.

»Sie sind meine Freunde.« Sie blieb vor ihrer Mutter und der alten, weißhaarigen Korbflechterin stehen. Die zwei Frauen glätteten die Innenseite eines Kormoranbalgs mit einem Schaber, sorgfältig bedacht, das Gefieder auf der Außenseite nicht zu beschädigen. Die Häute waren für einen neuen Parka bestimmt, der einem Kosaken gehören sollte. Dieser Umstand reizte den jungen Mann noch mehr.

»Sie sind nicht unsere Freunde. Sieh, wie unsere Mutter sich für sie abmüht.« Er wich dem mahnenden Blick seiner Mutter aus.

»Sie bezahlen sie dafür.« Tascha ließ sich neben den zwei arbeitenden Frauen nieder und machte sich daran, die Seeigel zu säubern und das zarte Innere auszulösen.

»Ja, vielleicht werden sie bezahlen. Mir sagten sie, sie würden mir für zehn Otterfelle ein Stück Eisen geben. Die ganze Woche war ich auf der Jagd. Doch als ich ihnen heute die Felle brachte, wollten sie mir das Eisen nicht geben. Sie sagten, sie wollten zwölf Felle.« Um seinen Mund erschien ein harter Zug. »Sie nahmen meine zehn Felle und sagten dann, ich solle noch zwölf bringen, dann erst würde ich das Eisen bekommen. Als ich ihnen zu sagen versuchte, daß ich nur mehr zwei bringen müßte, lachten sie mich aus. Sie sagten, ich müßte auf der Stelle zwölf herbeischaffen. Jetzt haben sie meine Felle und das Eisen.

Sie haben mich betrogen, und ich konnte nichts dagegen machen.«

»So sind aber nicht alle Kosaken«, widersprach Tascha. »Denk an Adrej Tolstych. Er war ehrlich.«

»Er hat Tribut eingetrieben«, erwiderte Aufrechter Gang. »Warum sollten wir einer Herrscherin, die weit weg jenseits des Wassers lebt, Felle schicken? Es heißt, sie würde uns beschützen, wenn wir es täten. Ich sage aber, es ist eine List, um uns wieder um unsere Felle zu betrügen.«

»So ist eben ihre Art zu leben«, warf seine Mutter Winterschwan ein, um ihn zu besänftigen. »Wir müssen das respektieren.«

Aufrechter Gang fuhr herum, hielt dann aber inne, als er ihre grauen Strähnen sah. Manchmal schmerzte es ihn, daß sie für seine Abneigung gegen die Kosaken so wenig Verständnis aufbrachte. In seinem Gedächtnis aber klangen stets die Worte nach, die der Geschichtenerzähler vorgetragen hatte. Er wußte von der großen Kraft seines Vaters und vom Tage des Kampfes, als Starker Mann den eisernen Donnerstock des Kosaken mit bloßer Hand gebogen hatte. Sein Vater hatte im Widerstand gegen die Fremden sein Leben gelassen. Darauf war Aufrechter Gang stolz. Seine Mutter aber dachte an diese Zeiten nur voller Kummer.

Ihr zuliebe mäßigte er seine Worte: »Können wir ihre Lebensweise respektieren und gleichzeitig auch die unsere? Unsere Brüder lebten auf dieser Insel, lange bevor die Fremden kamen. Wir sollten dafür sorgen, daß sie verschwinden.«

Winterschwan hielt in ihrer Arbeit inne, den Bimssteinschaber in der Hand.

»Sie sind in der Überzahl, und wir haben keine Waffen, die es mit ihren Donnerstöcken, die sie Musketen nennen, aufnehmen könnten. Wir müssen Frieden halten.«

»Hätten wir ihre Musketen, dann könnten wir sie bekämpfen. Ich weiß, wie man die runden Kugeln abfeuert. Ich habe sie oft dabei beobachtet, wieviel schwarzes Pulver sie benutzen.«

»Sie werden dir niemals eine geben«, erklärte Tascha. »Ganz gleich, wieviel Felle du ihnen bietest, nie werden sie eine Muskete dafür tauschen. Ich habe gesehen, wie andere es versuchten.«

Aufrechter Gang wußte, daß es stimmte. »Eines Tages werde ich eine haben.«

Sein Jägerblick wurde vom Meer angezogen. Ein Segelpaar durchstach den flachen Horizont. Aufrechter Gang erstarrte voller Ablehnung. Die Anwesenheit weiterer Kosaken in seinen Gewässern lehnte er ab.

»Es kommen noch mehr. Wann wird das aufhören?« fragte er sich.

Auch andere Dorfbewohner hatten das Herannahen des Schitik beobachtet. Neugierde und die Sitte, Besucher der Insel zu begrüßen, trieben Kosaken und Eingeborene gleichzeitig hinunter an den Strand. Die Kormoranhäute und Seeigel wurden weggelegt, und Tascha lief voraus, während Aufrechter Gang mit seiner Mutter und der alten Korbflechterin langsamer hinterherging.

Tascha sah, wie die Segel eingeholt wurden und der Anker im Wasser verschwand. Gleich darauf wurde ein Boot zu Wasser gelassen, und einige Kosaken ruderten an Land. Der vorderste Mann kam Tascha irgendwie bekannt vor. Als das Boot auf flaches Wasser traf, sprangen zwei Kosaken heraus und zogen es mit Hilfe zweier Aleuten auf den Sand. Tascha konnte den Mann nicht richtig sehen, da zu viele Menschen ihr den Blick verstellten. Da stand er auf und überragte kurz die anderen. Tascha konnte seine Augen sehen – blau wie der Himmel.

»Seht«, rief sie und lief an die Seite ihrer Mutter, »seht, wer das ist! Andrej Tolstych ist zurückgekehrt!«

Bis auf das Silbergrau in seinem Haar hatte Andrej sich in den fünf Jahren seiner Abwesenheit wenig verändert. Er erweckte den Eindruck von Kraft und Ruhe – so wie jetzt, als er ausstieg, um die Dorfbewohner zu begrüßen.

»Wo ist euer Häuptling?« fragte er auf aleutisch.

»Er ist vor zwei Sommern gestorben«, erwiderte Dichter Bart.

»Ich bin Dichter Bart, gegenwärtig Häuptling des Dorfes. Ich kenne dich, Andrej Tolstych. Du hast mit uns in Frieden gelebt und uns nicht um unsere Felle betrogen.«

»Ich bin wiedergekommen, um euch um die Erlaubnis zur Jagd zu bitten, damit wir wieder in friedlicher Gemeinschaft zusammenleben.«

Dichter Bart schüttelte bedächtig den Kopf.

»Die Erlaubnis zur Jagd kann ich nicht geben. Auf Attu haben wir schon drei Kosakenboote, für mehr ist kein Platz. Du mußt dir eine andere Insel suchen.«

Tascha hörte es und war enttäuscht. Sie wußte, wie oft Aufrechter Gang sich beklagt hatte, daß die Anzahl der Otter abnahm und daß es immer schwieriger wurde, sie zu jagen. Mehr Jäger bedeutete noch mehr Wettbewerb. Doch dieses Wissen milderte ihre Enttäuschung darüber nicht, daß Dichter Bart den Kosaken abwies, der zu ihnen so gut gewesen war. Obwohl Andrej Tolstych gegen diese Entscheidung Einwände vorbrachte, ließ Dichter Bart sich nicht umstimmen.

»Würdest du uns wenigstens erlauben, einige Tage in eurer Bucht zu ankern?« fragte Andrej schließlich. »Meine Leute sind nach der langen Seefahrt müde und brauchen Ruhe. Unsere Vorräte an Wasser und Lebensmitteln sind schon sehr geschrumpft. Wir müssen sie auffüllen, wenn wir eine andere Insel ansteuern sollen.«

»Ihr könnt bleiben und Proviant fassen, aber ihr dürft nicht jagen«, betonte Dichter Bart noch einmal.

»Dann nimm diese Geschenke als ein Zeichen meines guten Willens.«

Andrej gab seinen Leuten ein Zeichen, die Geschenke zu bringen. Neben dem großen gußeisernen Kessel und Ziegenlederstiefeln für Dichter Bart wurde so viel Stoff verteilt, daß jeder der Dorfbewohner zwei Hemden daraus nähen konnte, dazu fünfzehn Pfund Roggenmehl, Nadeln, vier dicke Jacken, warme Fäustlinge für den Winter, leichte Handschuhe für den Sommer und einen breiten Gürtel für jeden männlichen Dorfbewohner. Die Großzügigkeit der Kosaken war ungewöhnlich, denn wurde ihnen eine Bitte abgeschlagen, nahmen sie ihre Geschenke meist wieder mit. Dichter Bart war gerührt von dieser Geste, und Tascha wünschte sich, er hätte eines der anderen Boote wegschikken können, damit Andrej Tolstych bleiben konnte.

»Ich bedaure, daß ich eure Sprache nicht gut spreche. Leider beherrscht sie auch keiner meiner Leute. Da wir eine neue Insel ansteuern, deren Bewohner unsere Sprache auch nicht verstehen, werde ich Dolmetscher brauchen. Vielleicht kannst du uns zwei oder drei der Dorfbewohner mitgeben, damit sie unsere Worte deinen Nachbarn übersetzen.«

»Ich will deine Bitte überdenken«, gab Dichter Bart wachsam zurück. »Und jetzt lade ich dich in mein Barabara ein, damit wir die Rückkehr von Andrej Tolstych feiern können.« Diese Geste der Gastfreundschaft gehörte zu den Pflichten des Dorfältesten.

»Meine Frauen werden ein Mahl zubereiten, und es wird Tänze und Gesänge geben.«

Während Dichter Bart sich umdrehte und Andrej Tolstych zur gemeinsamen Familienbehausung geleitete, sagte Winterschwan, die neben Tascha stand: »Komm, wir haben viel zu tun.«

»Ich muß mit ihm sprechen«, antwortete das junge Mädchen ernst und war verschwunden, ehe ihre Mutter Einwände machen konnte. Vorauslaufend verstellte sie Tolstych den Weg in der Erwartung, er würde sie erkennen. Und als er sie erkannte, da machte sie einen Knicks, wie sie es gelernt hatte.

»Willkommen auf Attu, Andrej Tolstych.«

Verblüfft von ihrer Schönheit hielt Andrej Nikolajewitsch inne und starrte sie an. Die großen Augen und das feine Gesicht ließen den Schluß zu, daß es sich bei dem Mädchen um ein Halbblut handeln mußte. Er brauchte noch einen Moment, bis ihm klar wurde, daß sie ihn auf russisch angesprochen hatte.

Er musterte ihren Robbenfellparka, der mit Otterfell abgesetzt war, sah die bloßen Füße und das kohlschwarze Haar, das sie nach Eingeborenenart zu einem Knoten zusammengefaßt trug. Sie mußte ein Halbblut sein, welches das Beste beider Rassen vereinte, entschied Andrej.

»Kannst du dich an mich erinnern?« fragte sie beklommen, als er sie nachdenklich anstarrte. »Ich bin Tascha.« Sie faßte in den Halsausschnitt ihres Parkas und holte ein Kettchen heraus, an dem ein silbernes orthodoxes Kreuz hing. »Dies hast du mir gegeben.«

»Tascha«, wiederholte er ungläubig. Dieses anmutige Geschöpf war das linkische großäugige Mädchen, das vor fünf Jahren zu seinen Geiseln gehört hatte.

»Du bist so gewachsen, daß ich dich nicht erkannte. Eine hübsche Frau ist aus dir geworden.«

»Es freut mich, daß du dich an mich erinnerst.«

»Wie könnte man dich vergessen, Tascha?« Je länger er sie ansah, desto eindringlicher stellte er sich diese Frage. Ihre Mandelaugen und die hohen Backenknochen ließen sie sehr exotisch erscheinen. Kein Mann konnte sie ansehen, ohne daß ihn diese Mischung aus Wildheit und Zivilisation erregt hätte. Er war über Vierzig, aber noch lange nicht so alt, daß er nicht gespürt hätte, wie die Lust sich regte.

»Tascha, wie alt bist du jetzt? Fünfzehn?«

»Ja.«

»Du mußt schon einen Ehemann haben.«

»Nein. Auf der Insel gibt es nur wenige Aleuten, die ich heiraten könnte. Und die Männer von den Nachbarinseln kommen nur selten auf Besuch, seit die Kosaken ständig hier sind.«

»Du wirst einen Mann finden«, meinte Andrej zuversichtlich.

Sie trat zurück. »Ich muß jetzt gehen. Das Fest bedarf vieler Vorbereitungen.«

Er sah ihr nach, wie sie im geschmeidigen Gang auf das Dorf zuhielt. Dann gesellte er sich widerstrebend zum Dorfhäuptling. Er hatte mit dem guten Willen gerechnet, den ihm die Inselbewohner von Attu einst bewiesen hatten. Und jetzt war er gezwungen, in neues Territorium vorzudringen, und war dabei auf die Mitarbeit der Eingeborenen angewiesen.

Am Tag nach der Feier saß Tascha auf der windstillen Leeseite des Barabara und arbeitete an einem winzigen Körbchen, so klein, daß es in ihre Handfläche paßte. Mit ihren Fingernägeln, die sie eigens zu diesem Zweck hatte ganz lang werden lassen, spaltete sie die Grashalme der Länge nach, so daß sie eine aus feinen Fäden gebildete Strähne bildeten. Während sie das Gras anfeuchtete, um es biegsam zu machen, warf sie ihrer Mutter, die Kormoranhäute zu einem Parka zusammennähte, einen Blick zu.

»Andrej Tolstych gefällt mir. Er ist ein guter Mensch«, sagte sie.

»Du bist ein törichtes Weibsstück!« Dieser Ausruf kam von Aufrechtem Gang. Abrupt stand er auf und verließ seinen Beobachtungsposten auf dem Hang des Barabara, um an den Strand zu gehen. Seine Haltung machte Tascha Sorgen und bewirkte, daß sie ihre eigene Haltung in Frage stellte. Doch es war schwer, so zu hassen wie Aufrechter Gang, wenn man kein Unrecht erlitten hatte. Sie wußte, die Kosaken hatten ihn und andere betrogen, doch wenn sie an Andrej Tolstych dachte, wußte sie, daß er zu einer Ungerechtigkeit nicht fähig war.

»Tascha, deine Beine sind noch jung«, ließ die Korbflechterin sich mit brüchiger Greisinnenstimme vernehmen. »Hol meinen Bimssteinschaber. Diese Haut ist noch zu rauh.«

Mit knotigen Fingern befühlte sie die Innenseite des Kormoranbalges, doch ihre Hand hielt inne, während sie dem jungen Mädchen nachsah. Als Tascha außer Hörweite war, sagte die Alte zu Winterschwan: »Ich bin schon alt und habe viel gesehen. Wenn ich deinen Sohn und deine Tochter ansehe, sehe ich Schlimmes voraus . . . viel Kummer.«

Winterschwan hielt im Nähen inne.

»Warum sagst du das?«

»Im Herzen deines Sohnes ist Zorn gegen die Kosaken.«

»Aufrechter Gang wird nicht töricht handeln. Er weiß, daß ihrer zu viele sind und daß sie zu mächtig sind.«

»Er ist jung und duldet nicht, daß sie ihn zum Narren machen.« Die Alte schüttelte den Kopf. »Er wird es den Kosaken heimzahlen wollen.«

Sie las in Winterschwans Miene, daß diese wünschte, sie würde nicht weitersprechen – und daß ihre warnenden Worte kummervolle Gedanken wachriefen. Die Korbflechterin fügte sich dem Wunsch und versuchte es anders.

»Winterschwan, du hast Augen im Kopf. Du weißt, wie die Kosaken deiner Tochter nachsehen. Bald werden sie sie in ihr Barabara mitnehmen und sie zwingen, mit ihnen zu leben.«

»Die Kosaken haben sich immer Frauen genommen.« Nur weil sie selbst jetzt in die Jahre kam, fand sie keine Beachtung mehr. »Wir können nichts dagegen tun.«

»Der Blauäugige war gut zu den Aleuten. Er betrügt uns nicht. Er nimmt uns die Baidars nicht weg und läßt nicht zu, daß seine Leute von uns Parkas nehmen, ohne zu bezahlen. Er hat die Aleuten gut behandelt, die bei ihm blieben, um die Kosakensprache zu lernen.«

»Das stimmt.« Winterschwan fuhr in ihrer Arbeit fort.

»Ich hörte, wie er Dichten Bart bat, er solle ihm Aleuten mitgeben, die auf den anderen Inseln für ihn sprechen sollten. Am besten wäre es, wenn Tascha und Aufrechter Gang mit ihm gingen. Beide sprechen die Kosakensprache.«

»Beide?« Winterschwan war erschrocken und enttäuscht. Sie wollte ihre Kinder bei sich haben, mochten sie auch erwachsen sein.

»Es wäre am besten«, beharrte die Alte. »Wird Aufrechter Gang anständig behandelt, dann wird sich sein Haß legen. Und wenn er eine Frau finden soll, dann wird er die Dörfer der anderen Inseln aufsuchen müssen.«

Winterschwan gab sich dieser Logik gegenüber geschlagen.

»Für ihn könnte es gut sein, aber nicht für Tascha.«

»Horche in dein Herz hinein, und frage dich selbst, was am besten wäre. Wäre Starker Mann noch am Leben, was würde er raten?«

»Das kann ich nicht entscheiden«, antwortete Winterschwan ausweichend. »Dichter Bart soll entscheiden, ob er dem Blauäugigen jemanden aus dem Dorf mitgibt und wer das sein soll.«

»Dichter Bart ist jetzt dein Mann. Du kannst mit ihm darüber sprechen. Um des Friedens willen haben wir viele Opfer bringen müssen. Diesmal hast du vielleicht die Wahl, welches Opfer du bringen möchtest.« Die Greisin begutachtete die Kormoranhaut und legte sie zu dem Stapel, der für den Parka gebraucht wurde. »Das ist weich genug für einen Kosaken.« Gegen ihre altersteifen Gelenke kämpfend, richtete sie sich auf.

»Mein Körper sagt mir, daß er müde ist und Ruhe

braucht.« Mit mühsamen Schritten schleppte sie sich über den Hang zur Dachluke hinauf, an Tascha vorbei. Bald würde sie die Kerbenleiter nicht mehr allein schaffen, ihr Sohn Dichter Bart würde sie auf dem Rücken tragen müssen. Einst wäre die Aufgabe, sie zu tragen, Kleinem Speer, ihrem anaaquisagh, zugefallen, doch dieser war mit den ersten Kosaken fortgezogen, um nie wieder nach Attu zurückzukehren. Fast immer, wenn ein Kosakenboot diese Gewässer verließ, befanden sich ein, zwei oder drei Eingeborene an Bord, meist die Kinder der Frauen, mit denen die Kosaken auf der Insel zusammengelebt hatten. Die Korbflechterin wußte, daß ihre Schwiegertochter Glück gehabt hatte, weil sie ihre Kinder so viele Sommer bei sich haben durfte. Jetzt war es Zeit, sie ziehen zu lassen.

Mehr als eine Woche war vergangen, seitdem Andrej Nikolajewitsch Tolstych mit seinem Schiff, der Andrejan und Natalja, in der Bucht ankerte. Er hatte viel Zeit damit zugebracht, die von Admiral Nagajew nach den Aufzeichnungen Berings und Tschirikows angefertigte Seekarte dieser Insel zu studieren. Von Beruf Kaufmann, verfügte Andrej über eine sehr abenteuerlustige Ader. Doch die Gewinne, die die Expeditionen zu diesen Inseln einbrachten, waren so gewaltig, daß die mit dem Befahren der stürmischen See verknüpften Risiken leicht aufwogen. Tolstych, der sich schon dreimal ein Vermögen verdient hatte, war von neuem aufgebrochen – ein Glücksritter, der es noch einmal versuchen wollte. Rückblickend war Andrej fast froh, daß man ihm die Erlaubnis zur Jagd auf und um Attu nicht gegeben hatte. In den letzten Tagen hatte er auf der Insel mit einigen Kosaken und mit Eingeborenen gesprochen. Die Zahl der Seeotter war zurückgegangen, zudem waren die Tiere furchtsamer geworden und tauchten schon unter, wenn sich ein Boot nur zeigte.

Je länger er die Karte der Inselkette studierte, desto heftiger wuchs sein Verlangen nach den unbekannten Inseln im Osten. Ihm war klar, daß er seinen Aufbruch nicht länger hinauszögern durfte. Deshalb ging er hinunter an den Strand, um mit Dichtem Bart wieder über die Dolmetscher zu sprechen. Die Beziehung, die zwischen den Bewohnern der einzelnen Inseln herrschte, machte Geiseln notwendig. Traf er im Osten auf feindliche Eingeborene, dann waren Geiseln vielleicht seine einzige Hoffnung. Zudem brauchte er sie als Dolmetscher.

Als er sich dem Barabara näherte, bemerkte Andrej das Mädchen, das über eine sonnenüberflutete, mit blühenden Lupinen gesprenkelte Wiese dahinschritt. Sie ging hocherhobenen Hauptes und hielt ihr Gesicht der Sonne entgegen. Andrej hielt inne und starrte sie an. Das bunte Seidentuch, das er für sie als Geschenk vorgesehen hatte, steckte in seiner Jacke. Den zwei Promyschleniki, die ihn begleiteten, bedeutete er, zurückzubleiben. Er sah, wie ihre Miene sich bei seinem Anblick erhellte, sah das fast kecke Frohlocken in ihrem Blick. Es schmeichelte ihm, daß sie sich über seine Gesellschaft zu freuen schien.

»Guten Morgen, Tascha.« Er sah in ihre großen, leicht schräggestellten onyxschwarzen Augen.

»Guten Morgen, Oberst Tolstych.« Sie vollführte wieder ihren kleinen Knicks so natürlich, daß diese Förmlichkeit trotz ihrer Eingeborenentracht nicht fehl am Platz wirkte.

Sein Blick glitt zu dem Korb in ihrer Hand.

»Du hast Beeren gesucht?«

»Diesen Sommer gibt es sie sehr reichlich. Möchtest du kosten?«

»Nein, danke.« Da fiel ihm das Tuch ein, und er langte in seine Jacke. »Aber ich habe etwas für dich.« Es war ein leuchtendrotes Tuch aus Chinaseide. Als er ihr das gefaltete Viereck reichte, löste sich das Tuch und entglitt ihm. Tascha fing es auf und machte aus ihrer Verwunderung und Freude keinen Hehl.

»Wie schön es ist!« Sie stellte den Korb auf den Boden, um das Material mit beiden Händen zu befühlen. »Was für ein Stoff ist das . . . leichter als eine Feder?«

»Man nennt es Seide. Es kommt aus China.« Andrej wußte um den Wert des Handels mit China. Die einzige aus Rußland stammende Ware, die China interessierte, waren Seeotterfelle, und der Bedarf überstieg die Möglichkeiten der Russen bei weitem und steigerte den Wert der Felle ungeheuer. Der Handel mit China bedeutete Handel mit Seeotterfellen, die mit Gold aufgewogen wurden.

»Seide«, murmelte sie und führte das Tuch an die Wange. Das leuchtende Rot bildete einen hinreißenden Kontrast zum Schwarz ihres Haares und zu ihrer elfenbeinfarbenen Haut.

»Hier.« Andrej nahm ihr das Tuch ab und legte es ihr über den Kopf, um sodann die Enden über ihre Schultern zu legen. Die Verwandlung war bemerkenswert. Er glaubte sich einer Russin mit fremdländischem Einschlag gegenüber. Nur widerwillig ließ er das Tuch los und ließ die Hände sinken.

»So trägt man das?« fragte sie.

»Ja.« Andrej konnte den Blick nicht von ihr losreißen.

»Gehst du ins Dorf?«

»Ja, ich muß mit eurem Häuptling sprechen.«

»Ich komme mit.« Sie nahm das Tuch ab und griff nach dem mit reifen Beeren gefüllten Korb.

Als sie sich dem Barabara näherten, bemerkte Andrej Dichten Bart, der sie schon erwartete. Vermutlich hatte man ihm gemeldet, daß er an Land gekommen war, um ihn zu treffen.

»Tascha, ich muß mit eurem Häuptling in einer wichtigen Sache sprechen, und ich möchte sicher sein, daß er jedes meiner Worte versteht. Wirst du für mich sprechen?« Andrej sagte es mit einem Lächeln.

»Ich wäre glücklich, für dich zu übersetzen«, stimmte sie zu. Der Blick ihrer dunklen Augen ruhte eindringlich auf ihm. »Du willst Dichten Bart fragen, ob er dir jemanden aus dem Dorf als Dolmetscher mitgeben wird?«

»Du weißt von meiner Bitte?«

»Ich hörte, wie Dichter Bart den Rat meiner Mutter und anderer deswegen erbat.«

Er runzelte verwundert die Stirn. »Warum sollte er deine Mutter um Rat fragen?«

»Ehe sie die zweite Frau von Dichtem Bart wurde, war meine Mutter die Frau von Starkem Mann, seinem Bruder. Starker Mann verfügte über große körperliche und geistige Kraft. Ich glaube, Dichter Bart wollte von meiner Mutter wissen, was Starker Mann von dieser Sache gehalten hätte.«

»Und was hat deine Mutter ihm geraten?« Andrej hatte nicht gewußt, daß das Mädchen der Familie des Häuptlings angehörte, doch hatte er keine Gewissensbisse, von ihr Informationen zu erfragen. Sie zögerte nur kurz.

»Die Geschichtenerzähler sagen, Starker Mann sei der Meinung gewesen, wir sollten mit den Kosaken in Frieden leben.«

»Ein weiser Mann.« Ein Gefühl der Befriedigung milderte seine Anspannung.

Begleitet von seinen Leuten, näherte er sich dem Häuptling. Nach der Begrüßung erklärte Andrej den Grund für Taschas Anwesenheit an seiner Seite, besorgt, Dichter Bart würde gegen die Teilnahme einer Frau an ihrem Gespräch Einwand erheben. Doch der Häuptling nickte zustimmend.

»Für die Bewohner der Inseln, die ich besuchen werde, ist es wichtig zu wissen, daß ich in Frieden und Freundschaft komme. Falls Dichter Bart mir aus seinem Dorf Dolmetscher mitgäbe, könnten diese nicht nur meine Worte übersetzen, sie könnten auch aus eigener Erfahrung von meiner Fairneß im Handel und von meiner friedlichen Gesinnung berichten.«

»Ich bin zu einem Entschluß gelangt«, begann Tascha, die Antwort von Dichtem Bart zu übersetzen, dann wartete sie den Rest seiner Rede ab. Andrej wappnete sich, keine Reaktion zu zeigen, wie immer auch die Antwort ausfallen mochte.

»Er hat meinen Bruder Aufrechter Gang ausgewählt, damit er dich begleitet.« Die Entscheidung bedeutete für ihn Erleichterung und Enttäuschung zugleich. Einer war besser als keiner, doch hätte er mindestens zwei Aleuten als Begleiter vorgezogen.

»Er bedauert, daß er nicht mehr Jäger entbehren kann.«

»Sag ihm, daß ich Verständnis habe.«

»Dichter Bart sagt, daß mein Bruder ein guter Jäger ist und dir die Inseln zeigen wird, wo der Seeotter zahlreich vorkommt. Und mein Bruder versteht die Worte deiner Sprache viel besser als Dichter Bart.« Sie übersetzte ganz frei. »Von ihm ist auch bekannt, daß er den Kosaken nicht gewogen ist. Wenn er nun zu euren Gunsten spricht, wird sein Wort um so gewichtiger sein.«

Unwillkürlich nickte Andrej zustimmend, voller Bewunderung für die geschickte Begründung der Wahl. Als der Häuptling weitersprach, überhörte Andrej, was er sagte, und mußte warten, bis Tascha es ihm übersetzte.

»Dichter Bart sagt weiter, daß du eine Frau brauchst, die kocht und näht. Die Frauen auf den Inseln im Osten können die Speisen nicht zubereiten, wie die Kosaken es mögen.« Plötzlich schien sie verwirrt. Anstatt sich wie bis jetzt auf den Häuptling zu konzentrieren, wandte sie sich Andrej zu. Er las Erstaunen in ihren dunklen Augen.

»Er sagt, er wüßte, daß deine Kosakenfrau nicht mitkam . . . daß sie in deinem Land jenseits des Wassers blieb. Daher brauchst du eine Frau . . . und er bietet dir mich als zweite Frau. Als Zeichen seiner Freundschaft. Gegengeschenke erwartet er nicht.«

Ebenso verdutzt starrte Andrej Tascha an. Der Häuptling mußte wissen, daß er gegen die Gesellschaft einer Eingeborenen nichts einzuwenden hatte. Während seines vorangegangenen Besuches hatte er eine für ein paar Geschenke an ihre Familie erworben. Nach Sitte der Aleuten war sie seine Frau gewesen. Eine eigene Hochzeitszermonie gab es nicht. Der Ehekontrakt wurde durch das Überreichen der Geschenke an die Eltern der Frau besiegelt. Andrej wußte auch, daß in diesem Fall eine Zurückweisung der großzügigen Geste des Häuptlings einer Beleidigung gleichkam. Daher war er dankbar, daß Dichter Bart keine Pause in seiner Rede eintreten ließ und ihm somit Zeit zum Überlegen ließ.

»Er sagt, daß ich schöne Parkas mache und nach Art der Kosaken kochen kann. Weiter sagt er, daß ich dir auf den Inseln im Osten von Nutzen sein kann, da ich deine Worte den Eingeborenen übersetzen kann. Er weiß, daß du mich gut behandeln wirst und mir ein guter Ehemann sein wirst.« Tascha errötete andeutungsweise. »Er sagt auch, du würdest bald sehen, daß die Frauen von Attu dem Auge angenehmer sind als die Frauen der anderen Inseln!«

Dem Auge angenehm, das erschien Andrej untertrieben, als er Tascha ansah. Nur mit Mühe richtete er seine Aufmerksamkeit wieder auf den Häuptling und versuchte, den

Gedanken an die langen Monate – und langen Nächte –, die vor ihm lagen, zu verdrängen.

»Sag deinem Häuptling, daß seine Großzügigkeit mich überwältigt – und sehr erfreut. Er erweist mir eine große Ehre, und ich füge mich gern seiner klugen Entscheidung. Bitte sage ihm auch, daß ich mit der morgigen Flut segeln möchte.«

10. Kapitel

Krächzende Seevögel kreisten über ihnen. Ein stetiger Wind blähte die Segel. Tascha wandte ihr Gesicht gegen den Wind und sah zu dem langen Sandstrand hinüber, auf dem aufgereiht die Bidarkas lagen. Das Herz tat ihr weh, weil sie alles hinter sich lassen mußte, was ihr vertraut war – die Insel, ihr Zuhause, ihre Familie, ihre Mutter und die alte Korbflechterin am meisten. Doch ihr Kummer war nichts, verglichen mit der Erregung, die sie erfüllte. Seit ihrer Kindheit hatte Tascha die Insel nicht mehr verlassen. Damals hatte sie die Familie ihrer Mutter auf Agattu besucht. Und jetzt befand sie sich unterwegs zu einem unbekannten Ziel. Andrej Tolstych, ihr neuer Ehemann, hatte Dichtem Bart angedeutet, daß möglicherweise zwei Sommer bis zu seiner Rückkehr vergehen würden.

Sie fragte ihren Bruder: »Wohin geht die Fahrt?«

»Ich habe dem Kosaken von Adak und von den kleinen Inseln im Umkreis berichtet, wo es Seeotter in großer Zahl gibt.« Seine tonlose Sprechweise verriet, wie ungern er diese Information weitergegeben hatte, denn Aufrechter Gang teilte Taschas Begeisterung für dieses Abenteuer keineswegs. Hatte er in jüngster Zeit seine Schwester angesehen, dann sind in ihm undeutliche Erinnerungen an früher aufgekommen, an jene Zeit, als das Narbenauge seine Mutter zum Weinen gebracht hatte. Jetzt war Tolstych Taschas Ehemann. Er wollte nicht, daß seiner Schwester weh getan wurde, und konnte es doch nicht verhindern. Und er haßte den Kosaken, weil er diese Gefühle in ihm erzeugte.

Er hatte eingewilligt, den glattgesichtigen Schiffskommandanten zu begleiten, um dem Wunsch von Dichtem Bart und seiner Mutter zu entsprechen, aber hauptsächlich weil er hoffte, die Kosaken würden seine Heimatinsel verlassen, wenn er sie in neue Jagdgründe führte, und zwar endgültig.

Die schwere See warf Wellen von einigen Metern Höhe auf. Als das Schiff auf den ersten Wellenberg traf und sich aufbäumte, wurde Tascha von einem wahren Hochgefühl erfaßt. An der Reling stehend, beobachtete sie den Seegang und lauschte dem angestrengten Ächzen der Schiffsbalken, wenn eine Woge sie traf.

Es war noch keine Stunde vergangen, und in ihrem Kopf dröhnte es dumpf. Das ununterbrochene Schwanken des Schiffes ließ den Horizont mit widerwärtiger Regelmäßigkeit auf und ab schwanken, eine Bewegung, die ihren Magen stark beanspruchte. Eine Hitzewallung erfaßte sie, so daß ihr der Schweiß ausbrach. Sie ging näher zum Bug und ließ sich die Gischt ins Gesicht spritzen, doch das half nicht gegen den steigenden Druck in ihrem Magen. In den Knien machte sich ein sonderbar weiches Gefühl bemerkbar.

Langsam dämmerte ihr, daß sie dabei war, seekrank zu werden. Andrej fiel auf, daß Tascha in der Haltung einer Galionsfigur am Bug stand und ihr Gesicht dem aufspritzenden Wasser entgegenhielt. Es war ein Anblick, der längst erloschen geglaubte Feuer in ihm entfachte. Langsam bewegte er sich auf den Bug zu.

»Der Wind ist günstig.« Seine Worte bewirkten, daß sie sich ihm zuwandte. Andrej sah ihre Blässe und ihre aufgerissenen Augen. Im nächsten Moment drehte sie sich jäh um, umklammerte die Reling und beugte sich vor. Aus Angst, sie wolle sich über Bord stürzen, faßte Andrej nach ihr. Als er ihre Schultern umfing, spürte er das konvulsivische Zucken ihres Körpers und hörte ihr Würgen. Die Brechanfälle folgten rasch aufeinander, bis sie schließlich ermattet zusammensank, zu schwach, um sich an der Reling zu stützen. Sie umfangend, langte er gleichzeitig in seinen schweren Mantel, holte ein Taschentuch hervor und wischte ihr das Erbrochene von Mund und Kinn, worauf sie ein paar Worte des Dankes murmelte.

Ihr geschwächter Zustand weckte nun Andrejs Beschützerinstinkt vollends. Er nahm sie in die Arme und trug sie die Treppe hinunter in seine Kabine, wo er sie behutsam auf seine Koje bettete. Mit Wasser aus einem Behälter feuchtete er ein Stück Tuch an, um ihr damit das schweißnasse Gesicht abzuwischen.

Am Abend ließ Andrej für Tascha eine Brühe machen und flößte ihr davon in Minutenabständen einen Löffel voll ein. Einen Teil erbrach sie wieder. Nicht Mitleid war es, das ihn in der Kabine festhielt. Es lockte ihn vielmehr die Gelegenheit, sich der wachsenden Faszination, die dieses Halbblut auf ihn ausübte, hinzugeben – nach Belieben ihre Wangenrundung oder die Spitze einer entblößten Brust anzustarren und dabei in beliebige Vorstellungen zu versinken.

Ein Pochen ertönte an der Tür.

»Ja, was ist?«

»Nebel, Sir, dicht wie Erbsensuppe.«

»Ich komme sofort.«

Andrej wartete, bis die Schritte verklungen waren. Dann ging er zur Schlafkoje und steckte Taschas Decke sorgsam fest. Er strich ihr sanft über die Wange, die sich glatt und kühl anfühlte. Sie bewegte sich im Schlaf. Widerstrebend drehte er sich um und ging hinaus.

Eine ganze Woche verbrachte Andrej meist in der Kabine, während Tascha zwischen Anfällen heftiger Seekrankheit und benommener Starre schwankte. Sie hatte hellere Momente, in denen sie sich wehrte, mit dem Löffel gefüttert zu werden, und es selbst versuchte, doch war sie zu kraftlos. Zweimal badete er sie, und seine Handbewegungen wurden zur Liebkosung.

Einige Male betrat Aufrechter Gang unangemeldet die Kabine, um nach seiner Schwester zu sehen. Andrej las in den Augen des jungen Mannes immer ein gewisses Mißtrauen, doch der Aleute sprach nie ein Wort, blieb ein paar Minuten und ging dann wieder. Andrej wußte mit Sicherheit, daß Aufrechter Gang die Russen haßte. Zuweilen stellte Andrej sich die Frage, wie weit man ihm trauen konnte. Aber solange Andrej Tascha hatte, hatte er auch Gewalt über ihn.

Tascha lag wach in der Koje. Sie hatte eine ganze Schüssel Suppe behalten können, und ihr Magen war angenehm gefüllt. Andrej hatte ihr versichert, Essen und Ruhe würden ihr wieder Kräfte verleihen. Plötzlich vernahm sie vom Deck her Lärm – gedämpfte Ausrufe und polternde Schritte. Sosehr sie sich anstrengte, sie verstand nur ein paar Wortfetzen. Da schwang die Tür auf, und ihr Bruder trat lautlos ein.

»Was ist los? Wurde ein Wal gesichtet?«

»Nein, die Inseln sind in Sicht. Der hohe, schroffe Gipfel auf Adak hebt sich klar gegen die Wolken ab.«

»Dann sind wir am Ziel«, sagte Tascha.

»Bald wird man sehen, wie gut man hier jagen kann, und man wird wissen, daß ich nicht log.«

Sie blickte ihren Bruder an. »Glaubten das die Kosaken?«

»Ich hörte, wie einige unter sich raunten, ich würde sie aufs offene Meer hinausführen. Einer schnitt ein Loch in mein Bidarka, damit ich nicht fliehen kann«, gab er verbittert zurück.

»Weiß Andrej davon?«

»Was nützt das schon? Die Kosaken würden behaupten, etwas sei aufs Boot gefallen, aber ich weiß, wie ein Messerschnitt aussieht.«

Seine Abneigung saß sehr tief, und dieser jüngste Vorfall wirkte wie Salzwasser auf einer offenen Wunde. Tascha begriff sofort, daß Aufrechter Gang sie ins Vertrauen zog, um sie zu warnen.

»Fühlst du dich jetzt besser?« fragte er schließlich.

»Ja.«

»Gut.« Sein Blick ruhte kurz auf ihr, dann drehte er sich um und verließ die Kabine.

11. Kapitel

Dicht aufgereiht lagen die vulkanischen Inseln nebeneinander, eine unübersehbare Zahl von Buchten, Durchfahrten und Meerengen bildend. Andrejs Blick schweifte über die aufragenden, kegelförmigen Berge und die gegliederte Küstenlinie der baumlosen Inseln. Sein Interesse galt vor allem den Riffen und den Passagen zwischen den Inseln. Es waren reiche Weidegründe, und die zahlreich gesichteten Seeotter waren ein Beweis, daß die Ausbeute ebenso reich sein würde.

Während das Schiff die Hauptinsel entlangfuhr, hielten sie Ausschau, welche der zahllosen Buchten und Fjorde zum Überwintern geeignet war. Auf der Westseite der Insel wurden zwei kleine gestrandete Wale gesichtet. Das Fleisch und Fett dieser Säugetiere stellten für die Besatzung eine wichtige Ergänzung der Vorräte dar. Andrej wählte ein paar Leute aus, die an Land gehen und die Wale ausschlachten sollten. Er wies den Aleuten an, die Gruppe zu begleiten. Da er kein unnötiges Risiko eingehen wollte, ließ er Musketen austeilen. Nachdem er sechs ausgeteilt hatte und alle sechs Teilnehmer des Landausfluges ihre Waffe hatten, wollte ein siebtes Händepaar zugreifen. Erstaunt blickte Andrej auf und begegnete dem gelassenen Blick von Taschas Halbbruder.

Andrej hielt die Waffe in der Armbeuge.

»Nein«, sagte er.

»Ich brauche eine Muskete, ich gehe mit den anderen an Land«, wandte Aufrechter Gang ein.

»Nein.« Es war ungeschriebenes Gesetz in russischen Grenzgebieten, zu denen jetzt auch diese Inseln zählten, wenngleich sie dem Zarenreich noch nicht angegliedert waren, daß an Eingeborene keine Waffen ausgeteilt wurden. Nur Tölpel hätten die primitiven Völker, deren Land man sich einverleiben wollte, bewaffnet.

»Du brauchst keine.«

Er befahl, das Beiboot zu Wasser zu lassen. Kaum hatten die Promyschleniki die Kadaver ausgeschlachtet und das Walfleisch und Fett auf den Schitik verladen, setzte man die Suche nach einem Winterquartier fort. Ein Inselbewohner in einem Bidarka, ein Mann, den Aufrechter Gang kannte, geleitete sie zu einer geschützten Bucht, in die ein Bach mündete. Alles ging glatt – glatter, als Andrej zu hoffen gewagt hatte.

Die letzten Tage des Sommers tauchten die Insel in flammende Farbenpracht, rote Weidenröschen, purpurne Lupinen und orangefarbiger Hahnenfuß wiegten sich auf den mit Wildblumen übersäten Wiesen und Marschflächen. Dichte Wolken wälzten sich sturmgetrieben über den Himmel, doch an dem Strandstück, das Tascha entlangging, war es nur eine leichte Brise. Es war ihr erster Ausflug an Land, seitdem sie vor zwei Tagen in der Bucht vor Anker gegangen waren. Tascha hielt inne und ließ den Blick prüfend über das zum Winterquartier erkorene Gelände schweifen. Die Bucht war geschützt, so daß man auch bei schlechtem Wetter zum Fischen fahren konnte. Zudem war es nicht weit zu den Grasflächen, auf denen eßbare Pflanzen und Gräser zum Korbflechten wuchsen.

»Eine gute Stelle«, sagte sie zu Andrej.

»Ja, es geht.« Das Winterlager war kein Thema für Andrej, da seine Gedanken einzig Tascha galten. Sie kehrte ihm den Rücken zu. Der Pelzparka verbarg ihren üppigen, jungen Körper, den er so gut kannte – jedoch nicht so gut, wie er es sich gewünscht hätte. Andrej rückte näher und legte ihr die Hände auf die Schultern.

»Ich möchte, daß du heute mein Lager teilst. Ich möchte bei meiner Frau liegen.«

Er hörte, wie rauh seine Stimme klang, erregt von der Aussicht, sie noch an diesem Abend zu besitzen. Als er ihr Zögern spürte, wehte ihn eine Ahnung dessen an, was Männer zu Vergewaltigern werden ließ. Ungestüm drehte er sie zu sich um, so daß sie ihn ansehen mußte. Das lebhafte, herausfordernde Funkeln, das in ihren Augen tanzte, raubte ihm den Atem.

»Ich bin glücklich, bei dir zu liegen, mein Gemahl«, sagte sie in fehlerlosem Russisch.

»Andrej«, sagte er. »Andrej Nikolajewitsch.«

»Ich bin glücklich, bei dir zu liegen, Andrej Nikolajewitsch.«

Ihr Blick hielt sein Gesicht fest. Fast hätte er geglaubt, sie sehne das Zusammensein ebenso herbei wie er.

An diesem Abend liebkoste er ihren milchweißen Körper im Halbdunkel der heruntergedrehten Lampe. Tascha war unter seinen Händen weder reglos noch gleichgültig, sondern voller Leben und Empfindsamkeit. Nicht das Bestreben, sie zu erregen, ließ ihn die Vereinigung hinauszögern, sondern die selbstsüchtige Freude über die kleinen kehligen Laute, die sie ausstieß, und ihre verführerischen Bewegungen. Sie brachte es fertig, daß er sich fühlte wie ein kraftstrotzender zweijähriger Hengst und nicht wie ein alternder Gaul. Eine innere Stimme sagte ihm, daß er sie, da sie nun ihm gehörte, nie wieder gehen lassen würde.

Während in den nächsten Monaten das Winterlager errichtet wurde, unternahm Andrej, stets begleitet von Tascha, Fahrten zu den Nachbardörfern der Inselgruppe, überall wurde er von den Eingeborenen freundlich empfangen. Kleine Gruppen von Jägern wurden ausgeschickt, um Außenlager einzurichten. Nahezu alle Eingeborenen, auf die sie trafen, hatten ihrem Verlangen Ausdruck verliehen, treue Untertanen Ihrer Kaiserlichen Majestät zu werden und als Tribut Otterfelle zu liefern.

Alles lief besser als erwartet – seine Beziehung zu Tascha miteingeschlossen. Andrej mußte feststellen, daß er ihr völlig verfallen war, nicht zuletzt, weil sie ihrer Leidenschaft ungehemmt völlig freien Lauf ließ. Gleichermaßen anregend fand er ihren raschen Verstand und ihren Lerneifer. Bei der Rückkehr von der Inspektion einer Außenstation, als ihm seine Leute ins Wasser entgegenliefen und sein Boot an Land zogen, sah er zwei Aleuten am Ufer stehen, die ihn offensichtlich erwarteten. Beide waren ihm nicht bekannt.

»Was wollen sie?« Er nahm Muskete und Ausrüstung aus dem Boot.

»Ich glaube, sie wollen Handel treiben«, antwortete der Promyschlenik Popow.

»Sie haben Felle bei sich, aber leider kann ich nicht verstehen, was sie dafür wollen.«

»Wo ist Tascha?« fragte Andrej. Da es nur eine Tagesfahrt gewesen war, hatte er sie nicht mitgenommen.

»Ich glaube, sie ist zu den heißen Quellen.«

Die Kosaken wußten, daß sie ihr nicht folgen durften, denn Andrejs Anordnungen für den Umgang mit Eingeborenen waren streng – seine Anordnungen in bezug auf Tascha noch strenger.

»Ist Aufrechter Gang schon zurück?«

Vor über einer Woche hatte Taschas Halbbruder gebeten, auf eigene Faust eine Jagdexpedition unternehmen zu dürfen.

»Nein.«

»Sehr gut. Ich will versuchen herauszufinden, was die beiden wollen.«

Nach einem mühsam mittels Zeichensprache geführten Gespräch mit den Aleuten hatte Andrej herausbekommen, daß die Felle ihre Tributzahlung darstellten, für die sie eine Bestätigung wollten, damit andere Kosaken nicht weitere Leistungen von ihnen fordern konnten.

Kaum hatte er ihnen die Bestätigungen gegeben, ließen sie ihr Bidarka zu Wasser und paddelten durch die Brandung. Andrej blickte ihnen nach, ehe er zu den heißen Quellen hinsah, die ein Stück weiter an der Küste lagen. Nach kurzem Zögern schlug er diese Richtung ein.

Es war schon April, doch die eintönige Szenerie der Insel war erst von einem Hauch Frühlingsgrün getönt. Die Vulkankegel der Berge waren noch schneebedeckt. Noch ein paar Wochen, und die Robben würden auf ihrer alljährlichen Frühjahrswanderung in den Norden die Gewässer um die Inseln bevölkern. Im Herbst würden sie wiederkommen, diesmal in Begleitung ihrer Jungen, und weiter nach Süden ziehen. Niemand wußte, wohin sie im Frühling zogen, obwohl eine Legende der Aleuten wissen wollte, daß sie sich auf einer Insel im Norden zu Hunderttausenden zusammenfanden.

Die gegliederte Küstenlinie veränderte ihr Aussehen an der Stelle, wo sich einst ein Lavastrom ins Meer ergossen hatte, der nun längst erstarrt und von der Brandung zurechtgeschliffen worden war. Die tiefen Stellen waren zu Tümpeln geworden, in denen sich Salzwasser mit heißen Quellen aus dem Herzen des Vulkans mischten.

Als Andrej den erstarrten Lavastrom erklomm, sah er eine nackte, weibliche Gestalt, die ihr Gesicht der Sonne zuwandte und sie mit ausgestreckten Armen zu umfangen schien. Seine Schritte wurden vom Tosen der Brandung übertönt.

»Tascha, was treibst du da?« fragte er, als er nahe genug herangekommen war.

»Wenn eine Frau guter Hoffnung ist, soll sie ihren Leib der Sonne aussetzen«, erwiderte Tascha ruhig. »Das Wasser ist warm. Komm und genieß es mit mir.«

»Soll das heißen . . . daß du ein Kind bekommst?« Andrej konnte es kaum fassen.

»Ja.« Sie ließ sich bis zum Hals in dem dampfenden Wasser versinken. Eilig streifte er seine Kleider ab und glitt neben sie.

»Du bekommst ein Kind?« wiederholte er, näher an sie heranrückend. Als sie mit lächelnden Augen nickte, ließ er seine Hand über ihren Leib gleiten, der flach wie immer war.

»Bist du sicher?«

»Das Kind ist noch ganz klein. Es wird Ende des Sommers kommen.« Ihr Blick suchte sein Gesicht. »Bist du glücklich?«

»Glücklich?« Er hatte die Hoffnung auf eigene Kinder aufgegeben, seit sein Sohn im frühen Kindesalter gestorben war. Danach war Natalja, seine Frau, nie wieder schwanger geworden. »Du ahnst ja gar nicht, wie glücklich ich bin.« Sie hielt den Blick unbeirrt auf sein zerfurchtes Gesicht gerichtet, das sie so liebte. Mit nassen Fingern strich sie über seine silbernen Schläfen.

»Der Brauch will es, daß man im Dorf des Mannes lebt«, sagte sie. »Erzähl mir von deinem Dorf – von diesem Ort, der Irkutsk heißt.«

»Möchtest du es selbst sehen?« Schon länger fragte Andrej sich, ob er es je über sich bringen würde, sie zu verlassen. Doch je länger er darüber nachdachte, desto mehr festigte sich in ihm der Gedanke, daß nichts dagegen sprach, sie mitzunehmen. Diese Expedition würde ihm fünfhunderttausend Rubel oder mehr einbringen. Er konnte es sich leisten, Tascha ein Haus einzurichten und sie als Geliebte zu halten, zumal sie sein Kind bekam. Natalja brauchte es nie zu erfahren. Meist stellten sich Ehefrauen solchen Arrangements gegenüber ohnehin blind.

Tascha lauschte wie gebannt, als er ihr die Behausungen beschrieb, deren Mauern aus Stein waren und aus denen man durch Öffnungen hinaussehen konnte, die mit sogenanntem Glas bedeckt waren. Die Leute ritten auf Vierbeinern, die Pferde hießen, und es gab besondere Behausungen, in denen Menschen Geschichten erzählten und so taten, als seien sie die Personen in den Geschichten. Am meisten erstaunte es sie, daß eine Behausung eingeteilt war in verschiedene Räume, zum Sitzen, zum Essen, zum Kochen und Schlafen.

»Das hört sich so sonderbar an«, meinte sie versonnen. »Wann ziehen wir hin?« Sie bewegte die Arme im Wasser, um die Wärme zu verteilen.

»Diesen Sommer nicht. Die Jagd ist hier zu gut. Und ich möchte nicht riskieren, daß dir auf der Fahrt etwas zustößt. Das Meer kann sehr rauh werden. Wir wollen bis nächsten Sommer warten.«

»Aufrechter Gang wird staunen, wenn er erfährt, daß er Onkel wird.« Tascha konnte es kaum erwarten, ihm zu erzählen, daß sie in einem Kosakendorf leben würde. Daß er darüber nicht glücklich sein würde, wußte sie.

»Er ist noch auf der Jagd«, sagte Andrej. »Dein Bruder ist schon so lange fort, daß ich mir Sorgen mache.«

»Er wird sicher bald zurück sein.« Wolken zogen vor die Sonne. Plötzlich empfand sie das Wasser nicht mehr als warm.

»Wir sollten gehen. Unsere Haut wird runzelig wie eine Muschel.«

Es sollte noch eine Woche vergehen, ehe Aufrechter Gang wiederkam. Zwei Dutzend Otterfelle, alle sehr lang, wurden aus seinem Bidarka ausgeladen. Trotz dieses Erfolges drückte seine Miene keine Befriedigung aus. Als Andrej ihn willkommen hieß, stand Aufrechter Gang ihm stolz und abweisend gegenüber und wollte auf der Stelle den Handel hinter sich bringen.

Der Handel war rasch getätigt, und Tascha hatte den Eindruck, Andrej hätte sich sehr großzügig erwiesen. Für die zwei Dutzend Felle bekam ihr Bruder ein Beil, Glasperlen und etwas Tabak. Dennoch schien er unzufrieden.

Als sie ihm etwas zu essen brachte und sich ihm gegenüber niederließ, wartete sie zunächst, ob er bereit war, sich ihr zu eröffnen, eine in der Gesellschaft der Aleuten sorgfältig beachtete Regel, die es ermöglichte, daß 30 bis 40 Personen in einer Behausung gemeinsam lebten und sich dabei eine gewisse Privatsphäre sicherten. Es dauerte eine Weile, bis ihr Bruder ihre Anwesenheit mit einem Blick zur Kenntnis nahm, der auch seine Bereitwilligkeit zur Mitteilung signalisierte.

»Du hast erfolgreich gejagt. Bist du sehr weit fort gewesen?« fragte sie, mit ihrer eigenen Neuigkeit zurückhaltend, da sie spürte, daß dafür nicht der geeignete Zeitpunkt war.

Er nickte und schaufelte mit seinen kurzen dicken Fingern weiter rohen Fisch in den Mund.

»Ich war auf den Inseln Umnak und Unalaska. Auch dort sind Kosaken – drei Boote. Sie betrügen die Aleuten. Sie stehlen ihnen die Felle, die Baidars und Bidarkas und alles andere. Sie pressen die Männer zur Jagd, schleppen die Frauen davon und zwingen sie, mit ihnen zu liegen. Und wenn sie sich weigern, dann schlagen sie die Frauen.«

»Sie werden bestraft, sobald die Anführer von Rußland es erfahren«, sagte sie darauf. Andrej hatte ihr gesagt, seine Herrscher bestünden darauf, daß die Eingeborenen anständig behandelt würden. Wer mit ihnen übel verfuhr, würde bestraft.

»Wann wird das sein?« Aufrechter Gang hatte für diese nahezu unwirksame Gerechtigkeit nur Verachtung übrig. »Das nützt unserem Volk jetzt nichts.«

»Nein.« Tascha beugte unter dem Gewicht dieser Logik den Kopf.

»Wir müssen sie aufhalten.«

Sie blickte auf und las in seinen Augen den festen Entschluß. Sofort verspürte sie Unbehagen. »Wie könnten wir das?«

»Einige der Häuptlinge auf Umnak und Unalaska sagen, daß alle Dörfer sich gemeinsam gegen die Kosaken erheben und sie töten sollen. Wenn nicht, dann kommt weiter Unheil über uns. Wenn wir Frieden wollen, müssen wir uns von den Kosaken befreien.«

»Wenn das die Häuptlinge meinen, dann muß es die einzige Lösung sein. Aber sicher meinten sie damit nicht, daß alle Kosaken getötet werden müßten. Andrej Nikolajewitsch lebt in Frieden mit unseren Leuten. Seine Jäger haben uns nichts getan.«

»Die Ältesten meinen, der geforderte Tribut sei unbillig. Die Kosaken sind stark, und sie haben starke Waffen. Aber wir sind in der Überzahl. Die Männer aller Dörfer auf den Inseln müssen sich zusammentun. Wir müssen sie ganz plötzlich ohne Vorwarnung gemeinsam überrumpeln. Nur so können wir sie schlagen.« Trotz seiner leisen Sprechweise war zu hören, wie tief er sich in die Sache verstrickt hatte. »Ich versprach Tötet-viele-Enten, daß ich hier mit den Dorfbewohnern darüber sprechen werde.«

»Aber Andrej werdet ihr nicht töten«, wehrte sie ab. »Sein Kind wächst in meinem Leib. Er ist ein guter, ehrbarer Mensch. Warum willst du gegen ihn kämpfen?«

»Wenn er erfährt, daß Kosaken getötet wurden, dann wird er gegen uns kämpfen.« Aufrechter Gang stand auf. »Tascha, du denkst eigensüchtig. Viele von uns leiden unter der Faust der Kosaken. Sie kennen keinen Frieden – so lange nicht, solange auch nur ein Kosake am Leben ist.«

Als ihr Bruder zu seinem Boot ging, um seine Ausrüstung zu holen, überlegte Tascha, daß es stimmte, was er gesagt hatte. Sie dachte nur an ihr eigenes Glück mit Andrej. Die Unterdrückung, die auf ihren Stammesbrüdern lastete, hatte sie nicht zu spüren bekommen. Tascha war hin und her gerissen zwischen der Liebe zu einem Kosaken und der Treue zu ihrem Volk.

Der Lampendocht war hochgeschraubt, damit auf das Schachbrett mitten auf dem Tisch mehr Licht fiel. Tascha versuchte die nächsten Züge vorauszuplanen, konnte sich aber nicht konzentrieren. Schließlich nahm sie einen Bauern und schob ihn ein Feld weiter. Mit aufgestützten Ellbogen wartete sie auf Andrejs nächsten Zug, der sehr rasch kam.

»Schachmatt!« kündigte er an. »Das ist seit langem das erste Mal, daß ich gegen dich gewinnen konnte. Fühlst du dich nicht wohl?«

»Doch.« Sie sah ihm zu, wie er die Figuren neu aufstellte.

»Möchtest du Revanche?«

Seine Frage traf ihre Gedanken zu genau.

»Möchtest du Revanche, wenn man dich schlüge?«

»Natürlich. Dann würde ich die Chance zum Ausgleich wollen.«

»Meine Leute haben diese Chance nie, wenn sie von den Kosaken geschlagen werden.«

Andrej hielt inne und sah sie mit gefurchter Stirn an. »Wie kommst du darauf?«

Tascha konnte ihren Bruder nicht verraten. »Ach, es ist doch so. Auf Attu betrügen die Kosaken die Jäger um ihre Felle oder lassen sie mehrmals Tribut zahlen. Und meine Leute können nichts dagegen unternehmen. Du bist nicht so . . . aber bei anderen passiert es.«

»Es ist nicht recht. Werden solche Vorfälle den Agenten der Zarin gemeldet, dann werden die Schuldigen bestraft.«

»Und wer meldet diese Vorkommnisse?«

»Kosaken wie ich, die solche Vorfälle verurteilen. Nicht jede Untat wird dem Gouverneur bekannt, aber die meisten schon.« Er sah sie aus zusammengekniffenen Augen an. »Warum? Ist etwas passiert?«

»Ich dachte an zu Hause und wie meine Familie dort lebt.« Es war nur die halbe Wahrheit, aber sie konnte ihm unmöglich von den Vorgängen auf Umnak und Unalaska erzählen, ohne ihren Bruder zu verraten. »Du würdest dich auch gegen einen Kosaken wenden, falls er einen Aleuten schlecht behandelt?«

»Ja! Wäre es einer meiner Leute, würde ich dafür sorgen, daß er bestraft wird. Andernfalls würde ich ihn melden, wenn ich nach Sibirien zurückkehre.«

»Aber in der Zwischenzeit könntest du nichts machen.«

»Es steht mir nicht zu, andere als meine Leute zu überwachen. Ich bin nicht der Gesetzeshüter.« Seine Worte klangen schroff und ungeduldig.

»Und wenn ein Kosake sich an einem Aleuten vergeht und der Aleute sich dafür rächt? Wenn er den Kosaken angriffe, was würdest du dann tun?«

»Ich müßte ihn daran hindern.«

»Auch wenn du wüßtest, daß der Aleute im Recht ist?«

»Wie kann es Frieden auf den Inseln geben, wenn man solche Rache zuließe? Daraus wüchse doch nur neuer Haß.« Er stand auf. »Es ist ein sinnloses Gespräch. Eine weitere Diskussion führt zu nichts. Tascha, dir ist die Situation nicht klar, sonst würdest du nicht solche Fragen stellen.«

Er nahm Pfeife und Tabak und ging aus der Hütte.

12. Kapitel

Weißkopfadler sprenkelten den Himmel. Mit ausgebreiteten Schwingen glitten sie über den Inseln dahin und kreisten immer höher. Die flechten- und moosbedeckten höheren Regionen waren schon mit den Rot-, Gelb- und Orangetönen der bunten Herbstpalette getönt, doch die Wärme des Sommers hielt noch an.

Vor der Erdbehausung der Kosaken, deren obere Hälfte aus Treibholz zusammengebaut war, versammelte sich ein halbes Dutzend Promyschleniki zu der Zeremonie. Andrej nahm Tascha das eine Woche alte Kleine aus den Armen, indem er sorgsam das Köpfchen stützte. Mit stolzgeschwellter Brust betrachtete er seinen neugeborenen Sohn und lächelte, als der Wind ein Eck der Decke anhob und das Köpfchen mit dem weichen schwarzen Haar sichtbar wurde. Andrej war überzeugt, daß es ein so niedliches Baby noch nie gegeben hatte. Er umfaßte mit einem Blick die ernst dreinblickenden Promyschleniki, dann wandte er sich an Tascha.

»Wir werden erwartet.«

»Ich habe nachgedacht – vielleicht sollte ich mich auch taufen lassen.«

Sein Kopf vollführte unmerklich einen Ruck, als er innerlich zurückzuckte. Er hatte sich nie für übertrieben fromm gehalten und hatte seine Beziehung zu Tascha nie als Ehebruch angesehen. Schließlich war sie ein Halbblut, eine Heidin. Mit einer Christin das Bett zu teilen, wäre ihm als Sünde erschienen.

»Das ist nicht nötig«, sagte er. »Die Taufe soll bewirken,

daß unser Sohn als Erwachsener nicht Tribut leisten muß. Von einer Frau wird kein Tribut gefordert.« Das Kleine in einem Arm haltend, legte er eine Hand auf Taschas Rücken und geleitete sie sanft zu der wartenden Gruppe.

Vor dieser Versammlung von Zeugen taufte er seinen Sohn.

»Der Diener Gottes, Zachar Andrejewitsch, wird getauft im Namen des Vaters, Amen, im Namen des Sohnes, Amen und im Namen des Heiligen Geistes, Amen.«

Er vollführte das Kreuzzeichen, wobei er in der Tradition seines Glaubens die Hand von rechts nach links führte.

Nach der Zeremonie begann das Feiern. Becher voller Kwaß kreisten, und laute Trinksprüche wurden auf Zachar Andrejewitsch ausgebracht. Andrej sah Tascha nach, die der lärmenden Gruppe den Rücken kehrte und davonging. In gewisser Hinsicht war sie jetzt schöner als vorher. Wenn möglich, erregte und ergötzte sie ihn mehr als je. Doch in letzter Zeit bereute er seinen Plan, sie nach Rußland mitzunehmen. Seine Kultur war ihr fremd. Mochte sie auch noch so schön sein und sich modisch kleiden, sie würde sich in das gesellschaftliche Leben von Irkutsk nie einfügen.

Schneeflocken wirbelten durch die Nacht. Eine dünne Schneeschicht bedeckte den Boden, auf dem sich zwei Fußspuren abzeichneten, die vom Dorf wegführten, aus dem dumpfes Trommelschlagen zu hören war.

Tascha schritt eilig aus, um mit ihrem Bruder mithalten zu können. Jahrelanges Barfußlaufen hatte ihre Füße gegen die Kälte abgehärtet. Viel schmerzhafter war der Druck in ihren Brüsten, die voller Milch waren.

Das vom Dorf als Dank für die reiche Beute aus dem Meer veranstaltete Fest hatte ihren Entschluß beflügelt. Die zeremoniellen Speisen und rituellen Tänze hatten bewirkt, daß sie sich den Sitten und Gebräuchen ihres Volkes wieder nahe fühlte. Jetzt bereute sie nicht mehr, daß sie sich von ihrem Bruder zur Teilnahme hatte überreden lassen. Sie wünschte nur, sie hätte den kleinen Zachar mitgenommen, damit sie länger hätte bleiben können, doch Andrej hatte es ihr nicht erlaubt und eingewendet, die Kälte könnte dem

Kind schaden. Andrej verbrachte viele Stunden mit seinem Sohn, seit dessen Geburt seine Leidenschaft und Liebe noch feuriger brannten. Es war alles gut, sogar die Kampfgerüchte waren verstummt. Zumindest hatte Aufrechter Gang nie wieder davon gesprochen.

Vor der Tür der kleinen, halb aus einem Berghang gehauenen Hütte wandte Tascha sich zu ihrem Bruder um.

»Möchtest du nicht mitkommen und den Kleinen sehen? Er ist so stark gewachsen.«

Doch ihr Bruder verschwand mit einem Kopfschütteln in der Dunkelheit, und sein Vogelbalgparka verschmolz im wirbelnden Schnee mit der Schwärze der Nacht. Tascha öffnete die Tür und trat ein. Jäh wurde sie von der Wärme des Raumes umfangen, in dem Andrej mit seinem Sohn auf den Armen auf und ab ging.

»Er hat Hunger«, empfing er sie.

»Ich weiß.« Tascha zog den Parka aus und löste ihr Hemd, während sie sich auf die Lagerstatt niederließ. Andrej kam mit dem hungrigen Säugling, den er ihr in den Schoß legte. Sofort suchte das Kind ihre Brust und sog daran, noch ehe sie ihn in den Arm genommen hatte. Von seinem Stuhl aus beobachtete Andrej die beiden aufmerksam. Sein Sohn war ihm teuer, teurer, als er es für möglich gehalten hätte. Er wünschte sich sehr viel für ihn, Dinge, die er ihm geben konnte und auch geben würde – auch wenn dies bedeutete, daß Tascha zurückbleiben mußte. Es war nicht durchführbar, sie mitzunehmen.

»Was bedrückt dich, Andrej Nikolajewitsch?«

Er blickte auf, konnte aber ihrem Blick nicht standhalten.

»Ach, ich dachte an daheim.«

»Erzähl mir von Irkutsk, damit es mir vertraut wird.«

Andrej zögerte. »Ich habe mir die Sache überlegt. Es würde dir dort nicht gefallen, Tascha«, sagte er schließlich und fuhr eilig fort, ehe sie Einwände machen konnte. »Sibirien ist nicht wie diese Insel. Es ist grau und öde. Unsere Häuser, unser Essen, unsere Lebensart ist anders als alles, was du kennst. Dir käme alles sehr fremd vor, wie mir jetzt klar ist. Du hättest dort weder Familie noch Freunde. Und dort ist es kalt, Tascha, eiskalt.«

»Das würde mich nicht stören.« Mit aufgerissenen Augen versuchte sie, den Sinn seiner Worte zu begreifen.

»Was würdest du dort tun, Tascha? Es gibt dort kein Gras zum Korbflechten, keine Häute zum Schaben, keine Vogelbälge, aus denen sich Parkas fertigen lassen, keine Lachse zum Angeln, keine Seeigel – nichts. Es gäbe nur Zimmer – zum Sitzen, Schlafen, Essen, Kochen. Das ist alles. Du würdest dort sehr unglücklich sein. Und ich liebe dich zu sehr, als daß ich dich unglücklich sehen möchte.«

»Und was ist mit den Tänzen und mit dem Haus, in dem Menschen Geschichten erzählen?«

»Das nimmt nur wenig Zeit in Anspruch. Du hättest es bald satt.«

Andrej wußte, daß er recht hatte. Auch wenn sie mit der Zeit alle diese Dinge akzeptierte, blieb das Problem seines Sohnes – und seiner Frau Natalja. Mit Taschas Existenz würde sie sich abfinden, nicht aber mit Taschas und Zachars Anwesenheit. Zachar war der Sohn, den sie ihm so gern geschenkt hätte und den er jetzt von einer anderen hatte. Und den Stolz über sein Kind würde er nie verbergen können. Zudem wußte er, daß Natalja sehr gern seinen Sohn großziehen würde. Tascha allein konnte sie akzeptieren, ebenso Zachar allein, aber beide zusammen niemals.

»Für unseren Sohn ist es etwas anderes«, beeilte er sich fortzufahren. »Er würde die Sitten meines Volkes lernen. Ich möchte, daß er Unterricht bekommt, daß er lesen und schreiben lernt – Zeichen auf Papier machen – und daß er kluge Dinge studiert. Ich kann es für ihn einrichten.«

Schützend drückte sie das Kind an sich, das sie stillte.

»Du würdest mir Zachar nehmen . . .«

»Nur vorübergehend, Tascha«, versicherte er ihr. »Andere Aleutenkinder sind nach Rußland gegangen, haben dort unsere Sprache gelernt und sich unser Wissen angeeignet. Sie sind zurückgekehrt.« Ebenso wußte er, daß viele dieser Kinder zu Patenkindern gemacht und später adoptiert worden waren. Zachar mußte keineswegs ein Bastard bleiben, er konnte ihn zu seinem legitimen Erben machen. »Auch Zachar wird zurückkommen. Und ich ebenso, Tascha. Ich muß diese Ladung Felle nächsten Sommer nach Rußland bringen.

Ich bin Kaufmann, Händler. Das ist mein Leben – so wie Aufrechter Gang Jäger ist. Ich werde wiederkommen und noch mehr Felle holen, und Zachar wird bei mir sein. Zumindest bis er ins Schulalter kommt. Wir werden wieder zusammensein so wie jetzt, hier auf den Inseln, wo du glücklich bist. Begreifst du jetzt?«

Tascha starrte ihn mit ihren dunklen Augen an, die plötzlich jeden Ausdruck verloren hatten.

»Ich begreife«, sagte sie schließlich tonlos.

Erleichtert richtete Andrej sich auf seinem Sitz auf. Er lächelte.

Als die Sonne sich der Wintersonnenwende näherte, wurden die Tage kürzer. Es war eine Zeit, in der die Aktivität im Lager und im nahen Dorf ihren Höhepunkt erreichte. Nur wenige schenkten Tascha Beachtung, als diese den schmutzigen Trampelpfad durch den Schnee entlanglief. Aufrechter Gang, zu dem sie eilte, machte sich neben seinem Bidarka hockend daran zu schaffen. Als er sie sah, richtete er sich auf. Seit zwei Tagen wartete sie auf die Gelegenheit, allein mit ihm sprechen zu können. Ohne Umschweife kam sie zur Sache.

»Ich muß fort. Zachar und ich, wir müssen die Insel verlassen«, berichtete sie hastig. »Nimmst du uns mit?«

»Warum?« Ihr Bruder warf einen scharfen Blick zur Hütte hin. »Hat er dir etwas getan?«

»Nein. Er will mir meinen Sohn nehmen.« Erregung und Schmerz darüber, daß jemand, dem sie vertraute, sie hintergehen wollte, zehrten an ihr. »Im nächsten Sommer, wenn er nach Hause fährt, will er Zachar mitnehmen. Er sagt, ich sollte hierbleiben, er würde zurückkommen.«

Sie glaubte ihm nicht. Von allem, was er ihr am letzten Abend gesagt hatte, stimmte nur eines. »Er will mir das Kind stehlen.«

»Kosaken darf man nicht trauen.« Aufrechter Gang verfolgte mit finsterem Blick die Gruppe Promyschleniki, die zu einem Kontrollgang zu ihren Fallen aufbrachen.

»Während Andrej schläft, muß ich Zachar nehmen und die Insel verlassen. Warten kann ich nicht.«

»Wohin willst du?«

Ratlos schüttelte sie den Kopf. »Nach Attu kann ich nicht mehr zurück. Dort würde er uns finden.«

»Meine Freunde auf Unalaska würden uns in ihrem Dorf willkommen heißen. Dort würde er dich sicher nicht suchen. Wir wären in Sicherheit. Wir müssen heute nacht aufbrechen.«

»Ich habe meine Sachen gepackt und versteckt. Sobald er eingeschlafen ist, hole ich sie und mache mich mit dem Kind davon.«

»Ich nehme das Baidar der Kosaken, und wir treffen uns, wo das Wasser den großen Fels unterhöhlt.«

Nachdem dies geregelt war, kehrte Tascha in die Hütte zu ihrem schlafenden Kind zurück, um den Einbruch der Nacht zu erwarten.

Die Nacht war erfüllt vom leisen Geplätscher des Wassers, dessen Wellen der Baidar durchschnitt. Das Kleine in Taschas Armen ließ ein paar gedämpfte Laute hören, doch die vernahm nur ihr Bruder. Die Insel Adak lag bereits weit hinter ihnen. In der Hütte war nur Zachars Wiege zurückgeblieben. Alles andere befand sich in dem großen Fellboot, auch das Bidarka und die Jagdausrüstung ihres Bruders. Auf Unalaska würde Aufrechter Gang für Zachar eine neue Wiege bauen.

13. Kapitel

Auf Unalaska wurden die letzten Vorbereitungen getroffen, um gegen die Kosaken loszuschlagen. Die Dorfbewohner befolgten die alten Rituale und flehten den Schöpfer um Schutz an. Über die Strategie war man sich einig. Die Dörfer auf den Inseln der Vier Berge, von Umnak, Unalaska und den kleineren Inseln wollten sich zusammentun. Der Gegner wurde auf weniger als zweihundert Mann geschätzt, während die Aleuten zusammen über dreitausend Krieger zählten.

Den ganzen Sommer und Herbst über hatten sie sich sehr freundlich zu den Kosaken benommen, so daß diese ermutigt wurden, sich in kleinere Jagdgruppen aufzuteilen, wie immer, wenn sie sich nicht bedroht fühlten. Die Aleuten hatten die Gewohnheiten der Kosaken genau ausgekundschaftet und machten sich dies jetzt zunutze, um sie in einen Hinterhalt zu locken.

Tascha, die den Beratungen lauschte, war jetzt klar, daß die mächtigen Kosaken überwältigt und getötet werden konnten. Die Bitterkeit ihres Herzens machte sie froh. Sollten sie doch für ihre Übeltaten bestraft werden, für die Leiden, deren Ursache sie waren. Leiden, die sie nun mitfühlen konnte.

Das Dorf, in dem Tascha und ihr Bruder Aufnahme gefunden hatten, befand sich auf einer Insel in einer großen, am Nordende von Unalaska gelegenen Bucht. Es war ein kleines, aus zwanzig gemeinsam in einem einzigen Barabara lebenden Jägern bestehendes Dorf. Nicht unweit von der Behausung hatte eine Gruppe von elf Kosaken aus Treibholz eine Winterhütte erbaut. Sie waren mit einem Boot gekommen, das in der Bucht verankert war und das man von der Insel aus sehen konnte, wenn der Nebel es nicht verbarg.

Nachdem Zachar sich sattgetrunken hatte, legte Tascha ihn in seine neue Wiege. Begleitet von zwei anderen Jägern betrat ihr Bruder das Barabara. Triumphierend ließ er die Messer sehen, die er von den Kosaken eingehandelt hatte, und reichte sie dann an die anderen Jäger weiter.

»Morgen werden die Kosaken wissen, warum wir so viele Messer wollten«, verkündete er. Die Aleuten lächelten und nickten verständnisinnig.

Aufrechter Gang kam auf das Abteil zu, in dem Tascha saß. Sie las Kampfeslust in seinen Augen, als er sich neben ihr niederließ.

»Am Morgen geht es los. Noch vor Sonnenaufgang wirst du dich mit Zachar und den anderen in den Hügeln verstekken. Die Alten haben eingewilligt zu bleiben, damit die Kosaken nicht argwöhnisch werden.«

»Auch ich werde bleiben.« Tascha kannte den Plan. Jeden Morgen zog die Hälfte der Kosaken aus, um nach den auf der Insel ausgelegten Fuchsfallen zu sehen. Einer der Dorfbewohner würde sie in einen Hinterhalt locken. Die im Dorf verbliebenen Kosaken pflegten stets ins Barabara zu kommen. Der Rest der Jäger würde sie angreifen, sobald sie im Inneren der Behausung waren. »Kleine Muschel wird sich um Zachar kümmern.«

Ihr Vorschlag gefiel ihm. Endlich standen sie gemeinsam auf einer Seite.

»Du bleibst am Morgen im Freien. Wenn der Angriff beginnt, suchst du bei den anderen Frauen in den Hügeln Zuflucht.«

»Ja, das werde ich.«

Die Flamme wurde gelöscht und die Steinlampe in eine Ecke des Barabara gestellt, damit sie bei dem vorstehenden Kampf nicht umfallen und das Öl ausfließen konnte. Das durch den Einstieg eindringende Tageslicht ließ den Großteil des Barabara im Dunkeln. Zwei Aleuten standen im hellen Teil, Messer und Keulen in den Falten ihrer Parkas verborgen. Aufrechter Gang wartete mit den anderen im dunklen Teil in der Nähe der Kerbenleiter, auf der die Kosaken bald herunterkommen würden. Seine Nerven waren angespannt, seine Sinne in höchster Bereitschaft, sein Herz pochte. Er umfaßte die Jagdkeule fester.

Eben hatte die auf dem Dach des Barabara postierte Wache gemeldet, daß eine Kosakengruppe die Hütte verlassen und zu ihrem Kontrollgang aufgebrochen war. Lief alles so ab wie immer, würden bald die anderen Kosaken zu ihrem gewohnten Besuch im Barabara eintreffen.

Plötzlich hörte man Begrüßungsworte in der Kosakensprache, Schritte näherten sich der Öffnung im Dach. Aufrechter Gang sah den Posten die Leiter heruntersteigen und hörte ihn flüstern: »Drei kommen, einer trägt ein Beil.«

Aufrechter Gang drückte sich tiefer in die Schatten und beobachtete, wie die Kosaken jetzt hintereinander die unter ihrem Gewicht ächzende Leiter herunterkamen. Der Großnasige mit dem Beil kam zuletzt. Er war noch nicht ganz unten, als die zwei ersten Kosaken zu spüren schienen, daß etwas nicht in Ordnung war.

»Aaaagh!« schrie Aufrechter Gang und hieb dem ihm nächststehenden Kosaken mit aller Kraft mit der Keule zwischen die Schultern, so daß dieser zu Boden ging.

Sofort stieß Aufrechter Gang dem Liegenden sein Messer wiederholt in den Rücken, während um ihn herum Keulen und Messer geschwungen wurden und Ausrufe auf aleutisch und russisch ertönten. Ein zweiter Kosake ging zu Boden, zwei Aleuten machten sich mit Messern über ihn her.

Der schwerverwundete Großnasige fing nun an, mit seinem Beil wie ein Irrer um sich zu schlagen und trieb die Aleuten zurück, während er sich immer mehr der Leiter näherte. Aufrechter Gang versuchte, den Fluchtweg aus dem Barabara zu blockieren, doch das blutige Beil sauste in hohem Bogen auf ihn zu. Zurückspringend spürte er das Brennen, als die Klinge den Parka durchschnitt und ihm eine Fleischwunde an der Brust zufügte. Trotz Schmerzen nahm er die Verfolgung auf und wollte den Kosaken auf der Leiter zurückhalten, doch die Bedrohung des ständig geschwungenen Beils hinderte ihn, nach den Stiefeln des Mannes zu fassen und ihn herunterzuzerren.

Bis auf zwei folgten alle Aleuten Aufrechtem Gang die Leiter hinauf und verfolgten den fliehenden Kosaken. Die Zurückbleibenden hatten von den Beilhieben schwere Wunden davongetragen. Als Aufrechter Gang aus der Dachluke auftauchte, lief der Großnasige bereits den Abhang hinunter und rief den noch in der Hütte befindlichen Kosaken eine Warnung zu.

Ein Kosake kam aus dem Gebüsch nahe der Hütte und knöpfte seine Hose zu. Der Mann mit dem Beil war nicht mehr am Erreichen der Hütte zu hindern, doch der andere Kosake war unbewaffnet. Aufrechter Gang lief eilig, um ihm den Weg abzuschneiden. Aufrechter Gang las die Panik in den Augen des Mannes, als er mit seinem Messer auf ihn losging. Der Kosake packte den Arm des Aleuten, und Aufrechter Gang konnte ihm kaum standhalten, während er spürte, wie ihm das Blut aus der Brustwunde floß. Einige der Aleuten hatten vor dem Verlassen des Barabara Speere mit sich genommen. Einer stach auf den Kosaken ein, der entsetzt den Mund aufriß. Sein Griff wurde schlaff. Aufrechter

Gang stieß ihm die Klinge in den Leib. Der Kosake ging in die Knie, während die ihn Umstehenden mit ihren Speeren auf ihn einstachen.

Fast gleichzeitig zerriß eine ohrenbetäubende Explosion die Luft, und zwei Aleuten wurden von einer unsichtbaren Kraft herumgerissen. Die Musketen. Der auf dem Boden Liegende gab noch Lebenszeichen von sich. Da sie wußten, daß die Kosaken Zeit zum Nachladen brauchten, blieben die Krieger, um ihrem Opfer den Rest zu geben.

Ein Kosake stürzte aus der Hütte und drang mit einem großen Messer um sich schlagend auf sie ein. Aufrechter Gang wurde die Seite aufgerissen . . . abermals eine Fleischwunde, bei der kein Organ verletzt wurde. Er geriet rücklings ins Taumeln und faßte nach dem tiefen Schnitt, um das Blut am Fließen zu hindern. Noch ein Aleute fiel unter der Klinge des Kosaken. Dieser hob seinen gefallenen Gefährten hoch und zog sich gegen die Hütte hin zurück, als wieder eine Salve losdonnerte.

Durch die Verwundungen beträchtlich geschwächt, zogen sich die Aleuten aus der Reichweite der Musketen zurück. Aufrechter Gang hielt atemholend inne. Der Geruch von Blut und Kampfschweiß stieg ihm in die Nase. Er spürte, wie der Blutverlust an ihm zehrte und wie seine Muskeln zu erschlaffen drohten.

»Sie sitzen in der Falle.« Aufrechter Gang ließ sich schwer atmend nieder. »Ihre Musketen hindern uns zwar am Eindringen, doch sie werden bald heraus müssen, um Nahrung und Wasser zu holen. Wir werden sie empfangen.«

»Nur vier haben überlebt, zwei sind schwer verwundet«, stellte ein Aleute fest.

»Von den anderen haben wir nichts gehört. Glaubst du, sie konnten die Kosaken töten?«

»Das werden wir bald erfahren.« Der eine oder andere würde zum Dorf zurückkommen. Aufrechter Gang raffte sich auf. Noch immer hielt er sich die Wunde zu.

»Komm, wir müssen die Getöteten ihrer Kraft berauben und unsere Verwundeten ins Sommerlager zu den Frauen schaffen.«

Drei Aleuten blieben bei der Hütte, um zu verhindern,

daß die Kosaken flüchteten. Alle übrigen kehrten zum Barabara zurück. Während zwei den Verwundeten die Leiter hochhalfen, holten Aufrechter Gang und die anderen ihre Messer hervor und fingen an, den toten Kosaken die Gliedmaßen abzuschneiden. Als die Extremitäten abgeschnitten waren, wurden sie an den Gelenken noch einmal durchschnitten. Schließlich wurden die Teile gesammelt, aus der Behausung geschafft und ins Meer geworfen, damit es zu keiner unheilvollen Begegnung mit den Toten käme. Wie die anderen Verwundeten wusch Aufrechter Gang seine Wunde im Meer und verband die Wunde an seiner Seite. Er begleitete die anderen fünf Verwundeten nicht ins Winterlager, sondern blieb bei denen, die die Kosakenhütte belagerten. Bald kehrte die Gruppe, die den Hinterhalt gelegt hatte, ins Dorf zurück. Aufrechter Gang sah neiderfüllt, daß sie ihren getöteten Feinden zwei Pistolen und Musketen abgenommen hatten.

»Zeigt den Kosaken in der Hütte die Waffen und Kleider ihrer Gefährten, damit sie wissen, daß sie allein auf der Insel sind«, wies Aufrechter Gang sie an, und zwei der Krieger schwenkten ihre Beute vor der Hütte, damit die Männer im Inneren es sehen konnten.

Als sie die ersten Kampfgeräusche aus dem Barabara hörte, gab Tascha ihre vorgegebene Suche nach Treibholz auf und bedeutete den zwei alten Frauen aus dem Dorf, sie sollten mit ihr kommen. Gemeinsam waren sie über die Hügel der schmalen Insel zum Sommerlager gewandert. Es lag an einem Bach, den die Lachse während der Laichzeit aufsuchten. Dort waren sie zu den anderen Dorfbewohnern – Frauen, Kinder und Männer, die zu alt zum Kämpfen waren – gestoßen und warteten auf den Ausgang des Kampfes.

Zachar schlief neben Tascha in seiner Wiege, während sie sich die bange Wartezeit vertrieb, indem sie für den Kleinen einen wasserfesten Parka nähte. In ihrer Arbeit innehaltend, suchte sie den Horizont in der Richtung des Dorfes ab und sah eine Gruppe humpelnder schwankender Krieger auf das Lager zuhalten. Insgesamt neun waren es, die sich einander stützend fortbewegten. Hastig legte sie die Näharbeit beiseite und lief mit den anderen Frauen den Verwundeten entgegen, um voller Angst unter ihnen ihren Bruder zu suchen. Mit gemischten Gefühlen stellte sie fest, daß er nicht unter ihnen war. Ihre Mienen aber gaben ihr neuen Mut, denn sie sah das Licht des Triumphes in ihren Augen.

Jetzt war nicht die Zeit, Fragen zu stellen. Tascha mußte sich daranmachen, die Wunden zu versorgen, eine Aufgabe, der sie mit großem Geschick nachkam, da sie gute anatomische Kenntnisse und dazu geschickte Finger besaß und sich auf die Kunst verstand, die Schmerzen mittels eingestochener Nadeln auszuschalten.

Während sie die Verwundeten versorgte, erfuhr sie, was vorgefallen war. Einer konnte ihr sogar berichten, daß Aufrechter Gang überlebt hatte und an der Belagerung der Hütte teilnahm.

Nach vier Tagen kehrten die Frauen, Kinder und alten Männer zurück. Die vier Kosaken waren in der Nacht entwischt und hatten die Insel in ihrem Baidar verlassen.

»Wir haben gar nicht versucht, sie aufzuhalten«, gestand Aufrechter Gang seiner Schwester. »Wir wagten es nicht, es in der Dunkelheit mit ihren Musketen aufzunehmen. Wir waren zu wenige.«

»Sie sind entkommen. Jetzt werden sie die anderen warnen.« Das Überraschungsmoment war die beste Waffe der Aleuten, wie sie wußte.

»Es gibt niemanden mehr, den sie warnen könnten.« Um seinen Mund lag ein befriedigter Zug.

»Die Kosaken des Lagers auf der Nachbarinsel sind allesamt tot. Und ihr Boot, das in der Bucht ankerte, gibt es nicht mehr. Die Leute, die an Bord waren, sind auch tot. Sie können sich nirgends verbergen. Wir haben die anderen Dörfer verständigt, sie sollen nach den vier Kosaken Ausschau halten.«

»Was ist mit den anderen Kosaken und den anderen vier Booten?« Sie hatte Angst, daß ein entkommener Kosake die Kunde vom Aufstand zu anderen Inseln bringen könnte. Womöglich würde Andrej nach Unalaska kommen. Entdeckte er sie hier, würde er ihr gewiß Zachar wegnehmen.

»Einige wurden bereits angegriffen. Bei den anderen wird es bald der Fall sein.« Er zögerte. »Ich will in das Dorf Makuschin auf Unalaska, wo sich Krieger versammeln, um das Kosakenhaus in der Bucht anzugreifen.«

Sie merkte, daß er beabsichtigte, sie hier zu lassen. Doch diese Aleuten waren Fremde für sie, mochten sie sie auch noch so gut aufgenommen haben. Und Aufrechter Gang war ihr Bruder. Auf ihn war in Zeiten der Not Verlaß.

»Zachar und ich werden mit dir gehen.«

»Es kann gefährlich werden.«

»Solange es Kosaken auf der Insel gibt, gibt es auch Gefahr. Und wenn einer entkommt, wächst die Gefahr.« Es war sonderbar, aus ihrem Mund diese Worte zu hören.

»Wir brechen mit der Morgensonne auf«, sagte er.

Die Aleuten brauchten zwei Tage, um sich zu sammeln und die Kosakenniederlassung anzugreifen. Wieder gelang es einigen Kosaken zu entkommen und sich auf ihrem Schitik in Sicherheit zu bringen, doch sie segelten nicht davon.

Den ganzen Winter bis in den Vorfrühling ankerte der Schitik im Hafen in Küstennähe. Die Aleuten bewachten das Schiff ständig und schossen auf jeden Kosaken Pfeile ab, der so unbedacht war, sich zu zeigen. Zu der Zeit, als die männlichen Robben durch die engen Passagen zwischen den Inseln zu ihrem geheimen Schlupfwinkel im Norden schwammen, setzte das Schiff der Kosaken die Segel und lief aus der Bucht aus.

Von Umnak kam später die Nachricht, es sei in einem Sturm an der Küste zerschellt, die Eingeborenenkrieger hätten die Überlebenden überfallen, fünf Kosaken getötet und die übrigen verwundet, ehe sie schließlich vertrieben wurden. Die Kosaken hatten die Plünderung des Wracks nicht verhindern können. Und jetzt war die Beute zum Handelsgut geworden. Von ihnen erstand Aufrechter Gang eine Muskete, etwas Schießpulver und Bleikugeln. Dafür tauschte er den Baidar, in dem er und Tascha von Adak geflohen waren.

Vor Unalaska wurden die Segel eines Kosakenschiffes gesichtet. Aus Angst, es könnte Andrej gehören, drängte Tascha ihren Bruder, er solle feststellen, wer diese Kosaken seien und wo sie an Land gingen. Aufrechter Gang schloß sich der kleinen Spähergruppe an, die die Stärke der Kosaken auskundschaften sollte.

Nun befanden sich viele Feuerwaffen in den Händen der Aleuten. Doch diese Hunderte von Musketen und Pistolen waren weit verstreut unter den Kriegern der verschiedenen Inseln, und ihr Munitionsvorrat war klein, so daß die Aleuten den Kampf gegen eine größere Streitmacht nicht wagten. Ihnen war klar, daß sie den Kosaken die Landung auf der Insel gestatten mußten.

Der Spähtrupp entdeckte das Kosakenschiff in einer der Buchten.

»Seht mal.« Killerwal deutete auf die Männer an Deck. »Dort ist Solowej.«

»Wer ist das?« wollte Aufrechter Gang wissen.

»Ein Kosake, der mit seinen Leuten auf unserer Insel landete, um zu jagen und Tribut zu fordern.«

»Wir sollten mit ihnen reden«, meinte Aufrechter Gang.

Sie gingen hinunter an den Strand und gaben den Kosaken durch Zeichen zu verstehen, sie sollten an Land kommen. Es dauerte nicht lange, und ein paar Mann ruderten in einem Boot an den Strand. Killerwal zeigte Aufrechtem Gang den Mann mit Namen Solowej. Der große, massige Mann mit Vollbart und Hakennase saß vorne im Boot. Aus seinen dunklen Augen sprach Schärfe und Schlauheit. Als er den Fuß an Land setzte, begrüßte er als ersten Killerwal und verteilte dann als Geschenk Tabak an alle.

»Solowej, du zeigst Mut, indem du dich auf diese Insel wagst.« Als Aufrechter Gang ihn in der Sprache der Kosaken anredete, drehte der Mann sich ruckartig zu ihm um.

»Mut?« Eine buschige Braue war höher gewölbt als die andere. »Warum?«

»Hast du andere Kosakenboote gesichtet?«

»Nein.«

»Hier gibt es keine mehr. Auf Unalaska, Umnak und den Inseln der vier Berge wurden alle zerstört.« Er sah Solowej erbleichen und gleich darauf rot anlaufen.

»Wo sind die Besatzungen dieser Schiffe?«

»Wir haben sie getötet.«

Solowej starrte ihn ungläubig an.

»Wie denn?«

Aufrechter Gang berichtete ihm nun die Einzelheiten von den Kämpfen. Obschon der Kosake immer röter wurde und vor Wut bebte, verriet sein Blick Zweifel.

»Wo sind die Leichen der Männer, die ihr angeblich getötet habt?«

Auf das Wasser deutend, sagte Aufrechter Gang:

»Wir hackten ihre Gliedmaßen in Stücke und warfen sie ins Wasser, damit von ihnen keine Gefahr mehr ausgeht.«

Nun befragte Solowej die anderen Aleuten, die bestätigten, daß dies die Wahrheit war. Da änderte sich die Haltung des Mannes, und er blickte zu den rollenden Hügeln hinter der Bucht, als erwarte er, daß sich dort weitere Aleuten versteckten. Es war genau die Reaktion, die Aufrechter Gang erreichen wollte. Er wollte, daß die Kosaken Angst bekämen.

Als die Kosaken in ihrem Boot wieder zur St. Peter und St. Paul ruderten, bemerkte Iwan Solowej sehr wohl die angstvollen Blicke seiner Leute. Ihre Furcht ließ seinen Zorn noch wachsen.

14. Kapitel

Niemand wagte es, den auf dem Achterdeck stehenden Andrej Tolstych anzusprechen und in seine eisblauen Augen zu sehen, die einen Menschen klar durchschauten und ihn frösteln ließen. Keiner seiner Gefährten erwähnte die Veränderung, die in ihm vorgegangen war, seit das Halbblut mit seinem neugeborenen Sohn vor einem knappen Jahr davongelaufen war – schon gar nicht, wenn er es hören konnte. Der noch immer glattrasiert und sorgfältig gekleidete Tolstych hatte eingefallene Wangen und tiefe Ringe um die Augen, und seine Lippen waren ständig zusammengepreßt. Roch sein Atem auch nach Kwaß, so schien das starke Gebräu bei ihm nie Wirkung zu zeigen.

Alle wußten noch, wie er reagiert hatte, als er entdeckte, daß das Mädchen verschwunden war. Seine anfängliche Starre war kalter Wut gewichen, und in den vergangenen

Monaten war er nicht müde geworden, die ganze Inselgruppe abzusuchen. Eine Information hatte bewirkt, daß er auf Ostkurs ging anstatt auf Westkurs. Ein Eingeborener hatte nämlich behauptet, der Bruder des Mädchens hätte zweimal ein Dorf auf der Insel Unalaska besucht.

Ohne auf die Regentropfen zu achten, die sein Gesicht näßten, ließ Andrej den Blick über die vom Regen verwischte Küstenlinie schweifen. Sein Instinkt sagte ihm, daß sich sein Sohn irgendwo auf der Insel befand. Er würde Zachar finden, das wußte er genau.

Jenseits des Vorgebirges war eine breite Bucht zu sehen. Seiner inneren Stimme folgend, gab Andrej Befehl, diesen natürlichen Hafen anzulaufen. Ein Schitik lag bereits im ruhigen Gewässer vor Anker, wie sie sofort bei der Einfahrt in die Bucht sahen. Seine Segel waren eingeholt, die Masten nackt. Die Wachen an Deck empfingen die Andrejan und Natalja mit freudigen Zurufen. Sie erfuhren, daß das Schiff unter dem Kommando Iwan Solowejs stand, der mit dem Hauptkontingent an Jägern an Land gegangen war. Voller Ungeduld, weil er Solowej sprechen und in seiner Suche fortfahren wollte, ließ Andrej ein Beiboot zu Wasser bringen.

»Bewaffnet euch gut«, riet einer der Wachen des anderen Schiffes. »Es hat Ärger gegeben.«

Zwei weitere Wachen empfingen das Boot an Land und begleiteten Andrej und seine kleine Gruppe zum befestigten Lager. Er spürte die im Lager herrschende Nervosität. Die Männer im Inneren der Winterhütte schreckten sichtlich beim Öffnen der Tür auf. Andrej erkannte Iwan Solowej, obwohl dieser ihm in erster Linie wegen seines Rufes in Ochotsk bekannt war, der besagte, daß er in einem Jahr den Gewinn dreier Jahre verspielte, versoff und verhurte.

»Ich bin Andrej Nikolajewitsch Tolstych, Kapitän der Andrejan und Natalja.« Eine kleine Kopfbewegung Andrejs sollte eine förmliche Verbeugung andeuten. Er wußte, daß sein Name für Solowej ein Begriff sein mußte.

»Iwan Petrowitsch Solowej, Kapitän der St. Peter und St. Paul. Willkommen auf Unalaska, Andrej Nikolajewitsch.« Er umfaßte in einer herzlichen, kameradschaftlichen Art mit beiden Händen Andrejs rechte Hand und den Arm.

»Langsam bekamen wir das Gefühl, es gäbe in diesem Gebiet kein anderes russisches Schiff mehr.«

»Wie ich hörte, operierten fünf in dieser Inselgruppe.« Solowej nahm Andrejs Mantel und warf ihn einem seiner Leute zu.

»Kommt mit«, sagte er zu Andrej. »Ich habe etwas, was Euer Blut wieder in Wallung bringt.« Andrej bedeutete seinen Männern zurückzubleiben und folgte Solowej in einen privaten Raum im rückwärtigen Teil der Hütte. Die grobe Holztür fiel ins Schloß. Solowej ging zu seiner Lagerstatt und holte unter der Decke eine Flasche billigen Fusels hervor.

»Ich segele unter dem besonderen Schutz eines kaiserlichen Ukas, den Zarin Elisabeth Petrowna . . .«, setzte Andrej an.

»Ach, dann seid Ihr schon eine ganze Weile auf See«, unterbrach ihn der andere, der nun zwei Becher füllte und Andrej den einen reichte. »Die Zarin ist tot. Ihr Neffe Peter folgte ihr für kurze Zeit auf den Thron – für ganz kurze Zeit nur, denn jetzt herrscht seine Gemahlin Katharina II. über Rußland. Es heißt, daß sie an seiner Ermordung nicht unschuldig gewesen sei.« Er hob den Becher zu einem spottgeladenen Trinkspruch. »Ein Narr, der einer Frau traut.«

»Wie wahr«, murmelte Andrej, der in den Becher starrte, ehe er ihn an den Mund führte. Ihm wurde übel, wenn er daran dachte, wie er sich von Tascha hatte in Sicherheit wiegen lassen.

»Zwei Geiseln sind aus meiner Obhut entflohen. Ich habe Grund zu der Annahme, daß sie auf Unalaska sind. Wenn Ihr mich bei der Durchsuchung der Dörfer unterstützt, wäre ich Euch sehr verbunden.«

»Ich glaube, Ihr seid Euch nicht im klaren darüber, wie es um unsere Situation bestellt ist.« Solowejs Miene verhärtete sich.

»Einer Eurer Leute deutete Schwierigkeiten an.«

»Möglicherweise mehr als das.« Nach einem Blick zur Tür hin senkte Solowej die Stimme.

»Die Eingeborenen brüsten sich damit, sie hätten alle Russen, die hier waren, getötet. Von den fünf Schiffen, die Ihr erwähnt habt, sahen wir kein einziges.«

»Gut möglich, daß sie nach Hause gesegelt sind.«

»Ja, möglich. Ebenso möglich aber, daß sie niedergemetzelt wurden, daß man sie in Stücke schnitt und ins Meer warf, wie die Aleuten es behaupten – und die Schitiks wurden verbrannt oder versenkt. Ich weiß genau, daß die Eingeborenen über Musketen und über russische Kleidungsstücke verfügen. Weiter weiß ich, daß man uns nahelegte zu verschwinden, falls wir nicht das Schicksal unserer Landsleute erleiden wollten.«

»Falls das stimmt, was Ihr da sagt, dann müßten sich mehrere Dörfer zusammengetan haben«, meinte Andrej sorgenvoll. »In diesem Fall müßten wir den Aufruhr im Keim erstikken, ehe er auf die anderen Inseln übergreift.«

»Richtig, Andrej Nikolajewitsch, das sind auch meine Überlegungen.« Solowej faßte grinsend nach der Flasche und goß Andrej nach.

Bis sich Andrej verabschiedete und zum Schiff zurückkehrte, war die Flasche geleert, und die Geschichte von dem angeblichen Massaker an mehr als zweihundert Russen war auf den Lippen seiner Männer, die sie von Solowejs Leuten erfahren hatten.

Nachdem die Aleuten auf Unalaska erkannten, daß Solowej nicht beabsichtigte, von der Insel abzuziehen, machten sich die Dorfältesten und hochrangigen Krieger daran, einen Angriffsplan zu entwickeln. Doch die Ankunft des zweiten Schiffes stieß ihre Pläne um. Sie hatten die Erfahrung gesammelt, daß sie die Kosaken dank überlegener Kopfzahl und unter Ausnutzung des Überraschungseffekts besiegen konnten. Und jetzt wußten sie nicht, wie es um die Stärke des Gegners bestellt war.

Da Aufrechter Gang die Kosakensprache sprach und verstand, wurde er zusammen mit Killerwal auserwählt, dem feindlichen Lager unter dem Vorwand, Handel treiben zu wollen, einen Besuch abzustatten und dabei die gegnerische Stärke auszukundschaften. Mit einem Bündel aus einem halben Dutzend Otterfelle unter dem Arm brach Aufrechter Gang mit Killerwal von dem provisorischen Lager auf, in dem sich die Krieger zur Vorbereitung des Angriffs auf die

Kosaken zusammengerottet hatten. Wie immer waren Frauen und Kinder, so auch Tascha und ihr Sohn, in einem befestigten Dorf in einem anderen Teil der Insel in Sicherheit gebracht worden.

Bei ihrer Annäherung an das Lager hörte Aufrechter Gang noch außer Reichweite ihrer Musketen die Stimme eines Postens, der den Kosaken ihr Kommen meldete.

»Wir sind gekommen, um zu handeln!« rief Aufrechter Gang in ihrer Sprache, ein Fellbündel in die Höhe haltend.

Mit dem Musketenlauf bedeutete der Kosake ihnen, sie sollten näher kommen. Als Aufrechter Gang und Killerwal sich der Hütte näherten, waren keine unbekannten Gesichter unter der Mannschaft zu sehen. Solowej stand in der Tür und erwartete sie. Eine Manneslänge von Solowej blieb Aufrechter Gang stehen.

»Wir sind gekommen, um Handel zu treiben«, wiederholte er.

Solowej streifte mit einem Blick die Felle und sah dann wieder die zwei Besucher an.

»Wir wollen hineingehen.« Er stieß die Tür auf und betrat vor ihnen die Hütte.

Alle vorangegangenen Begegnungen hatten im Freien stattgefunden. Nie zuvor hatte man ihnen Einlaß in die Behausung gewährt. Aufrechter Gang nützte nur zu gern die Gelegenheit, die Zahl der Kosaken und die Art des Baues festzustellen, doch befand sich auch hier kein unbekanntes Gesicht unter den mehr als sechzig Mann im Raum. Hinter ihm fiel die Tür zu, und Aufrechter Gang, der sich wie in einer Falle vorkam, zwang seine Muskeln, sich zu lockern, als Solowej auf ihn zukam.

»Zeig mir, was du hast.« Der Kosake deutete auf die gebündelten Felle. Als Aufrechter Gang ihm das Bündel anbot, schüttelte der Kosake den Kopf.

»Du bindest es auf.« Aufrechter Gang wußte, daß Solowej an die Geschichten dachte, in denen einem Kosaken die Kehle durchgeschnitten worden war, während er ein Fellbündel aufband. Es stellte für ihn eine gewisse Befriedigung dar, daß Solowej diese Vorsicht walten ließ, obwohl er und Killerwal die einzigen Aleuten im Lager waren.

Aufrechter Gang knüpfte die Lederriemen auf und legte die Felle auf ein Faß. Dann trat er zurück, damit der andere die Felle begutachten konnte.

»Die Felle sind nicht viel wert. Sieh dir die Narben an«, stellte Solowej fest.

Aufrechter Gang, der sehr wohl um die mindere Qualität der Felle wußte, ließ sich dennoch auf eine Debatte über den Wert ein, damit Killerwal Zeit hatte, den Feind zu studieren.

»Solowej, du solltest mir geben, was ich verlange. Diese Felle sind vielleicht die einzigen, die du zu sehen bekommst. Du hast viel zuviel Angst, um deine Jäger hinauszuschikken.« Er sah, daß der Kosake unter seinem Spott errötete.

»Du verlangst zuviel.«

»Wo sind die Kosaken vom zweiten Boot?« Aufrechter Gang stapelte die Felle wieder und umwickelte sie mit dem Lederriemen. »Vielleicht sind die eher gewillt, sie mir abzukaufen.«

»Fahr doch hinaus zum Schiff und frage sie.«

»Ist niemand von ihnen da?«

Aufrechter Gang musterte die Männer in dem Raum, ohne sein Interesse zu verbergen.

»Nein. Unsere Unterkunft reicht kaum für uns selbst.« Solowej fragte mit neugierig schiefgelegtem Kopf: »Wie viele hausen in eurem Barabara?«

»Zweihundertvierzig.« Er nahm die Felle unter den Arm.

»Frauen und Kinder mitgezählt?«

»Ja.« Aufrechter Gang hörte von draußen Stimmen und dazu Schritte, die durch den Schlamm näher stapften. In der Tür zeichnete sich kurz die Silhouette des Eintretenden ab, dann wurde die Tür wieder geschlossen. Und plötzlich sah Aufrechter Gang die weißen Schläfen des Mannes und erstarrte vor Entsetzen. Die blauen Augen, die ihn anstarrten, gehörten Tolstych. Seit langem schon fürchtete Tascha, er würde auf der Suche nach ihnen auch hierherkommen, aber er selbst hatte nie daran geglaubt.

Das Blut dröhnte ihm in den Schläfen. Er mußte fort und Tascha warnen. Rasch faßte er nach dem Bündel, schleuderte es Tolstych gegen den Kopf und war mit einem Satz an der Tür.

»Haltet ihn!« rief Tolstych. Der junge Aleute riß eben die Tür auf, als ihn jemand von hinten packte. Während er sich zur Wehr setzte, schoß Killerwal an ihm vorüber ins Freie. Noch mehr Arme umschlossen ihn, und Aufrechter Gang brach fast unter dem Gewicht seiner Angreifer zusammen.

»Bindet seine Hände.« Andrej sah zu, befriedigt, daß er Taschas Bruder tatsächlich in seiner Gewalt hatte. Die Suche näherte sich dem Ende. Fast schmeckte er schon den Triumph des Augenblicks, da er seinen Sohn zurückfordern würde.

»Schafft ihn ins Boot«, ordnete er an. »Ich nehme ihn mit auf die Andrejan.« Einem Protest Solowejs zuvorkommend sagte er: »Dieser Aleute ist meine Geisel. Ihr seid eingeladen, beim Verhör anwesend zu sein.«

Einen Moment sah es aus, als wolle Solowej sich widersetzen, dann aber besann er sich eines Besseren. Tolstych war ein wohlhabender Kaufmann, der in Sibirien über Macht und Einfluß verfügte und der mit einem kaiserlichen Ukas segelte.

Mit einem Strick um den Hals wurde der hochgewachsene Aleute unter schwerer Bewachung zum Beiboot geschafft. Kaum waren sie an Bord, begann das Verhör. Andrej konzentrierte seine Befragung auf Größe und Schlagkraft des Gegners, auf die Lage der Dörfer, die Anzahl der Krieger, die Quantität der russischen Waffen, die den Aleuten in die Hände gefallen waren. Die Frage nach dem Aufenthalt seines Sohnes sparte er sich für später auf. Aber Aufrechter Gang gab keine Antworten.

»Du wirst mir sagen, was ich wissen möchte. Alles ...«, murmelte Andrej, um dann die Wachen anzuweisen: »Zieht ihn aus, bindet ihn an den Mast, und bringt die Geißel.«

Die Promyschleniki banden ihren nackten Gefangenen mit nach oben gestreckten Armen an den Vormast.

»Knebelt ihn«, wies Andrej die Leute an. »Es ist nicht nötig, daß seine Freunde an Land die Schreie hören.«

Dann gab er das Zeichen, mit den Schlägen zu beginnen. Beim ersten Peitschenhieb zuckte der Leib des Aleuten konvulsivisch, und auf seinem Rücken zeigten sich rote Striemen. Wieder schlug der Kosake zu, wieder wurde das

Fleisch aufgerissen. Aufrechter Gang wand sich unter Qualen. Nach einem halben Dutzend Schläge war sein Rücken eine einzige blutige Masse. Andrej stand da und beobachtete genau, wie der Gequälte reagierte. Schließlich hörten die Zuckungen auf, der Kopf des Aleuten sank gegen den Mast. Die Knie gaben nach, so daß er mit vollem Gewicht in seinen Lederfesseln hing. Erschrocken merkte Andrej, daß Aufrechter Gang bewußtlos geworden war.

»Er lebt noch«, verkündete Solowej, der dem Gefesselten den Knebel aus dem Mund nahm.

»Wasser wird ihn wieder zu sich bringen«, bemerkte Andrej, seine Erleichterung verbergend. »Holt einen Eimer«, befahl er.

Kaum ergoß sich das Salzwasser auf das wunde Fleisch, als sich der Kehle des Aleuten ein Schmerzensschrei entrang. »Bindet ihn los«, befahl Andrej.

Zwei Jäger aus Solowejs Lager durchschnitten die Fesseln, die den jungen Mann an den Mast banden. Nun wurde er zu Andrej geschleppt und aufgestellt, aber Aufrechter Gang war nur halb bei Bewußtsein.

Andrej packte den schwarzen Haarschopf und riß den Kopf hoch, daß er ihm ins Gesicht sehen konnte. Mitleidlos sah er die Tränen, die glasigen Augen entströmten.

»Wie viele Krieger sind auf der Insel?«

»Vier-, vielleicht fünfhundert«, keuchte Aufrechter Gang.

»Wo?«

»In den Dörfern verstreut.« Jedes einzelne Wort machte ihm Mühe.

»Wo sind die meisten Krieger konzentriert?« drang Andrej beharrlich in ihn, und Aufrechter Gang gab, gebrochen von unerträglichen Schmerzen, alles preis – den wahren Grund für ihr Auftauchen im Lager, den Angriffsplan, die Anzahl der Feuerwaffen in den Händen der Aleuten.

Schließlich stellte Andrej die Frage: »Wo ist Tascha? Wo ist mein Sohn?«

Obwohl die Antwort unzusammenhängend kam, verstand Andrej genug. Sein Sohn befand sich in einem großen Dorf, in dem Frauen und Kinder Zuflucht gefunden hatten. Er würde den Jungen bald wieder in den Armen halten.

15. Kapitel

Der dichte grauweiße Nebel erstickte alle Geräusche. Eine Gruppe geisterhafter Gestalten hielt verstohlen auf die primitiv zusammengezimmerte Hütte zu. Bis auf knapp zehn Meter näherten sich die Gestalten der Hütte, anscheinend unentdeckt. Und dann eröffneten die Russen ohne Vorwarnung das Feuer. Aus dieser geringen Distanz war das Ergebnis verheerend. Die Aleuten versuchten noch, die Hütte anzugreifen, doch das Musketenfeuer trieb sie zurück. Die Überlebenden ergriffen die Flucht und ließen an die hundert Tote zurück.

Als sich der Nebel lichtete und die Möglichkeit ausschloß, daß die Eingeborenen noch einen Überfall unternahmen, wagten sich die Russen aus der Hütte. Die Verwundeten, die sie unter den Toten fanden, wurden gnadenlos getötet, die Leichname in einem Massengrab aufgehäuft. Nachdem sie das verlassene Lager der Krieger gefunden hatten, zerstörten sie es samt einigen Baidars.

Enttäuscht blickte Solowej sich in dem zerstörten Lager um.

»Diese blutrünstigen Wilden sind inzwischen über die ganze Insel verstreut.«

»Das glaube ich nicht.« Andrej bedeutete zwei Jägern, den Gefangenen herbeizuschaffen. Aufrechter Gang, der geschwächt durch Blutverlust und nahezu gelähmt vor Schmerzen war, mußte getragen werden.

»Wohin ziehen sich die Krieger von hier aus zurück?«

Ein kaum wahrnehmbares Kopfschütteln war die Reaktion.

»Ist es möglich, daß sie das Dorf der Frauen und Kinder aufsuchen?«

Andrej nahm befriedigt das zustimmende Nicken wahr.

»Ich wunderte mich schon, warum Ihr diesen Bastard am Leben laßt.« Solowej lächelte beifällig. »Wie weit ist das Dorf entfernt?«

»Eine Stunde Marsch.« Andrej wußte, daß er nicht mehr zu sagen brauchte. Solowej war von Natur aus grausam und zu Exzessen neigend.

Der Warnruf des Postens kam zu spät, als daß man Frauen, Kinder und Verwundete aus dem Dorf hätte wegschaffen können. Alle suchten jetzt im Inneren des von Erdwänden umgebenen Barabara Zuflucht. Die Behausung war zu Verteidigungszwecken angelegt worden. Sie verfügte über Pfeiler im Inneren, die einen Gang abstützten, von dem aus die Krieger durch Öffnungen im Dach ihre Pfeile abschießen konnten. Über Kerbenleitern errichteten die Männer die Verteidigungsposition und erwarteten den Angriff der Kosaken. Tascha hockte sich mit ihrem Sohn zu den Müttern, die sich mit den Kleinsten an einem Ende des Barabara zusammendrückten. Sie hielt ein Kleines in den Armen, während sie sich bemühte, Zachar neben sich an der Hand zu halten. Ein zehnjähriges Mädchen hob ihn schließlich hoch und drückte ihn an sich, Trost spendend und empfangend.

Die überlebenden Krieger mußten die Vergeblichkeit ihres Kampfes bald einsehen. Sie verließen die Kampfstationen und rissen die Kerbenleitern hinter sich um. Dann saßen sie bei den anderen und warteten, geschützt von den Erdwänden des halbunterirdischen Baues, während die Bleikugeln in die Dachstützen einschlugen.

Das Musketenfeuer nahm ab und wurde schließlich ganz eingestellt. Tascha drückte sich enger an die Grasmatte, die die Erdwand bedeckte, und hielt das Kleine schützend in den Armen. Ein Blick auf ihren Sohn bestätigte ihr, daß er sich bei dem Mädchen wohl fühlte.

Das leise Kratzen, das dem Scharren eines Tieres ähnelte, war so schwach, daß Tascha es zunächst gar nicht hörte. Als das Geräusch schließlich in ihr Bewußtsein drang, wich sie erschrocken von der Wand zurück. Gerade als sie die anderen warnen wollte, daß die Kosaken ein Loch in die Wand gruben, hörte das Scharren auf. Tascha wartete, doch es kam nicht wieder. Ihr Griff, mit dem sie das Baby hielt, entspannte sich, und sie wandte der Wand wieder den Rücken zu. Da wurde sie von einer gewaltigen Kraft von hinten gestoßen und nach vorne geworfen. Instinktiv vollführte sie eine halbe Drehung, um mit der Schulter den Sturz abzufedern und das Kleine zu schützen. Die Explosion, die die Wand einstürzen ließ, hörte sie nicht, sie spürte nur den

Schock des Geschobenwerdens, dem eine alles einhüllende Finsternis folgte.

Als sie zu sich kam, nahm sie als erstes verzweifeltes Weinen wahr, gefolgt von Schreckensschreien der Dorfbewohner. Tascha spürte, daß ein schweres Gewicht ihre Beine festhielt, als sie ihre Lage verändern und nach dem Kind sehen wollte. Eine dünne Schmutzschicht bedeckte sein Gesichtchen und drang in Augen und Mund ein. Tascha versuchte, den Schmutz abzuwischen, während ihr klar wurde, daß die Wand eingestürzt war und ein Teil der Erdmauer auf ihre Beine gefallen war.

Kosaken drangen durch die Öffnung ein und stürzten sich auf die Krieger. Frauen und Kinder ließen sie unbeachtet. Sich drehend und windend gelang es ihr, die Beine freizubekommen und durch den Schutt in einen dunklen Winkel zu kriechen, das Kleine an sich drückend. Die verängstigten Menschen liefen in ihrer Panik in alle Richtungen und versuchten, den ausschwärmenden Kosaken zu entkommen. Tascha war bemüht, in diesem Chaos ihren Sohn ausfindig zu machen.

Da sah sie einen Körper reglos unter einer umgestürzten Strebe liegen. Es war das junge Mädchen, das Zachar in den Armen gehalten hatte. Eilig legte sie das Baby auf den Boden und deckte es mit einer Flechtmatte ab, um es zu verstecken. Dann kletterte sie über Schutt und Geröll zum Körper des Mädchens, vor Angst erfüllt, daß ihr Sohn ebenfalls unter dem umgestürzten Pfeiler liegen könnte.

Sie schob den Holzbalken von dem reglosen Mädchen. Zachar war nirgends zu sehen. Tascha blickte um sich und sah zwei Beinchen aus einem Schutthaufen ragen.

»Zachar!« schrie sie auf und fing verzweifelt an, in dem noch immer staubenden Schutt zu graben. Plötzlich wurde sie brutal weggestoßen. Andrej hatte ihre Stelle eingenommen. Momentan starrte sie ihn wie gelähmt an. Er war gekommen, um seinen Sohn zu holen. Sie hatte es immer geahnt. Er würde ihr Zachar wegnehmen.

Wild warf sie sich auf ihn, zerrte und hieb und versuchte ihn wegzuziehen, doch er grub weiter, ohne ihr die geringste Beachtung zu schenken. Schutt rieselte herab, als er den kleinen Körper hochhob. Tascha hielt in ihren Bemühungen inne, als sie die blauen Lippen und das bleiche Gesicht des Jungen sah, untrügliche Zeichen des Erstickens. Doch der Junge war nicht Zachar. Ein Beben der Erleichterung durchlief sie.

»Nein«, stöhnte Andrej heiser auf.

Als sie den gequälten Ausdruck in seiner Miene las, wollte Tascha ihm das tote Kind abnehmen und ihm sagen, daß es nicht ihr Sohn sei.

Er bemerkte ihre Handbewegung und wandte sich ihr zu. Sie gewahrte den Irrsinn in seinem Blick. Weit ausholend schlug er sie mit dem Handrücken ins Gesicht. Schmerz explodierte in ihr, als die Wucht des Hiebes sie zu Boden warf. Wie betäubt blieb sie liegen.

Ein Paar Stiefel dröhnte an ihr vorüber. Wie durch einen Nebel sah Tascha, wie Andrej das tote Kind sanft auf eine Matte legte und dann durch die klaffende Öffnung in der Wand blindlings ins Freie taumelte. Er glaubte, sein Sohn sei tot. Jetzt muß ich Zachar rasch finden und fliehen, dachte Tascha. Noch immer benommen, raffte sie sich auf und nahm mühsam ihre Suche nach Zachar wieder auf.

Als sie aus dem Barabara ins Freie trat, scheuchte ein Kosake sie zu einer zusammengedrängten Gruppe von Frauen und Kindern. In diesem Moment kam eine alte Frau mit Zachar im Arm aus dem Erdbau. Die Freude darüber, daß ihr Söhnchen lebte und unversehrt war, hätte Tascha fast veranlaßt, zu ihm zu laufen und ihn an sich zu drücken. Doch sie fürchtete, Andrej könnte in der Nähe sein und es beobachten. Es war besser, er hielt Zachar für tot. Nachdem die alte Frau zu der Gruppe gestoßen war, stellte Tascha sich hinter sie.

Aus dem Inneren des Barabara drang ein erstickter Aufschrei. »Sie töten unsere Verwundeten«, wehklagte eine Frau.

Solowej führte seine Handvoll Mörder aus dem Bau. Tascha erkannte ihn an der Beschreibung, die Aufrechter Gang ihr von ihm gegeben hatte, nämlich an seiner Hakennase und den stechenden schwarzen Augen. Der Kosakenanführer beachtete die Frauen nicht und ging statt dessen zu dem

Kordon von Wachen, der die Krieger umstellt hatte. Dann befahl er, einen nach dem anderen aus der Gruppe herauszuführen und zu töten. Einige fielen dem Schwert zum Opfer, andere wurden erschossen.

Tascha merkte allmählich, wie abgelenkt die Kosaken waren, da sie sich immer näher herandrängten, um besser sehen zu können und dabei die Gruppe der Frauen von einer Seite unbewacht ließen. Das war Taschas einzige Chance. Hastig verlangte sie Zachar von der Alten zurück und begann, sich Schritt für Schritt von der Gruppe zu entfernen. Nun war sie schon fünf Schritt weiter . . . da drehte sie sich um und lief mit Zachar auf der Hüfte davon. Sie hielt auf die kleine Bodenerhebung zu. Wenn sie es schaffte, ungesehen dahinter zu verschwinden, war ihre Flucht geglückt. Hinter ihr erklangen Stimmen, doch keine meldete ihre Flucht.

Tascha fand in einer Höhle Schutz vor dem kalten Wind. In ihr waren die mumifizierten Überreste einer Aleutenfrau bestattet worden. Die Habseligkeiten der Toten lagen in der Höhle verstreut, Holzschüsseln, Messer, Körbe und vollständig erhaltene Werkzeuge. Der mumifizierte Leichnam selbst, in Seelöwenfell gehüllt und mit geflochtenen Sehnen umwickelt, ruhte in einer hölzernen Wiege auf einer Plattform. Das Mumifizieren der Toten war bei den Aleuten der östlichen Inseln eine Sitte, die Taschas Stammesbrüder auf Attu und den Nachbarinseln nicht befolgten. Sie betrat die Höhle ohne Widerstreben. Im Inneren war es angenehm warm, und sie war sehr erschöpft. Ihre Armmuskeln zitterten vor Mattigkeit, als sie Zachar auf den Steinboden setzte. Der Kleine kroch sofort zu den Körben, die unter der Plattform standen.

Tascha ließ ihn die Höhle erkunden, während sie an die Plattform trat. Voller Respekt hob sie das fest zusammengeschnürte Mumienbündel hoch und setzte es aufrecht auf die Plattform aus behauenen Planken, damit sie ihren Sohn in die Wiege legen konnte.

Am nächsten Tag stellte das Beschaffen von Nahrung ihre vordringlichste Aufgabe dar. Unweit der Höhle bot sich der Ozean als reichhaltige Nahrungsquelle an. Mit Zachar, den sie in seiner Wiege auf ihren Rücken band, machte sie sich auf den Weg zum Strand.

Es war Ebbe, als sie am Wasser ankam. Hinter einer Anhäufung von Geröllblöcken hielt sie inne und spähte vorsichtig nach allen Seiten, ehe sie sich vorwagte. Zachar ließ sie hinter einem Fels zurück, während sie sich ans Sammeln machte. Sie grub nach Muscheln und erntete mit einem aus der Höhle stammenden Messer aus seichtem Wasser Blatttang.

Ein Schwarm Sanderlinge, der sich den Strand mit ihr geteilt hatte, ergriff plötzlich die Flucht. Das Aufflattern signalisierte Gefahr, und Tascha drehte sich um. Ein nackter Greis kam taumelnd und schwankend über den Sand auf sie zu. Sein Haar war weiß wie ein Adlerkopf, seine Hände waren vor dem Leib gebunden, Ellbogen und Knie vom häufigen Hinfallen blutig. Voller Angst, daß ihm vielleicht Kosaken folgen würden, lief Tascha zu dem Felsrund, hinter dem sie Zachar gelassen hatte. Der Greis stolperte und fiel, versuchte tapfer, wieder auf die Beine zu kommen. Schließlich blieb er regungslos liegen. Tascha zögerte und lauschte auf eventuelle Geräusche von Verfolgern. Nur das Tosen der Brandung war zu hören.

Vorsichtig näherte sie sich dem Alten. Sein Rücken war eine einzige Blutkruste, aus deren Rissen grünlicher Eiter drang. Der Mann, der mit dem Gesicht nach unten dalag, stöhnte auf. Als er den Kopf zur Seite wendete, sah Tascha sein Gesicht.

»Aufrechter Gang . . .« Ungläubig starrte sie ihn an und strich dann mit den Fingern über sein weißes Haar. Es war echt. An ihrer Hand blieb keine Farbe haften. Es war ihr Bruder, wenngleich sie nicht verstehen konnte, wie dies gekommen war. Als der anfängliche Schock nachließ, schob sie mühsam ihre Hände unter seine Brust und richtete ihn auf. Erst als er kniete, schien er sie wahrzunehmen, doch lag in seinen wäßrigen, rotgeränderten Augen kein Erkennen. Unter großer Mühe brachte sie es fertig, ihn den Berg hinauf zur Höhle zu schaffen. Dann begann sie, seinen entzündeten Rücken zu behandeln. Ihr Bruder fiel in eine gnädige Ohnmacht, als sie anfing, den Schorf abzulösen. Immer wieder wusch sie seinen Rücken und legte Kräuter auf. Sie suchte Nahrung, nährte Zachar und ihren Bruder und holte Wasser. Nacht für Nacht weinte sie vor Erschöpfung und Angst, während sie an der Seite ihres fantasierenden Bruders wachte.

Eines Nachts hörte sie aus seinen Fieberfantasien Zusammenhängendes heraus. Tascha wischte ihm den Schweiß von der Stirn, während er darum flehte, der Schmerz möge vergehen. Dann aber glaubte sie Andrejs Namen zu hören.

»Was ist passiert? Wer hat das getan?« Sie stellte die Frage, die unbeantwortet geblieben war, seit dem Tag, an dem sie ihn gefunden hatte.

»Tolstych. Er hat mich geschlagen.« Schmerz verzerrte seine Züge. »Die Lederpeitsche . . . es waren Stacheln daran . . . ich wollte es nicht verraten . . .« Er schluchzte wie ein kleiner Junge.

Allmählich erfuhr sie alles, obwohl Tascha sich vieles selbst zusammenreimen mußte. Sein Geständnis, daß er sie verraten hatte, ernüchterte sie. In den Tagen, die vergangen waren, hatte sie gemerkt, welch große Schmerzen er litt. Sie verstand ihn und verzieh ihm.

»Ich brachte Schande über meinen Vater«, rief Aufrechter Gang verzweifelt. »Er starb aufrecht bei der Verteidigung seines Volkes. Ich . . . ich war zu schwach.«

Sein Körper heilte langsam, und auch als er sie erkannte, sprach er nur selten. Er brachte es nicht über sich, von seiner Schmach zu ihr zu sprechen, und sie brachte es nicht über sich, ihm zu sagen, daß sie alles wußte.

Für Tascha bedeutete seine allmähliche Gesundung eine Erleichterung, da sie Zachar bei ihm lassen und bei ihrer Nahrungssuche ein größeres Gebiet durchstreifen konnte. Aber auch so schien sie nie genug in die Höhle mitzubringen.

Der Bergpfad war schneeglatt, als sie zu einer Wiese hinunterstieg. Sie wollte die Höhlen der Nagetiere ausnehmen und ihren Wintervorrat an eßbaren Wurzeln ergattern. Eine Frau aus dem Dorf war bereits an der Stelle. Zögernd näherte sie sich ihr.

»Sind die Kosaken fort?« fragte Tascha.

Die Frau nickte. »Solowej lebt in seinem Winterlager. Die anderen Boote sind weg.«

Tascha bebte vor Erleichterung. Andrej war fort, sie brauchte nicht mehr zu befürchten, daß er ihr Zachar wegnahm. Jetzt konnten sie zurück. Die Aussicht, in einem warmen Barabara schlafen und frischen Fisch oder Robbenspeck essen zu können, machte sie schwindelig.

Als könne die Frau ihren Gedanken lesen, sagte sie: »Im Dorf gibt es großen Hunger.«

»Haben keine Jäger überlebt?«

»Nur wenige. Die Kosaken töteten zweihundert.« Die Miene der Frau war Ausdruck ihrer stummen Verzweiflung. »Wir alle sterben langsam. Die Kosaken zerstörten alles – die Bidarkas, die Wurfbretter, Speere, Bogen und Pfeile. Die Männer können nicht auf die Jagd gehen.«

Eine Nachricht, die Tascha erschütterte. Sie wußte jetzt, daß ihre kleine Familie nach einer Rückkehr ins Dorf nicht besser dran sein würde.

Später berichtete sie ihrem Bruder von der Begegnung mit der Frau, ließ aber unerwähnt, daß man dem Dorf jede Überlebenschance durch die Vernichtung der Jagdwerkzeuge genommen hatte. Er hätte sich selbst dafür die Schuld gegeben, da er die Kosaken zum Dorf geführt hatte. Statt dessen sprach sie davon, daß Andrej die Insel verlassen hatte und daß im Dorf keine Kosaken mehr waren.

»Es ist jetzt sicher«, sagte sie. »Wir brauchen uns jetzt nicht mehr in dieser Höhle zu verstecken.«

Doch ihr Bruder saß regungslos da. »Nimm Zachar und geh mit ihm zurück ins Dorf.«

Tascha wußte, daß er sich den Tod wünschte. Wenn sie es zuließ, würde er diese Höhle zu seinem Grab machen. Es durfte nicht dazu kommen.

»Ich will nicht zurück ins Dorf. Dort haben sich zu viele schreckliche Dinge zugetragen.« Je länger sie darüber nachdachte, desto klarer sah sie, daß sie besser daran tat, ihrem Bruder zuliebe nicht dorthin zurückzukehren. »Wir wollen ins Dorf im Norden der Insel, dort, wo wir zuerst lebten. Bald wirst du kräftig genug für den weiten Weg sein.«

»Geh und laß mich allein«, sagte er nur. »Vielleicht ist es besser, wenn ich sterbe.«

Sie hatte es geahnt, doch als er es jetzt aussprach, traf es sie wie ein Schlag.

»Nein!« rief sie abwehrend aus. All die Tage und Nächte, die sie mit seiner Pflege verbracht hatte, wären umsonst gewesen. Sie hatte sich etwas dafür verdient.

»Ich brauche dich, und er braucht dich.« Sie deutete mit einer ausholenden Bewegung auf ihren Sohn. »Wer wird sich um uns kümmern? Wer wird Zachar das Jagen lehren? Für dich mag es am besten sein, zu sterben und nicht mehr Schmerzen und Hunger zu leiden, aber was soll aus uns werden? Du bist sein Onkel!« Abrupt wandte sie sich von ihm ab, vor Angst zitternd. Es war eine Angst, die ihre Empörung ausgelöst hatte.

Lange Zeit war Zachars Geplapper das einzige Geräusch in der Höhle.

»Ich werde mit dir gehen«, sagte Aufrechter Gang schließlich tonlos.

Das Dorf im Norden hieß sie von neuem willkommen. Nach langer Zeit konnten sie in einem warmen Barabara mit vollen Bäuchen schlafen. Während des hartnäckigen Winters konnte Tascha zusehen, wie ihr Sohn wieder rund wurde und ihr Bruder immer mehr zu Kräften kam. Er ging wieder auf die Jagd, stets allein. Immer hielt er sich abseits und gesellte sich nie zu den Männern, mit denen er den Aufstand gegen die Kosaken geplant hatte. Er spielte mit Zachar und machte ein Spiel aus den Übungen, die jene Muskeln entwickelten, die er als Jäger brauchen würde, doch kein einziges Mal sah Tascha ihren Bruder lächeln. Auch nahm er nie teil am Gesang, Tanzen oder Geschichtenerzählen. Die Zeit der langen Nächte verging, und die Sonne blieb länger am Himmel. Eines Tages zwang ein Sturm einen Jäger aus einem anderen Dorf, in ihrem Lager Zuflucht zu suchen. Während draußen der Wind blies und der Regen prasselte, versammelte sich alles um den Besucher, um alle Neuigkeiten von anderen Teilen der Insel zu erfahren. Jemand fragte den Jäger, wie es um das verwüstete Dorf bestellt sei.

»Sie haben nur wenig zu essen. Viele sind an Schwäche gestorben.« Tascha sah ihren Bruder an, der sich nicht anmerken ließ, ob er Frage und Antwort vernommen hatte. »Aber auch die Kosaken mußten im Winter leiden. Ihnen fielen die Zähne aus, und sie bluteten im Mund. Elf sind gestorben. Viele sind so schwach, daß sie sich nicht auf den Beinen halten können.«

»Eine günstige Zeit, sie anzugreifen.« Es war eine tastend geäußerte Feststellung, ein halb hoffnungsvoller Vorschlag, der auf Zustimmung wartete.

Aufrechter Gang hielt in seiner Schnitzarbeit inne. Als widerstrebendes Gemurmel den Raum durchdrang und ein paar aufrührerische Phrasen fielen, stand er auf und verkroch sich in sein Abteil. Nur Tascha bemerkte sein Verschwinden.

Die Insel wurde grün, und die Robbenweibchen schwammen zwischen den Inseln auf ihrer jährlichen Wanderung ihrem Ziel im Norden zu, das nur sie allein kannten. Sechs weitere, an Skorbut erkrankte Kosaken starben auf Unalaska. Ein paar kühn gewordene Eingeborene drängten ihre Stammesgenossen, sich zu einem neuen Aufstand zusammenzutun. Sie stießen auf heftigen Widerstand, vor allem bei denen, die große Not hinter sich hatten. Doch es gab andere, die auf die Aufrührer hörten. Immer wenn vor Aufrechtem Gang darauf die Rede kam, entfernte er sich. Er wollte nichts von ihren Plänen wissen, wollte keine Einzelheiten kennen, die man ihm unter Foltern abpressen könnte.

Bis auf ein paar vereinzelte Gefechte mit den Kosaken gelang den Eingeborenen kein großer Angriff. Doch die ständige Bedrohung reichte aus, daß Solowej mit seinen Männern gegen die Dörfer marschierte. Die meisten Bewohner flohen kampflos und fanden bei ihrer Rückkehr ihre Behausungen geplündert vor, ihre Felle geraubt, die Bidarkas zerstört und die Waffen zerschmettert. Mit relativ geringem Blutvergießen brach Solowej jeglichen Widerstand.

Tascha sah die mageren Beinchen ihres mittlerweile vier Jahre alten Sohnes. Die Nahrung wurde immer spärlicher, da die Aleuten nun gezwungen waren, auf den kargen Inseln anstatt im Meer auf Nahrungssuche zu gehen. Dinge, die vordem nur als Ergänzung ihres aus Fisch und dem Fleisch der Seesäuger bestehendem Speisezettel gedient hatten, wurden nun ihre Hauptnahrung. Und jetzt war auch diese rar geworden. Bald würde Zachar einen Hungerbauch bekommen.

Sie wandte sich an ihren Bruder. »Bis der Winter vorbei ist, werden noch Hunderte verhungern. Die Alten und Kranken zuerst, dann die Jungen.« Sie sah Zachar an. »Wenn wir überleben wollen, müssen wir das Dorf verlassen.«

»Und wohin sollen wir gehen?« Sie saßen auf der Insel fest, da sie kein Boot hatten.

»Zum Lager der Kosaken. Sie haben genug zu essen. Sie haben Bidarkas und Jagdwaffen. Wir werden mit ihnen leben.«

»Das werden sie nicht zulassen.«

»Doch, das werden sie.« Tascha wollte es glauben, und sie mußte sich selbst überzeugen, daß sie einen Weg wußte, dies zu erreichen. Aus ihrem Zusammenleben mit Andrej wußte sie, daß diese Kosaken nur etwas respektierten und fürchteten – den Schöpfer aller Dinge, den sie Gott nannten. Kaum hatte sie den Entschluß gefaßt, als Tascha keine Zeit verlor. Aufrechter Gang, dem jede Gefühlsregung abhanden gekommen zu sein schien, hatte keine Einwände. Sie packten ihre persönlichen Habseligkeiten, nahmen Zachar und brachen zum Kosakenlager auf.

Als sie sich der Hütte näherten, wurden sie von fünf bewaffneten Kosaken empfangen. Tascha erkannte unter ihnen Solowej. Daß er sich an ihren Bruder erinnerte, war nicht zu befürchten. Der gebeugte, weißhaarige Mann an ihrer Seite hatte wenig Ähnlichkeit mehr mit dem Mann, der Aufrechter Gang einst gewesen war.

»Was wollt ihr?« fragte Solowej herausfordernd.

»Wir möchten getauft werden«, äußerte Tascha. Seine Überraschung ließ sie sicherer werden. »Wir haben die Macht eures Gottes erkannt. Wir bitten um die Taufe und um die Erlaubnis, bei euch leben zu dürfen.«

»Du sprichst sehr gut unsere Sprache.« Solowej deutete fragend auf ihren Bruder.

»Das ist mein Bruder. Wenn Ihr ihn auch tauft, wird er einen Kosakennamen brauchen.«

Rasch wurde die Zeremonie arrangiert. Die drei Getauften erhielten den Familiennamen Tarakanow, nach einem der anwesenden Kosaken. Aufrechter Gang bekam die Vornamen Pawel Iwanowitsch. Die Konvertierten durften sich ein kleines Barabara neben der Hütte bauen. Tascha Lukjewena Tarakanowa sollte für die Kosaken kochen, während Pawel Iwanowitsch für sie Seeotter jagen würde.

16. Kapitel

HERBST 1778

Zwar gab es noch einige Jahre sporadischen Widerstand unter den Aleuten, doch hatten die von Solowej und anderen unternommenen Strafexpeditionen dem allgemeinen Aufruhr ein Ende bereitet. Nahezu die Hälfte der Aleuten war tot. Wieder lebten die Aleuten und Kosaken gemeinsam auf den Inseln, und die Aleuten jagten die Pelztiere, tauschten sie für Nahrung und andere Waren ein und leisteten ihren Tribut in Fellen. Noch immer wurden von den Kosaken Greuel an Eingeborenen begangen, doch die Aleuten hatten von ihren Stammesbrüdern, die über das große Wasser ins Land der Kosaken mitgenommen worden waren, erfahren, daß die Übeltäter von den Anführern der Kosaken in ihren fernen Ansiedlungen bestraft wurden. Das war ihr einziger Trost.

Als eine heranrollende Welle den Strand überschwemmte, beendete Aufrechter Gang die Reparatur eines kleinen Risses in seinem fellbespannten Bidarka und sah über den nach oben ragenden Kiel hinweg zu seinem Neffen Zachar hin. Er sah zu, wie der Sechzehnjährige sein selbstgebautes Bidarka einer Inspektion unterzog und als Vorbereitung auf seinen längeren Jagdzug seine Seetüchtigkeit überprüfte.

Die ersten von Männlichkeit kündenden Barthaare wuchsen dünn in Zachars Gesicht. Wie auch sein Haupthaar waren sie nicht rabenschwarz, sondern schmutzigbraun wie die Tundra. Zachars Augen waren blau – flink und weitblickend, die Augen eines Jägers. Unter seinem Vogelbalgparka trug er Kosakenhosen. Aufrechter Gang hielt an den alten Sitten fest, an den Gewohnheiten seines Vaters. Doch davon wußte Zachar nichts. Er war es gewöhnt, daß Kosaken in Schiffen kamen, eine Weile blieben, bei den Aleutenfrauen wie bei seiner Mutter lagen und schließlich wieder davonfuhren, bis andere Kosaken auf anderen Schiffen kamen.

Ein großes Boot mit mehreren Kosaken näherte sich dem Ufer und weckte die Aufmerksamkeit der beiden. Kaum hatte es den Sand berührt, als die Männer heraussprangen und es herauszogen. Aufrechter Gang sah, wie aufgeregt sie zu der Hütte ihres Anführers liefen, und er folgte ihnen, um den Grund zu erfahren. Zachar war an seiner Seite.

Gerasim Grigorowitsch Ismailow, der oberste Anführer aller Kosaken auf der Insel und Herr des Segelschiffes St. Paul, das in der Bucht ankerte, kam aus der Hütte. Er war in seiner Uniform eine strenge, befehlsgewohnte Gestalt und verfügte über die Arroganz eines Schiffsführers, der auf alle niedrigeren Ranges herabsah.

»Aus welchem Grund stört ihr mich?« fragte er die zerlumpten, zottigen Promyschleniki.

»Die zwei britischen Schiffe, die wir im Frühsommer vor der Insel sichteten, ankerten vor zwei Tagen in einer Bucht am Nordende.«

Die Nachricht ließ Ismailow unmerklich erstarren. Als ihm die zwei britischen Schiffe gemeldet worden waren, hatte er Briefe an ihre Kommandeure geschickt und diese durch ein Halbblut überbringen lassen. Eine Antwort hatte er nicht bekommen.

»Was wollen sie? Wißt ihr das?« Ismailow wußte sehr wohl, daß die Briten beachten mußten, daß diese Inseln von den Russen besetzt gehalten wurden. Er wußte weiter, daß die Briten auch Fellhandel auf dem nordamerikanischen Kontinent betrieben, besonders im Gebiet um die Hudson Bay.

»Die Eingeborenen melden, daß sie Reparaturen an ihren

Schiffen durchführen und ihre Wasservorräte auffüllen. Sie haben eine Ladung an Bord«, setzte einer der Jäger vorsichtig hinzu, da er nicht wußte, ob die Absichten der Briten so harmlos waren, wie es schien.

Bis zu diesem Zeitpunkt war der Reichtum an Seehunden und Otter in den Gewässern um diese Inselkette allein den Russen bekannt. Brachten russische Kaufleute ihre kostbaren Felle in Europa oder China auf den Markt, so gaben sie nie den Herkunftsort preis. Bislang hatte es nur untereinander Wettbewerb gegeben. Es war daher sehr wichtig, daß Ismailow den Grund für die Anwesenheit britischer Schiffe in diesen Gewässern in Erfahrung brachte.

»Wir müssen noch einmal versuchen, mit unseren Besuchern Kontakt aufzunehmen«, stellte er fest. Dann verschwand er wieder in seiner sparsam ausgestatteten Privatunterkunft, die größtenteils mit Gegenständen aus der Schiffskabine eingerichtet war.

Sein Blick streifte den zweijährigen Sohn seiner Konkubine, das Kind eines anderen, dann sah er die Frau an. Für Ismailow waren die Eingeborene und seine private Schnapsbrennerei die einzigen Dinge, die das Leben auf diesen verdammten Inseln erträglich machten. Im Moment aber erforderten dringendere Angelegenheiten seine Aufmerksamkeit.

Er knöpfte den schweren Mantel in Erwartung der zupakkenden Hände auf, die ihm das Kleidungsstück abnehmen würden. Seine Konkubine Tascha leistete ihm gute Dienste. Sie stillte nicht nur seine sexuellen Bedürfnisse, sondern bereitete wohlschmeckende Mahlzeiten, bereitete den Tee im Samowar zu und hielt seine Kleidung in Ordnung. Sie war intelligent, ja beinahe zivilisiert.

»Bring mir Papier und Schreibzeug«, wies er sie an und ging an den Tisch und setzte sich. Nachdem sie ihm Tintenfaß und Pergament gebracht hatte, griff Ismailow zu der feinen russischen Feder. Ehe er sie eintauchte, hielt er inne.

»Bereite einen Lachsauflauf mit Roggenmehl zu.« Nach alter russischer Sitte wurden Neuankömmlinge mit Salz und Brot empfangen, Symbol dafür, daß es ihnen nie am Nötigsten mangeln möge. Würde sein Brief abermals unbeantwortet bleiben, dann erhoffte Ismailow sich wenigstens eine Reaktion auf das Gastgeschenk.

Nachdem er Briefe an beide Schiffskapitäne verfaßt hatte, versiegelte er sie mit Wachs und drückte seinen Siegelring darauf, der den doppelköpfigen Adler, das Wappen des russischen Reiches, trug. Am nächsten Tag schickte er einen seiner Offiziere aus, der die Briefe und das Gastgeschenk überbringen sollte.

Während sich Ismailow wegen einer anderen Angelegenheit außerhalb des Lagers aufhielt, kehrte der Bote mit einem der Offiziere vom britischen Schiff wieder. Tascha sah den Mann, der eine fremde Sprache sprach, mehrmals während seines kurzen Aufenthalts in der Niederlassung. Niemand verstand ihn, so daß man zur Zeichensprache Zuflucht nehmen mußte. Tascha fiel vor allem auf, wie gut gelaunt, freundlich und wißbegierig er war. Sein Wesen war grundverschieden von dem der Kosaken.

Schlechtes Wetter hielt den Fremden länger im Lager fest und zwang Aufrechten Gang und Zachar, ihren Aufbruch zu dem Jagdausflug hinauszuzögern. Als Ismailow von seinem Ausflug zurückkehrte und erfuhr, daß die Briten ihn zu einem Besuch und zum Austausch geographischer Kenntnisse über dieses Gebiet eingeladen hatten, eine Einladung, die von einigen Flaschen hervorragenden Alkohols begleitet war, wurden alle, so auch Tascha, in die Vorbereitungen eingespannt. Die Schaluppe St. Paul mußte segelbereit sein, die Decks geschrubbt, die Segel geflickt werden. Zusätzlicher Proviant mußte geladen werden, denn Ismailow dachte gar nicht daran, die Bucht, die einen Tagesmarsch über Land entfernt war, zu Fuß zu erreichen. Er war Seemann und Schiffsherr, und als solcher gedachte er den Briten gegenüberzutreten.

Am Tag, als die Schaluppe auslief, brachen auch Aufrechter Gang und Zachar in ihren Booten auf. Zachar hatte sich schon seit langem auf diese Fahrt gefreut, überzeugt, daß er bereit dazu war. Das Meer erstreckte sich als endlose graue Fläche von Horizont zu Horizont. Die Ausdehnung schien immer mehr zuzunehmen, und langsam wurde er von der

Einsamkeit erfaßt. Ihm war jetzt klar, wie klein seine Heimatinsel war, wie groß der Ozean und wie leicht ein Jäger sich verirren konnte. Er warf einen raschen Blick zum Bidarka seines Onkels hin, das neben ihm dahinglitt. Einige Zeit danach fiel Zachar auf, daß Aufrechter Gang angestrengt in eine Richtung starrte.

»Hörst du?« fragte Aufrechter Gang, und Zachar versuchte mit angehaltenem Atem aufzunehmen, was sein Onkel gehört haben mochte. Zunächst hörte er gar nichts, allmählich aber konnte er unterscheiden, daß das Rauschen der See von Brandungstosen überlagert wurde. Das bedeutete, daß sie sich einer Insel näherten.

Sie paddelten nun rascher. Grauer Nieselregen nahm die Sicht auf die Küste, doch das Tosen wurde beständig lauter. Zachar bekam Angst, denn es war ein sonderbares Geräusch, anders als jedes Brandungsgeräusch, das er kannte. Er legte sein Doppelblattpaddel auf die Abdeckung des Bidarkas.

»Das können keine Brecher sein«, rief er seinem Onkel zu, doch dieser paddelte unbeirrt weiter. Zachar folgte ihm mit Unbehagen.

Der Nieselregen ging in feinen Dunst über, der eine vor ihnen aufragende, dunkle Landmasse enthüllte. Allmählich konnte man verschiedene Geräusche unterscheiden – das grelle Kreischen der Strandvögel, das donnernde Tosen der Brandung und das alles übertönende Gebell der Robben.

Zachar hielt den Blick wie gebannt auf die Insel gerichtet. Auf den Felsen wimmelte es vor Seehunden, ja, die ganze Insel sah aus wie eine einzige lebendige, braunsilbrige, ständig in Bewegung befindliche Larvenmasse, pulsierend und bebend. Es müssen Millionen sein, ging es Zachar durch den Sinn. Der Lärm des heiseren Bellens war fast unerträglich.

Vor ihm landete sein Onkel sein Kajak auf einem kleinen Sandstreifen, das von keinem Robbenbullen in Anspruch genommen wurde. Zachar hielt auf denselben Punkt zu. Als er sich dem Sandstrand näherte, stieß etwas unsanft gegen den Rumpf seines Fellbootes. Er warf einen Blick ins Wasser, voller Angst, er könnte einen Felsen gestreift haben, und sah einen ausgewachsenen Seeotter in aller Ruhe auf dem Rücken dahintreiben. Der Otter schien sich durch seine Anwesenheit nicht stören zu lassen. Da er wußte, wieviel sein Fell bringen würde, griff Zachar nach seiner Harpune.

»Nein! Nicht!« Aufrechter Gang lief zurück ins Wasser. Sein Rufen und das Aufspritzen des Wassers erschreckten das Tier und Zachar gleichermaßen. Der Meeressäuger tauchte eilig ab. Zachar senkte die Harpune und warf seinem Onkel einen finsteren Blick zu, als eine Woge das Bidarka näher an den Strand herantrug.

»Warum hast du das getan?«

»Sieh dich um. Sie sind überall«, sagte sein Onkel, machte sogleich wieder kehrt und watete an Land.

Erst jetzt sah Zachar die Köpfe neugieriger Otter, einige nicht einmal mehr als zwei Bootslängen entfernt. Ohne Scheu sahen sie ihn an. Verwirrt vom Verhalten seines Onkels und der Otter, paddelte er das Bidarka auf den Sand und löste die Schnur, die die wasserdichte Öffnungsabdeckung um seine Mitte festhielt. Dann stieg er aus und schob das Boot weiter heraus.

»Warum bist du an Land gegangen? Siehst du nicht die Felle, die wir jagen könnten?«

»Kannst du dir nicht denken, wo wir uns befinden?« sagte Aufrechter Gang verhalten und mit einem fast mitleidigen Blick.

»Nein.« Zachar runzelte verwundert die Stirn.

»Das ist die Insel, von der die Geschichtenerzähler berichten. Das ist der Ort, an den die Robben sich zurückziehen, um ihre Jungen zu bekommen und aufzuziehen.«

Während Aufrechter Gang den Blick auf die wimmelnden Massen von Leibern gerichtet hielt, fiel Zachar der sanfte Schimmer in den Augen seines Onkels auf, ein schwaches Leuchten, das er zuvor noch nie gesehen hatte.

»Was glaubst du, wie viele sind es?« Zachar dachte an die schimmernden Felle.

»Millionen.«

Aufrechter Gang sah zur donnernden Brandung hin und beobachtete die spielenden Tiere. Ein Otter kletterte vom Wasser auf einen Felsen, und er ging auf ihn zu und blieb eine Armlänge vor dem Tier stehen, das neugierig schnüffelnd den fremden Duft aufnahm.

Zachar sah es voller Staunen, dann trat er neben seinen Onkel. Der Otter flüchtete nicht in die Sicherheit des Meeres.

»Die sind so zahm wie die Möwe, die ich als Kind hatte.«

»So war es zur Zeit meines Vaters. Der Otter fürchtete uns nicht. Er war unser Bruder und schwamm in den Gewässern um unsere Inseln. Dann kamen die Kosaken«, schloß Aufrechter Gang tonlos. Er sah Zachar mit sonderbar leuchtendem Blick an. »Sieh dir alles gut an, und vergiß es nicht.«

Voller Unbehagen sah Zachar um sich, doch galten seine Gedanken mehr seinem Onkel, der sich so sonderbar benahm.

»Dies ist der letzte Fleck, an dem die Tiere in Frieden leben können«, sagte sein Onkel. In dieser kurzen Zeit hatte er mehr gesprochen als je zuvor. »Die Kosaken haben die volle Länge unserer Inseln abgejagt. Sie haben Tausende, vielleicht Millionen Otter getötet. Sie dürfen nie von diesem Ort erfahren.« Er hielt inne. Gleich darauf überlief ihn ein heftiges Schaudern, und er stöhnte auf wie ein Tier im Todeskampf. »Sie dürfen es nicht erfahren«, stieß er hervor. »Ich darf es ihnen nicht sagen!« rief er, und der schrille Ton lief Zachar unheimlich über den Rücken.

Hilflos und erschrocken mußte er zusehen, wie sein Onkel plötzlich, von Verzweiflung und Panik erfaßt, sich sein eigenes Gesicht zerkratzte. »Sie werden mich zum Sprechen bringen. Sie werden mich dazu bringen«, murmelte er wild und setzte dann deutlicher hinzu: »Nein, nicht noch einmal.«

Seine Worte ergaben für Zachar keinen Sinn. Er tat einen zögernden Schritt auf ihn zu, wußte aber nicht, was er sagen und wie er helfen sollte. Plötzlich rannte Aufrechter Gang zu seinem Bidarka, hob es auf und trug es in die Brandung.

»Wohin willst du?« Momentan konnte Zachar nicht glauben, daß sein Onkel ohne ihn die Insel verlassen wollte.

»Sie werden mich zum Reden bringen! Ich darf es nicht zulassen!« rief Aufrechter Gang und stieg in sein Boot und trieb es schnell mit dem Paddel durch die Brandung.

»Warte!« Zachar lief zu seinem Kajak und schob ihn in die Brandung, doch fehlten ihm das Geschick und die Übung seines Onkels im Umgang mit dem langen Boot.

Bis er im Boot saß und zu paddeln anfing, lag er bereits mit mehreren Längen zurück. Er sah, daß sein Onkel das Paddel sinken ließ, als er tiefes Wasser erreicht hatte und glaubte, er wolle auf ihn warten. Da griff Aufrechter Gang zu seiner Harpune. Entsetzt sah Zachar mit an, wie er die Spitze in die Fellhaut seines Bootes stieß. Immer wieder hob sich er Arm mit der scharfen Spitze, während Zachar sein Bidarka mit langen, tiefen Schlägen vorantrieb und das sinkende Boot zu erreichen versuchte, ehe sein Onkel damit unterging. Gerade lag es in einem Wellental und war seiner Sicht entzogen.

Zachar paddelte mit aller Kraft zu der Stelle, wo er das Boot zuletzt gesehen hatte. Nichts. Nirgends eine Spur von seinem Onkel oder dem Bidarka. Dann sah er eine Bootslänge rechts von sich Bläschen aufsteigen, nur wenige, aber sie reichten aus, um anzuzeigen, wo Aufrechter Gang versunken war. Wie gebannt starrte er zu den immer spärlicher werdenden Blasen hin, ohne auf die Tränen zu achten, die ihm über die Wangen liefen.

»Warum?« murmelte er mit versagender Stimme.

Ein Seeotter umschwamm spielerisch sein Bidarka, mühelos durchs Wasser gleitend. Das Tier umkreiste das Boot, so nahe wie der erste Otter. Zachars ohnmächtige Wut über den Tod seines Onkels wandte sich nun gegen das Tier. Doch als er nach der Harpune greifen wollte, hörte er wieder die Stimme seines Onkels, die ihm zurief: »Nein! Nicht!«

Er konnte den Otter nicht töten. Halb geblendet von Tränen, wendete er sein Boot und steuerte auf den tollhausähnlichen Lärm der riesigen Robben- und Otterkinderstube zu.

»Warum?« rief er, doch bekam er in dem betäubenden Gebell keine Antwort.

Mit bleiernen Armen paddelte Zachar zurück zum Strand und zog sein Boot an Land. Er sammelte Treibholz und machte ein kleines Feuer, um die Todeskälte aus seinen Knochen zu vertreiben. Die Nacht kam, und dichter Nebel trieb heran, so dicht, daß er sein Bidarka nicht sehen konnte. Damit verstärkte sich das Gefühl totaler Einsamkeit.

Irgendwo im Süden lag seine Heimatinsel. Zachar starrte in diese Richtung und fragte sich, ob er sie je wiedersehen würde. Doch er mußte fort, er konnte nicht bleiben, weil er den Verstand verlieren würde wie sein Onkel. Gleich am Morgen mußte er fort. Er legte sich hin und schloß die Augen. Doch im Schlaf sah er seinen weißhaarigen Onkel immer wieder die Harpune in die Bespannung seines Bootes stoßen.

Nach sieben Tagen kehrte Ismailow zurück. Er, der stets sehr gesprächig war und gerne von sich redete, zeigte sich an jenem ersten Abend besonders mitteilsam. Eine Flasche britischer Brandy half, seine Zunge zu lösen, und Tascha erfuhr alles, was sich zugetragen hatte.

»Mit der Verständigung hatten wir unsere Schwierigkeiten«, erklärte er und nahm einen tiefen Schluck. »Ich spreche nicht englisch und die Briten nicht russisch. Keiner konnte Deutsch, und das Französisch von diesem Captain Cook war jämmerlich. Und weißt du, mit welchem Auftrag König George ihn ausschickte? Er sucht eine Nordwestpassage, damit die britischen Schiffe auf der Fahrt nach China nicht um Kap Horn müssen. Bering und Tschirikow haben bereits bewiesen, daß es diese Passage nicht gibt. Die Engländer glauben wohl, sie verständen von Navigation und Entdeckungen mehr als die Russen.«

Als er innehielt, um wieder einen Schluck zu nehmen, warf Tascha verstohlen einen Blick zu dem kleinen, durch hängende Matten abgeteilten Schlafbereich hin. Sie hörte ihren Sohn Michail dahinter rumoren.

»Ich schaffte es, von Cook ausgezeichnete Informationen zu bekommen, und achtete sehr darauf, was ich ihm sagte, obwohl ich gestehe, daß ich ihn mit Vergnügen auf seinen Irrtum hinwies, die Insel Unimak als Teil der Festlandhalbinsel einzuzeichnen«, brüstete er sich und fuhr, den Blick ins Glas gerichtet, fort zu erzählen:

»Er hat von der Festlandküste im Süden sehr viel kartographiert. Könnte für uns von großem Nutzen sein.« Unvermittelt lachte er auf. »Er ließ seine Besatzung mit den Eingeborenen Tauschhandel treiben, und sie bekamen Seeotterfelle, deren Wert sie gar nicht erkannten, wie mir scheint. Vielleicht werden sie nie dahinterkommen«, meinte er nachdenklich. »Da ihre amerikanischen Kolonien revoltieren, wird Cooks nutzlose Fahrt bei den Engländern womöglich in Vergessenheit geraten.«

»Wo ist Cook jetzt?« fragte Tascha.

»Noch immer in der Nordbucht. Er will erst weiter, wenn die Reparaturen an den Schiffen beendet sind und er frischen Proviant gefaßt hat. Den Winter möchte er auf den tropischen Inseln verbringen, die er im Pazifik entdeckte. Sandwich-Inseln, nannte er sie. Im Frühjahr beabsichtigt er, zurückzukehren und die Suche nach der Nordwestpassage wiederaufzunehmen – die Suche nach einem Seeweg, der nicht existiert.«

Ismailow fand kein Ende in seinen Erörterungen, auch nicht, nachdem er die Flasche leergetrunken und Tascha ihm aus der Uniform geholfen hatte. Schließlich aber schwankte er zu seiner Lagerstatt und ließ sich schwer darauf fallen.

Irgendwann in der Nacht wurde Tascha durch ein Geräusch geweckt. Sie lauschte angestrengt, ob es Michail sei. Als sie durch den dunklen Raum zu ihrem kleinen Sohn tappte, ging die Tür auf. Erschrocken starrte sie die eintretende dunkle Gestalt an.

»Zachar«, murmelte sie, als sie ihn erkannte, und lief ihm entgegen. Doch er reagierte nicht. Sie faßte nach seinem Arm, um sein Gesicht in der Finsternis zu sehen.

»Wie bin ich froh, daß du endlich da bist. Aber . . . warum so spät nachts?«

»Ich habe mich verirrt«, flüsterte er, und Tascha wußte sofort, daß etwas passiert sein mußte. »Nur mit Mühe fand ich zurück.«

»Wo ist Aufrechter Gang?«

Seine Lippen bewegten sich tonlos, er ließ den Kopf sinken. »Er ist tot.«

Mit der Hand vor dem Mund erstickte sie den Schmerzensschrei, damit ihr schlafender Sohn nicht aufwachte. Schmerz hielt ihre Brust umklammert, bis ihre Kehle und jeder Atemzug weh tat.

»Wie? Wie ist es passiert?« fragte sie im Flüsterton.

Stockend berichtete ihr nun Zachar.

»Warum, warum hat er es getan?« schloß er bekümmert.

»Er hatte Angst.« Tascha fühlte sich leer und einsam. Zugleich empfand sie Erleichterung, daß die Qualen ihres Bruders ein Ende gefunden hatten.

»Wieso?« Zachar konnte es nicht fassen.

Zum erstenmal erfuhr er nun von Tascha die Wahrheit über seine Geburt. Sie erzählte, wie sie und Aufrechter Gang mit ihm von Adak geflohen waren und was für ein starker, stolzer Mann ihr Bruder gewesen war. Sie berichtete von dem Aufstand, an dem er beteiligt gewesen war, von der Ankunft von Solowej und Tolstych, daß sie ihn gefoltert und fast getötet hätten.

»Er fürchtete, die Kosaken würden entdecken, daß er die Lage der Insel kannte, und ihn zwingen, sein Wissen zu verraten.« Sie sah ihrem Sohn in die Augen. »Um das Geheimnis zu bewahren, ist er gestorben. Auch du mußt es bewahren. Niemand kann wissen, wo du warst und was du gesehen hast.«

»Man wird nach Aufrechtem Gang fragen.«

»Dann sag, daß er ertrank. Er wäre nicht der erste Jäger, den das Meer verschlang.«

17. Kapitel

SOMMER 1784

Das harte Leben, das sie führte, hinterließ allmählich seine Spuren in Taschas Gesicht. Mit achtunddreißig Jahren besaß sie für die Kosaken, die nach Unalaska kamen, keine Anziehungskraft mehr. Sie zogen jüngere Frauen vor – Frauen im Alter des Mädchens, das Zachar sich letzten Winter zur Frau genommen hatte.

Tascha zog die Nadel durch eine blaue Perle und warf Katja, ihrer Schwiegertochter, Halbblut wie sie, einen Blick zu. Die junge Frau war nicht ganz siebzehn Sommer alt. Genau richtig für den einundzwanzigjährigen Zachar. Und doch war Katja nicht die Gefährtin, die Tascha für Zachar gewählt hätte, obwohl sie fleißig war und gut mit der Nadel umgehen konnte. Tascha hätte ein Mädchen ausgesucht, dessen Verstand etwas beweglicher war, eine, die weniger still und unscheinbar war. Da aber Zachar so viel auf die Jagd ging, war es vielleicht ganz gut, daß er keine Frau gewählt hatte, die bei den Kosaken im Dorf Gefallen erregte.

»Schiffe kommen! Schiffe!« Michail kam aufgeregt rufend gelaufen. »Bald wird ein Boot ausgesetzt.«

Tascha legte die Arbeit beiseite und stand etwas mühsam auf, denn ihre Gelenke waren steif vom langen Sitzen. Ihre Schwiegertochter tat es ihr gleich und begleitete sie, während Michail vorauslief. Die Ankunft dieser Schiffe war bedeutungsvoller, als Tascha ahnte.

Das eine war die Drei Heiligen, ein Schiff, das aus der Werft in Ochotsk in Sibirien stammte. Es war eine Galiote, wenngleich es wenig Ähnlichkeit mit dem im Mittelmeer beheimateten Schiffstyp dieses Namens hatte. Im großen Laderaum befanden sich Rinder, Schafe, Geflügel, Bauholz, Metall und Werkzeuge aller Art. Der Schiffseigner war Taschas ehemaliger Gefährte Ismailow – nunmehr älter, breiter, mit graumeliertem Haupthaar und Bart, aber immer noch eitel und anmaßend, mit unverminderter Neigung zu Frauen und Alkohol ausgestattet.

Doch die wichtigsten Passagiere an Bord waren Grigori Iwanowitsch Schelechow, ein wohlhabender Kaufmann aus Irkutsk und Partner bei dieser Kolonisierungsexpedition, und seine Frau, Natalja Alexjewna Schelechowa, die von edler Geburt war. Das Paar bildete den Mittelpunkt der allgemeinen Aufmerksamkeit.

Grigori, Grischa, Schelechow, ein hochgewachsener Mann in mittleren Jahren, nach der herrschenden europäischen Mode glattrasiert, war eine imponierende Erscheinung, befehlsgewohnt, dabei bedächtig und gelassen, doch vermochte die oberflächliche Ruhe seinen grenzenlosen Ehrgeiz und die rastlosen Energien nicht zu verbergen. Seine flinken, zusammengekniffenen Augen, die alles aufnahmen, was um ihn herum vorging, verrieten diese Wesenszüge.

Einige Jahre zuvor hatte Schelechow von der Entdeckung Cooks gehört sowie von dem darauffolgenden Verkauf von einigen hundert Seeotterfellen in Kanton für zehntausend

Dollar, eine Summe, die unter Cooks Besatzung fast zur Meuterei geführt hatte. Schelechow wußte auch, daß die von Cook vor dessen Ermordung durch die Eingeborenen einer Tropeninsel verfaßten Berichte die russische Präsenz auf den Aleuten und im Nordwesten als unbedeutend hingestellt hatten. Kaum war das Wissen um das zahlreiche Vorkommen der begehrten Pelztiere in dieser Gegend Allgemeingut geworden, als britische Schiffe und auch welche von den seit kurzem unabhängigen Amerikanern in größerer Zahl auftauchten. Bittgesuche russischer Kaufleute um Intervention von seiten der Regierung stießen bei Katharina der Großen auf taube Ohren. Schelechow war klar, daß die russischen Ansprüche auf die neuen Territorien auf schwachen Füßen standen, da die Promyschleniki von provisorischen Stützpunkten aus operierten. Seine ehrgeizige und hübsche Frau war es, die ihm geraten hatte, die den Kaufleuten von der Zarin gewährte Handlungsfreiheit zu nutzen und eine ständige Niederlassung zu gründen.

Natalja, eine hochgewachsene, zielstrebige und fromme Frau, war hübsch, obwohl ihre Züge einen leicht tatarischen Einschlag hatten. Ihr ausgeprägter Geschäftssinn war mit Machtstreben und einer Vorliebe für Intrigen gekoppelt. Vielfach wurde gemunkelt, sie wäre eine Mesalliance eingegangen, als sie einen Mann heiratete, der ihr nicht ebenbürtig war, doch die beiden waren wie füreinander geschaffen, da jeder den Ehrgeiz des anderen nährte.

Trotz ihres beträchtlichen Vermögens war es ihnen nicht möglich gewesen, die gewaltigen Kosten für die Gründung einer ständigen Niederlassung allein aufzubringen. Sie hatten für die Finanzierung Partner gebraucht. Drei Schiffe wurden gekauft und ausgerüstet, die Schaluppe St. Simeon und die Galioten Drei Heilige und St. Michail. Von letzterer waren sie während eines Sturmes getrennt worden, und sein Schicksal war bislang unbekannt. Den Hafen auf Unalaska hatten sie nur angesteuert, um die nötigen Ausbesserungsarbeiten an den Schiffen auszuführen und Proviant zu ergänzen, ehe sie die Fahrt nach Osten fortsetzten. Schelechow ließ das Vieh an Land rudern, damit es auf der Insel grasen konnte, bis die Fahrt fortgesetzt wurde.

Tascha brauchte nicht zu fragen, wo ihr jüngerer Sohn steckte, seitdem diese schwerfälligen Vierbeiner auf der Insel gelandet waren. Michail war fasziniert von den Tieren und stahl sich oft davon, um sie zu beobachten. Sein Interesse für den Umgang mit Booten oder für die Jagd war erloschen. Am Rand der Wiese hielt Tascha in sicherem Abstand von den Tieren inne. Sie hatte noch undeutlich in Erinnerung, wie Andrej einst versucht hatte, ihr das Aussehen eines Pferdes zu beschreiben, und sie fragte sich, ob es ein wenig diesem gehörnten Tier glich, das man Kuh nannte und das ihr sehr häßlich erschien. Während sie sich nach ihrem Sohn umsah, behielt sie das Tier wachsam im Auge.

»Michail!« Sie hatte ihn in der Nähe eines der kurzbeinigen, Schafe genannten Tiere entdeckt. »Komm, du mußt essen.« Widerstrebend entfernte er sich von dem Tier und kam auf sie zugelaufen. Der Wind blies ihm den stumpf abgeschnittenen Schopf aus der Stirn.

»Du solltest sein Fell fühlen«, rief er aufgeregt. »Es ist dicht und ganz weich. Der Mann, der sie bewacht, sagte, daß das Haar Wolle heißt. Sie spinnen es zu Fäden und machen daraus ihre Kleidung.«

Auf dem Rückweg zu ihrem kleinen Barabara erfuhr Tascha alles, was Michail beobachtet oder über diese sonderbaren Geschöpfe erfahren hatte. Als sie sich dem Eingang näherten, sah Tascha Ismailow, der ebenfalls auf das Haus zuging, begleitet von dem großen glattgesichtigen Mann und seiner Frau. Tascha, die die Frau noch nie aus der Nähe gesehen hatte, blieb stehen und starrte das voluminöse Material des Kleides an, das bis zum Boden hing und bei jedem Schritt raschelte. Ein loses Kleidungsstück verhüllte Kopf und Teile des Oberkörpers, und ihre Hände waren in einer runden Pelzkugel versteckt. Tascha spürte, daß auch sie beobachtet wurde. Sie trat vor, um die drei zu begrüßen. Den Blick auf Ismailow gerichtet, beugte sie ein Knie und vollführte einen Knicks, wie man es sie vor langer Zeit gelehrt hatte.

»Capitaine.«

Er nickte ihr zu und richtete seine Worte an das neben

ihm stehende Paar. »Das ist die Mutter des Mannes, von dem ich Euch berichtete. Tascha Tarakanowa, ein Halbblut.«

Die Frau neigte lächelnd den Kopf in Taschas Richtung. »Ich bin Madame Schelechowa.«

»Madame.« Tascha knickste kurz und bemerkte, daß die Frau ihre Brauen andeutungsweise hochzog.

»Ist das auch dein Sohn?« Ihr Ton drückte kühle Reserviertheit aus, als sie auf den neben Tascha stehenden Michail deutete, der sie keck anstarrte.

»Ja.«

»Wir sind gekommen, um Zachar zu sprechen«, warf Ismailow ein. »Ist er da?«

»Ja.« Tascha warf Michail einen Blick zu. »Sag deinem Bruder, er solle herauskommen.«

Michail trat ein paar Schritte zurück, wandte sich um und lief zur Tür, um ins Haus zu flitzen. Die Tür hatte sich kaum hinter ihm geschlossen, als er schon wieder herausstürzte, gefolgt von dem ruhigeren Zachar und einer scheuen und zugleich neugierigen Katja.

Nachdem er Zachar den Schelechows vorgestellt hatte, erklärte Ismailow den Zweck ihres Besuches. »Ich sagte, daß du gut russisch sprichst...«

Schelechow unterbrach ihn und fuhr fort: »In wenigen Tagen wollen wir ostwärts in See stechen und einen Platz suchen, an dem wir ein ständiges Dorf errichten können, einen Ort, an dem Familien leben können. Wir benötigen dazu kräftige junge Männer wie dich, Männer, die den Eingeborenen klarmachen, daß wir in Frieden mit ihnen leben wollen, daß wir russische Häuser, Kirchen und Schulen bauen wollen. Ismailow hat dich als Dolmetscher für die Expedition empfohlen.«

»Russische Häuser!« Der Satz rief Tascha eine andere Zeit ins Gedächtnis, die Zeit, als Andrej ihr sein Heimatdorf beschrieben hatte. Die Häuser mit mehreren Räumen, von denen jeder einem anderen Zweck diente. Es war ein Teil eines Traumes, den sie fast schon vergessen hatte.

»Es ehrt mich, daß der Capitaine von mir so gut gesprochen hat«, erwiderte Zachar fließend auf russisch. »Aber wenn ich mit euch ginge, wäre niemand da, der für meine Familie auf die Jagd geht. Mein Bruder ist noch zu jung.«

»Verantwortungsbewußte Männer wie du sind genau das, was wir suchen.« Schelechow blickte beifällig.

»Darf ich einen Vorschlag machen, Grigori Iwanowitsch?« fragte Ismailow.

»Aber bitte.«

»Ich glaube, Madame Schelechowa wird ein weibliches Wesen brauchen, das ihr an die Hand geht. Ich kann mich persönlich für Zachars Mutter verbürgen. Sie versteht es, eine Vielzahl von Gerichten so zuzubereiten, daß sie einem russischen Gaumen munden. Dazu ist sie ordentlich und sauber, was man nicht von allen Eingeborenenweibern behaupten kann. Und sie ist eine hervorragende Schneiderin. Vielleicht möchte Madame die Perlenstickerei am Kragen ihres Parka betrachten. Man wird nirgends schönere Handarbeit finden. Zudem spricht Tascha fließend russisch, es wird also keine Verständigungsschwierigkeiten geben.«

»Hast du verstanden, was er sagte?« fragte Madame Schelechowa Tascha.

»Ja.« Und dann konnte Tascha sich die Frage nicht verkneifen: »Werden sie auch Häuser mit vielen Räumen bauen? Einen zum Sitzen, einen zum Kochen und einen zum Schlafen?«

»Ja.« Schelechow und seine Frau wechselten einen von einem befriedigten Lächeln begleiteten Blick. »Das werden wir.«

Alle vier Mitglieder der Familie Tarakanow befanden sich an Bord der Drei Heiligen, als sie im Gefolge der St. Simeon aus dem Hafen von Unalaska mit Kurs auf eine große Insel im Osten, die die Eingeborenen Kodiak nannten, auslief. Daneben hatten sich die Schelechows noch der Dienste von zehn Aleutenjägern und eines zweiten Dolmetschers versichert.

18. Kapitel

Auf der unweit des Festlandes Aleyeska gelegenen Insel Kodiak lebte der Eingeborenenstamm der Koniaga, ein der Innuit- oder Eskimokultur angehörender Stamm. Als Schelechows Schiffe in einer günstig erscheinenden Bucht an der Südostküste ankerten, begegneten die Eingeborenen seinen friedlichen Annäherungsversuchen mit Feindseligkeit. Einige Jahre zuvor hatten sie ein russisches Schiff aus ihren Gewässern vertrieben, doch eine glücklicherweise eintretende Sonnenfinsternis, zwei entscheidende Siege der Russen und die darauffolgende Gefangennahme von Geiseln unterwarfen die Eingeborenen, die Schelechow irrtümlich als Aleuten bezeichnete.

Schelechow nannte die Bucht, in der er seine ständige Ansiedlung plante, nach seinem Schiff Drei-Heiligen-Bucht. Die Küste war meist steil und felsig, aber an dieser Stelle erstreckte sich ein ebenes Landstück bis in die hufeisenförmige Bucht. Der Kiesboden war ideal, um die Schiffe an Land zu ziehen und Häuser zu errichten. Von drei Seiten durch Wasser geschützt, war die Stelle für ihre Zwecke wie geschaffen. Auf dieser Seite der Insel, die über hundertfünfzig Werst lang und etwa halb so breit war, wuchsen keine Bäume. Und die grasbewachsenen Hänge, die hinter der Bucht anstiegen, boten ideales Weideland für das Vieh und guten Boden für Gemüsegärten. Die Promyschleniki, fast hundertfünfzig Mann, machten sich rasch an den Bau der Siedlung. Ein halbes Dutzend Hütten mit russischen Giebeln und Dächern wurde gebaut. Dazu errichteten sie eine Kaserne, eine Schmiede, ein Kontor, Stallungen für das Vieh, ein Amtshaus, eine Seilerbahn, ein Lagerhaus für Felle sowie das übliche Badehaus.

Vor Ablauf eines Jahres war die russische Ansiedlung an der Drei-Heiligen-Bucht fertiggestellt. In den Gärten waren Kartoffeln, Rüben und eine Vielzahl von Gemüsesorten angepflanzt worden, die Schelechow aus Rußland mitgebracht hatte. Rinder und Schafe grasten auf dem frischen, grünen Gras der Hügel.

Doch Schelechow gab sich damit nicht zufrieden. Wenn sie dieses neue Land rechtmäßig in Besitz nehmen und verhindern wollten, daß die Briten oder Amerikaner es vereinnahmten, dann mußten sie an Erweiterung denken. Das vor ihm liegenden Territorium war riesig und unberührt. An der gesamten Westküste des nordamerikanischen Kontinents existierte eine einzige andere Niederlassung, nämlich das kleine spanische Presidio San Francisco, das 1776, neun Jahre zuvor, gegründet worden war. Die Schelechows waren nicht nur gekommen, um auf Kodiak eine Ansiedlung zu errichten, ihr Ziel war es, die Grundlagen für ein Imperium zu schaffen.

Im Frühsommer stellte Schelechow eine Truppe von etwa fünfzig Jägern und einigen Aleuten zusammen und gab ihnen Zachar als Dolmetscher mit. In vier großen Baidars liefen sie aus, begleitet von über hundert Koniaga-Aleuten in ihren Bidarkas. Ihre Aufgabe war die Erkundung der Nachbarinseln und des Festlandes von Aleyeska sowie die Kontaktaufnahme mit den Eingeborenen. Weiter sollten sie einen befestigten Vorposten an der Cookmündung errichten.

Es wurde Spätsommer bis sie zurückkehrten. Wieder einmal saßen die Tarakanows in ihrer Blockhütte um das flakkernde Licht der Öllampe versammelt und lauschten Zachars Reisebericht: Katja mit eingezogenen Beinen auf dem Boden, Tascha nahe der Lampe, damit sie genug Licht hatte, um den Riß in Madame Schelechowas Kleid zu nähen, Zachar auf dem Stuhl, wo alle ihn sehen konnten, und Michail zu seinen Füßen.

»Ringsum ragen Berge auf, die mit ihren weißen Gipfeln in den Himmel stoßen«, beschrieb Zachar die Einfahrt in den großen Meeresarm, den die Russen Cookmündung nannten. »Überall stürzte weißes Wasser die steilen Bergflanken herab und tosend ins Meer. Wir sahen Bäume, deren Stämme fünfmal den Umfang eines Menschen haben und bis an den Rand des Wassers wuchsen. Sie stehen sehr eng beisammen und sind sehr hoch – zwanzigmal die Größe eines Menschen. Ihre Äste überlagern einander und nehmen einem die Sicht auf den Himmel. Auf den Bäumen leben viele Vogelarten. Ich sah Raben und Weißwangengänse und einen winzigen Vogel, der seine Schwingen so schnell schlägt, daß man sie nicht sieht, und der summt wie eine Biene.«

»Und die Menschen, die dort leben? Wo waren die?« Von den Koniaga-Aleuten wußte Tascha, daß die Eingeborenen des Festlandes einer kriegerischen Rasse angehörten.

Zachar zog die Schultern hoch. »Die meisten waren den Aleuten nicht freundlich gesinnt. Denoch konnten wir ein paar Felle eintauschen. Von einigen Dörfern bekamen wir Geiseln. Am Prinz-William-Sund trafen wir auf Chugach und Kenaitze. Dort leben viele Familien zusammen in Langhäusern aus Holz. Sie sind Vettern der Kolosch.« Die Kolosch waren ein außergewöhnlich kriegerischer Stamm, der an der Küste weiter im Süden lebte, ein wildes Volk, das bei allen Stämmen des Nordwestens für seine Heimtücke berüchtigt war.

Als Zachar eine Begegnung mit einem Vetter der gefährlichen Kolosch schilderte, überlief seinen jüngeren Bruder bebende Erregung. Er beneidete Zachar um seine Abenteuer. Er hatte darauf gebrannt, alles das, was er im Sommer erlebt hatte, seinem Bruder zu erzählen – daß er in die Schule ging und daß Schelechow ihm von Gott erzählte und ihn lehrte, das Kreuzzeichen richtig zu machen – doch plötzlich erschien ihm dies alles völlig belanglos.

Der zweite Winter wurde für die Russen sehr hart. Viele Jäger auf den Außenposten auf Kodiak litten an Skorbut, und einige erlagen der Krankheit, obwohl die Koniaga-Aleuten sie oft mit frischen Vorräten belieferten. Obschon das Haus Schelechow von Nahrungsknappheit verschont blieb, bestand Schelechow darauf, künftig im Sommer Vorräte anzulegen.

Mochten ihn wegen seines abenteuerlichen Vorstoßes Zweifel heimgesucht haben, sie wurden im Vorfrühling durch das Eintreffen der schon verlorengeglaubten St. Michail, des Schwesterschiffes der Drei Heiligen, zerstreut. Von dem Sturm, der sie getrennt hatte, beschädigt, war das Schiff im Jahr zuvor auf Unalaska eingetroffen. Nun begannen die Schelechows mit Vorbereitungen für die Rückkehr nach Rußland, doch zuerst mußte jemand gefunden werden, der an die Spitze der Niederlassung treten konnte. Schelechows Wahl fiel auf einen Neuankömmling, auf einen gewissen Samoilow, der mit den laufenden Vorhaben, dem bestehenden System und den Zukunftsprojekten vertraut gemacht werden sollte. Tascha wurde Ohrenzeugin mancher Gespräche der Schelechows in diesen Angelegenheiten.

»Tascha.« Madama Schelechowas Stimme kam aus dem Hauptraum des Hauses. Ehe sie dem Ruf folgte, sah Tascha noch rasch nach, ob das Wasser im Samowar schon die richtige Temperatur hatte. Dann ging sie in den Raum nebenan in Erwartung des Auftrages, den Madame Schelechowa ihr erteilen würde. Die große, dunkelhaarige Frau saß mit dem Rücken zum Eingang, den Blick auf ihren Mann gerichtet, der an dem schweren Tisch saß, vor sich eine Vielzahl von Papieren und eine Feder neben dem silbernen Tintenfaß.

»Grischa, ich bin der Meinung, es wird uns eher gelingen, von der Zarin eine Ausnahmegenehmigung und die Verleihung des ausschließlichen Handelsmonopols in diesem neuen Land zu erwirken, wenn wir diese Eingeborenen mitnehmen und zeigen, welchen Fortschritt wir mit deren Bildung und mit der Unterweisung im wahren Glauben gemacht haben. Bislang hat sie nur Berichte über den Reichtum des Landes an Pelztieren gehört – und über die Unterdrükkung und Mißhandlung der Eingeborenen durch gewissenlose Promyschleniki. Ein Punkt, der ihr Mißfallen in besonderem Maß erregte. Doch am Beispiel unserer Eingeborenen könnten wir den Umfang dessen demonstrieren, was uns vorschwebt.«

Schelechow antwortete nach kurzer Überlegung: »Ein überzeugendes Argument liefern uns auch die englischen Schiffe, die diese Gewässer befahren. Die Briten erheben jetzt Anspruch auf Inseln, die schon längst von den Promyschleniki entdeckt wurden. Sollten sie auf diesen Inseln Fuß fassen, so wie sie entlang der ganzen Küste Fuß fassen wollen, dann ist ihnen ganz Sibirien ausgeliefert.«

Schelechow hielt inne, als er Tascha in der Tür bemerkte. »Ach, da bist du ja. Tritt ein.«

»Der Tee ist noch nicht fertig«, sagte sie. Von der Bedeutung des besprochenen Planes und von den daran geknüpften Hoffnungen verstand sie nichts.

»Der Tee? Ach ja . . . nun, dann trinken wir ihn später.« Das war im Moment nicht so wichtig. »Madame Schelechowa und ich wollten etwas anderes mit dir besprechen.«

»Wie du weißt, wollen wir eine kleine Gruppe Eingeborener nach Rußland mitnehmen«, griff Madame Schelechowa den Hinweis auf. »Sie sollen die Größe unserer Städte und Dörfer und vor allem unsere Lebensweise kennenlernen.«

»Das weiß ich.« Tascha hatte sie schon des öfteren davon reden gehört. Es war nicht ungewöhnlich, daß Aleuten nach Rußland mitgenommen wurden. Viele waren im Laufe der Jahre dort gewesen und hatten nach ihrer Rückkehr viel zu erzählen gewußt.

»Dein Sohn Michail ist ein aufgeweckter Junge«, sagte nun Schelechow, und Tascha spürte sofort ein warnendes Prickeln. »Er ist von sehr rascher Auffassungsgabe. Wir möchten ihn gern mitnehmen, damit er unsere Schulen besuchen kann.«

»Nach Rußland? Er ist zu jung«, wandte Tascha von Panik erfaßt ein. »Er ist erst zehn Sommer . . . Jahre alt.«

»Das ist das Alter, in dem unsere Kinder zur Schule gehen und Dinge wie Lesen und Schreiben lernen«, erklärte Madame Schelechowa geduldig. »Er kann daneben einige andere Kenntnisse erwerben – Navigation, Buchführung, Schiffsbau –, davon würde unsere Niederlassung nach seiner Rückkehr sehr profitieren.«

»Nein. Ein Kind darf nicht nach Rußland mitgenommen werden, hieß es. Er gehört zu seiner Mutter.« Es war eine der ersten Verfügungen, die die Schelechows bei der Gründung der Kolonie auf Kodiak erlassen hatten. Niemals wieder sollte eine Frau wie seinerzeit Tascha fürchten müssen, daß der russische Vater ihr das Kind wegnehmen durfte.

»Er soll ja nicht dort bleiben, sondern nur dort zur Schule gehen«, erwiderte Schelechow darauf. »Madame und ich werden dafür sorgen, daß er wieder zurückkehrt.«

»Der Besuch in Rußland wird für Michail eine wundervolle Erfahrung sein. Tascha, das mußt du doch einsehen«, setzte Madame Schelechowa hinzu.

Aber Tascha sah vorerst nur, daß ihr jüngerer Sohn sie verlassen und irgendwann wiederkommen würde. Da hörte sie ein leises Geräusch hinter sich. Sie drehte sich um und entdeckte Michail, der sich hinter der Tür versteckt hatte. Schuldbewußt trat er ein, einen kurzen Blick zu den Schelechows riskierend.

»Ich möchte gehen«, sagte er verhalten.

»Es ist zu weit«, murmelte Tascha.

»Ich möchte hinfahren«, beharrte Michail und senkte dann den Kopf, als täte es ihm leid, daß er ihr weh täte.

Tascha richtete sich zu voller Größe auf. »Wie lange wird er fort sein?« fragte sie die Schelechows.

»Fünf Jahre.« Madame Schelechowa lächelte zufrieden. »So lange dauert seine Ausbildung.«

19. Kapitel

DREI-HEILIGEN-BUCHT, KODIAK
SOMMER 1790

Als sich in der Niederlassung die Nachricht verbreitete, daß ein Schiff sich der Bucht nähere, ließ Tascha von den Otterfellen ab, die sie reinigte, und lief zum Strand. Zachars Frau folgte ihr, etwas langsamer der Wiege wegen, in der sie ihre vierzehn Monate alte Tochter Larissa auf dem Rücken trug. Während sich eine Schar Neugieriger zusammenfand, hielt Tascha gespannt Ausschau in der Hoffnung, Michail würde kommen. Seit seinem Abschied hatte es in der Drei-Heiligen-Bucht nur wenig Veränderungen gegeben. Es waren keine neuen Bauten dazugekommen, obwohl mittlerweile eine große Gemeinde von Koniaga-Aleuten in der Ansiedlung lebte. Die Seewinde hatten das Holz der ursprünglichen Häuser verwittern lassen, und der Grieche Eustrate Delarow hatte Samoilows Stelle eingenommen.

Der alte Ismailow, offizieller Repräsentant der Regierung in der Drei-Heiligen-Bucht, kam in voller Uniform den Strand entlang. Über seinem gerundeten Wanst hielten die Knöpfe seine Jacke nur mit Mühe zusammen. Gebieterisch befahl er, ein Boot ins Wasser zu schieben, damit er zum Schiff rudern konnte.

Als Tascha unter den Männern, die das Boot ins Wasser schoben, Zachar entdeckte, lief sie zu ihm. »Fahr mit Ismailow hinaus und sieh nach, ob Michail auf dem Schiff ist. Wenn nicht, dann frag, ob jemand was von ihm weiß.«

Zachar gab mit einem Nicken seine Zustimmung. Viel später, als sie verwestes Fleisch von einem Otterfell schabte, sah sie Zachar ganz langsam auf die Hütte zukommen, gesenkten Kopfes und mit hängenden Schultern. Tascha spürte, wie Angst ihr die Kehle zuschnürte.

»Was hast du über Michail erfahren?« fragte sie, als er vor ihr stand.

Der Blick seiner blauen Augen streifte sie und glitt ab.

»Niemand wußte etwas. Sie sind vergangenes Jahr von Ochotsk aus losgesegelt, es war aber nicht Schelechow, der sie schickte.«

Sie runzelte die Stirn. »Was ist dann mit dir? Was ist los?«

Als Zachar aufblickte, las sie abgrundtiefe Traurigkeit in seinem Blick.

»Man hat sie gefunden«, sagte er. »Jemand sagte mir, daß vor vier Jahren ein Schiffsführer namens Pribilov die Robbeninseln entdeckte.«

Das Schiff, das in der Drei-Heiligen-Bucht ankerte, war die Slawa Rossie, Rußlands Ruhm.

Sie befand sich auf einer wissenschaftlichen Expedition unter dem Befehl von Captain Joseph Billings, der mit Cook diese Gewässer befahren hatte und jetzt in den Diensten der Zarin stand. Unter den Expeditionsteilnehmern befand sich ein Priester der orthodoxen Kirche.

In den nächsten zwei Tagen zeigte Zachar sich ungewöhnlich wortkarg. Immer häufiger versank er in brütendes Schweigen. Tascha wußte, daß die Nachricht von Pribilovs Entdeckung der Robbeninsel für ihn ein harter Schlag gewesen war. Einige Male hatte sie ihn vor der Hütte stehen und zu den am Strand von den Expeditionsteilnehmern aufgestellten Zelten hinüberstarren gesehen, besonders zu jenem, in dem der Gottesmann die Jäger und Seeleute zum Gebet versammelte. Und immer wieder streifte er Katja und die gemeinsame Tochter mit sorgenvollem Blick.

Eines Morgens kam er eilig auf die Hütte zu, lächelnd und mit leuchtenden Augen. Strahlend sah er Katja an, als er nach ihrer Hand faßte. »Ich habe mit dem Priester gesprochen«, sagte er. »Er ist einverstanden, dich und unsere Tochter richtig zu taufen . . . und uns zu trauen.«

»Trauen?« Katja zog erstaunt die Brauen hoch. »Was bedeutet das?«

Zachar mußte erst nach den richtigen Worten suchen.

»Das heißt, daß wir vor Gott einen heiligen Eid ablegen. Wir geloben, daß wir immer zusammenleben werden.« Er sah sie beklommen an. »Verstehst du das?«

»Ja.« Katja schien unschlüssig.

Tascha verstand, was ihr Sohn vorhatte. So wie sie einst klar erkannt hatte, daß das Überleben für sie und ihre Familie Zusammenleben mit den Russen bedeutete, so war Zachar jetzt zu demselben Schluß gekommen.

Am nächsten Tag traten sie vor den Priester. Katja und Larissa wurden getauft. Anschließend wurden Zachar und Katja getraut.

Ein Jahr verging, und kein von Schelechow ausgeschicktes Schiff mit Nachschub und Ersatz für jene Männer, die bereits ihre fünf Jahre abgedient hatten, traf ein. Drei Jahre waren vergangen, seitdem das letzte Versorgungsschiff Drei Heiligen angelaufen hatte. Trotz strenger Rationierung ging der Tee zur Neige, und das Roggenmehl reichte nur für das Sonn- und Feiertagsbrot. Die Siedler grollten immer lauter, daß Schelechow sie vergessen hätte.

Nach der Rückkehr vom Morgenfischen gab Zachar den Fang seiner Mutter zum Säubern und zog sein Bidarka über die Gezeitengrenze hinaus. Als er es umdrehte, damit die Bespannung trocknen konnte, bemerkte er ein Eingeborenenbaidar unter Leinwandsegel auf die Küste zusteuern. In dem Boot saßen über ein Dutzend Russen, unter ihnen niemand, den Zachar erkannte. Erst aus der Nähe sah er ihre eingefallenen Gesichter und zottigen Bärte. Als das Baidar in seichteres Wasser glitt, sprangen einige Insassen heraus, um es an Land zu ziehen.

»Dank sei der heiligen Muttergottes, daß wir es schafften«, gab einer mit brechender Stimme von sich.

Die Leute stammten von der Drei Heiligen, dem Versorgungsschiff, das Schelechow im Jahr zuvor ausgeschickt hatte. Es war vor Unalaska in einem Sturm zerschellt. Zwei weitere Bidars mit der übrigen Besatzung waren in Kürze zu erwarten.

»Helft uns. Wir haben einen Kranken unter uns.«

Als Zachar half, den Bewußtlosen und von Fieberfantasien Heimgesuchten aus dem Boot zu heben, sprach jemand die Warnung aus: »Geht vorsichtig mit ihm um. Es ist Baranow, den Schelechow als seinen neuen Nachfolger bestimmte . . . falls er überlebt.«

Jemand lief voraus, um im Dorf die Neuigkeit zu melden, während Zachar und zwei Promyschleniki den an Lungenentzündung Erkrankten trugen. Der Grieche Delarow, der der Ansiedlung im Moment vorstand, kam ihnen entgegen und befahl, man solle Baranow in seine Hütte schaffen. Tascha, die ihnen nachging, folgte ihnen in das einst von den Schelechows bewohnte Haus. Wenn dieser Baranow der von Schelechow geschickte neue Führer war, dann würde er gewiß etwas über ihren Sohn Michail wissen.

Die nächsten Tage verbrachte Tascha mit seiner Pflege und ließ in ihrem Bemühen, ihn am Leben zu erhalten, nicht nach. Sie saß an seinem Lager und beobachtete den Mann, der im Mittelpunkt sämtlicher Diskussionen in der Siedlung stand. Rein äußerlich war an Alexander Andrejewitsch Baranow nichts Auffallendes. Er war klein von Wuchs, dünn, drahtig und bleich. Mit seinen fünfundvierzig Jahren war er genauso alt wie Tascha.

Zachar brachte die über Baranow geäußerten Bemerkungen zurück in die Hütte. Ismailow hatte für Schelechows Wahl nur Verachtung übrig. Der Mann war ein gewöhnlicher Kaufmann und mit einem Schiffsführer, wie Delarow einer war, nicht zu vergleichen. Zudem verfügte er über keinerlei Erfahrung auf den Aleuten. Schlimmer noch, es war seine erste Seefahrt überhaupt. Andere sagten, er sei zu alt für dieses rauhe Leben. Die Schiffbrüchigen hingegen wandten ein, daß er über unerschöpfliche Energien verfügte. Den Winter auf Unalaska hatte er mit dem Erlernen der Sprache der Eingeborenen verbracht, war auf Erkundungen gegangen, hatte gelernt, ein Bidaraka zu steuern, und hatte Otter gejagt. Baranow war intelligent und nie um eine gute Idee verlegen.

Baranow rührte sich unter seiner Felldecke. Die schweren Lider zuckten und hoben sich.

»Wo bin ich?«

Tascha suchte in seinen Augen nach der Leere des Fieberdeliriums, sah aber Klarheit in ihnen. »Ihr befindet Euch in Delarows Hütte im Dorf Drei Heiligen . . .«

»Ach.« Er seufzte erleichtert auf. Gleich darauf erfaßte ihn ein Hustenkrampf.

Als der Anfall vorüber war, fragte Tascha ihn: »Wißt Ihr, wo mein Sohn ist? Schelechow nahm ihn vor sechs Jahren mit nach Rußland. Er heißt Michail Tarakanow. Hat Schelechow von ihm gesprochen?«

Baranow, der zu schwach war, um zu antworten, schüttelte verneinend den Kopf und schloß wieder die Augen. Tascha lehnte sich zurück. Wieder waren ihre Hoffnungen zunichte.

Ehe Baranow sich soweit erholt hatte, daß er aufstehen und sich in der Siedlung, seinem neuen Verantwortungsbereich, bewegen konnte, sollte mehr als ein Monat vergehen. Im Frühherbst trafen die zwei Baidars mit den übrigen Schiffbrüchigen auf Kodiak ein. Baranow überließ Delarow vorübergehend die Führung und machte sich auf, die Insel in Begleitung Zachars und einiger Aleuten zu erkunden. Er wollte vor allem die Eingeborenen näher kennenlernen, die ihn Nanuk nannten – den großen weißen Jagdführer.

Im Frühjahr wurde die an Strand gezogene Schaluppe St. Michail wieder zu Wasser gelassen. Nach Delarows Abreise fing Baranow an, sein Amt auszuüben und strikte Disziplin zu fordern. Allabendlich wurde die russische Flagge mit dem Doppeladler unter Kanonensalut vor angetretener Mannschaft eingeholt. Das Glücksspiel wurde verboten, Alkohol war nur noch außer Dienst erlaubt, und auch dann nur in Form von Kwaß, eines aus Moosbeeren hergestellten Gebräus. Eingeborenenprostitution wurde verboten. An Sonn- und Feiertagen wurden Andachten abgehalten, aber auch Feste mit Tanz und Gesang, an denen Baranow teilnahm.

Im Sommer war das Meer ruhig und machte die Jagd auf Seeotter möglich. Baranow sammelte eine Flotte von sechshundert Zweimannbidarkas in Drei Heiligen und versprach den Koniaga-Aleuten für jedes Fell eine bestimmte Menge Eisen. Er versprach auch, daß ein russischer Jäger jede Jagdgruppe begleiten würde. Doch war es mehr als eine Jagdexpedition. Im Süden und Osten von Kodiak befuhren englische und amerikanische Schiffe die Gewässer um den Alexander-Archipel und den Prinz-William-Sund und trieben Handel mit den Russen. Schelechow hatte Baranow ganz klare Instruktionen mitgegeben. Zusätzlich zum befestigten Vorposten an der Cookmündung sollten weitere Posten am Prinz-William-Sund und an der südöstlichen Küste angelegt werden. Die Zarin hatte Schelechow zwar nicht das ersehnte Monopol zugestanden, doch hatte sie ihm die Exklusivrechte auf die Territorien, die er jetzt innehatte oder in Zukunft kolonisieren würde, erteilt. Baranow beabsichtigte, die Jagdexpedition zur Erkundung dieser Gebiete zu nutzen und geeignete Stellen für neue Außenposten zu suchen.

Diese Massenansammlung eingeborener Jäger brachte es mit sich, daß die Sandzunge, auf der die Siedlung stand, mit langen, schlanken Bidarkas übersät war, zwischen denen die Besitzer im Zwielicht der Sommernacht schliefen. Tascha stand vor der Hütte und blickte über die schimmernden Wasser der Bucht. Ich werde alt, dachte sie bei sich. Sie kam mit immer weniger Schlaf aus. Hinter ihr wurden leise Schritte hörbar. Als sie sich umdrehte, sah sie Zachar.

»Du dachtest an Michail«, sagte er.

Tascha leugnete es nicht. »Ob ich ihn je wiedersehen werde?« Es war ein ständiger Schmerz, dieses Gefühl des Verlustes.

»Du bist nicht allein«, sagte Zachar. »Du hast Katja, Larissa und mich.«

»Ja.« Es war auch ihr Fleisch und Blut. Aber Michail war ihr Jüngster. Wie konnte sie dies Zachar klarmachen? Sie beschränkte sich auf ein Lächeln und ließ ihn in dem Glauben, er hätte sie getröstet. »Das ist richtig.« Ihr Blick wanderte wieder zu dem bevölkerten Uferstreifen hin. »Diese vielen Jäger werden reiche Beute bringen. Du wirst dir viel Tabak kaufen können.« Als Halbblut arbeitete Zachar für die Handelskompanie auf Beteiligungsbasis wie die anderen Promyschleniki und hatte bei der Zahlmeisterei ein eigenes Konto.

»Es gibt wenig Tabak zu kaufen. Jeder streckt seinen Tabak mit Weidenborke«, sagte er.

Plötzlich spürte Tascha, wie der Boden unter ihren Füßen zu beben begann. Sie wartete, daß die leichte Bewegung aufhörte. Statt dessen wurde das Beben stärker und ließ sie unsicher schwanken. Zachar packte sie und zog sie auf den Sand nieder, ehe sie vollends das Gleichgewicht verloren. Ringsum hörte man das Krachen und Knirschen fallender Gegenstände und die verzweifelten Schreie der Schlafenden, die das heftige Erdbeben geweckt hatte. Die Balken der Häuser ächzten und rieben sich aneinander, als ihre Fundamente sich verschoben. Tascha, deren Herz zum Zerspringen klopfte, grub die Arme in den bebenden Kies. Sie hörte das unheilverkündende Splittern von Holz und sah sich nach ihrer Hütte um, die hin und her schwankte.

»Katja!« Zachar wollte auf die Tür zukriechen, doch Tascha hielt ihn zurück.

»Es ist zu gefährlich.«

In diesem Moment schwang die Tür auf. Katja taumelte mit der zweijährigen Larissa in den Armen aus dem Haus. Ein Seitenteil des Türrahmens brach ein. Gleich darauf knickten andere Balken ein und brachen splitternd.

Larissa schrie auf, als Katja versuchte, Abstand zum Haus zu gewinnen, doch bei jedem Schritt hob und senkte sich der Boden. Sie geriet aus dem Gleichgewicht und fiel schließlich, mit ihrem Körper Larissa schützend. Zachar bewegte sich mühsam zu ihr hin und kniete neben ihr nieder.

Überall im Dorf herrschte Chaos. Menschen stolperten

und schwankten wie Betrunkene über den sich bewegenden Untergrund.

Langsam ließ das Beben nach, und das Grollen verstummte. Trotz der kurzen Dauer war es Tascha wie eine ganze Ewigkeit erschienen. Noch immer von Angst erfüllt, machte sie ein paar Schritte über den Kies, da sie der Ruhe nicht traute.

Katja hatte sich aufgerichtet und versuchte, ihr weinendes Kind zu beruhigen.

»Bist du verletzt?« Katja sah Tascha besorgt an.

»Nein.«

Tascha drehte sich um und sah nun die Zerstörungen, die das Beben angerichtet hatte. Nichts war mehr so wie vorher. Häuser standen schief, einige nach einer Seite gesenkt, andere auf ihren Fundamenten verschoben. Dazwischen bewegten sich die Menschen noch immer wie betäubt.

»Seht! Seht!« Laute Schreie folgten diesem Ausruf.

Tascha sah zur Bucht hin, von der ein leises Grollen kam, das sich zu einem lauten Tosen steigerte. Eine sich auftürmende hohe Wand, die den Blick auf den Horizont völlig versperrte, wuchs immer mehr empor – Wasser. Es war eine Riesenwoge, die sich mit unglaublicher Geschwindigkeit auf die Landzunge zuwälzte.

»Lauf!« schrie Zachar und faßte Tascha um die Mitte, um sie im Laufschritt mit sich zu zerren. Hohe Schreckensschreie mischten sich in das anschwellende Tosen. Tascha strengte sich an, ihre Füße schneller zu bewegen, doch sie gehorchten ihr nicht. Ein angsterfüllter Blick nach hinten zeigte ihr den schaumgekrönten Wellenkamm, hoch über der Sandbank aufragend, viel höher als alle Häuser, die der Woge im Weg standen. Tascha spürte den Hauch der Welle, roch den Seegeruch, schmeckte das Salz auf den Lippen. Es gab kein Entkommen.

Sie spürte, wie Tropfen sie benetzten. Gleich darauf wurde sie von der Woge erfaßt und mit Gewalt in den Sand geschleudert. Undeutlich nahm sie wahr, wie Zachars Hand ihren Unterarm umklammerte und sie festhielt. Dann spürte sie nur mehr Wasser, das sie gegen den Sandboden preßte. Sie hielt den Atem an, bis sie das Gefühl hatte, ihre Lungen würden zerspringen. Noch immer donnerte Wasser heran. Dann spürte sie den Sog, der sie wegzuschwemmen drohte. Sie hielt Zachars Arm umklammert und ließ auch nicht los, als die zurückflutende Welle sie mitzureißen drohte. Doch der Sog war zu heftig. Sie wurde gegen Zachar gestoßen, beide verloren den Halt und wurden zurückgeworfen.

Tascha hatte keine Kraft, keine Luft und keinen Willen mehr, der dunklen Welt des Wassers zu widerstehen. Dann schlug die Woge über ihren Kopf, und Tascha holte instinktiv Luft. Mit dem Knie streifte sie den steinigen Grund der Bucht. Sie warf sich dem Ufer entgegen, stieß mit den Beinen um sich. Es erforderte ihre gesamte Energie und Konzentration, nicht wieder hinausgespült zu werden. Halb watend, halb kriechend erreichte Tascha seichteres Wasser und konnte plötzlich wieder stehen. Ihre Muskeln zitterten vor Erschöpfung.

Keuchend drehte sie sich um und hielt Ausschau nach ihrem Sohn. Ein Durcheinander von Schreien und Rufen erfüllte die Luft. Im Wasser wimmelte es von Menschen, die hilflos dahintrieben oder mühsam auf die Küste zuwateten. Ebenso viele Menschen versuchten, ihnen zu helfen.

»Zachar!« Sie hatte ihn erspäht. Kniend versuchte er, das Stück bis ans Ufer zu überwinden.

Noch vor einem Augenblick hatte sie nicht die Kraft für einen einzigen weiteren Schritt aufgebracht. Jetzt lief sie durch das Wasser zu ihrem Sohn. Tascha bekam seinen Arm zu fassen, um ihn aus dem Wasser zu ziehen. Aber er war zu schwer. Jemand bewegte sich in ihrer Nähe durch das Wasser.

»Hilf mir!« rief sie.

Es war Baranow, der sich zu ihr durchkämpfte. Zachars Arm um seinen Nacken legend, schaffte er es, ihn halb schleppend, halb gehend an den Strand zu schaffen, wo er ihn hinlegte. Tascha war den beiden auf den Fersen. Wasser quoll als Rinnsal aus Zachars Mund, dann krampften sich seine Bauchmuskeln zusammen und er spie Wasser in hohem Bogen aus. Er hustete – und atmete.

»Hast du Katja gesehen?« fragte er nach ein paar matten Atemzügen.

»Nein.«

Tascha blickte auf die brodelnde See hinaus, konnte aber nur Baranows glänzenden kahlen Kopf vor dem dunklen Ozean ausmachen. Er watete bis zu den Hüften im Wasser und versuchte, eine Frau herauszuziehen – Katja. Tascha ließ Zachar allein und lief ins Wasser. Schon von weitem hörte sie die Hilferufe ihrer Schwiegertochter.

Als Baranow Katja erreichte, drückte sie ihm ihr Töchterchen in die Arme. »Nehmt das Kind.«

Tascha sah den schweren Holzbalken, als die Welle das eine Ende anhob und den Balken herumwirbelte.

»Katja!« Sie rief ihr die Warnung zu, doch vergebens. Katja war verschwunden.

»Nein!« Tascha wollte es nicht glauben und watete tiefer ins Wasser hinein.

Baranow, der ihr entgegenkam, drückte ihr Larissa in die Arme und lief dann, um anderen zu helfen.

Tascha drückte das schreiende Kind an ihre Brust, den Blick starr auf die Stelle gerichtet, an der sie die Frau ihres Sohnes zuletzt gesehen hatte. Schließlich durchdrang das Zittern und Schluchzen des nassen, unterkühlten Kindes Taschas kummervolle Starre. Sie sah das schwarzhaarige kleine Mädchen an, rieb die Wange an der Stirn des Kindes und schloß die Augen fest. Gleich darauf hob sie den Kopf und watete zurück zu der Sandbank, auf der Zachar wartete.

In der Morgendämmerung wurde das volle Ausmaß der Verwüstungen sichtbar. Nicht ein einziges Haus war unbeschädigt geblieben. Die Wucht der Woge hatte sie umgeworfen und in Stücke zerschmettert. Waren und Vorräte waren verloren oder beschädigt. Die meisten der Bidarkas waren zerstört oder hinaus aufs offene Meer geschwemmt worden. Wie durch ein Wunder waren nur wenige Menschenleben zu beklagen. Und die Schaluppe St. Simeon lag unbeschädigt in der Bucht vor Anker, da der Landvorsprung die Gewalt der Woge gebrochen hatte.

In der Siedlung waren Russen und Eingeborene gleichermaßen von Verlusten betroffen. Baranow rief alle zusammen und kündigte an, daß das Dorf nicht an dieser Stelle wiederaufgebaut würde. Er wollte hinüber auf die Ostseite der Insel, wo es ausreichend Bauholz gab und man höher über der Küste bauen konnte. Er stellte eine Gruppe auf, die mit Ismailow auf der St. Simeon zur vorgesehenen Stelle segeln und mit dem Schlagen beginnen sollte, damit man mit dem Bau der neuen Siedlung unverzüglich anfangen konnte. Die Koniaga-Aleuten schickte er nach Hause mit der Anweisung, in einem Monat zu der neuen Siedlung zu kommen. In der Zwischenzeit konnten sie auf die Jagd gehen. Ungeachtet der Rückschläge war er entschlossen, geeignete Plätze für neue Außenposten zu finden, wie Schelechow es angeordnet hatte. Seine Energie und Entschlossenheit gaben dem Dorf neue Lebenskraft, und die Apathie und Mutlosigkeit der Leute verwandelte sich in Aktivität und Zielstrebigkeit.

Die für den Bau des neuen Dorfes vorgesehene Stelle war von Wald umgeben, der das nötige Baumaterial lieferte. Der natürliche Hafen war zwar nicht so groß wie die Drei-Heiligen-Bucht, aber tiefer und besser geschützt. Baranow, der Seite an Seite mit seinen Leuten die Axt schwang, nannte die neue Ansiedlung St. Paul. Entschlossen, sich die Sommerjagdsaison nicht entgehen zu lassen, gab er sich damit zufrieden, daß nur die Wände der Häuser errichtet wurden. Die Dächer sollten erst im Herbst nach der Rückkehr von der Jagd folgen. Als die Koniaga-Aleuten zur verabredeten Zeit in fast 450 Bidarkas eintrafen, ließ Baranow nur ein kleines Kontingent seiner Leute in St. Paul zurück und brach zusammen mit den Jägern auf.

Für Tascha wurde es ein langer, arbeitsreicher Sommer. Zeit zum Trauern blieb ihr nicht, da sie sich um ein Kind kümmern mußte. Doch war in diesem Land Leben immer gleichbedeutend mit Kampf gewesen.

Als die ersten Boote der Bidarkaflotte jenseits der Hafeninseln auftauchten, nahm Tascha Larissa und lief mit den anderen hinunter an die Küste. Freudig hieß Tascha Zachar willkommen, erleichtert, daß er wohlbehalten zurückgekehrt war. Erst beim näheren Hinsehen fielen ihr sein bleiches Gesicht und sein gequälter Blick auf. Sofort regte sich Besorgnis in ihr. Nun sah sie auch, daß sein linker Arm reglos herunterhing.

»Du bist verwundet«, stellte sie fest.

Er blieb vor ihr stehen und faßte nach der Muskete.

»Die Kolosch griffen uns vor mehreren Nächten an, als wir an Land lagerten. Ein Pfeil traf meine Schulter.«

»Komm«, drängte Tascha. »Ich möchte die Wunde sehen.«

In ihrer primitiven Unterkunft untersuchte Tascha Zachars Schulter und stellte erleichtert fest, daß sie sich nicht entzündet hatte. Sie legte ihm Kräuter auf, befestigte diese mit Bandagen und half dann Zachar in sein rotes Hemd.

Plötzlich ertönte draußen der Ausruf: »Ein Schiff!«

Nicht die alte verwitterte St. Simeon war es, die in den schmalen Hafen einlief, sondern ein schlankes Schiff mit Schonertakelung. Am Bug stand der Name Orel, Adler. Wieder säumten die Bewohner der Niederlassung den Strand. Tascha, Zachar und Larissa befanden sich unter ihnen. Sofort tauchte das Gerücht auf, es sei ein von Schelechow ausgesandtes Versorgungsschiff. Tabak, Mehl, Nachschub, Post, Nachrichten von zu Hause, Wodka – endlich war das alles da.

Tascha versuchte, die Gesichter der Männer an Deck zu erkennen. Ihr Blick blieb an einer hochgewachsenen, schlaksigen Gestalt mit dunklen Haaren und Augen hängen. Zögernd faßte sie nach Zachars Arm, ohne den Blick von dem jungen Mann zu wenden. In ihr regte sich leise Hoffnung.

»Michail«, sagte sie halblaut vor sich hin. Aber war es tatsächlich ihr Sohn? Konnte er sich so sehr verändert haben? Sie wußte es nicht. Angstvoll hielt sie Zachars Arm umklammert. Es dauerte eine Ewigkeit, bis das erste Boot an Land kam, aber endlich war es da. Als sie den jungen Mann herausspringen sah, waren alle Zweifel verflogen.

»Michail!«

Er wandte sich um und sah sie. Ein Lächeln erhellte seine Miene, und er lief auf sie zu. Tascha vergoß Tränen des Glücks, als sie ihm entgegenlief, ihrem Sohn, der sie als Junge verlassen hatte und als Mann von sechzehn Jahren zurückgekehrt war.

»Du bist wieder da.« Sie konnte es kaum glauben. Fast hatte sie die Hoffnung aufgegeben, ihn je wiederzusehen. »Ich glaubte schon, es gäbe dort so viel zu sehen und zu erleben, daß du nicht mehr heimkehren würdest.«

Michail lachte über die Befürchtungen, es war das kehlige Lachen eines Mannes. »Ich habe viel gesehen, und es gibt viel zu erzählen.« Sein Blick umfing Zachar. »Und ich werde noch mehr sehen. Ich war auf der Schule für Schiffsführer und kann jetzt ein Schiff segeln.« Sein Arm blieb um Taschas Schultern, als er seinen Bruder begrüßte. Dann bemerkte er das kleine Mädchen neben Zachar, und er bückte sich. »Wer bist du denn?« Er lächelte Larissa zu, die sich hastig hinter Taschas Röcken versteckte.

»Meine Tochter Larissa«, sagte Zachar. Er unterzog Michail einer genauen Musterung.

Tascha beeilte sich, die Geschichte vom Tod ihrer Schwiegertochter zu erzählen. Michail wurde ernst, aber nicht für lange. Die Wiedersehensfreude war zu groß.

Zu Ehren des Kapitäns der Orel, Jakow Egorjewitsch Shiltz, eines stämmigen rothaarigen Engländers, gab Baranow abends ein Fest.

James Shields, Schiffsbauer von Beruf und Leutnant der Kaiserlich-Russischen Marine, beantwortete ihre Trinksprüche stets mit eigenen, die er zur Belustigung der Promyschleniki auf russisch radebrechte.

Unterdessen ging Baranow die Post durch, vor allem den langen, mit Anweisungen gespickten Brief von Schelechow. Darin wurde die Notwendigkeit der Gründung neuer Kolonien vornehmlich an der Küste im Südosten betont. Dies war der Grund, weshalb man ihm Shields geschickt hatte. Baranow sollte Schiffe bauen lassen, um diese Ziele zu erreichen.

TEIL II

SÜDOSTALASKA

20. Kapitel

SITKA-SUND
SPÄTFRÜHLING 1802

Der deutlich sichtbare Kegel des Mount Edgecumbe, dessen schneegekrönter Gipfel mit der dichten Wolkendecke verschmolz, markierte die Einfahrt zum Sitka-Sund. Die Ufer der Hauptinsel waren mit hohen Zedern, Fichten und Kiefern bestanden, in deren Schatten ein nahezu undurchdringliches Dickicht von Farnen und Sträuchern wucherte. Zahlreiche Inseln sprenkelten die Küstengewässer und bildeten zusammen mit den Buchten, Fjorden und Mündungen der Küste einen wahren Irrgarten.

Die Brig Sea Gypsy aus Salem, Massachussetts, lief mit ihrem kupferverkleideten Rumpf in den Sund ein. Es war ein kleines und gutgebautes Schiff, wendig und schnell. Abschirmungen aus getrockneten Rinderhäuten schützten seitlich an den Decks die Besatzung vor Pfeilen. Am Heck befand sich eine Öffnung für den Tauschhandel. Neben ihren drehbaren Geschützen verfügte die Sea Gypsy zusätzlich über zehn Kanonen. In ihrem Laderaum barg sie eine Vielzahl von Tauschwaren, zum Großteil aber bestand ihre Ladung aus Rum und Kisten voller alter Musketen, Relikte aus dem Revolutionskrieg, die man der neuen amerikanischen Regierung billig abgekauft hatte.

Von seinem Standpunkt auf dem Achterdeck aus beobachtete Caleb Stone die sich dem Schiff nähernden Kanus. Als sie längsseits gingen, warf er einen Blick zur Besatzung hin. Man brauchte die Leute nicht eigens zu ermahnen, ein wachsames Auge darauf zu haben, ob sich aus einer anderen Richtung Kriegskanus näherten, eine bevorzugte List dieser tückischen Wilden.

Caleb Stone hatte bereits ein halbes Dutzend Fahrten in diese Gegend hinter sich. Die erste hatte er mit zwölf als Kammersteward mitgemacht. Später war er als Matrose gefahren, und auf der letzten Fahrt hatte er den Rang eines ersten Offiziers bekleidet und das Kommando übernommen, als der Kapitän auf See starb. Er hatte das Schiff mit reicher

Ladung aus Kanton nach Salem in den Heimathafen gebracht, wo er die Felle für ein hübsches Sümmchen verkaufen konnte. Jetzt, mit siebenundzwanzig Jahren, segelte er als Kapitän.

Der große, hagere Mann hatte die sonnenverbrannte Haut des typischen Seemannes. Lange Wangenkotelettes im Mahagoniton des Haupthaares betonten sein schmales Gesicht. Die grauen Augen lagen hinter schweren Lidern halb verborgen, verrieten aber trotzdem höchste Wachsamkeit.

Caleb rief den Eingeborenen zu, sie sollten ein anderes Mal zum Tauschen wiederkommen. Als die Kanus weiterhin mit der Sea Gypsy das Tempo hielten, ignorierte Caleb sie.

Während seines Winteraufenthaltes in Hawaii, den er zum Auffüllen der Vorräte genutzt hatte, war ihm berichtet worden, daß die Russen im Jahr zuvor in Sitka eine befestigte Niederlassung errichtet hatten. Caleb beabsichtigte, diesen Ort, den die Russen Fort St. Michael nannten, als erstes anzulaufen und selbst festzustellen, was es mit der Bedrohung durch die Russen auf sich hatte.

Etwa sechs Meilen vor der Einfahrt in den Sund stieß die Sea Gypsy auf die an einer exponierten Stelle der Küste liegende Niederlassung. Das palisadenbewehrte Fort war aus zwei Fuß dicken Balken errichtet. Der Oberstock ragte zwei Fuß über dem unteren vor und war an zwei Ecken mit Wachtürmen bewehrt. Hinter dem die Siedlung umgebenden Palisadenzaun waren die Dächer einiger anderer Häuser zu sehen. Eine russische Flagge flatterte forsch im Wind.

Kaum war das Schiff vor Anker gegangen, als Caleb das Beiboot zu Wasser bringen ließ. Zum Empfang hatte sich eine russische Abteilung am Ufer formiert. Während seine Matrosen sich in die Riemen legten, spähte Caleb zu den am Ufer wartenden Russen hinüber.

Den Jungen mit dem Turban erkannte Caleb nach Beschreibungen der Kapitäne, die den englischsprechenden Bengalen als Diener des russischen Kommandanten Baranow kennengelernt hatten. Baranow selbst war ein kleiner, stämmiger Mann, dessen absurde schwarze Perücke mit einem bunten Tuch am Kopf festgebunden war. Caleb hatte auch davon gehört, ihm war aber die Sache so lächerlich vorgekommen, daß er sie für eine Erfindung hielt. Vielleicht war Baranows sagenhafter Alkoholkonsum auch Tatsache und kein bloßes Gerücht. Caleb begutachtete die Begleiter des russischen Kommandanten, doch fiel ihm nur einer auf, ein blauäugiger Mann mit dunkelbraunem Haar.

Zachar wurde Zeuge der Begegnung zwischen Baranow und dem Kapitän aus Boston, und er hörte, wie der Richard genannte Bengale Kapitän Stone von der Sea Gypsy identifizierte und seine Bitte übersetzte, die Besatzung zur Ergänzung des Trinkwasservorrates an Land schicken zu dürfen.

Zwei Jahre zuvor hatte Zachar sein Töchterchen Larissa in der Obhut seiner Mutter und seines Bruders zurückgelassen und war mit Baranows Kolonisierungstruppe von Kodiak aus losgesegelt, hier im Südosten an der Festlandsküste eine befestigte Niederlassung zu errichten – mitten im Herzen des feindseligen Koloschlandes. Seitdem die Befestigung am Sund stand, waren zahlreiche Schiffe aus Boston und England hier vor Anker gegangen. Zachar hatte von den Seeleuten viele englische Wörter gelernt, aber nicht genug, um einem ganzen Gespräch folgen zu können.

Wie immer erteilte Baranow die Erlaubnis und lud den obersten Bevollmächtigten der Bostoner Handelskompanie ins Fort ein. Innerhalb der hohen Palisaden patrouillierten Posten auf der Brustwehr. Zachar sonderte sich von Baranows Begleitung ab und ging quer über den Platz, denn seine Aufmerksamkeit wurde von einer der Koloschfrauen gefesselt.

Er wußte, daß man diesen Kolosch – oder Tlingit, wie sie sich selbst nannten – nicht trauen konnte, auch wenn sie sich gegen Entgelt noch so gern zu einem ins Bett legten. Doch wenn es um das Mädchen ging, das Rabentochter genannt wurde, ließ Zachar alle Vorsicht außer acht.

Als das Mädchen ihn kommen sah, reckte sie keck das Kinn, seines Interesses gewiß. Ihr langes schwarzes Haar war in der Mitte gescheitelt und fiel ihr über die Schultern bis auf den Rücken.

Zachar blieb vor ihr stehen. Seine Zunge war schwer, seine Kehle wie zugeschnürt. »Rabentochter, du warst lange nicht mehr im Dorf.«

»Rabentochter hat Zachar gefehlt?« Ihre Augen schienen sich vor Befriedigung zu verdunkeln, als sie ihm zulächelte. Ihre Lippen waren voll und weich, ohne die entstellenden Lippenpflöcke.

»Ja«, gestand er. Vor sieben kurzen Nächten hatte er bei ihr gelegen, doch ihm kam es vor, als sei seither viel mehr Zeit vergangen. »Wirst du heute in mein Bett kommen?«

Sie legte den Kopf schräg. »Rabentochter möchte Spiegel.«

Zachar verschlug es momentan die Rede, so unverschämt war ihre Forderung. Meist war der Preis für ihre Gunst eine Reihe blauer Perlen. Ein Spiegel war sehr viel wertvoller. Und er hatte bei der Zahlmeisterei schon mehr Schulden, als er in dieser Saison abarbeiten konnte.

»Zwei Perlenschnüre«, bot er ihr zögernd an. Es war ihm widerwärtig, mit ihr zu feilschen.

Ihr Blick erkaltete. »Nein.« Sie wandte sich ab.

Zachar packte ihren Arm, ehe sie davonlaufen konnte. Schon bereute er, daß er versucht hatte zu handeln. Jetzt war sie gekränkt. »Also gut, einen Spiegel.«

Sie sah ihn herablassend an. »Zachar will Rabentochter – einen Spiegel und Perlen.«

In ihm kämpfte Vernunft gegen Begierde und drängte ihn, nicht auf ihre Forderung einzugehen, weil sie nächstes Mal noch mehr verlangen würde. Er starrte sie an und nickte langsam, erbost über seine eigene Schwachheit.

»Ein Spiegel und Perlen«, sagte er und fügte, in dem Versuch, seinen Stolz zu retten, hinzu: »Wenn Rabentochter heute Zachar nicht glücklich macht, dann keine Perlen.«

Ein wissendes Lächeln umspielte ihre Lippen.

»Rabentochter macht Zachar glücklich«, versprach sie und huschte davon.

In den zehn Jahren seit dem Tod seiner Frau Katja hatte Zachar mit keiner Frau ständig zusammengelebt. In dieser Zeit hatte seine Mutter viele der fraulichen Pflichten übernommen. Überkam ihn sexuelles Verlangen, dann wurde dieses von willigen Aleutenmädchen in einem Nachbardorf befriedigt. Aber mit Rabentochter war ihm eine Frau begegnet, die ihn so erregte, daß er an keine andere mehr dachte, nicht einmal an seine verstorbene Frau. Für ihn ein neues und beunruhigendes Gefühl. Hin und wieder wünschte Zachar, er wäre auf Kodiak geblieben und nicht durch Michails Rückkehr von den familiären Verpflichtungen entbunden worden.

Am Waldrand hielt Rabentochter im Dunkel des Baumschattens inne. Zachar stand am Tor des Staketenzaunes und wartete. Sie zählte die Posten in den Blockhäusern. Immer dieselbe Zahl. Das Gelächter von Nanuk, dem russischen Anführer, dröhnte von dem Schiff aus Boston bis an Land. Caleb Stone hatte ihn eingeladen. Rabentochter war sicher, daß es an Bord Musketen und Schießpulver gab, womöglich sogar die neuen Schußwaffen mit Patronen.

Andere Sippen entlang der Küste zürnten ihrem Sitka-Kwan, weil dieser den Russen zum Austausch gegen ein paar Perlen, Messing und Flaschen erlaubt hatte, ihr Dorf auf dieser Insel zu errichten. Sie drängten ihn, die Fremden zu vertreiben. Ihre Sippe verfügte bereits über viele Schußwaffen, es waren aber noch mehr nötig. Und die Russen waren stets auf der Hut, obwohl ihr Stamm so tat, als lebe er in Frieden mit ihnen. Rabentochter argwöhnte, daß dieser Nanuk sehr klug war. Sie trat aus dem Walddickicht und näherte sich dem Tor.

Die hohen langen Mauern, die das russische Dorf umgaben, warfen einen langen Schatten. Rabentochter strebte dem hellen Viereck zu, das durch die Toröffnung fiel. Sie hielt inne, als sie im Licht stand und Zachar sie anstarrte.

»Ich komme, wie Zachar wollte«, sagte sie.

Die Nachtluft war kühl und feucht, dennoch glänzten Schweißtropfen auf seiner Oberlippe unter dem schmalen schwarzen Schnurrbart. Als er ihren Arm nahm, spürte sie, daß er zitterte. Rasch führte er sie ins Innere der Befestigung, direkt zur Kaserne. Und sie ließ verstohlen den Blick wandern, damit ihr nichts von der Aktivität im Dorf entginge. In der Kaserne führte er sie an Russen und deren plumpen, fischfressenden Aleutenfrauen vorüber zu seiner Kammer. Dort nahm er sie in die Arme und drückte seine heißen feuchten Lippen auf ihren Mund.

Rabentochter stieß ihn zurück. »Mein Spiegel und die Perlen!«

Erzürnt sah er sie an, dann ließ er sie los und ging in eine Ecke, um das glatte Glas zu holen, das ihr Spiegelbild zeigte, und zwei blaue Perlenschnüre. Rabentochter nahm sie, begutachtete sie kurz und legte die Sachen sodann auf den Boden an der Wand. Sie löste die Schürze und legte sie über ihre neuen Schätze, dann zog sie ihr Rehledergewand aus und drehte sich so schwungvoll zu Zachar um, daß die Ringe um ihre Knöchel klirrten.

»Jetzt wird Rabentochter Zachar glücklich machen«, murmelte sie heiser und ging eng an ihn geschmiegt zu seinem Lager.

Aus grauem Gewölk fiel stetiger, leichter Regen und prasselte leise auf das Achterdeck, auf dem Caleb stand.

»Hiev hoch!« brüllte Asa Hicks, sein Maat, den Männern an der Ankerwinde zu.

Etwa zwanzig Minuten später befand sich die Sea Gypsy wieder auf Fahrt. Vor ihr lag die offene Fläche des Sundes. Backbords ragte ein Fels steil auf, von dem aus man das gesamte Gebiet überblicken konnte. Die lange, mit vielfarbigen Totempfählen bestandene Häuserreihe war ein Tlingitdorf, mit dessen Bewohnern Caleb Tauschhandel betreiben wollte.

Er gab Befehl, die leichten Segel aufzugeien und das Toppsegel backzuholen. Das Schiff ging mit Schlepptauen an der Ankerkette vor Anker, damit man beim ersten Anzeichen von Gefahr wieder auslaufen konnte.

Die Besatzung lief durcheinander, um aus der Brig ein Handelsschiff und eine Festung zugleich zu machen. Die Seile, die die Lederabschirmungen festhielten, mußten kontrolliert werden, der vordere Teil des Schiffes wurde durch eine Schutzwand aus Segeln abgeschlossen. Die Geschütze wurden auf dem Deck nach vorne gezogen, die Mündungen auf das Achterdeck gerichtet. Auf der Heckreling wurden zwei Hakenbüchsen festgemacht. Die Tauschgüter wurden auf dem Achterdeck ausgelegt.

Am Ufer entstand Aktivität.

»Jungs, haltet die Augen offen!« erteilte Hicks der Besatzung eine Warnung.

»Zwei Mann in die Takelung«, wies Caleb seinen Maat an. Alle Befehle an die Besatzung liefen über Hicks.

»Aye, Sir«, sagte Hicks und schickte zwei bewaffnete Seeleute den Hauptmast hinauf.

Drei Kanus näherten sich der Brig. Caleb bemerkte, daß zwei Tlingitfrauen mit den Kriegern kamen. Nun hatte er bereits die Erfahrung gemacht, daß in Gegenwart einer Eingeborenenfrau ein Handel erst perfekt war, wenn sie ihr Einverständnis dazu gegeben hatte. Und diese Weiber waren beinhart, wenn es ans Feilschen ging.

Als die Kanus längsseits gingen, ließ Caleb nur einen der Krieger an Bord kommen, damit er diesem die Vorgangsweise erklären konnte. Ein großer muskulöser Krieger kam an Bord geklettert. Seine Barthaare waren ausgezupft, sein Gesicht schwarz gefärbt. Eine braune Wolldecke war so um seine Schultern gebunden, daß er die Arme frei bewegen konnte. Er trat Caleb mit der überheblichen Herablassung eines Höhergestellten gegenüber.

Caleb lenkte die Aufmerksamkeit des Tlingit auf die Bestückung des Schiffes, auf die Hakenbüchsen und die mit Kartätschen geladenen Geschütze sowie auf die zwei bewaffneten Seeleute, die aus luftiger Höhe das gesamte Achterdeck überblickten. Dann sagte er ihm, daß sich hinter der Segelabschirmung weitere einsatzbereite Männer befänden. Schließlich schärfte er dem Krieger ein, daß nur drei seiner Stammesgenossen zugleich an Bord dürften. Sollten sich diese drei weiter als zehn Schritte von der Reling entfernen, würden sie erschossen. Zudem würde dieses Verhalten als Friedensbruch gewertet.

Der Krieger gab mit einem Nicken sein Einverständnis zu erkennen und begab sich zurück in sein Kanu, um den anderen die Regeln des Mannes aus Boston zu erklären. Es dauerte nicht lange, und der Krieger kam in Begleitung eines anderen Kriegers und einer Squaw wieder. Die Tlingitfrau war schon betagt, wenngleich ihr eingefettetes Haar noch kein Grau aufwies. Die Krieger behandelten sie mit Ehrerbietung. Caleb aber konnte nur mit Mühe den Widerwillen verbergen, den er beim Anblick ihrer vorstehenden Unterlippe empfand. Eine löffelförmige Holzscheibe in Größe einer Schnupftabakdose war in die aufgeschlitzte Haut eingeführt worden und dehnte die Lippe aus. Das Gewicht zog die Lippe nach unten, so daß Zähne und Zahnfleisch freigelegt waren. Nach Calebs Ansicht bot die ›Löffelente‹, wie er sie insgeheim nannte, einen abstoßenden Anblick.

Die Krieger präsentierten nun ihre Felle. Caleb begutachtete sie und schätzte ihren Wert, während die Tlingit seine Warenauswahl in Augenschein nahm. Schließlich begann das Feilschen.

Caleb hatte feststellen müssen, daß der Handel mit den Tlingit ein sehr langwieriger und oft fruchtloser Vorgang war. Über den Preis ihrer Felle verhandelten sie endlos, und die Anwesenheit anderer Handelsschiffe in ihrem Gebiet wurde von ihnen listig ausgenutzt, um den Preis hochzutreiben.

Aber Caleb hatte mittlerweile genug Einblick gewonnen, um zu wissen, daß die Tlingit materialistisch eingestellt waren. Der Status im Dorf wurde durch den Besitz bestimmt. Caleb konnte sich daher als Händler auf die Habgier der Tlingit verlassen.

Im Verlauf der Verhandlungen spürte er, daß Fortschritte erzielt wurden. Dann sagte die Squaw etwas zu den zwei Kriegern, worauf Stille eintrat, was Caleb nicht behagte.

»Boston-Mann zahlt ein Gewehr und vier Pfund Pulver für ein Otterfell.« Der Schwarzgesichtige wiederholte Calebs letztes Angebot und deutete dann auf etwas, das sich hinter Caleb befand.

»Großes Gewehr ist wieviel kleine?«

Caleb warf stirnrunzelnd einen Blick über die Schulter. Mit ›großes Gewehr‹ war die Kanone gemeint. Warum zum Teufel brauchen diese Teufel eine Kanone? schoß es ihm durch den Kopf. Behutsam wich er einer direkten Antwort aus und sagte mit einem Hochziehen der Schulter: »Viele Gewehre. Mehr als ihr Felle habt.«

Der Schwarzgesichtige erstarrte vor Unwillen. »Wie viele?«

Caleb ließ mit Absicht eine Pause eintreten, ehe er sagte:

»Vierzig Otterfelle. Ganze Felle, nicht Stücke, und zwar dicke und weiche Felle.« Falls die Otterfelle in Kanton den Preis gehalten hatten, bedeutete dies über dreitausend Dollar für ein kleines Geschütz. Ein gutes Geschäft.

»Boston-Mann wartet. Wir kommen mit Fellen wieder«, kündigte der Tlingit an.

Die Gruppe ging von Bord und paddelte in ihren Kanus zurück zum Dorf. Caleb hauchte in seine kalten Hände. Zu seinem Maat sagte er: »Der Koch soll Kaffee machen.«

»Aye, Sir.«

Wenig später kam Hicks mit einer dampfenden Tasse wieder.

»Käpt'n, wollt Ihr diesen Satanssöhnen wirklich ein Geschütz überlassen?«

»Aye.« Caleb umfaßte die Tasse mit beiden Händen. Er war Händler. Geschütz oder Muskete, er konnte keinen Unterschied sehen. Ihn kümmerte es auch nicht, was sie mit den Musketen machten. Zudem bezweifelte er, ob die Indianer mit dem Geschütz umgehen konnten.

Es dauerte nicht lange, und die Tlingit waren wieder zur Stelle, mit einem Fellbündel von beträchtlich besserer Qualität als die ursprünglich angebotenen. Befriedigt schloß Caleb das Geschäft ab, und die kleine Kanone wurde über die Reling gehoben und in ein Kanu hinuntergelassen.

21. Kapitel

Sonnenhelle Wolken trieben träge über den blauen Himmel. Die Inseln entlang des Sunds prangten im üppigen Sommergrün. Unweit des Kiesstrandes hielt Zachar in seiner Plackerei inne und wischte sich den Schweiß von der Stirn, den Blick auf den noch unvollendeten Kiel des Bootes gerichtet. Die Stille ringsum schien sich noch zu vertiefen. Er warf einen kurzen Blick zu den verwitterten Palisaden des Forts hin. Dort rührte sich kaum etwas. Da die zweihundert Aleuten fort waren und die Sommerjagd auf den Otter begonnen hatte, wirkte das Fort verlassen.

Dann sah er sie. Lautlos bis auf das leise Geklingel ihrer Fußreifen kam sie über das Strandstück auf ihn zu. Momentan schien alles in ihm zu erstarren, dann aber erwachten alle Sinne in ihm zum Leben.

Rabentochter blieb vor ihm stehen. »Zachar hat zu tun?«

»Nein. Ich mache eine Pause.« Er sah zum Fort hin. Gottlob, es sah niemand, daß er rastete. »Ich wünschte mir sehr, dich zu sehen.«

Obwohl er sie in den letzten Wochen oft gesehen hatte, war es nicht oft genug. Vertraulich legte er ihr den Arm um die Schultern. »Komm, setzen wir uns in den Schatten.« Er führte sie zu der vom Kiel geworfenen schattigen Stelle. Als sie sich setzten, rückte Rabentochter beiseite, um ihn anzusehen, und lehnte eine Schulter an die Bootsbretter. Doch sie blieb ihm sehr nahe, so nahe, daß Zachar den leichten Druck einer runden Brust an seinem Arm spürte.

»Zachars Dorf ist ruhig. Sind alle Fischesser auf Otterjagd?«

»Ja.« Er streichelte ihren Oberarm, dessen muskulöses Fleisch vom Ärmel ihres Rehledergewandes freigegeben wurde.

»Wird Zachar auch auf die Jagd gehen?«

»Würde ich dir fehlen?«

»Ja. Zachar gibt mir viele hübsche Dinge.« Die Perlenschnüre, die Kupferreifen und die Silberringe in den Ohren waren Geschenke von ihm.

Geschenke. Mehr bedeutete er ihr nicht. Zachar wußte es und hatte auch nichts anderes erwartet. Und doch schmerzten ihre Worte. Automatisch hörte er auf, sie zu liebkosen.

»Wird Zachar fortgehen?« Sie ließ ihn nicht aus den Augen.

»Nein.« Er lächelte leer. »Diesen Sommer gehe ich nicht auf die Jagd. Ich bleibe mit den anderen in der Niederlassung.« Er legte den Kopf an das Boot und schlang die Arme um die angezogenen Knie. So starrte er zu den langsam dahinziehenden Wolken hoch.

»Zachar traurig? Hat Rabentochter dich traurig gemacht?« Sie drückte sich näher an ihn heran und strich über die Wölbung in seinem Schritt.

Zachar hielt ihre Hand fest und drückte sie an sich. In seinem Gesicht stand Begehren.

»Wenn du mich glücklich machen willst, dann komm und lebe mit mir. Ich möchte, daß du meine Frau wirst.« Ja, jetzt wußte er, daß es genau das war, was er wollte. »Wie ist es bei eurem Volk Brauch? Soll ich deinen Eltern Geschenke schikken.«

Sie machte ihre Hand frei und rückte etwas von ihm ab. »Nanuk wird zornig sein, wenn er zurückkommt.«

»Baranow – Nanuk wird erst nächsten Sommer kommen. Er ist nach Kodiak gefahren. Und er hätte nichts dagegen, daß du meine Frau wirst.«

Rabentochter wußte, daß es für ihren Vater und die anderen Häuptlinge von großem Interesse war, ob Nanuk lange ausbleiben würde. Er galt als tapfer und furchtlos. Sie wollten vermeiden, ihm im Kampf gegenüberzustehen.

Keinen Augenblick zog sie Zachars Angebot ernsthaft in Betracht. Wurde sie seine Frau, dann würde er ihr keine Geschenke mehr geben. Es würde ihre Pflicht sein, mit ihm zu schlafen. Lebte sie mit ihm zusammen, dann verlor sie ihr Ansehen bei ihrem Stamm. Sie hatte also nichts zu gewinnen, wenn sie seinen Antrag annahm.

Was aber noch wichtiger war, sie kannte die Pläne ihres Volkes. Noch vor Ende des Sommers würde das Dorf der Russen zerstört werden. Andere Sippen hatten sich mit ihrem Kwan verbündet, um es anzugreifen. Eine ausreichende Menge an Gewehren und Munition, von den Bostonern eingehandelt, war in ihren Häusern versteckt. Nun hieß es nur, den geeignetsten Moment abzuwarten, um die Russen zu überrumpeln. Sie und die anderen Tlingitfrauen, denen die Russen das Betreten des Forts erlaubt hatten, damit sie mit ihnen schliefen, berichteten alles Gesehene und Gehörte, das den Kriegern von Nutzen sein konnte . . .

Sie sah dieses dumme Halbblut an, das sie mit hungrigen Augen anstarrte, und empfand nur verächtlichen Spott. Bald würde er tot sein, und sein Kopf würde auf einer in die Erde gerammten Stange stecken.

»Rabentochter kann nicht Zachars Frau sein«, erwiderte sie kühl. »Rabentochter wird Zachar besuchen wie früher.«

Er nickte bedächtig und wandte den Blick ab, doch ihr entging nicht der verbitterte Zug um seinen Mund. Geschmeidig stand sie auf.

»Zachar will mit Rabentochter nicht zusammensein. Rabentochter bleibt nicht.« Sie hörte das Scharren seiner Stiefel auf der festgetretenen Erde, als er aufstand.

»Geh nicht.« Er hielt ihren Arm fest.

Sie warf ihm einen empörten Blick zu. »Rabentochter gefällt nicht, wie Zachar heute ist. Rabentochter kommt wieder, wenn Zachar glücklich ist.« Einen Augenblick glaubte sie, er würde Streit anfangen, doch er beherrschte sich.

»In zwei Tagen feiern wir einen heiligen Tag.« Er ließ sie los. »An diesem Tag wird niemand arbeiten. Wir feiern mit Tänzen und Gesängen. Wirst du kommen?«

Sie lächelte. »In zwei Tagen?«

»Ja.«

»Eine Zeit des Glücks.« Sie nickte. »Vielleicht wird Rabentochter kommen.«

Als sie sich entfernte, mußte sie sich zu einem ruhigen Gang zwingen. Kaum aber befand sie sich im Schutz des Waldes, fing sie zu laufen an. Sie mußte berichten, was sie erfahren hatte, von der Gewißheit beflügelt, daß die Nachricht das ganze Lager in Erregung versetzen würde. Es gab keinen geeigneteren Zeitpunkt für einen Angriff als den Tag, an dem die Russen ein Fest feierten.

Zachar überquerte den Platz auf dem Weg zum offenen Tor. Türen und Fenster der Kaserne standen offen, die Barrikaden waren hochgezogen. Aus dem Inneren drang das Gekicher einiger Aleutenfrauen, die gut gelaunt die Vorbereitungen für das Fest trafen. Drüben beim Küchenhaus lehnte ein halbes Dutzend Promyschleniki auf ihre Musketen gestützt, schwatzend und laut lachend. Am Tor angekommen, winkte Zachar dem Posten auf der Brustwehr des Obergeschosses zu.

Beim Verlassen der Palisadenumfriedung erhaschte Zachar einen flüchtigen Blick auf ein Baidar mit drei Jägern an Bord. Die drei gehörten zu einer Jagdgruppe, die für das Fest frisches Robbenfleisch und Wildgänse herbeischaffen sollten. Zachar setzte seinen Weg zu den Stallungen fort. Der sonnige Tag schien seine eigene glückliche, entspannte Stimmung und die seiner Umgebung widerzuspiegeln. Alles genoß den wohlverdienten Ruhetag.

Am Holzzaun, der die Viehweide umgab, hörte er von weitem einen Ruf, gefolgt von dumpfen Schlägen auf den Eisenring. Diese Schläge bedeuteten Alarm. Zachar drehte sich um und wollte zum Fort laufen, da durchbrach Musketenfeuer die Stille.

Beim Anblick der Kolosch, die um die Umzäunung schwärmten, hielt er inne. Die Wilden sahen mit ihren grotesken Tiermasken, die glühende Augen, gebogene Schnäbel und lange Fänge aufwiesen, grauenhaft aus. Schon überkletterten sie die Brustwehr und stießen ihre Musketen in die Fensteröffnungen, ehe die Barrikaden heruntergelassen werden konnten. Aus den Wäldern strömten weitere Kolosch nach, brennende Fackeln in Händen, die sie auf die Dächer schleuderten. Als Zachar zur Bucht und zu den Booten wollte, stießen Kriegskanus mit weiteren dämonisch maskierten Kolosch an Land.

Unbewaffnet und ohne Chance, das inzwischen verbarrikadierte Fort oder das Wasser zu erreichen, machte Zachar kehrt und lief in die andere Richtung. Ein hastiger Blick über die Schulter zeigte ihm, daß vier Kolosch speerschwingend seine Verfolgung aufgenommen hatten. Er hielt auf das Dikkicht des Waldrandes zu, bemüht, mit Aufbietung aller Kräfte seinen Verfolgern zu entkommen. Endlich schlugen die Zweige über ihm zusammen, und er mußte sich durch Dornengestrüpp und Farne den Weg bahnen. Verzweifelt sah er sich nach einem Versteck um, als sein Blick auf die knotigen und verkrümmten Wurzeln einer vor langer Zeit umgestürzten Fichte fiel. Rasch verkroch er sich in der dunklen Öffnung am Fuße des massiven Baumstammes. Zachar wartete lange, ehe er sein dunkles Versteck verließ. Noch einige Male hatte er Geschützfeuer vernommen. Vorsichtig bahnte er sich den Weg an den Waldrand nahe dem Fort und versuchte festzustellen, ob die Angreifer abgewehrt worden waren.

Dunkler Qualm quoll aus den Gebäuden, gelbe Flammen

zuckten und tanzten auf den Dächern. Vor Zachars Augen sprangen drei Promyschleniki aus dem brennenden Obergeschoß. Sie wurden von den Speeren der Kolosch erwartet.

Eine Gruppe schreiender Aleutenfrauen mit ihren Säuglingen floh aus den brennenden Unterkünften, den Kolosch direkt in die Arme.

Da stieß ein Koloschkrieger einen Schrei aus und deutete auf die Stelle, wo Zachar sich im Wald versteckt hielt. Er war entdeckt worden.

Rasch zog Zachar sich in den Wald zurück und schaffte es, seinen Verfolgern noch einmal zu entkommen. Er stieß auf eine Aleutenfrau mit ihrem Kind, der es ebenfalls geglückt war, sich zu verstecken. Gemeinsam drangen sie tiefer in den Wald vor und erklommen den Berg, der hinter der befestigten Niederlassung aufragte.

Nach dem Verlassen des Sitka-Sunds hatte die Sea Gypsy das Labyrinth von Inseln des Sunds durchfahren, war vor den einzelnen Dörfern vor Anker gegangen, hatte Waren ausgetauscht und war weitergesegelt. Schließlich war der Kreis geschlossen, und die Brig näherte sich wieder dem Sund.

Caleb entschloß sich, St. Michael anzulaufen, die Süßwasservorräte zu ergänzen und in Erfahrung zu bringen, welche rivalisierenden Schiffe in den Gewässern operierten. Als Kapitän hielt er zur Besatzung stets Distanz und bekam langsam das Alleinsein satt. Die Aussicht, einen Abend in Gesellschaft dieses ausgefuchsten russischen Schlitzohres Baranow zu verbringen und einige Humpen zu leeren, erfüllte ihn mit Vorfreude.

Seine Stimmung besserte sich zusehends, ja, es lag sogar die Andeutung eines Lächelns in seiner Miene, als er steuerbords voraus nach der russischen Flagge des Forts Ausschau hielt.

»Käpt'n, wir werden vom Ufer aus gerufen.« Hicks reichte ihm das Fernglas. »Drei Grad steuerbord voraus an der Mündung des Kleinen Flusses. Sieht aus wie ein Weißer.«

Caleb führte das Fernglas an die Augen und erspähte die Gestalt, die sich durch heftiges Winken bemerkbar gemacht hatte. Die Kleidung des Mannes war zerlumpt, doch schien es ein Weißer zu sein und kein Indianer in der Kleidung eines Weißen. Vermutlich ein Deserteur von einem Schiff. Caleb setzte das Fernglas ab.

»Beidrehen und ein Boot zu Wasser lassen. Die Leute sollen bewaffnet und wachsam sein. Es könnte sich um einen Hinterhalt handeln.«

»Aye, Sir.« Hicks gab die Befehle an die Besatzung weiter.

Das ausgeschickte Boot kam wenig später mit dem Mann wieder. Als es längsseits ging, rief einer der Matrosen herauf: »Es ist einer der Russen.«

Caleb schätzte den Mann Ende Dreißig, Anfang Vierzig. Er war groß und hagerer als die meisten anderen Russen, die er zu Gesicht bekommen hatte. Sein Haar war dunkel, die Augen blau. Hose und Hemd hingen in Fetzen an ihm, alte und frische Schürfwunden zeigten an, daß er tagelang in den Wäldern gelebt hatte. Old Swede, der Schiffskoch, brachte ihm einen Becher Kaffee und ein Stück Zwieback. Der Heißhunger, mit dem der Mann beides verschlang, ließ erkennen, daß er schon lange nichts mehr zu sich genommen hatte.

»Er faselte etwas von einem Frauenzimmer«, sagte einer der Seeleute.

»Frau«, wiederholte der Russe, den Blick ernst auf Caleb gerichtet. »Ja, Frau.« Er deutete zur Küste hin, dann tat er, als wiege er ein Kind in den Armen.

»Hm, mir scheint, irgendwo dort drüben ist eine Frau mit Kind versteckt«, meinte Caleb darauf.

»Hicks, das Boot soll wieder an Land und die Suche aufnehmen.« Dann wandte er sich von neuem an den Russen.

»Kommst du von St. Michael?« Der Russe gab stirnrunzelnd sein Unverständnis kund.

»Wie zum Teufel nennen sie es in ihrer Sprache?« brummte Caleb. »Michailowsk?«

»Kolosch«, sagte der Mann voller Ingrimm und gab Caleb mittels Zeichensprache und entsprechender Mimik zu verstehen, daß das Fort einige Tage zuvor von den Tlingit überfallen worden war. Er selbst habe sich seither in den Wäldern versteckt. Ob es weitere Überlebende gäbe, wüßte er nicht.

Die Männer im Boot sichteten eine Aleutenfrau und ein Kind in den Felsen an der Küste und brachten die beiden an Bord. Die Frau war verängstigt und halb verhungert. Caleb schickte alle drei in die Schiffsküche und befahl Hicks, den Kurs zum russischen Fort beizubehalten.

Von St. Michael waren nur schwarze Trümmer übrig. Caleb hatte von dem Überlebenden erfahren, daß Baranow vor über einem Monat ins Hauptquartier auf Kodiak zurückgekehrt sei. Im Fort seien etwa dreißig Russen zurückgeblieben. Zwanzig Aleutenfrauen hätten sich ebenfalls in der Niederlassung aufgehalten. Caleb gab Befehl, vor dem Fort zu ankern.

»Schiff ahoi!« ertönte es da vom Mastkorb.

Ein mit zwanzig Geschützen bestücktes britisches Schiff kam in Sicht. Caleb erkannte es als die Unicorn unter dem Befehl Captain Henry Barbers, der in dem Ruf stand, einer der brutalsten und gerissensten Händler im ganzen Nordwesten zu sein. Vielfach wurde behauptet, seine Rücksichtslosigkeit, die ihn auch nicht davor zurückschrecken ließ, gelegentlich Tlingit, die zu ihm an Bord kamen, um Handel zu treiben, zu berauben und zu töten, sei schuld an deren feindseliger Haltung.

Vom Achterdeck aus konnte Caleb hören, wie der britische Kapitän losfluchte, als er das ausgebrannte Fort sah.

An jenem Nachmittag ging Caleb mit einer schwerbewaffneten Truppe an Land. Der Überlebende, der sich als Zachar Tarakanow zu erkennen gegeben hatte, begleitete ihn.

Eine Szene des Schreckens erwartete sie. Der Strand war gesäumt von den Leichen der Kinder, die von der Flut an Land gespült worden waren. Dahinter trockneten die aufgepfählten Köpfe der Russen in der Sonne. Ihre dunklen Bärte waren blutverkrustet, die Münder klafften offen, weiße Zähne grinsten, Augen starrten. Große schwarze Raben umhüpften die enthaupteten Leiber, die auf dem Boden verwesten. Der Gestank war ekelerregend. Das palisadenbewehrte Fort war ein Haufen erkalteter Asche. Ein halbgeschmolzener Kanonenlauf war das einzige, was übriggeblieben war. Caleb, der die Habgier der Tlingit kannte, vermutete, daß sie die Lagerhäuser ausgeplündert hatten, ehe die Flammen die

Häuser verschlangen. Er gab Befehl, die Toten an Ort und Stelle zu begraben.

Zachar hielt den Blick unverwandt auf die in der Sonne schimmernden schwarzen Raben gerichtet. Der Rabe galt den Kolosch als Gottheit. Wie oft während der acht Tage seiner Flucht vor den Kolosch hatte ihn der Gedanke an den heimtückisch gewählten Zeitpunkt des Überfalls gepeinigt. Die Indianer hatten angegriffen, als im Fort alle durch die Vorfreude auf das Fest abgelenkt waren.

Er war es, der vor Rabentochter das Fest erwähnt hatte. Er hatte seine Gefährten verraten, wie Rabentochter ihn verraten hatte. Wut durchtobte ihn, Wut und das Gefühl der Demütigung.

Ein drittes Schiff tauchte an der Küste auf, die Alert aus Boston unter dem Kommando von Captain Jahn Ebbets. Als er von der Katastrophe erfuhr, arrangierte er eine Zusammenkunft mit Captain Barber von der Unicorn und mit Caleb von der Sea Gypsy.

Am Abend saßen die drei um Ebbets' Tisch in dessen Kajüte auf der Alert und hielten eine Lagebesprechung ab. Caleb merkte sofort, daß das Gespräch eine Richtung nahm, die ihm nicht behagte.

»Ich behaupte, daß wir in dieser Sache zusammenstehen müssen«, erklärte Ebbets und fuhr zu Caleb gewandt fort: »Will man dem Russen glauben, den Ihr aufgenommen habt, dann befanden sich im Fort dreißig Mann. Aber Eure Leute haben nur dreiundzwanzig Tote beerdigt. Wir wissen, daß Euer Mann überlebte. Dann bleiben aber noch sechs Mann unauffindbar, dazu die Frauen.«

»Bei denen es sich um Aleuten und Gemischtrassige handelte«, warf Caleb ein.

»Dennoch ist es möglich, daß Gefangene gemacht wurden«, fuhr Ebbets fort. »Wir können nicht zulassen, daß diese Wilden den Eindruck bekommen, wir würden diese Greuel dulden. Ich schlage nun vor, wir verlangen gemeinsam, sie sollen uns alle Überlebenden ausliefern.«

»Und wenn sie sich weigern, dann puste ich diese Teufel mit Vergnügen direkt in die Hölle«, versicherte der Brite.

»Wenn die Tlingit kommen und handeln wollen, sollten

wir ein paar Geiseln nehmen, am besten den Häuptling oder ein anderes Stammesmitglied von Bedeutung, deren Freilassung wir von der Übergabe der Überlebenden abhängig machen.«

»Wenn sie sich weigern, dann brauchen wir nur ein paar von ihnen von der Rahfock baumeln lassen. Ja, das sollten wir auf jeden Fall tun«, stellte Barber fest, der sich immer mehr für diese Idee erwärmte.

»Captain Stone, Ihr habt Euch mit Eurer Meinung zurückgehalten«, bemerkte nun Ebbets. »Was haltet Ihr davon?«

Caleb ließ die Hand sinken, die er nachdenklich vor den Mund gehalten hatte.

»Ich bin der Meinung, daß uns das alles nichts angeht.«

»Das kann nicht Euer Ernst sein«, sagte Ebbets mit gefurchter Stirn.

»Diese verdammten ...« setzte Barber an.

»Ich sehe die Sache so: Wir begruben Russen und nicht Briten oder Amerikaner, also geht es uns nicht unmittelbar an«, stellte Caleb fest. »Anders als Ihr, betrachte ich mich nicht als Hüter meines Bruders.«

»Wenn nicht sofort Sanktionen ergriffen werden, dann sind wir die nächsten Opfer dieser blutrünstigen Wilden.« Barber schlug mit der geballten Faust auf den Tisch. »Ich segle in diesen Gewässern ...«

»Genau das ist auch mein Standpunkt«, unterbrach Caleb ihn.

»Ich treibe Handel mit diesen Sitka-Indianern, und ich habe nicht die Absicht, wegen dieses Zwischenfalls meine Beziehungen zu ihnen aufs Spiel zu setzen.«

»Ihr wollt Euch also heraushalten.« Der Kapitän aus Boston sah Caleb mit kühlem Blick an.

»Richtig.« Caleb schob den Stuhl zurück und stand auf. »Tut, was Ihr für richtig haltet, aber rechnet nicht mit mir. Die Sea Gypsy segelt am Morgen. Mit Ihrer Erlaubnis, Gentlemen, kehre ich auf mein Schiff zurück.«

»Mein nächstes Ziel ist Kodiak, Captain Stone«, sagte Barber. »Ich übernehme es gern, die Überlebenden dort abzusetzen.«

Caleb zögerte kurz. Die Überlebenden stellten für ihn nur eine Belastung dar.

»Ich werde sie zur Unicorn rudern lassen. Ich habe die Ehre, Gentlemen.« Er vollführte eine kleine, spöttische Verbeugung und ging von Bord.

Auf der Sea Gypsy angekommen, ordnete er an, die Passagiere sollten auf die Unicorn gebracht werden. Dann zog er sich in seine Kajüte zu einem langersehnten Drink zurück.

22. Kapitel

Die Lachse gingen auf Wanderschaft, dem uralten Paarungsruf folgend, der sie aus den Tiefen der Ozeane in die Buchten, Flüsse und Bäche der Inseln und Küstengebiete des Nordwestens trieb. Sie kamen unbeirrt, eine silberne Schar, die die stillen Gewässer der Bucht brodeln ließ, in denen die Sea Gypsy ankerte. Von ihrem Sommerlager an der Mündung des Lachsflusses aus stellten die Tlingit ihre Fallen auf und fingen ihre Wintervorräte.

Caleb sah den zwei Zedernkanus entgegen, die auf sein Schiff zuhielten und das Lachsgetümmel durchschnitten. Auf Deck war alles für den Handel bereit: die Lederabschirmungen waren hochgezogen, die Besatzung bewaffnet, die Geschütze geladen und in Stellung.

Caleb ging wie üblich vor, als die Kanus längsseits gingen: Nur ein Eingeborener durfte an Bord; ihm wurden die Regeln erklärt. Wurden diese Bedingungen akzeptiert, durfte die erste Gruppe an Bord.

Der dritte Indianer, der über die Reling kletterte, war eine junge Squaw. Als sie ihre Beine herüberschwang, wurde sein Blick von den schimmernden Kupferringen an ihren Fesseln gefangen. Melodisch klirrten die Ringe bei jedem Schritt. Als sein Blick aufwärts wanderte, sah er die gerundeten Hüften und üppigen Brüste. Ihr ebenmäßiger Teint war nicht dunkler als der einer Südländerin. Ihr Haar war lang und glatt, schwarz und schimmernd wie polierter

Onyx. Silberringe hingen an den Ohren, doch ihre Lippen waren nicht verunstaltet, sondern weich und voll.

Kühn erwiderte sie seinen Blick. Caleb war überzeugt, daß sie nicht viel älter als sechzehn sein konnte. Ihre wilde Schönheit erweckte sofort sein Interesse.

»Wieviel gibt der Boston-Mann für Felle?« Die Frage des Häuptlings riß Caleb aus seinen Gedanken und lenkte seine Aufmerksamkeit auf die Geschäfte.

Er begutachtete das Fellbündel, das ihm der Indianer zur Inspektion hinhielt. Sofort sah er, daß sie irgendwie anders waren. Diese Häute waren von einer Aleutenfrau behandelt worden. Das war nicht die Arbeit der Tlingit. Die Felle gehörten zur Beute aus dem russischen Fort.

Er bot einen Preis, und das Feilschen begann. Während er mit dem schnurrbärtigen Häuptling verhandelte, spürte Caleb ständig den Blick der Indianerin. Der Häuptling forderte einen Ballen hellen Kalikostoffes, den das Mädchen kurz bewundert hatte.

»Zwei Längen Stoff für ein Fell und nicht mehr«, sagte er tonlos.

Der Häuptling wollte die Felle an sich nehmen, doch das Mädchen faßte nach seinem Arm und sagte etwas zu ihm. Dann wandte sie sich an Caleb.

»Hat Boston-Mann Frau?« Fast hörte es sich an wie eine Herausforderung.

»Nein.« Die Frage setzte ihn in Erstaunen, wenngleich viele Handelskapitäne ihre Frauen und Kinder auf Fahrt mitnahmen.

»Wie lange hat Boston-Mann keine Frau gehabt?« fragte sie weiter.

»Sehr lange«, gestand er und kniff die Augen zusammen.

»Möchte Boston-Mann Rabentochter?«

Der Name paßte zu ihr, den schimmernden schwarzen Haaren und der Schärfe ihrer Augen wegen. Caleb studierte sie mit nachdenklich zurückgelegtem Kopf. Wider besseres Wissen regte sich sein Interesse an ihrem Vorschlag.

»Wieviel?«

»Den Stoffballen.« Sie deutete auf den Kaliko. Caleb

wollte schon den Kopf schütteln, als sie fortfuhr: »Für Rabentochter und Felle.«

Er warf einen Blick auf die zwei Krieger, die sie begleiteten, konnte aber in deren Mienen kein Anzeichen eines Widerspruches entdecken.

»Einverstanden«, sagte er.

»Rabentochter kommen nachts zurück.« Sie wollte zu dem Ballen Kaliko, doch Caleb war schneller.

»Nein.« Er legte die Hand auf den Ballen.

»Der Stoff bleibt hier, bis Rabentochter kommt.« Er wußte sehr wohl, daß er sie nie wiedersehen würde, falls der Ballen vom Schiff geschafft wurde.

»Boston-Mann hat Felle und Stoff. Vielleicht fährt er fort und wartet nicht auf Rabentochter«, sagte sie.

Er unterschätzte ihre Klugheit keineswegs. Ein an Arroganz grenzender Stolz prägte ihre Züge. Trotz der ausgeprägten Sinnlichkeit ihrer Lippen konnte man sie nicht schön nennen, da ihr eine gewisse Sanftheit fehlte. Sie war hinreißend, doch hatte sie auch etwas an sich, das einen Mann herausforderte und danach drängte, sie zu beherrschen und nicht ihr Sklave zu sein.

»Du bringst die Felle, wenn du wiederkommst«, sagte Caleb. Nachdem die Gruppe von Bord gegangen war, blieb Caleb auf dem Achterdeck stehen.

»Verdoppelt heute die Ankerwache«, sagte er zu Hicks, ehe er unter Deck ging. Er wußte nicht, ob sie kommen würde, doch hatte er Order gegeben, daß ein Kanu in der Nacht kommen durfte. Er wollte, daß sein Schiff für alle Fälle gerüstet war.

Kurz nach acht Glasen ertönte der Ruf:

»Alle Mann ahoi!« Caleb, der sich in seiner Kabine aufhielt, langte nach einer Pistole, die er in den Gürtel schob. Auf ein Klopfen hin öffnete er die Tür.

Draußen stand der zweite Maat. »Zwei Kanus nähern sich, Sir.«

Caleb folgte dem Mann hinauf an Deck und blickte über das vom Mond beschienene Wasser zum Lager der Tlingit hin. Zwei Kanus glitten lautlos auf das Schiff zu. Bis auf das

Licht im Kompaßhaus war es an Bord dunkel. Eine in Decken gehüllte Gestalt richtete sich in einem der Kanus auf.

»Boston-Mann!« kam leise der Ruf übers Wasser.

»Aye«, gab Caleb in normaler Lautstärke zurück.

»Rabentochter kommt.«

Er hatte seine Zweifel gehabt und geargwöhnt, ihr Angebot sei nur ein Versuch gewesen, ihm den Ballen abzulocken.

»Komm an Bord.«

Caleb verlor keine Zeit und führte die Indianerin unter Deck. Als er die Tür schloß, merkte er sofort, daß sie sich in seiner Kajüte genau umblickte. Ihre Augen waren ständig auf Wanderschaft, seitdem sie an Bord geklettert war. Er zog die Pistole aus seinem Hosenbund und legte sie in ihren Behälter auf der Kommode. Rabentochter drehte sich um und sah, wie er den Deckel zuklappte.

Er stand reglos da, während sie ihn selbstbewußt und kühn anblickte. Der Kalikoballen lehnte in einer Ecke der Kabine. Ihr Blick wanderte dorthin, dann wieder zurück zu ihm. Mit einem lässigen Heben der Arme ließ sie die Decke von den Schultern gleiten. Darunter trug sie ein elfenbeinfarbenes Rehledergewand. Das schwarze Haar hing ihr bis zu den Brüsten.

»Gefällt Rabentochter Boston-Mann?«

»Mein Name ist Caleb.« Langsam ging er auf sie zu.

»Caleb«, wiederholte sie und hielt das Kinn gesenkt. Als er sie in die Arme nahm, leistete sie keinen Widerstand. Automatisch hob sie den Kopf in der uralten, einen Kuß heischenden Geste. Caleb nahm ihren Mund in Besitz und spürte die Bewegung ihrer Zunge. Sie schmiegte sich an ihn. Caleb hob den Kopf und blickte in ihr nach oben gewandtes Gesicht. Um ihren Mund lag ein selbstzufriedener Zug, während sie ihn durch halbgeschlossene Lider ansah. Er streifte seine Jacke ab und fing an, sein Hemd aufzuknöpfen. Ohne Aufforderung zog sie das Ledergewand über den Kopf. Caleb sah zu, wie ihr Körper allmählich entblößt wurde – die langen, muskulösen Beine und Schenkel, das dunkle Schamhaar, die festen gerundeten Hüften und die vollen Brüste. Nackt streckte sie sich auf der Koje aus und erwartete ihn wie eine schläfrige Katze.

Als Caleb sich ganz entkleidete, konzentrierte sich ihre

Aufmerksamkeit ohne Scheu auf seine Erektion, und dieses kühne Interesse erregte ihn noch mehr. Er legte sich neben sie und ließ die Hand spielerisch über ihren Körper gleiten, über die glatte Wärme ihrer Haut, die festen Wölbungen ihrer Brüste. Dann veränderte er seine Stellung und schob ein Knie zwischen ihre Beine. Ihr erhobenes Knie hinderte ihn daran.

»Nein«, sagte sie mit Bestimmtheit. »Nicht wie bei Weißen. Wie bei Indianern.«

Sie drehte sich auf den Bauch, kniete sich auf und streckte ihm ihr Hinterteil entgegen. Momentan hatte er nur Blicke für ihre baumelnden Brüste und ihre gerundeten Hinterbakken. Dann erfaßte ihn heiße Lust, und er umfaßte ihre Hüften und drang in sie ein, einem primitiven Rhythmus folgend, bis er den Höhepunkt erreichte.

Erschöpft ließ er sich auf das Lager sinken. Er spürte, wie sie ihre Lage verschob und wandte den Kopf. Auf ihrer Oberlippe glänzte Schweiß. In ihren halbgeschlossenen Augen las er die Befriedigung, daß sie ihn erschöpft hatte.

»Caleb glücklich.« Es war wie ein Schnurren.

Wieder spürte er sich herausgefordert.

»Nein.« Er vergrub die Finger im dunklen Vorhang ihres Haares und zog sie an sich. Dabei fühlte er, wie seine Erregung wuchs. Diesmal drehte er sie auf den Rücken und senkte sich auf sie. »Jetzt wie die Weißen«, sagte er und drang erneut in sie ein.

Doch diesmal bewegte er sich langsamer und hielt sich zurück. Er beobachtete, wie ihre Erregung sich steigerte, bis sie nicht mehr an sich halten konnte und ihre Finger sich in seinen Rücken krallten. Erst jetzt ließ er sich von ihr an sich ziehen und gab sich dem Rhythmus ihrer Hüften hin. Sekunden nachdem sie erstarrte, kam er zum Höhepunkt.

Als er sie diesmal losließ, hatte er die Befriedigung, daß ihr Atem ebenso stoßweise kam wie der seine. Sie hielt die Augen geschlossen. Caleb hatte das Gefühl, einen Sieg errungen zu haben, nur wußte er nicht, was für einen. Der Gedanke brachte ihn zum Lachen. Er schloß die Augen zum erstenmal seit Monaten ganz entspannt.

Etwas ließ ihn aufschrecken, ein schwaches Geräusch, das nicht das gewohnte Ächzen und Stöhnen des Schiffes war. Er lag regungslos da, in Erwartung des Geräusches. Dann hörte er das leise melodische Klirren von Metall – Rabentochters Kupferringe. Der Platz neben ihm in der Koje war leer. Caleb spürte es, ohne hinzusehen.

Sie bewegte sich leise, fast unhörbar in der Kabine. Allein das leise Geklirre ihrer Fußreifen verriet sie. Jetzt war er hellwach, und Argwohn schärfte seine Sinne.

Es folgte längere Stille, dann knarrte ein Dielenbrett draußen auf dem Gang, und Caleb merkte, daß sie die Kabine verlassen hatte. Blitzschnell sprang er auf und fuhr in seine Hose, während er sich in dem dunklen Raum umblickte. Die Decke war weg, ebenso der Stoffballen. Der Deckel seines Pistolenbehälters war offen und die Pistole verschwunden. Lautlos schlich er aus der Kabine und vermied es, auf das knarrende Dielenbrett zu treten.

Über ihm ertönte ein verhaltener Eulenruf. War es wirklich eine Eule? Vorsichtig stieg Caleb aus der Luke. Dichter, grauer Nebel hüllte das Schiff ein, durchdrang die Takelung und machte das Vorderdeck unüberblickbar, so daß er die Wachen nicht ausmachen konnte.

Wieder vernahm er den halberstickten Eulenruf – oder war es der Ruf eines Raben? Er ließ den Blick übers Achterdeck schweifen und entdeckte eine zusammengekauerte Gestalt an der Reling. Der schrille Schrei eines anderen Nachtvogels durchbrach die unheimliche Stille des Nebels.

Caleb glitt übers Achterdeck, überzeugt, daß die Indianerin an der Reling kauerte, doch er hielt nicht auf sie zu, sondern auf eines der Geschütze. Der Nebel kondensierte an der Takelung und ließ ein paar Tropfen fallen. Zunächst konnte Caleb das Tropfen und das Schwappen des Wassers gegen den Schiffsrumpf vom Eintauchen der Ruderblätter nicht unterscheiden. Das Geräusch kam aus mehreren Richtungen. Er drehte das Geschütz so, daß die Mündung in die Richtung des nahesten Geräusches zeigte, und feuerte, nachdem er gerufen hatte: »Alle Mann an Deck!«

Mit dem Geschütz herumschwingend, sah er Rabentochter aus ihrem Versteck aufstehen. Vom Wasser her drangen wilde Schreie, begleitet vom Lärm der durcheinanderlaufenden Besatzung, Caleb lief ans zweite Geschütz, das an der Heckreling befestigt und schwenkbar war. Auf halbem Weg bemerkte er, daß Rabentochter die Arme ausstreckte und mit seiner Pistole auf ihn zielte. Er faßte nach einem Enterhaken und schwang ihn gegen ihre ausgestreckten Arme. Das Geschoß pfiff an seinem Ohr vorüber.

Caleb ging auf sie los und entwand ihr die Pistole.

Backbords donnerte eine Kanone, es folgte das Klatschen eines umgekippten Kanus. Rabentochter rief etwas in ihrer Muttersprache. Caleb packte sie und schlang einen Arm um ihren Nacken, um weitere Warnrufe zu ersticken. Sie krallte sich in seine Brust und wehrte sich wie eine Wildkatze.

Bald war es wieder ganz still bis auf das Tropfen und das Schwappen des Wassers. Rabentochter gab ihren Widerstand auf, doch ihr Körper blieb angespannt, bereit, den Kampf wiederaufzunehmen, wenn sich die Möglichkeit böte. Hicks, der argwöhnischen Blickes den Nebel zu durchdringen versuchte, kam in Sicht.

»Was haltet Ihr davon, Käpt'n?«

»Sie werden es nicht mehr versuchen, wenigstens nicht jetzt. Die Besatzung soll in Bereitschaft bleiben, und . . .«, er warf einen Blick auf seine schwarzhaarige Gefangene, »jemand soll mit Fesseln und Handschellen in meine Kabine kommen.«

»Aye, Sir.«

Caleb, der seinen Arm von ihrer Kehle löste, umfaßte einen Arm und drehte ihn auf ihren Rücken, dann trieb er sie vor sich her zu seiner Kabine. Er schob sie hinein und schloß die Tür. Sie taumelte gegen den Tisch und drehte sich blitzschnell zu ihm, an den Tisch gedrückt wie ein in die Enge getriebenes Tier. Haßerfüllt funkelten ihn ihre schwarzen Augen an.

Caleb richtete seine Pistole auf sie.

»Du hättest mir damit mit Wonne den Kopf heruntergepustet, stimmt's?« Er legte die Pistole in ihren Behälter.

In diesem kurzen Augenblick schnellte sie auf ihn zu. Aus dem Augenwinkel erhaschte Caleb das Aufblitzen einer Klinge und wich dem Stich aus. Zu spät fiel ihm ein, daß ein

Messer auf dem Tisch gelegen hatte. Die scharfe Spitze hinterließ eine leichte Wunde am Unterarm. Mit einer Verwünschung packte er ihre Hand, so daß sie die Waffe fallen ließ.

Als das Messer klirrend zu Boden fiel, entspannte er sich. Sofort fuhren ihm ihre Hände ins Gesicht, kratzten über seine Wangen und hinterließen blutige Spuren. Kaum hatte er ihre Hände gepackt, als sie anfing, nach seinen zu schnappen.

»Du verdammtes Biest!« Er blutete aus den Kratzspuren im Gesicht und aus dem Schnitt an seinem Arm. Indem er in ihren Haarschopf griff und ihren Kopf zurückriß, zwang er sie in die Knie. Da ertönte ein Pochen an der Tür.

»Herein«, stieß Caleb hervor.

Kettengeklirr begleitete das Geräusch des Türöffnens. Der zweite Maat starrte ihn fassungslos an. »Käpt'n, Sie bluten ja!«

»Aye.« Caleb sah ihn finster an. »Legt diese Wildkatze in Eisen. Und hüte dich vor ihren Krallen.« Nach einem kurzen Kampf trug sie Handfesseln und wurde an eine Strebe gekettet. Caleb drückte sich ein blaues Halstuch auf die Messerwunde.

»Wo zum Teufel steckt Dawson?«

»Ich hole ihn.« Der zweite Maat lief hinaus.

Caleb ging zur Rumflasche und schenkte sich ein Glas ein. Er zog sich einen Stuhl heran und setzte sich mit dem Gesicht zur Indianerin.

»Rabentochter, ich täuschte mich in dir«, fing er an. »Du bist keine Wildkatze. Nein, du bist viel gefährlicher. Du ähnelst eher der schwarzen Witwe, einer Spinne, die das Männchen nach der Paarung tötet.«

»Boston-Mann irrt sich. Die Leute wollten Rabentochter holen und ins Dorf bringen«, sagte sie.

»Und deswegen hast du mit meiner Pistole auf mich geschossen?«

»Boston-Mann schoß auf Leute. Rabentochter schoß auf Boston-Mann, um ihn zu hindern.«

»Eine gute Geschichte«, bemerkte Caleb trocken. »Warum kann ich sie nicht glauben?«

Als die aufgehende Sonne den Nebel durchdrang, stachen vom Ufer aus ein Dutzend Kanus mit Kriegern aus. Caleb ordnete an, die Indianerin an Deck zu holen. Die Tlingit hielten im Paddeln ein. Einer stand auf, und Caleb erkannte ihn als den, der am Tag zuvor mit an Bord gekommen war.

»Wir holen Rabentochter.«

»Sie bleibt!« Caleb rief es ganz laut, damit alle es hören konnten. »Sie ist meine Geisel.«

Das wütende Gemurmel der Krieger steigerte sich zu Protestgeschrei.

»Vergangene Nacht« – Caleb gelang es, sich Gehör zu verschaffen – »habt ihr versucht, mein Schiff anzugreifen. Ich dachte, die Tlingit wären meine Freunde. Ich trieb immer ehrlichen Handel mit euch. Gestern war ich gewillt, euch einen Ballen Stoff für zwanzig Otterfelle und die Gesellschaft dieser Frau für eine Nacht zu verkaufen.« Er bedeutete Hicks, den Ballen hochzuhalten. »Das ist der Stoff. Damit ihr seht, daß ich den Handel einhalte, möge ein Kanu näher kommen.«

Hicks wartete, bis es längsseits gegangen war, dann warf er den Ballen einem Tlingit in die Arme. Kaum war der Stoff in ihrem Besitz, als das Kanu eilig in den Halbkreis der anderen gepaddelt wurde.

»Solange mein Schiff in diesen Gewässern fährt, bleibt die Frau hier«, erklärte Caleb. »Und wenn ich das Gebiet verlasse, bekommt ihr sie zurück. Sollte mein Schiff erneut angegriffen werden, dann töte ich sie.«

Es folgte unwilliges Murren der Indianer, die daraufhin ihre Kanus wendeten und zurück ans Ufer paddelten. Caleb wartete, bis sie die Küste erreicht hatten. Dann packte er Rabentochter und stieß sie an die Heckreling, so daß sie vor seiner Besatzung zu stehen kam.

»Leute, seht sie euch gut an«, befahl er, als seine Besatzung sich zusammengefunden hatte. Bislang hatten sie sie nur flüchtig zu sehen bekommen, jetzt aber durften sie die Frau nach Belieben bewundern. »Wenn sie an Deck ist, dürft ihr nicht mit ihr sprechen. Spricht sie euch an, dann antwortet nicht – egal, was sie verspricht. Nähert sie sich der Reling, dann erschießt sie.«

Er spürte ihren Widerstand. »Hört ihr mich, Jungs?«
Widerstrebend ertönte ein gemurmeltes »Aye, Sir.«
»Wenn euch euer Leben lieb ist, dann mißtraut ihr.« Caleb musterte sie grimmig. »Sie würde dafür sorgen, daß eure Köpfe auf Pfählen verrotten wie die der Russen, die ihr gesehen habt. Vergeßt das nicht.« Er machte eine Pause, damit seine Warnung ihre Wirkung tun konnte, dann gab er Hicks den Befehl: »Topsegel setzen!«

Die untergehende Sonne färbte die dahintreibenden Wolken golden, dann scharlachrot und tönte auch die Segel der Sea Gypsy. Alle Mann waren während der Dämmerung an Deck, da alle Tagesarbeit getan war. Die Besatzung hockte müßig herum, rauchte oder spann Seemannsgarn. Dawson war in der Kombüse und trank mit Old Swede, dem Koch, Kaffee. Hicks wanderte pfeiferauchend auf dem Achterdeck auf und ab, während der zweite Maat an der Reling der verwitterten Gangway lehnte.

Caleb hielt sich abseits. In Gedanken versunken stand er an der Wetterseite des Achterdecks und sog den würzigen Fichtenduft ein, der von den Inseln herübertrieb. Im Laderaum der Brig führte er eine reiche Ladung an Fellen mit, meist Otterfelle, für die er in China ein hübsches Sümmchen bekommen würde, das er in Tee und Chinakrepp und Nankings investieren konnte. Als es acht Glasen schlug, schrak er auf. Kaum hatte die Ankerwache ihren Platz bezogen, als Caleb hinunter in seine Kabine ging. Seine Hand lag auf der Türklinke, als er drinnen Dawson fluchen hörte.

»Du kleines Biest, gib es mir oder ich ziehe dir den Riemen über!«

Caleb trat ein. Der schlanke junge Steward hielt einen Streichriemen in der erhobenen Hand. Rabentochter stand halbabgewandt vor ihm, die Hände hinter dem Rücken versteckt. Sie sah aus wie ein sprungbereiter gefangener Panther. Weder Handschellen noch Fesseln behinderten ihre Bewegung. Nach den ersten zwei Tagen hatte Caleb sie entfernen lassen und hielt das Mädchen in seiner Kabine gefangen.

»Dawson, was gibt es?«

»Als ich das Besteck wegräumen wollte, hat die diebische kleine Hure ein Messer geklaut.«

»Rabentochter, gib es zurück.«

Caleb streckte die Hand aus. Nach einigem Zögern kam ihre Hand hinter dem Rücken zum Vorschein. Das Licht der Messinglampe ließ die Metallklinge in ihrer Rechten aufblitzen. Caleb packte ihr Handgelenk und nahm ihr das Messer einfach ab, das er an Dawson weiterreichte.

»Haben Sie heute noch einen Wunsch, Sir?« fragte Dawson.

Calebs Aufmerksamkeit galt wieder dem Tlingitmädchen.

»Such unter den Tauschwaren nach einem Kleidungsstück für sie. Ich kann dieses formlose Ledergewand nicht mehr sehen.«

»Aye, Sir.« Dawson ging aus der Kabine.

Aus dem Augenwinkel sah Caleb ihm nach, während er den Blick nicht von Rabentochter wandte. Kaum war die Tür geschlossen, als er sich völlig auf sie konzentrierte. Er trat hinter sie und schlang die Arme um sie. Dann drehte er sie mit sanfter Gewalt zu sich um, doch sie stieß ihn von sich.

»Nein, ich will nicht, Caleb.«

Ihm fiel auf, daß sich ihr englischer Wortschatz in den vergangenen Tagen sehr vermehrt hatte, doch das spielte keine Rolle. Auch ihre Weigerung war bedeutungslos.

»Das sagt du immer«, spottete er und zog sie, wie immer, ihrer steifen Abwehr nicht achtend, in die Arme.

Sein Kuß öffnete mit Gewalt ihre Lippen. Da biß sie ohne Vorwarnung zu und versenkte ihre Zähne tief in seine Unterlippe. Mit einer Verwünschung zuckte er zurück.

»Du kleines Biest«, knurrte er, ihrem unerschrockenen Blick begegnend. Jeder Kontakt mit ihr barg Gefahr in sich.

»Ich mag es, wenn du dich zur Wehr setzt. Du doch auch, oder?« fragte er.

Ihr Widerstand schien seine Leidenschaft noch heftiger zu entfachen. Es lag ihm auch nicht daran, ihren wilden Geist zu brechen, er wollte ihn nur seinem Willen unterwerfen. Sie blickte zur Tür.

»Dein Sklave kommt.« Ihrer Ankündigung folgte ein Pochen an der Tür.

»Herein.«

Dawson trat mit einem buntgestreiften Banian, einem indischen hemdartigen Gewand, ein. »Das ist das einzige, von dem ich annahm, daß es dem Käpt'n gefällt«, meldete er.

Caleb runzelte die Stirn. Das Gewand wirkte alles andere als neu. »Woher hast du das?« Seines Wissens befand sich unter den Tauschwaren oder in der Kleiderkiste des Schiffs kein Kleidungsstück dieser Art.

»Es gehört mir, Sir. Oder besser gesagt, meinem Vater. Ich kann es nicht gebrauchen. Als er mich hinauswarf, ließ ich es mitgehen, da ich wußte, daß es sein liebstes Kleidungsstück war.«

»Nun gut.« Caleb nahm es nach kurzem Zögern und sagte zu Rabentochter gewendet: »Ich möchte, daß du dies anziehst.«

»Es gehört mir?« Ihre dunklen Augen funkelten, als sie über das weiche Material strich.

»Ja.«

Sofort faßte sie nach dem Saum ihres Gewandes und fing an, es auszuziehen. Caleb entließ Dawson mit einer Kopfbewegung, während er den Banian so hielt, daß Rabentochter die Arme in die Ärmel des bodenlangen, kimonoähnlichen Kleidungsstückes stecken konnte, das vorne durch Knöpfe bis zur Mitte geschlossen wurde und zum Saum hin weit ausschwang. Ihr langes schwarzes Haar ließ Rabentochter fast wie eine Inderin aussehen. Nun wirkte sie sehr viel zivilisierter, doch war Caleb gar nicht sicher, ob sie ihm so besser gefiel.

»Gefällt es dir?« Eine überflüssige Frage, wie er sah, denn ihre Hände liebkosten gierig den Stoff.

»Ein Geschenk wie dieses hat mir noch kein Mann gemacht. Nicht einmal Zachar.« Selbstvergessen drehte sie sich zu dem kleinen, am Schott befestigten Spiegel um.

»Zachar Tarakanow?«

Ihre Blicke trafen sich im Spiegel. Momentan erstarrte sie und verriet ihm damit, daß er mit seiner Vermutung ins Schwarze getroffen hatte. Dann drehte sie sich um. Aus ihrer Miene sprach sinnliche Verheißung.

»Ich werde Caleb zeigen, wie glücklich mich sein Geschenk macht.« Sie glitt auf ihn zu, und er packte ihre Arme und hielt sie auf Distanz. »Weißt du, daß er am Leben blieb? Er wurde nicht wie die anderen Russen im Fort getötet.«

»Ich weiß es.«

Ihr Gleichmut war nicht gespielt. Vermutlich hätte sie genauso reagiert, wenn Zachar dem Massaker zum Opfer gefallen wäre. In ihrer Lage hätte er zweifellos ähnlich empfunden. Er nahm sie in die Arme und trug sie zur Koje.

Gegen Ende der zweiten Woche hielt Caleb den Zeitpunkt für gekommen, die Küste entlang weiter südwärts vorzustoßen. Bei den letzten zwei Dörfern, vor denen er geankert hatte, war ihm ein anderes Schiff aus Boston zuvorgekommen, und die wenigen Felle, die er bekommen hatte, waren den Zeitaufwand nicht wert. Wie versprochen, setzte er Rabentochter vor einem Dorf ihres Clans ab. Das buntgestreifte Gewand, das sie trug, hob sich deutlich vor der Küstenlinie ab. Caleb konnte beobachten, wie die Eingeborenen sie neugierig umringten. Bald verschwand sie in der Menge, und er verlor sie aus den Augen. Er empfand keinerlei Bedauern.

23. Kapitel

SITKA
SEPTEMBER 1804

Nachdem er die vergangenen zwei Jahre bei seiner Familie auf Kodiak verbracht hatte, setzte Zachar wieder den Fuß auf den Küstenstreifen, auf dem die befestigte Ansiedlung St. Michail gestanden hatte. Mittlerweile war davon keine Spur mehr zu sehen. Nicht einmal die Grabstellen der Getöteten waren bezeichnet. Hingegen war die Lichtung an der Küste mit Hunderten neuerrichteten kleinen Zelten übersät. Über dreihundert Bidarkas säumten den Strand. Es roch nicht mehr nach verkohlten Balken, sondern nach Holzfeuer und Essen. Posten waren entlang der Küste und am Rand jenes dunklen Waldes aufgestellt, in dem er einst Zuflucht gefunden hatte.

Ein Boot brachte Leute von den Schiffen an Land, die die Bidarkaflotte zu dieser Bucht begleitet hatten. Die Jermack, die Alexander, die Rotislaw und die Jekaterina, auf der Michail gesegelt war. Übertroffen wurden sie alle von der 450-Tonnen-Fregatte der Kaiserlich-Russischen Marine.

Der Anblick, der sich ihm bot, konnte nicht verhindern, daß Zachar an Rabentochter dachte, vor allem an die letzte Begegnung mit ihr, hier an diesem Strandstück. Ob er jemals dahinterkommen würde, ob sie mit Absicht alles verraten hatte oder nur zufällig ihren Leuten von dem geplanten Fest erzählt hatte? Solange er es nicht sicher wußte, konnte er keinen Haß empfinden.

Knirschende Schritte näherten sich, ein Arm legte sich um seine Schulter. Erschrocken fuhr er herum.

»Zachar!« Er erkannte die vertraute Stimme und das verschattete Gesicht seines Bruders Michail. »Ich hätte nicht gedacht, daß ich dich so rasch finden würde.«

Während der Seefahrt von Kodiak her hatten sie keinen Kontakt gehabt. Sie hatten sich beim Abschied von ihrer Mutter und seiner vierzehnjährigen Tochter Larissa zuletzt gesehen. Damals wie auch jetzt war ihm der Standesunterschied stark bewußt – Michail, der Steuermann, in Seemannskleidung und glattrasiert, und er, der Jäger, mit seinem Parka und dem struppigen Bart.

»Wie war die Fahrt?« fragte Zachar.

»Ohne Zwischenfälle.« Michail ließ den Blick wandern. »Das Land entspricht genau deiner Beschreibung. Diese Bucht hätte ich auch ohne meine Seekarte gefunden, glaube ich.« Er sah zu dem belebten Lager hin, wo die Männer sich um die Feuer kümmerten, Zelte aufstellten, Wache hielten und nasse Wäsche zum Trocknen aufhängten. »Mag es auch zwei Jahre gedauert haben, aber Baranow hat eine stattliche Armee zusammenbekommen.«

»Ja, das hat er.«

Die Wiedereinnahme von Sitka war bei ihrem Anführer, dem neuernannten Gouverneur von Russisch-Amerika, zur fixen Idee geworden. Ein Lagerfeuer warf seinen Schein auf die dünne, zusammengeschrumpfte Gestalt, die Zachar als Baranow erkannte. Bei ihm stand ein Mann in Offiziersuniform.

»Wer ist das?« fragte Zachar.

»Kapitän Lisianski von der Newa. Bei unserer Ankunft war die Fregatte schon da.« Berichte hatten Kodiak erreicht, daß zwei in England gebaute Kriegsschiffe im Vorjahr aus St. Petersburg ausgelaufen waren und den russischen Doppeladler auf einer um die ganze Welt führenden diplomatischen Mission nach Japan getragen hatten. Diese Mission wurde unter der Leitung Seiner Exzellenz des Kaiserlichen Kammerherren Nikolai Resanow durchgeführt, der Schelechows jüngste Tochter geehelicht und die Satzung des Unternehmens festgelegt hatte. Zudem hatte er vom Zaren das Handelsmonopol für die Russisch-Amerikanische Kompanie erwirkt. Niemand, nicht einmal Baranow, hätte geglaubt, daß die Schiffe die Kolonie anlaufen würden, und ganz gewiß hatte niemand Hilfe von ihnen erwartet.

»Ich erfuhr, daß Resanow die Newa zu Baranows Unterstützung hierherbeorderte, als ihm der Knig von Hawaii von dem Massaker berichtete. Er selbst setzte die Fahrt nach Japan fort.« Das große dreimastige Kriegsschiff im Hafen ließ die anderen Schiffe neben sich winzig erscheinen. »Neben der Fregatte sehen unsere Schaluppen aus wie Fischerboote.«

»Ja.« Aber Zachar konnte für die Fregatte nur wenig Interesse aufbringen, denn für den nächsten Tag stand der Kampf mit den Kolosch bevor. »Ich hörte, daß Baranow für morgen den Angriff auf das Hauptdorf an der Klippe plant.«

»Erst wird er mit ihnen verhandeln«, stellte Michail fest.

»Man wird auf seine Bedingungen nicht eingehen. Er verlangt, daß alle Kolosch die Insel Sitka verlassen. Das werden sie nicht tun.« Zachars Sympathien lagen nicht auf der Seite der Kolosch, doch die Angst um Rabentochter vernebelte ihm den Verstand.

Nachdem sie noch ein paar belanglose Worte gewechselt hatten, trennten sich Michail und Zachar. Michail machte sich große Sorgen, da sein Bruder immer mehr zum Einzelgänger wurde – seit der britische Kapitän mit den Überlebenden des Massakers auf Kodiak angekommen war und Baranow gezwungen hatte, für sie Lösegeld zu zahlen. Damals hatte Zachar genau berichtet, was sich auf Sitka zugetragen hatte, doch seither hatte er kaum davon gesprochen.

Anfangs hatte Michail die düstere Stimmung seines Bruders dessen grausamen Erlebnissen zugeschrieben. Jetzt war er nicht mehr so sicher, daß diese der Grund waren. Seinem Bruder schien es vielmehr an Kampfkraft zu fehlen. Allmählich begann er sich zu fragen, ob sein älterer Bruder ein Feigling war.

Eine lange Reihe Blockhütten der Eingeborenen zog sich an der Küste jenseits der Gezeitenlinie dahin. Niedrige Öffnungen waren in die Giebel geschnitten. Die Türen wurden von geschnitzten Säulen flankiert, deren heraldische Symbole sich auf den Clan bezogen, dem das Haus gehörte. Fichtenbohlen bildeten die Wände, dünnere Bretter die schrägen Dächer der Bauten, die zehn Meter breit und etwa dreißig Meter lang waren. Grabhäuser, Miniaturausgaben der Wohnhäuser, saßen auf Stangen und enthielten die Asche der Toten.

Rabentochter stand auf der Bretterplattform vor dem Eingang ihres Clanhauses. Die Nachricht von Nanuks Rückkehr hatte sich sehr rasch unter ihrem Stamm verbreitet. Den ganzen Tag hatten sie beobachtet, wie die sonderbaren Kanus der Aleuten das Schiff mit den großen Geschützen in Ufernähe vors Dorf gezogen hatten. Jetzt galt ihre Aufmerksamkeit dem Kanu, in dem der Häuptling des Dorfes, ihr Bruder und ihr Ehemann Läuft-wie-ein-Wolf saßen. Der Häuptling war auf dem Schiff gewesen, um zu verlangen, daß Nanuk sein Vorhaben erläutere.

Als das Kanu zum Fort zurückgerudert wurde, dröhnte eine Kanone, und eine Rauchwolke stieg auf. Rabentochter zuckte zusammen und sah das Wasser im sicheren Abstand vor dem Bug des Kanus aufspritzen. Im Dorf fingen Kinder zu schreien an, aber von dem Kleinen zu ihren Füßen kam kein Laut, als er versuchte, sich an ihrem Bein aufzurichten. Rabentochter hob ihr Söhnchen auf, bereit, sich rasch in Sicherheit zu bringen, doch die Schiffskanone blieb stumm.

Befriedigt, daß keine unmittelbare Gefahr drohte, sah sie ihren eineinhalbjährigen Sohn an. Sie lächelte stolz, als sie merkte, daß Grauer Wolf furchtlos in die Richtung blickte, aus der das Donnern gekommen war. Sein Haar war schwarz und glatt, sein Teint dunkel, die Wangen rosig. Doch seine Augen waren von einer Farbe, die weder grau noch blau war, sondern eine Kombination aus beidem.

Der kleine Graue Wolf deutete aufgeregt plappernd zum Strand hin. Das Kanu war gelandet. Rabentochter wartete voller Ungeduld, als ihr Mann auf das Clanhaus zukam, in dem sie lebten. Wortlos ging er an ihr vorüber und bückte sich vor der Tür. Sie folgte ihm rasch hinein.

Im Inneren gab es drei Ebenen, die sich zu einer Feuerstelle in der Mitte neigten. Läuft-wie-ein-Wolf drehte sich um und ging in den oberen Stock, der in Schlafabteile und Vorratsräume unterteilt war. Rabentochter holte ihn ein, ehe er den Eckpfeiler mit den Totemschnitzereien erreicht hatte.

»Was gibt es?« wollte sie wissen.

»Nanuk fordert Geiseln, ehe er mit uns sprechen will, und weigert sich seinerseits, uns Geiseln zu geben. Er sagte, er traue uns nicht.«

Rabentochter erstarrte unter dieser Beleidigung. Sie wußte, es hatte keinen Sinn, ihren Mann zu fragen, was der Häuptling seiner Meinung nach plante. Er mochte die Beine eines Wolfes besitzen, doch verfügte er ihrer Meinung nach über den Verstand einer Schildkröte. Hin und wieder regten sich bei ihr sogar Zweifel, ob ihm klar war, daß er nicht Vater ihres Sohnes war. Ungeduldig wandte sie sich ab, als ihr Bruder Zedernherz gebückt durch den Eingang eintrat.

»Glaubt der Häuptling, Nanuk würde das Dorf angreifen?«

»Bald ist die Nacht da«, gab ihr Bruder zur Antwort. »Nanuk wird warten, bis die Sonne wieder aufgeht. Der Häuptling beruft den Sippenrat ein. Ich glaube, er wird dafür sprechen, daß alle bei Einbruch der Dunkelheit das Dorf verlassen und sich in die Festung am Fluß zurückziehen.«

Rabentochter lächelte. »So weit kann nicht einmal die Kanone des großen Schiffes treffen.«

»Nein.« In seinem Blick lag Anerkennung, weil ihr Verstand so flink war und sie sich dieses strategischen Details entsann.

»Aber Nanuk hat viele Krieger und viele Geschütze.«

»Wir schicken Boten zu anderen Sippen und bitten sie um Waffen und Krieger, damit wir die Russen vernichten können. In drei bis vier Tagen müßten sie eintreffen.«

Es kam so, wie ihr Bruder vorausgesagt hatte. Im Schutz der Dunkelheit stahlen sie sich aus dem Dorf, das den Geschützen der russischen Schiffe ausgesetzt war, und suchten ihre Festung auf, die unweit einer Flußmündung an einer anderen Stelle der Bucht lag.

Über einem Steilhang errichtet, war sie von einer zwei Holzbohlen dicken und etwa zwei Meter hohen Brustwehr umgeben, um die herum Reisig aufgehäuft war. Auf der der Bucht zugekehrten Längsseite befanden sich zwei Öffnungen für die kleine Kanone, die sie vom Boston-Mann eingetauscht hatten. Zwei Tore führten auf der Waldseite der Festung hinaus. Innerhalb der Befestigung standen vierzehn Häuser.

Um die Mittagsstunde erspähte Rabentochter einen Kundschafter, der die Bewegungen der Russen beobachten sollte, die die Befestigung betraten. Gewiß brachte er eine wichtige Neuigkeit.

»Will Nanuk kommen?«

Atemlos schüttelte er den Kopf. »Nein. Nanuk und seine Leute landeten beim Dorf und erstiegen den Hügel dahinter. Sie banden eines ihrer roten Tücher mit dem Bild des doppelköpfigen Adlers an eine Stange, die sie in den Boden rammten. Jetzt ziehen sie Geschütze und Bauholz den Hügel hinauf.«

Am Nachmittag legte ihr Bruder Kriegsbemalung an, band seine hölzerne Brustrüstung um und nahm einen Schild, um mit einer Eskorte von etwa sechzig Kriegern Nanuk aufzusuchen und seine Absichten zu erfragen.

Als die Gruppe im Dorf ankam, sah Zedernherz das Tuch an einer Stange flattern. Eine Brustwehr aus Balken war schon fast fertig, die Kanonen waren auf seine Krieger gerichtet. Als sie außer Schußweite anhielten, rief der Häuptling nach Nanuk, der vor sie hintreten und sprechen sollte.

Nanuk kam in Begleitung einiger Männer den Hang herunter. Der weise Führer der Russen hatte sich nicht sehr verändert, seitdem Zedernherz ihn zum letztenmal gesehen hatte. Noch immer wollte auf seinem Kopf kein Haar wachsen, der helle Haarkranz schien unverändert. Mit strenger und abweisender Miene trat er dem Häuptling gegenüber.

»Nanuk soll sagen, was die Kanonen oberhalb unseres Dorfes bedeuten«, forderte der Häuptling.

Die Antwort übersetzte ein Dolmetscher.

»Die Kolosch brannten Nanuks Dorf nieder. Nanuk wird an dieser Stelle ein neues Dorf erbauen. Er sagt, ihr müßt ihm alle Aleuten, die ihr als Sklaven haltet, bringen, und alle Kolosch müßten die Insel Sitka verlassen.«

Erbost trat Zedernherz vor. »Seit die ersten Kolosch kamen, war Sitka die Heimat des Sitkaclans. Hier leben unsere Geister. Wir werden nicht fortziehen.« Zedernherz wußte, daß Hilfe von den anderen Sippen erst anderntags eintreffen würde. Er vermutete, daß der Häuptling ähnliche Überlegungen anstellte. »Wir geben euch eure Aleuten und lassen euch das neue Dorf bauen. Wir werden nicht mit euch Krieg führen. Damit sind wir einverstanden, aber darüber hinaus machen wir kein Zugeständnis.«

Nanuk war nicht bereit, darauf einzugehen. »Ihr verlaßt die Insel, oder ich vertreibe euch.«

Der Häuptling sah den gedrungenen, zusammengeschrumpften Anführer der Russen finster an, dann drehte er sich abrupt um und ging durch die sich teilenden Reihen seiner Kriegereskorte.

Am nächsten Tag wurde das Kommando der Jekaterina dem Kosakenleutnant Arbusow übergeben. Dieser befahl Michail, das Schiff tiefer in die Bucht zu manövrieren und vor der Koloschfestung zu ankern.

Nicht ein einziger Kolosch ließ sich blicken, doch Michail wußte, daß sie da waren. Die ganze Nacht hindurch war aus der Befestigung ein grausiger Gesang zu hören gewesen, ein Singsang, der an den Nerven zerrte und die Leute um den Schlaf brachte. Die Gesänge hatten bis zum Morgengrauen gedauert. Erst jetzt waren sie verstummt, als die Sonne schon hoch am Himmel stand. In der Stille war die Spannung spürbar, die von den an Deck dichtgedrängt stehenden Männern ausging, deren Züge von Kampfbereitschaft geprägt wurden.

»Feuer!«

In den nächsten Sekunden bebte die Luft unter dem Donner der Kanonen. Michail beobachtete, daß die meisten Geschosse vor der Brustwehr der Koloschfestung einschlugen. Durch die treibenden Rauchschwaden sah man, daß die Befestigung unversehrt geblieben war. Da gab Baranow Befehl, die sinnlose Kanonnade zu beenden, bei der nur Munition verschwendet wurde. Von der Befestigung her war kein einziger Schuß gefallen. Ermutigt durch diesen Mangel an Widerstand, riet Arbusow Baranow, durch eine Attacke von Land her die Festung der Eingeborenen zu erstürmen. Man entschied sich, ein paar leichtere Geschütze an Land zu schaffen und den Felsen von zwei Seiten anzugreifen. Baranow führte eine Abteilung von hundertfünfzig Mann, Arbusow die zweite.

Als die Boote zu Wasser gebracht wurden, bemerkte Michail seinen Bruder unter Baranows Abteilung. Er hatte mit ihm seit dem ersten Abend nicht mehr gesprochen. Ein Lächeln umspielte Zachars Lippen, als er Michail über die Schulter einen Blick zuwarf. Gleich darauf kletterte er über die Reling und ins Boot.

Das Boot erreichte ohne Zwischenfall das Ufer. Als die hauptsächlich aus Aleuten bestehende Gruppe an Land ging, versammelte Baranow die Leute um sich und bereitete sich darauf vor, seinen Angriff mit Arbusow abzustimmen.

Am Spätnachmittag befanden sie sich auf halber Höhe des Hanges. Zachar stemmte fest die Schulter gegen ein Rad der Kanone. Er mußte seine ganze Kraft aufwenden, damit sie nicht wieder zurückrollte. Je mehr sie sich der Festung näherten, desto unheimlicher wurde die Stille.

Plötzlich aber gellten die wilden Schreie der Kolosch

durch die Luft, gefolgt vom Musketensperrfeuer von der Brustwehr aus. Ein Bleihagel ging auf die vorrückende Abteilung nieder. Zachar suchte hinter der Kanone Deckung und versuchte, seine Muskete in Anschlag zu bringen, doch ringsum brachen Aleuten zusammen oder ergriffen die Flucht. Die zwei Dutzend Russen in Baranows Gruppe sahen sich allein gelassen. Da stiegen Kolosch in Kriegsbemalung über die Brustwehr, heulend und unter Kriegsschrei. Zachar feuerte, ohne zu zielen. Es waren ihrer zu viele.

»Rückzug!« brüllte Baranow.

Zachar rannte mit den anderen im wilden Lauf den mit Strauchwerk bedeckten Hang hinunter, das holpernde Geschütz hinter sich herziehend. Er sah Baranow stürzen, packte ihn und zerrte ihn mit. Die Luft war voller Blei, als die Deckgeschütze ihnen Deckung verschafften und die Kolosch schließlich zur Rückkehr zwangen.

An Bord zurückgekehrt, stellte man fest, wie viele Opfer der gescheiterte Angriff gekostet hatte. Man kam auf zehn Tote und sechsundzwanzig Verwundete. Baranow hatte eine Wunde am Arm davongetragen. Er gestand sein Versagen ein und übergab das Kommando an Kapitän Lisianski. Am nächsten Tag begann die Fregatte Newa ein unbarmherziges Bombardement.

Schließlich hißten die Kolosch die weiße Flagge und schickten einen Abgesandten, der zusagte, daß sie die Insel am folgenden Tag bei Flut verlassen würden. Die Belagerung wurde aufgegeben.

Die Flut kam und ging am nächsten Tag, aber nichts geschah. Lisianski ließ ein Floß bauen und einige der schweren Geschütze darauf festzurren. Aus geringer Entfernung begann nun erneut ein Bombardement, das schließlich die Brustwehr zerstörte.

In der Abenddämmerung erschien ein Greis am Strand und schwenkte die weiße Fahne. Er überbrachte das Versprechen der Kolosch, in Kürze abzuziehen. Daraufhin wurde das Feuer eingestellt.

Zachar, der in der Nacht keinen Schlaf finden konnte, ging auf dem Deck der Jekaterina auf und ab, den Blick immer wieder auf die dunkle Masse der Festung gerichtet. Auf Kodiak hatte die Entfernung alles für ihn erleichtert, jetzt aber empfand er es als sehr schmerzlich, Rabentochter nahe zu sein und sie nicht sehen zu können. Er wollte glauben, daß er ihr nicht gleichgültig gewesen war und daß sie sein Vertrauen nicht mißbraucht hatte.

Aus der Festung der Kolosch drang ein Klagelied. Der Klagegesang dauerte ohne Unterbrechung die ganze Nacht hindurch. Eine Stunde vor Sonnenaufgang verstummte er. Die nun folgende Stille war fast noch unheimlicher. Als man zum Fort hinaufrief, kam keine Antwort. Zachar meldete sich freiwillig zu der Gruppe, die an Land gehen sollte, um nachzusehen. Wachsam näherten sie sich der Befestigung und nahmen dabei den Umweg durch den Wald. Die Tore standen offen. Von drinnen war kein Laut zu hören. Nichts regte sich.

Die Muskete im Anschlag, den Finger am Abzug, betrat Zachar mit den anderen die Festung. Unter Beachtung größter Vorsicht schwärmten sie aus, doch die Festung schien verlassen, wenn man von dem Schwarm Aasgeier absah, der in der Mitte der Umfriedung über einem Haufen kreiste. Zachar näherte sich der sonderbar aussehenden Erhebung. Es waren aufgehäufte Leichen. Seine Befürchtung, Rabentochter unter den Toten zu finden, traf nicht ein. Nur eine einzige Frau, eine zahnlose Greisin, lag unter den Toten. In der Mehrzahl waren es Krieger, die Verwundungen aufwiesen. Der Rest waren Kinder oder Greise. Erleichtert sank Zachar auf die Knie, von der Gewißheit erfüllt, daß Rabentochter am Leben war – irgendwo.

24. Kapitel

SITKA
AUGUST 1805

Auf dem Gelände des ehemaligen Dorfes der Kolosch erhob sich nun die russische Niederlassung Nowo Archangelsk. Eine mit zwanzig Kanonen bewehrte Befestigung krönte die breite Kuppe und beherrschte den darunterliegenden Hafen. Stufen führten zum Zentrum der Ansiedlung, wo einst die Behausung der Kolosch mit ihren Totemgrabstellen die Küste säumten. Ein Palisadenzaun schützte die landeinwärts gelegene Seite der Niederlassung und umschloß mehr als ein Dutzend Gemüseanbauflächen.

Nachdem sie vor Kodiak überwintert hatte, lag die Newa wieder im Hafen vor Anker. Längsseits lag die Brig Maria, auf der Nikolai Resanow kürzlich eingetroffen war. Michail, der nun in Nowo Archangelsk stationiert war und den wenig ruhmreichen Posten des Hafenpiloten bekleidete, hatte das Schiff an seinen Ankerplatz geschleppt.

Als Michail aus der kleinen, auf dem Kamm der Erhebung gelegenen Hütte trat, sah er Zachar an der Bastionsmauer Wache halten. Er stapfte durch den vom Regen durchweichten Boden zur Geschützstellung.

»Die Maria brachte Post von Kodiak. Einen Brief deiner Tochter Larissa«, rief Michail Zachar zu.

Zachar machte keine Anstalten, seinem Bruder den Brief abzunehmen. Anders als Michail und Larissa konnte er weder lesen noch schreiben.

»Was schreibt sie? Wie geht es unserer Mutter?«

»Sie ist wohlauf«, sagte Michail und las das kurze Schreiben vor, in dem Larissa ihre Fortschritte in der Schule schilderte und ihrer Hoffnung auf ein baldiges Wiedersehen Ausdruck gab. Anschließend gab er den Brief Zachar, der ihn in seine Tasche gleiten ließ.

»Wie ich hörte, reichte Baranow bei Seiner Exzellenz um seine Entlassung ein«, wiederholte Zachar ein Gerücht.

»Ich glaube nicht, daß das Gesuch angenommen wurde.« Michail lächelte.

»Baranow hat ihm vermutlich zu verstehen gegeben, daß Seine Exzellenz besser daran getan hätte, Lebensmittel mitzubringen als Bücher und Landkarten.«

Zachar lachte auf, wenngleich die immer knapper werdenden Vorräte wahrlich kein Grund zur Heiterkeit waren. Am Fuße des Hügels fingen die Hunde des Lagers zu kläffen an, um sodann in einem Rudel an den Strand zu laufen. Zachar wandte den Kopf und sah ein halbes Dutzend Koloschkanus durch das Insellabyrinth auf die Siedlung zusteuern. In den Booten befanden sich Männer und Frauen. Der Wind trieb Fetzen ihres Gesanges ans Ufer.

In kurzem Abstand vom Strand hielten die Kanus an. Einer der Krieger – Zachar vermutete in ihm einen Häuptling – erhob sich und fing an zu sprechen. Zachar konnte das meiste davon verstehen.

»Wir waren eure Feinde«, rief der Krieger. »Wir haben euch bekämpft. Ihr ward unsere Feinde. Ihr habt uns bekämpft. Wir möchten jetzt gute Freunde sein. Wir wollen die Vergangenheit vergessen. Wir wollen euch nicht mehr bekämpfen. Ihr sollt uns nichts mehr tun. Seid unsere Freunde.«

Bereits früher waren Häuptlinge verschiedener Clans gekommen, um mit Baranow Frieden zu schließen und wieder Handelsbeziehungen aufzunehmen.

»Ich werde Baranow melden, daß er Besuch hat«, bot Michail an und verschwand im Haus des Kommandeurs. Baranow trat heraus. Seine schwarze Perücke war mit einem Kopftuch befestigt. Seine Finger waren knotig und steif, gehen konnte er nur mit Hilfe eines Stockes. Seine Augen aber, die hell geblieben waren, und sein scharfer Verstand straften seine sechzig Jahre Lügen.

Gemeinsam geleiteten Zachar und Michail ihn die Stufen hinunter zu dem Zelt, das am Strand errichtet worden war, um darin die Friedensboten der Kolosch zu empfangen. Die Dolmetscher hatten die Kolosch bereits hineingebeten. Jetzt trat Zachar vor Baranow ein.

Sein Blick fiel sofort auf eine Koloschfrau in einem buntgestreiften Gewand. In ihm gefror etwas zu Eis, als er ihr Gesicht erkannte. Es war Rabentochter. Seine Fassungslosigkeit ließ ihn reglos verharren, bis er von Baranows Stock beiseite geschoben wurde. Gleichzeitig fiel ihm der Knabe an ihrer Seite auf, der etwa drei Jahre alt sein mochte. Das Kind hatte blaue Augen! Zachar starrte den Jungen an, der mit Sicherheit kein reinrassiger Kolosch war. Vom Alter her hätte er sein Sohn sein können. War er es wirklich? Sein Blick glitt zu Rabentochter.

Sie kam ihm noch schöner vor als früher. In ihren Augen,

die so dunkel waren, wie er sie in Erinnerung hatte, glühte noch immer ein Feuer. Sie sah ihn durchdringend an, und Zachar empfand eine Aufwallung von Glück, wie immer in ihrer Nähe. Alle Zweifel zählten plötzlich nicht mehr. Sie war da, und er begehrte sie noch.

Er lächelte ihr zu und sah, wie ihre Augen sich verdunkelten. Dazu verzog sie die Lippen unmerklich. Die Jahre schienen von ihm abzufallen. Unbewußt richtete er sich kerzengerade auf, straffte seine Schultern und wölbte die Brust.

Das förmliche Zeremoniell zog sich in die Länge, da Baranow und die Clananführer lange Reden hielten und ihrem Bestreben nach Freundschaft und Frieden wortreich Ausdruck verliehen. Schließlich ließ Baranow das im Küchenhaus in aller Eile zubereitete Festmahl samt einem Faß Brandy herbeischaffen, worauf eine Runde Trinksprüche ausgebracht wurde.

Als die Kolosch anfingen zu tanzen, konnte Zachar sich Rabentochter nähern. Kaum aber saß er auf dem Boden neben ihr, als seine Zunge wie gelähmt war. Nichts von dem, was er ihr hatte sagen wollen, kam ihm über die Lippen. Er wollte nichts als sie berühren und in seinen Armen spüren. Rabentochter beobachtete ihn, während sie sang. Der Junge hinter ihr sah Zachar neugierig an.

»Ist das dein Sohn?« Und der meine? wollte er fragen, brachte es aber nicht fertig.

Rabentochter nickte. »Er heißt Grauer Wolf.«

»Ein hübsches Kind.« Zachar war nun überzeugt, eine Ähnlichkeit mit sich selbst in den Zügen des Kindes, insbesondere in den hellen Augen, zu entdecken. »Wie alt ist er?«

»Er wurde vor zwei Wintern geboren, zur Zeit, wenn die Bärin Junge wirft.«

Das war ungefähr Februar. Ja, der Junge war ohne Zweifel sein Sohn. Er rückte näher an sie heran, um trotz des Lärms und des Singens verstanden zu werden.

»Kommst du mit vors Zelt?«

Ihr Blick huschte über sein Gesicht, als sie momentan unschlüssig verharrte. »Geh du. Ich komme bald.«

Zachar wunderte sich ein wenig über ihre Antwort, doch von Sehnsucht getrieben, mit ihr allein zu sein, stand er auf und ging zum offenen Zelteingang.

Draußen färbte die Dämmerung die Wolken und die fernen Hänge des Mount Edgecombe purpurn. Zachar entfernte sich vom Zelt und ging auf die Kanus am Strand zu.

Alle seine Sinne waren erwartungsvoll gespannt. Als er Schritte hinter sich vernahm, drehte er sich abrupt um, erstaunt und erfreut, daß Rabentochter ihm so knapp folgte. Doch es war Michail und nicht Rabentochter. Zachar gelang es kaum, seine Enttäuschung zu verbergen.

»Ist etwas passiert?« fragte Michail ihn besorgt.

»Nein, nichts.« Zachar lächelte.

Die Stirnfurchen seines Bruders vertieften sich.

»Warum bist du gegangen? War es wegen dem, was die Frau zu dir sagte? Kanntest du sie?«

»Ja.« In diesem Moment sah Zachar Rabentochter mit ihrem Sohn an der Hand durch die Zeltöffnung treten. Mit einer Kopfbewegung machte er Michail auf sie aufmerksam.

»Wir wollten uns hier treffen. Siehst du den Jungen? Er ist mein Sohn.«

»Dein was?«

Zachar entging diese verblüffte Reaktion, da er Rabentochter entgegenging. Es schien ihm ganz natürlich, sie in die Arme zu nehmen und zu küssen, ihre weichen Lippen und ihren Körper zu spüren, der sich an ihn schmiegte.

Er hatte schon seinerzeit geglaubt, sie zu lieben, doch das war nichts im Vergleich mit der leidenschaftlichen Anbetung, die er jetzt empfand. Es war ein alles verzehrendes und alles vergebendes Gefühl.

Ihr dunkler Blick aber war auf einen Punkt hinter ihm gerichtet und gemahnte ihn an Michails Anwesenheit. Den Arm um sie gelegt, drehte er sich um.

»Ich möchte dir meinen jüngeren Bruder Michail Tarakanow vorstellen. Das ist Rabentochter.«

Dann bückte er sich und hob den Jungen hoch. »Und dieser kleine Kerl ist Grauer Wolf.«

Michail hatte den Eindruck, ein Familienbild vor sich zu sehen. Der Junge, mit den Augen des Vaters, auf dessen Arm sitzend, der liebende Ehemann, den Blick hingebungsvoll auf die Mutter seines Sohnes gerichtet.

Nur etwas stimmte nicht ganz, die Frau nämlich, die ihn unverwandt ansah und nicht Zachar.

»Ich dachte, ich würde sie nie wiedersehen«, sagte eben Zachar. »Und jetzt lasse ich sie nie wieder aus den Augen.«

Stille schien sich über die Insel zu senken. Michail brauchte einen Augenblick, um zu merken, daß der Tanz im Zelt aufgehört hatte. Im Zelteingang stand ein Koloschkrieger und sah suchend hinaus in die tieferwerdende Dunkelheit. Schließlich blieb sein Blick an der kleinen Gruppe hängen.

»Ich glaube, der dort drüben hat dazu etwas zu sagen.« Michail deutete unauffällig auf den Krieger, der nun auf sie zukam.

Rabentochter erstarrte, als sie Waldfrosch erkannte. Gleichzeitig spürte sie, wie Zachars Arm sie an sich drückte.

»Wer ist das?«

»Das ist Waldfrosch, der Bruder meines toten Mannes. Er hat mich zu seiner zweiten Frau gemacht.«

Während der Belagerung der Festung durch die Russen war Läuft-wie-ein-Wolf ins Bein getroffen worden. Anschließend war der Verkrüppelte vom Medizinmann rituell getötet worden, damit er dem Clan auf der Flucht nicht zur Last fiele. Die Stammessitte verlangte nun, daß sein Bruder Rabentochter zur Frau nahm, obwohl er schon eine Frau hatte. Trotz aller ihrer Bemühungen hatte es Rabentochter nicht geschafft, die erste Frau aus ihrer Stellung als Favoritin zu verdrängen. Daß er die andere ihr vorzog, war für Rabentochter der beste Beweis dafür, daß Waldfrosch noch dümmer war als sein Bruder. Und daß er der Meinung war, mit ihr umspringen zu können wie mit einer Sklavin, steigerte nur ihre Verachtung.

Waldfrosch blieb vor ihr stehen. Sein geschwärztes Gesicht glänzte im Halbdunkel. Die aufgemalten roten Kreise um die Augen ließen ihn noch bedrohlicher erscheinen, als er sie nun voller Zorn ansah, wütend, daß sie ihn nicht um Erlaubnis gefragt hatte und ihn vor den Russen mit ihrer Treulosigkeit gedemütigt hatte.

»Geh zurück ins Zelt«, befahl er in seiner Sprache.

»Geh doch du zurück.« Sie spürte den Griff des Messers, das Zachar an seiner Seite trug, und drehte sich so, daß sie es leichter fassen konnte.

»Du wirst tun, was ich dir sage.« Aufgebracht durch ihre Widerspenstigkeit, packte er ihren Arm und wollte ihren Gehorsam erzwingen.

Rabentochter entwischte seinem Zugriff und zog Zachars Messer aus der Scheide, um die Klinge drohend vor ihrem Mann zu schwingen.

»Ich bleibe bei Zachar.« Sie sagte es auf russisch.

Nachdem er vor Überraschung einen Schritt zurückgewichen war, trat er in Drohhaltung vor und überschüttete sie mit einer Flut von Verwünschungen. Aber Zachar schritt ein, genauso wie sie es vorausgeahnt hatte.

»Laß sie in Ruhe«, sagte er. Er zog die Pistole und richtete sie auf Waldfrosch.

»Zachar ... im Namen aller Heiligen, was machst du da?« Michail legte beschwichtigend die Hand auf Zachars Arm. »Sie sind gekommen, um mit Baranow friedlich Handel zu treiben.«

»Ich möchte nicht mehr bei dir leben«, erklärte Rabentochter voller Verachtung ihrem Mann. »Es beschämt mich, Frau eines Mannes zu sein, der nicht mehr als ein Frosch ist.«

»Ich will dich nicht mehr zur Frau haben.«

»Dann bin ich es nicht mehr, und du bist nicht mehr mein Mann.«

Sie senkte das Messer, befriedigt, daß sie die Äußerung provoziert hatte. Die bei der Eheschließung ausgetauschten Geschenke mußten nicht zurückgegeben werden, wenn beide Ehepartner das Verlangen äußerten, sich zu trennen.

Voller Ingrimm preßte Waldfrosch die Lippen aufeinander. Jetzt erst merkte er, daß er in eine Falle getappt war. Dann sah er Zachar aus zusammengekniffenen Augen an. »Du möchtest diese Frau?« fragte er auf russisch.

»Ja.«

»Dann gib mir zwei Meißel und eine Decke. Sie soll für immer dein sein.«

»Nein«, legte Rabentochter Protest ein. »Er sagte, daß die Ehe nicht mehr gültig ist. Du brauchst ihm nichts zu geben.«

»Ich gebe, was er verlangt.«

»Nein.« Sie wandte sich zu ihrem früheren Mann um, und nun schleuderten sich beide Anklagen und Beleidigungen entgegen.

Es dauerte nicht lange, und der Streit zog die Aufmerksamkeit der im Zelt Versammelten auf sich. Mit gemischten Gefühlen sah Zachar Baranow aus dem Zelt kommen.

»Was geht hier vor?«

Jeder der Streitenden versuchte nun, Baranow seinen Standpunkt zu erklären.

»Du willst diese Frau?« fragte Baranow Zachar.

»Ja. Das ist mein Sohn.« Er drückte das Kind an sich, überzeugt, Baranow würde Verständnis zeigen. Schließlich hatte dieser selbst zwei Kinder von der Indianerin, mit der er zusammenlebte. »Ich bin gewillt, den verlangten Preis zu bezahlen, auch wenn Rabentochter behauptet, ihr Mann hätte kein Recht darauf.«

Baranow vollführte eine kleine Verbeugung vor Rabentochter. »Mein Kompliment, daß die Dame deine Interessen so nachdrücklich vertritt. Also, damit Frieden herrsche und als Zeichen guten Willens wird der Preis gezahlt.«

Während der Dolmetscher seine Antwort für die umstehenden Kolosch übersetzte, raunte Baranow Zachar zu: »Die Sachen werden deinem Konto aufgeschlagen und der Betrag von deinem Verdienst abgezogen.«

Nicht einmal Rabentochter wagte Nanuks Entscheidung in Frage zu stellen. Die Angelegenheit war geregelt. Waldfrosch bekam zwei Meißel und eine Decke, und Rabentochter wurde Zachars Frau.

Ein paar Tage später nahm Baranow die Taufe an Zachars Sohn vor, der Wassilij Zacharewitsch Tarakanow genannt wurde. Aber kein Mensch sollte den Jungen je mit diesem Namen rufen. Er wurde von allen Wolf genannt. Der ungewöhnlich intelligente Junge hatte sich innerhalb eines Monats in Nowo Archangelsk bereits einen stattlichen russischen Wortschatz angeeignet.

Im Oktober setzte Regen ein – endlos, wie es Michail erschien, der über den schlammigen Platz auf die Hütte seines Bruders zustapfte. Vor der Hütte angekommen, blieb Michail stehen und klopfte an. Früher wäre er einfach hineingegangen. Rabentochters Anwesenheit aber hatte für eine Änderung gesorgt. Zweimal war er unangekündigt eingetreten und war Zeuge einer intimen Szene geworden. Daher zog er es jetzt vor, anzuklopfen.

Er bekam keine Antwort. Mit hochgezogenen Schultern wartete er eine Weile, ehe er erneut anklopfte. Wieder keine Antwort. Er ließ den Blick über die anderen Gebäude der Niederlassung schweifen. In einer Stunde sollten er und Zachar bei Resanow sein, der die Schiffsführer und Jäger zu einer Versammlung einberufen hatte.

Da hörte er das klatschende Geräusch von Schritten, die um die Ecke kamen. Es war Rabentochter mit Brennholz in den Armen. Als Schutz gegen den Regen hatte sie eine Decke über den Kopf gelegt. Nicht zum erstenmal fiel Michail ihre stolze Haltung auf, die den Eindruck arroganter Überheblichkeit erweckte. Als sie ihn an der Tür sah, zögerte sie unmerklich.

»Du bist durchnäßt«, sagte sie.

»Ich suche Zachar.«

»Er wird bald kommen.« Sie ging an ihm vorüber und stieß die Tür auf.

Er folgte ihr hinein und schloß die Tür. Die Decke, die ihr vom Kopf gerutscht war, gab den Blick auf das schimmernde, schwarze Haar frei, das ihr Gesicht umrahmte. Er vermied es, sie anzusehen.

»Gib mir das Feuerholz«, bot er ihr an.

Als er die Arme danach ausstreckte, streifte er ihre Brust. Er zuckte so heftig zurück, daß er fast die Holzscheite fallen gelassen hätte. Rabentochter reagierte mit einem leisen Lächeln. Abrupt drehte er sich um und ging an die Holzkiste neben dem Kamin.

»Es ist lange her, seitdem du mit einer Frau beisammen warst.«

Die Nähe ihrer Stimme sagte Michail, daß sie ihm gefolgt war.

»Hier gibt es wenig Frauen.« Michail schob seine Reaktion auf die ihm aufgezwungene Enthaltsamkeit, obwohl ihm klar war, daß Rabentochters Reize daran nicht unschuldig waren. Er ließ das Holz in die Kiste poltern, damit das laute Geräusch die Stille ausfüllte.

»Zachar kommt bald, sagtest du?«

»Ja.« Sie legte die Decke zum Trocknen auf die Holzkiste. »Du brauchst eine Frau, die mit dir das Lager teilt. Warum fragst du nicht mich?« Sie sah ihn herausfordernd an. »Oder hältst du mich für häßlich?«

»Nein. Aber du gehörst Zachar.«

»Du bist sein Bruder. Bei meinem Volk darf eine Frau zwei Männer haben, wenn es Brüder sind.«

Michail lachte heiser auf. »Die Russen lehnen diese heidnischen Sitten ab.«

»Warum? Eine Frau braucht Söhne. Zachar ist schon zu alt. Du bist noch bei Kräften. Ich glaube, von dir könnte ich viele Söhne bekommen.«

Michail starrte in die gelben Flammen. Insgeheim verwünschte er Rabentochter. »Zachar ist nicht zu alt. Baranow ist sechzehn oder mehr Jahre älter als mein Bruder und hat ein Kind von drei Jahren.«

»Er ist Nanuk«, erwiderte sie, als erkläre dies alles. »Würdest du nicht gern bei mir liegen?«

Verärgert drehte Michail sich um, wurde aber einer Antwort enthoben, da die Tür aufgestoßen wurde und Zachar hereinstürmte, dessen Gelächter sich mit dem hohen Kichern seines Sohnes mischte. Und plötzlich war Michail nicht sicher, wie er Rabentochters Frage beantwortet hätte. Es war ihm unangenehm, seinem Bruder gegenüberzutreten, da sich zu seiner Unsicherheit Schuldbewußtsein gesellte.

»Ich wußte nicht, daß du da bist, Michail.« Lächelnd setzte Zachar seinen Sohn Wolf ab.

»Ich bin eben erst gekommen.« Das Bedürfnis, klarzustellen, daß er mit Rabentochter nicht lange allein gewesen war, steigerte sein Schuldbewußtsein. Er hatte seinen Bruder nicht betrogen, doch hatte er es sich gewünscht. »Resanow hat eine Besprechung angesetzt.«

Verlegen entfernte Michail sich vom Kamin – und von Rabentochter – und ging an die Tür.

»Warte, ich komme mit«, sagte Zachar.

»Ich komme auch mit.« Der Junge war mit einem Sprung an Zachars Seite.

»Nein.« Zachar versetzte ihm einen Schubs zu Rabentochter hin. »Du bleibst hier und gibst acht auf deine Mutter. Ich bleibe nicht lange aus.« Mit einem Lächeln folgte er Michail ins Freie, wo er stehenblieb und den Kragen aufstellte. »Ein lieber Junge«, sagte er. »Ich glaube, er hat mich liebgewonnen.«

»Ja.« Michail konnte sich nicht erinnern, seinen Bruder jemals so glücklich gesehen zu haben. Zachar platzte geradezu vor Stolz auf seine vor kurzem gefundene Familie. Alles war noch zu neu und strahlend, als daß er die Fehler bemerkt hätte.

Schweigend gingen sie ein paar Schritte nebeneinander, dann sagte Zachar: »Dieser Resanow gefällt mir. Ein kluger Mann. Ich weiß, daß viele Promyschleniki auf den Robbeninseln – auf den Pribilov-Inseln – nicht einverstanden waren mit seiner Anordnung, daß in diesem Jahr nicht gejagt werden durfte, doch mußte dieser Metzelei Einhalt geboten werden, wenn man verhindern will, daß es keine Robben mehr gibt, wo einst Millionen sich auf den Klippen tummelten.«

»Du warst einmal dort?« fragte Michail erstaunt.

»Ja, vor langer Zeit«, gestand Zachar, der die ersten Stufen nahm. »Die Schiffe aus Boston sollen allein in diesem Jahr über eine Million erlegt haben!«

»Uns gehen auf diese Weise viele Felle verloren, und die Kolosch bekommen Waffen von den Amerikanern. Mitunter scheint mir, die Indianer seien besser bewaffnet als wir. Aber zumindest ist Resanow sich mit Baranow einig, daß wir von den Briten und Amerikanern Vorräte eintauschen müssen. Wir können uns nicht mehr auf die eigenen Schiffe aus Ochotsk verlassen. Sieh dir an, wie es um uns bestellt ist. Unsere Mehlration ist auf ein Pfund pro Kopf und Monat zusammengeschrumpft, und der Winter steht vor der Tür.«

Auf der letzten Stufe nickte Zachar zustimmend. Ihre Lage

wurde immer bedrängter. »Die Jelisaweta müßte sehr bald mit Nachschub von Kodiak kommen.«

Nikolai Petrowitsch Resanow war ein großer, gutaussehender Mann von zweiundvierzig Jahren, mit glattrasiertem Gesicht und aufrechter Haltung, der die Aufmerksamkeit der Männer, die sich in seiner Hütte drängten, wie selbstverständlich auf sich zog. Seine Lippen waren zusammengepreßt, der Blick seiner blauen Augen hart, als er sie musterte.

Michail sah einen perückenlosen Baranow, dessen Kahlkopf von einem hellen Haarkranz umrahmt wurde. Sein trauriger und resignierter Blick weckte in Michail die Vermutung, daß es schlechte Nachrichten gäbe.

Resanow kam ohne Umschweife zur Sache. »Uns hat die bislang unbestätigte Nachricht erreicht, daß die Jelisaweta in einem Sturm auf See verlorenging. Der Nachschub aus Kodiak bleibt also aus. Auch die Eingeborenenflottille der Jäger sank im Sturm und mit ihr zweihundert Mann und der reichste Fang an Fellen der Saison.« Das war aber noch nicht alles. »Die Sträflingssiedlung am Yakutai soll unbestätigten Gerüchten zufolge von den Kolosch zerstört worden sein.« Der mit Landwirtschaft und Schiffsbau befaßte Außenposten am Festland von Alaska war ein Experiment nach dem Muster der britischen Kolonisationsversuche an der Botany Bay. »Die Kolosch haben noch andere befestigte Niederlassungen im Norden angegriffen, wurden aber zurückgeschlagen. Dennoch müssen wir meiner Meinung nach mit zunehmenden Feindseligkeiten in unserem Gebiet rechnen.«

Resanow ließ sich nun von seinem Diener die Karte und Bücher bringen, die er auf dem Tisch ausbreitete, damit alle etwas sehen konnten.

Während Michail sich Resanows Pläne zur Erweiterung der Territorien der Russisch-Amerikanischen Handelskompanie anhörte, hatte er das deutliche Gefühl, daß die zwei Katastrophen dessen Entschlossenheit nur gestärkt hatten. Resanow trat dafür ein, daß die Kompanie vom ausschließlichen Fellhandel abging und ihr Angebot erweiterte. Michails Sehnsucht nach der Ferne erwachte spontan, als Resanow von der Absicht sprach, im Namen der Handelsgesellschaft in exotischen Häfen Vertretungen einzurichten. Er dachte an Burma und die Philippinen, wollte aber zunächst mehrere Niederlassungen entlang des Columbia River gründen, dann in Kalifornien und auf Hawaii.

»Seht auf die Karte.« Resanow tippte mit dem Finger auf die ausgebreitete Karte.

»Wer Alaska besitzt, der beherrscht den Pazifik.«

Die Ankunft des Yankeeschoners Juno in Sitka brachte eine vorübergehende Lösung des Ernährungsproblems, doch die ungewöhnlich heftigen, mit Schnee durchsetzten Regenfälle gegen Ende des Jahres sowie die ständige Bedrohung durch die Kolosch hinderte die Russen daran, ihre Vorräte an Wild und Fisch zu ergänzen. Es herrschte striktes Verbot, die Siedlung zu verlassen, so daß man gezwungen war, die Vorräte der Aleuten an Tran und Trockenfleisch anzugreifen.

Die Juno wurde nach Kodiak ausgeschickt, um mitzubringen, was das russische Dorf entbehren konnte, doch brachte sie nur Tran und Trockenfisch zurück. Im Februar trat in Sitka Skorbut gehäuft auf. Von den nahezu zweihundert Russen in der Befestigung waren acht gestorben und sechzig total geschwächt.

Die Lage war trostlos. Im Verlauf einer Besprechung machte Resanow den Vorschlag, mit dem Schoner die Küste entlangzusegeln und die Mündung des Columbia-Flusses nach einem geeigneten Ort für eine Niederlassung abzusuchen, sich mit Wild und Fisch zu versorgen und die Beute in der kleinen spanischen Garnison Los Farallones del Puerto de San Francisco gegen andere Lebensmittel einzutauschen. Obschon sämtliche spanische Häfen entlang der kalifornischen Küste ausländischen Schiffen verschlossen blieben, wollte er sich mittels eines Beglaubigungsschreibens vom Zaren Zutritt verschaffen. Die Juno kam mit einer Besatzung von zwanzig Mann aus, doch machte es der geschwächte Zustand der Männer nötig, dreißig mitzunehmen, um die Ausfälle wettzumachen.

Michail meldete sich sofort freiwillig für diese Expedition, doch Baranow lehnte ab. »Es geht nicht an, daß diese Garnison noch mehr geschwächt wird, indem man alle gesunden

Männer mitnimmt! Die Kolosch bedeuten ständige Gefahr. Im Falle eines Angriffs müssen wir uns verteidigen können!«

Nach einer hitzigen Debatte einigte man sich auf einen Kompromiß. Resanow stimmte zu, daß ein Teil der Besatzung aus Männern bestehen sollte, bei denen sich die ersten Skorbut-Symptome bemerkbar machten. Michails Anerbieten wurde zurückgewiesen. Seine Enttäuschung wandelte sich rasch in Ablehnung, als man Zachar zur Teilnahme an der Expedition auswählte. Erbost mußte Michail sich fügen.

Nach der Versammlung ging er ohne ein Wort mit seinem Bruder zu wechseln davon. Seine Enttäuschung war zu groß.

Die Zeit wurde knapp, daher wurde der Schoner in aller Eile seeklar gemacht. An Vorräten konnte man nur das Nötigste mitnehmen, damit die Zurückbleibenden bis zur Rückkehr der Juno nicht verhungern mußten. Dafür lagerten im Frachtraum Handelsgüter verschiedenster Art.

Während der Vorbereitungen für die Expedition mied Michail das Hafengelände und nahm an den Arbeiten widerwillig und nur dann teil, wenn es sich nicht vermeiden ließ. Die bittere Gewißheit, daß die Juno am nächsten Tag ohne ihn den Anker lichten und auslaufen würde, nagte an ihm, als er sein Quartier betrat. Er ging direkt zu seiner Lagerstatt und zog einen Krug Kwaß darunter hervor, um einen Zinnbecher bis zum Rand zu füllen.

»Michail.«

Er erstarrte, als er die Stimme seines Bruders hörte und verspätet das leise Klicken als Heben des Türriegels erkannte.

»Ja, was ist?« fragte er angespannt.

»Ich muß mit dir reden.«

»Sicher bist du gekommen, um Lebwohl zu sagen.«

Rabentochter und ihr Sohn Wolf waren mit Zachar gekommen. Sofort meldete sich Michails Unbehagen wieder.

»Richtig, ich wollte nicht ohne Abschied fort. Aber da gibt es noch etwas, das du während meiner Abwesenheit für mich tun solltest.« Zachar legte dem Jungen die Hand auf den Kopf. Michails Anspannung wuchs. »Mir behagt die

Aussicht nicht, Wolf und Rabentochter allein in unserer Hütte zu wissen.«

»Wie meinst du das?« Michail sah Rabentochter an. Ob sie Zachar auf diesen Gedanken gebracht hatte?

»Ich möchte, daß du in meine Hütte ziehst und dich um die beiden kümmerst.«

»Das kann ich nicht.« Michail stieß diesen Protest halberstickt hervor.

»Du bist mein Bruder. Außer dir habe ich niemanden, den ich darum bitten könnte.« Zachar schien gekränkt und verwirrt durch die Ablehnung. »Ich weiß, wie sehr du dich bemüht hast, an meiner Stelle an der Expedition teilzunehmen, damit ich sie nicht allein lassen mußte.«

»Ich glaube, du weißt gar nicht, was du da verlangst«, erklärte Michail gepreßt.

Zachars Verwirrung wuchs. »Daß sie ihren Anteil an Nahrungsmitteln bekommen, daß sie Holz für ihr Feuer haben, daß jemand sie bei einem Angriff der Kolosch beschützt – ist das für meine Familie etwa zuviel verlangt?«

»Nein.« Michail war nicht imstande, ihm zu sagen, was er wirklich meinte.

»Willst du bei ihnen bleiben?«

Es kam ihm wie eine Ironie des Schicksals vor. Zachar unternahm die Seefahrt, von der Michail träumte, und überließ ihm die Fürsorge für die Frau, die Michail begehrte.

»Ja, ich bleibe bei ihnen«, gab Michail seine Zustimmung.

Die Juno lief am nächsten Tag mit der Flut aus, und Michail schaffte seine Habseligkeiten in Zachars Hütte. Sein Lager bereitete er sich auf dem Boden vor dem Kamin.

Irgendwann in der Nacht träumte er von Rabentochter. Sie stand vor ihm, der gelbe Feuerschein umspielte ihren nackten Körper, der sich ihm mit vollen Brüsten darbot. Sie sank auf den Boden neben ihm, schmolz an seinem Körper dahin und umfing ihn. Er starrte ihr Gesicht an, die geschlossenen Augen, den dunklen Kopf, der unruhig von einer Seite zur anderen schlug, die vollen offenen Lippen, denen sich ein leises Stöhnen entrang, während er über ihr schwebte.

Als Michail am nächsten Morgen erwachte, spürte er im

Kopf ein dumpfes Dröhnen. Er drehte sich um und entdeckte einen Körper neben sich. Rabentochter lag unter seiner Decke. Der Traum war kein Traum gewesen.

»Nein!« rief er aus.

Langsam schlug sie die Augen auf und blickte ihn an, wobei sie unmerklich ihre bloßen Schultern reckte. Aus ihrem Lächeln sprach Befriedigung. »Du hast es so gewollt«, murmelte sie.

In den folgenden Monaten wurden in der Siedlung neue Gräber geschaufelt, da der Skorbut weitere Opfer forderte. Im Juni schoß die Kanone dröhnend Salut für die heimkehrende Juno, als diese beladen mit Weizen, Hafer, Erbsen und Bohnen, Mehl, Pökelfleisch, Talg und Salz in den Hafen von Sitka geschleppt wurde.

Als Zachar aus dem Beiboot stieg, lief ihm sein kleiner Sohn auf dürren Beinchen entgegen. Mit Tränen in den Augen sah er dem Jungen ins Gesicht, das eingefallen war vor Entbehrung. Er ließ den Sack von der Schulter gleiten, ging in die Knie und umfing das Kind ganz fest. Dann blickte er an ihm vorüber zu seiner Frau.

Rabentochter kam ihm nicht entgegengelaufen. Sie blieb neben Michail stehen. Der Arm seines Bruders lag gleich einem stummen Besitzanspruch um ihre Schulter. Zachar wußte es, sein Herz sagte ihm, was sich während seiner Abwesenheit zwischen seinem Bruder und ihr abgespielt hatte. Er spürte ein Würgen in der Kehle und kämpfte gegen aufsteigende Tränen. Gleichzeitig öffnete er seinen Sack. Nachdem er Wolf sein Geschenk gegeben hatte, zog Zachar einen buntbestickten Spitzenschal und einen Schildpattkamm für Rabentochter heraus.

Aus dem Augenwinkel nahm er wahr, wie sie Michail stehen ließ und auf ihn zukam. Sie hatte sich nicht geändert. Sie war noch immer käuflich. Nachdem sie gegangen war, drehte Michail sich um und ging ebenfalls. Zachar empfand keinen Zorn.

25. Kapitel

SITKA
SPÄTFRÜHLING 1808

Die Kanonen auf dem befestigten Hügel spien Feuer. Ihr Salut, der dem einlaufenden amerikanischen Schiff galt, donnerte über die kleine Stadt, die sich aus der bescheidenen Ansiedlung entwickelt hatte. Doch Zachar war an dem einlaufenden Schiff nicht interessiert.

In den vergangenen zwei Jahren hatte eine zunehmende Zahl ausländischer Schiffe Sitka angelaufen und es zu einem Zwischenhafen werden lassen, der im Pazifik nur von den Sandwich-Inseln übertroffen wurde.

Auf einem der hölzernen Bürgersteige innehaltend, kniff Zachar die Augen zusammen, um sich die verschwommenen Gestalten ringsum anzusehen. Seine Augen waren durch das jahrelang einwirkende, von Wasser und Schnee reflektierte Sonnenlicht geschädigt. Für einen Jäger eine beängstigende Schwäche. Nirgends sah er jemanden, der Rabentochter ähnelte, deshalb lief er weiter, immer wieder nach dem bunten Seidenschal in seiner Tasche tastend. Solange er ihr Geschenke machte, blieb sie bei ihm. Als er sich der Hüttenreihe näherte, traten zwei Gestalten aus dem zweiten Bau, der Hütte seines Bruders.

Zachar zögerte zunächst und spähte zu den anderen Hütten hin, ohne Rabentochter zu sehen. Erst dann ging er widerstrebend auf seine Mutter Tascha und seine Tochter Larissa zu. Die beiden waren im letzten Monat aus Kodiak gekommen und wohnten bei Michail. Er war als Navigator höhergestellt, verfügte über eine größere und besser ausgestattete Hütte und konnte den beiden dank seiner Position mehr gesellschaftliches Ansehen bieten, als es ein einfacher Jäger konnte. Doch die zwei Brüder wußten, daß der eigentliche Grund für diese Lösung Rabentochter war.

»Wohin an diesem schönen Morgen?« Zachar mußte sich zur Herzlichkeit zwingen.

»Wir wollen zum Hafen, das Schiff ansehen, das eben einlief.« Larissa glühte vor Begeisterung.

Zachar starrte seine Tochter an, die ihm so fremd war.

Mit ihren achtzehn Jahren stand sie in voller Blüte. Ihr hübsches Gesicht mit den dunklen, langwimprigen Augen und ihr glattes, schwarzes Haar erweckte bei den Männern von Nowo Archangelsk beträchtliches Aufsehen.

»Weißt du, woher es kommt? Ist es ein englisches Schiff?«

»Ein Yankeeschiff, glaube ich«, gab Zachar zurück, dessen Aufmerksamkeit wieder den anderen Hütten galt, da alle seine Gedanken um Rabentochter kreisten. Da wurde der gebrechliche Körper seiner Mutter von einem Hustenkrampf geschüttelt, bei dem sie Blut spuckte. So ging es schon seit ihrer Ankunft. Nahrhaftes Essen und viel Ruhe hatten sie zwar etwas gekräftigt, doch der Husten zeigte sich hartnäckig. »Wie fühlst du dich?« Er hatte ein schlechtes Gewissen, weil er seit ihrer Ankunft nicht mehr Zeit mit ihr verbracht hatte.

»Viel besser als sonst. Die Sonne ist wunderbar.«

Doch ihre Augen waren ohne Glanz und ihre Schultern gebeugt.

»Papa, es wäre wunderbar, wenn du mit uns zum Hafen mitkämest«, schlug Larissa hoffnungsvoll vor.

Zachar zögerte unschlüssig und ließ den Blick wieder die Reihe der Hütten entlangwandern.

»Sie ist nicht da«, sagte Tascha leise. Sofort erfaßte ihn Unbehagen, weil sie instinktiv gewußt hatte, was ihn bewegt hatte. »Ich sah sie vor einer Weile vorübergehen.«

Sie neigte den Kopf, um die Richtung anzuzeigen, die Rabentochter eingeschlagen hatte, nämlich zu den großen Hafengebäuden direkt am Wasser. Er hätte sie sehen müssen, falls sie ihm nicht mit Absicht ausgewichen war, eine Möglichkeit, die ihn noch mehr aus der Fassung brachte.

Gemeinsam schlenderten sie zum Hafen. Am Pier angekommen, überflog Zachar die kleine Menschenmenge, die sich zusammengefunden hatte, um die mit einem gebrochenen Fockmast in den Hafen einlaufende Brig zu empfangen.

»Es ist die Sea Gypsy, Babuschka«, erklärte Larissa ihrer Großmutter.

Der Name des Schiffes klang Zachar vertraut in den Ohren, doch wußte er zunächst nicht warum. Seine persönlichen Probleme waren zu drückend. Zerstreut sah er zu der Brig hinüber, die er seiner schlechten Augen wegen nur undeutlich sehen konnte. Bald würde er auf einem ähnlichen Schiff davonsegeln. Er sah für sich keine andere Möglichkeit mehr.

»Das Schiff interessiert dich«, bemerkte Tascha.

»Nein, ich . . .« Zachar hielt inne. Er konnte seine Pläne nicht länger verheimlichen. »Ich wurde an einen anderen Posten abkommandiert. Noch vor Ablauf des Monats werde ich gehen.«

Tascha sah weg, von Tränen geblendet. »Ich hatte gehofft, meine Kinder im Alter um mich zu haben. Aber alles ist in Gottes Hand«, erklärte sie, zu der russischen Redensart Zuflucht nehmend. »Wohin wirst du gehen?«

Er fürchtete sich, es ihr zu sagen. »Meine Augen lassen mich im Stich, doch ich kann nichts, außer Pelztiere jagen. Es gibt einen Ort, wo ein Jäger keine scharfen Augen braucht. Ich fahre zu den Pribilow-Inseln.« Sein Entschluß stand fest. Die Kompanie hatte zwei Jahre lang die Robbenjagd verboten, um den Tieren Gelegenheit zu geben, sich zu vermehren.

Tascha holte tief Luft. »Fahr nicht dorthin.« Sie umklammerte seine Hand.

»Ich muß.« Er konnte ihr nicht länger in die gequälten Augen sehen, denn er wollte nicht an seinen Onkel Aufrechten Gang und dessen Wahn erinnert werden.

Während er an Land gerudert wurde, studierte Caleb Stone die stattliche Festung auf der Hügelkuppe. Ihre Kanonen schützten den Hafen, den Wald und den Leuchtturm, der sich in einem zweigeschossigen Bau befand.

»Ihr habt ja einen richtigen Kreml in den Pazifik gestellt«, bemerkte Caleb zu dem Lotsen, der sein Schiff in den Hafen manövriert hatte. Caleb war wohl zu Ohren gekommen, daß die Russen ihre Niederlassung wieder aufgebaut hatten, doch auf diesen Anblick war er nicht gefaßt gewesen.

»Es ist der Hauptstützpunkt der Kompanie«, erwiderte Michail Tarakanow in seinem steifen Englisch.

Caleb registrierte flüchtig die über der Bastion wehende

blau-weiße Fahne, die Werft und den großen Rumpf eines nahezu fertigen Dreimasters. Er hatte gehofft, hier die Sturmschäden an seinem Schiff beheben lassen zu können. Nun sah er, daß man in Sitka über die dafür nötigen Einrichtungen verfügte.

»Ich war der Meinung, Baranow sei nicht mehr im Dienst.« Der zusammengeschrumpfte Alte mit der schwarzen Perücke wartete bereits im Hafen, um Caleb zu begrüßen.

»Resanow kam bei der Durchquerung Sibiriens ums Leben, deshalb bat man Baranow zu bleiben.«

Caleb stieg aus und begrüßte Baranow. Nach einigen Phrasen, die er mühsam in gebrochenem Englisch von sich gab, verließ Baranow sich lieber auf seinen Dolmetscher, einen jungen Yankee namens Abram Jones, der in den Diensten der Kompanie stand.

Nachdem er Baranows Einladung in dessen Büro angenommen hatte, wandte Caleb sich zum Hafenlotsen um, in der Absicht sich zu verabschieden, als er die junge Frau sah – kaum mehr als ein Mädchen –, die neben Tarakanow stand. Ihre Schönheit und Unschuld verlieh ihr eine Vornehmheit, die in diesem wilden Land völlig fehl am Platz wirkte.

Nur mit Mühe konnte Caleb seinen Blick losreißen, um mit einem fragenden Blick zum Hafenlotsen hin zu sagen: »Ich wollte Ihnen für Ihre Dienste danken, stelle aber fest, daß ich Sie bitten muß, vorgestellt zu werden.«

Tarakanow zögerte nur kurz. »Meine Nichte, Larissa Tarakanowa. Kapitän Caleb Stone von der Sea Gypsy aus Salem.« Er beugte sich über ihre schmale Hand und führte sie an die Lippen, während Larissa in einem anmutigen Knicks versank.

»Es ist mir ein Vergnügen, Ihre Bekanntschaft zu machen.« Ihr reizvoller Akzent machte die Förmlichkeit der Phrase wett.

»Das Vergnügen ist auf meiner Seite.« Caleb richtete sich auf, von dem Wunsch beseelt, Baranow möge sich zur Hölle scheren, doch sein Pflichtbewußtsein überwog. »Hoffentlich sehen wir uns wieder.«

Während er Baranow die Stufen zu der Hügelfestung

folgte, war Caleb noch in Gedanken bei Larissa. Welten lagen zwischen ihr und den Indianersquaws und Halbblutfrauen, die sich für gewöhnlich mit den russischen Jägern abgaben. Er war so in seine Gedanken vertieft, daß er die Koloschfrau mit dem rabenschwarzen Haar übersah, die ihn eindringlich anstarrte, als er vorüberging.

War es schon eine Überraschung, eine hübsche, kultivierte junge Frau wie Larissa in Sitka anzutreffen, so stellte die Residenz des Gouverneurs, Tausende von Meilen von der Zivilisation entfernt, für Caleb eine noch viel größere dar. Die größte Überraschung aber sollte die aus zwölfhundert Bänden bestehende Bibliothek sein. Neben Bildern und Schiffsmodellen beherbergte die Bibliothek auch einen Flügel, der den ganzen langen Weg um Kap Hoorn hinter sich hatte. Caleb zeigte sich sehr beeindruckt von dem Fortschritt, den die Russisch-Amerikanische Kompanie in so kurzer Zeit gemacht hatte. Obschon er Sitka nur angesteuert hatte, um Reparaturen vornehmen zu lassen, bat er Baranow um die Erlaubnis, in diesem Gebiet Handel treiben zu dürfen. Tatsächlich konnte Baranow ihn nicht daran hindern, wie Caleb genau wußte, doch sich unerlaubt hier zu betätigen, hätte bedeutet, daß Baranow ihm nie wieder besondere Vergünstigungen gewährt hätte.

Zwei Tage vergingen, ehe Caleb die Reparaturarbeiten in die Wege geleitet, einen Teil seiner Ladung an Baranow verkauft und von ihm die Jagderlaubnis erhalten hatte. Während dieser Zeit hatte Baranow ihn ständig eingeladen, ihm das fragwürdige Vergnügen des russischen Dampfbades geboten und ihn ununterbrochen mit Alkohol traktiert.

Endlich war das Geschäftliche erledigt, und Caleb verließ das unmittelbare Hafengelände, um durch das Zentrum der Stadt zu schlendern, das sich an den Fuß des Festungshügels schmiegte. Baranow hatte ihm erklärt, daß die aus Russen, Yankees, Aleuten und Gemischtrassigen bestehende Bevölkerung etwa tausend Menschen umfaßte, eine Zahl, die Caleb nicht unwahrscheinlich vorkam, als er die Ausdehnung der Stadt sah. Ein hoher, von imponierenden Toren unterbrochener Palisadenzaun umgab die Stadt. Straffe militärische Disziplin war allenthalben spürbar. Es gab regelmäßige Wachablösungen, die Soldaten salutierten vorschriftsmäßig.

Im Wohngebiet fielen ihm als erstes die Gemüsegärten auf, in denen die jungen Pflanzen während der langen Tage des Spätfrühlings hoch aufschossen.

Seine Schritte stockten, als er das in einem Garten arbeitende Mädchen bemerkte. Daß er sie früher oder später finden würde, hatte er gewußt. Eine Weile sah Caleb ihr einfach zu, ohne daß sie ihn bemerkte. Dann aber bückte er sich und pflückte eine große gelbe Mohnblume, mit der er auf sie zuging. Erst als er ein paar Schritte vor ihr innehielt, blickte sie auf. Nach einer Schrecksekunde schien Larissa erfreut. Hastig glättete sie ihr schwarzes Haar, das sie im Nacken zu einem Knoten zusammengefaßt trug.

»Miß Tarkanow, Sie sehen bezaubernd aus«, versicherte er ihr. »Nur etwas stimmt nicht.«

Er ließ sie die Mohnblume in seiner Hand sehen, ehe er sie hinter ihr linkes Ohr steckte. Irgendwie hatte er gewußt, daß sie unter seiner Berührung nicht zurückweichen würde.

»Eben habe ich die Blume für Sie gestohlen«, sagte Caleb lächelnd. »Auf Hawaii tragen die Mädchen Blumen im Haar. Und sie flechten sie zu Halsketten.«

»Eines Tages möchte ich Hawaii kennenlernen«, gab sie zurück. »Von den Yankees weiß ich, daß es dort immer warm ist. Stimmt das?«

»Ja.«

»Dann muß es ähnlich wie Kalifornien sein. Sind die Frauen auf Hawaii so schön wie die in Kalifornien?«

Caleb wußte nicht, ob ihre Frage nicht nur ein Versuch war, ihm ein neues Kompliment zu entlocken, doch ihre Neugierde schien ungeheuchelt.

»Ich weiß es nicht, da ich noch nie einer Kalifornierin begegnet bin.« Die spanischen Häfen entlang der Küste blieben den ausländischen Schiffen nach wie vor verschlossen. »Wer hat Ihnen davon erzählt?«

»Mein Vater. Er segelte auf dem Schiff des Gouverneurs Resanow zur Niederlassung San Francisco. Und er beschrieb mir die Schönheit der kalifornischen Dame, die Resanow zu ehelichen gedachte.«

»Ausländischen Schiffen sind die Häfen verschlossen. Wie schaffte er es, die Erlaubnis zu bekommen?«

Ihr verständnisloser Blick verriet ihm, daß sie von dem Verbot nichts geahnt hatte. Unmerklich schob sie die Schultern hoch. »Immerhin war er ein hoher Regierungsbeamter.«

Dieser Resanow mußte in der Tat ein Mann von beträchtlichem Einfluß gewesen sein. Einen Augenblick lang regte sich in Caleb die Hoffnung, daß Kalifornien sich dem Handel geöffnet hatte und sich ein neuer Markt für ihn auftäte. Dann aber gelangte er zu dem Schluß, daß die Fahrt des Russen nach San Francisco eine Ausnahme darstellen mußte, falls nicht ein exklusives Handelsabkommen mit den Spaniern existierte. Diese verdammten Russen sind so zugeknöpft, dachte Caleb. Baranow hatte ihm Informationen über die Küste im Süden entlocken wollen, indem er ihn über Kalifornien und das Gebiet von New Albion um die Mündung des Columbia-Flußes ausfragte.

»Wie oft laufen russische Schiffe nach Kalifornien aus?«

Larissa schüttelte den Kopf. »Das weiß ich nicht. Ich hörte nur von dem einen. Sagten Sie nicht, daß die Häfen ihnen verschlossen sind?«

»Richtig.« Caleb lächelte, erfreut, daß sie nicht dumm war.

Ganz plötzlich galt ihre Aufmerksamkeit einem gedämpften rasselnden Laut, der aus dem Haus drang. »Das ist Babuschka. Ihr geht es nicht gut.«

Nach einem entschuldigenden Blick lief sie auf das Haus zu. Das Geräusch war ein rasselnder Husten, wie Caleb jetzt unterscheiden konnte. Erst zögerte er, dann folgte er Larissa ins Blockhaus, mehr aus Neugierde, und weil er nicht wollte, daß die Begegnung ein jähes Ende fände, als daß er den Drang zu helfen verspürt hätte. Larissa saß auf einer Bettstatt in der Ecke neben dem Kamin und stützte eine Greisin, die von einem Hustenkrampf geschüttelt wurde. Als er sah, daß das Mädchen ein Tuch mit roten Flecken aus den spindeldürren Händen entgegennahm, wurde er von Mitleid erfaßt. Die alte Frau litt an Auszehrung und würde daran sterben. Larissa half ihr, sich auszustrecken.

»Es wäre besser, wenn sie aufrecht säße«, sagte Caleb. Den erschrockenen Blick des Mädchens nicht beachtend, trat er an die Lagerstatt. Da er keine Kissen sah, nahm er die Fellgewänder, die am Bettfuß aufgehäuft lagen, und stopfte sie der alten Frau unter den Kopf, damit sie sich zu einer halbsitzenden Position aufrichten konnte. Trotz der Erschöpfung, die ihre Züge prägte, musterten ihn ihre dunklen Augen eingehend. Sie sagte zu Larissa ein paar Worte auf russisch.

»Babuschka ... Großmutter dankt Ihnen für Ihre Güte.« Larissa wandte sich zu ihm um. »Sie fragt, ob Sie mit uns Tee trinken wollen.«

»Ja. Sehr gern.« Caleb lächelte.

Bis der Tee fertig war, erfuhr er, daß sie von ihrer Großmutter nach dem Tod der Mutter, die dem Seebeben auf Kodiak zum Opfer gefallen war, aufgezogen worden war und daß sie auch die weiblichen Fertigkeiten des Kochens, Nähens und Haushaltens beherrschte. Damit war ihr kultiviertes Wesen erklärt – die klösterliche Unschuld und die moralische Festigkeit, die er in ihr zu erkennen glaubte.

»Und Ihr Vater? Ist er noch am Leben?«

»Er lebt hier in Sitka, doch ist er Jäger und die meiste Zeit unterwegs. Deswegen leben Babuschka und ich bei Onkel Michail.«

Der aromatische Duft chinesischen Tees durchzog den Raum und löste bei Caleb Erinnerungen an Boston aus. Nur einen Augenblick lang stellte er sich Larissa teetrinkend im Salon eines Hauses auf dem Beacon Hill vor. Er dachte an das Aufsehen, das sie in seiner Heimatstadt erregen würde. Caleb lachte unwillkürlich auf, als er sich dabei ertappte, daß er an seine Ehe dachte.

»Warum lachen Sie?« fragte Larissa verlegen. »Habe ich ein verkehrtes Wort benutzt?«

»Nein, ich mußte über etwas lachen, das nichts mit dem zu tun hat, was Sie sagten.«

Als er ging, blieb Larissa in der Tür stehen und sah ihm nach, bis er außer Sicht war. Dann schloß sie bedächtig die Tür und lehnte sich dagegen. Mit geschlossenen Augen drückte sie die gelbe Mohnblume an die Brust. Der gutaussehende, glattrasierte Yankee-Kapitän Caleb Stone war der aufregendste Mann, dem sie je begegnet war. Gewiß, auch andere hatten sie mit hungrigen Blicken angestarrt, und sie war nicht so naiv, als daß sie nicht gewußt hätte, was diese Blicke bedeuteten. Aber niemand hatte je dieses warme, erregende Gefühl in ihr hervorgerufen.

Wieder speiste Caleb in der Residenz des Gouverneurs mit Baranow. Bei dieser Gelegenheit konnte er nicht umhin, sich die Frage zu stellen, ob es nicht Vorteile mit sich bringen würde, eine Russin zur Frau zu haben. Bislang war es keinem Handelsherrn, nicht einmal John Jacob Astor gelungen, Baranow einen Exklusivvertrag abzuringen, in dem er sich verpflichtete, Vorräte nur bei ihm zu kaufen. Ein solcher Vertrag war Gold wert, denn damit konnte man eine ganze Flotte zusammenkaufen. Vielleicht würde Baranow einen mit einer Russin verheirateten Mann in einem günstigeren Licht sehen.

Der Gedanke sagte Caleb sehr zu, um so mehr, als er ihm eine Rechtfertigung für die Zuneigung lieferte, die er für Larissa empfand. Es genügte nicht, eine schöne, begehrenswerte Frau zu haben, man mußte auch eine vernünftige Wahl treffen. Vor sich hinpfeifend, legte er das Stück Weges zu seinem Boot zurück, wo seine Bootsmannschaft ihn erwartete.

»Boston-Mann«, hörte er eine leise Stimme rufen. »Caleb Stone.«

Innehaltend versuchte er, den Nebel zu durchdringen. Vor ihm tauchte eine Gestalt auf – eine Tlingitfrau in einem verblichenen Gewand, das ihm sonderbar bekannt vorkam.

»Was willst du?« Er war nicht in der Stimmung, sich von einer Eingeborenenhure ansprechen zu lassen.

Anstatt ihm zu antworten, kam sie näher. Ein Junge von etwa fünf, sechs Jahren schmiegte sich an ihre Seite. »Du erkennst Rabentochter nicht?« raunte sie.

Der Name half seinem Gedächtnis nach. Mit einem Lächeln ohne eine Spur von Heiterkeit rieb er sich den linken Arm. »Die Narbe von deinem Messer trage ich heute noch.«

»Mehr weißt du nicht mehr?«

»Nein.« Er verspürte nicht die geringste Lust, die Beziehung wieder aufzunehmen. »Wolltest du mich deswegen sehen?«

»Kann sein.« Sie zog die Schulter hoch. »Vielleicht möchtest du deinen Sohn sehen?«

»Meinen . . . was?«

Sie hob das Kinn des Jungen an, so daß Caleb das schläfrige Gesicht des Jungen sehen konnte. »Seine Augen . . . wie deine.«

»Das beweist gar nichts. Nur weil dein Bastard blaue Augen hat, muß ich nicht der Vater sein«, höhnte Caleb.

»Vielleicht wird aber diese Larissa dieser Meinung sein. Ich sah dich heute bei ihr, wie du ihr Blumen ins Haar stecktest. Dein Sohn ist im Wachsen. Er braucht Nahrung und Kleidung. Caleb hat viele Sachen auf seinem Schiff. Die kann sein Sohn gut brauchen.«

»Willst du mich erpressen?« Drohend trat er einen Schritt auf sie zu.

Ein plötzlicher Ausruf auf russisch lenkte Caleb ab. Aus dem Nebel löste sich die Gestalt eines Mannes, der sich raschen Schrittes zwischen Caleb und Rabentochter drängte.

»Was geht hier vor?« wollte der Russe wissen.

»Dieses Indianerbiest will mir einreden, daß ich der Vater ihres Kindes bin und daß ich sie auszahlen soll.«

Entsetzt riß der Russe die Augen auf. Caleb sah das Blau und erkannte den Mann sofort als den Überlebenden des Massakers, den er seinerzeit an Bord genommen hatte. Er hieß Zachar Tarakanow. Schlagartig fiel ihm alles wieder ein – er erinnerte sich sogar an Rabentochters Geständnis, daß sie mit dem Russen zusammen gewesen sei.

»Sind Sie es?« Die Stimme des Mannes schwankte.

»Zachar, es ist eine Lüge.«

Caleb ahnte, daß der Mann den Jungen für seinen eigenen Sohn hielt. »Mit diesem Trick hat sie es wahrscheinlich bei einem halben Dutzend Männer probiert. Wenn einer sein Vater ist, dann sind Sie es am meisten.«

Zachar starrte ihn mit einem Blick an, aus dem Zweifel sprachen. Schließlich wandte er sich ab und hob den Jungen auf. Er sagte etwas zu Rabentochter und schob sie auf die Häuser zu, als sie sich nicht rühren wollte. Der Nebel verschluckte sie rasch. Kaum war Calebs Wut verraucht, als sich bei ihm Besorgnis meldete, ob Rabentochter ihre Drohung wahrmachen und Larissa alles sagen würde. Larissa. Auch ihr Familienname lautete Tarakanow. Er fragte sich, ob sie mit Zachar verwandt war.

In der Hütte legte Zachar den Jungen auf das Lager. Wolf war schon eingeschlafen, als Zachar die Decke um ihn herum feststeckte. Lange stand er da und sah den Jungen an, den er so liebgewonnen hatte.

»Ist Wolf mein Sohn?« Er brachte die Worte kaum über die Lippen. Von Zweifeln gepeinigt drehte er sich zu Rabentochter um. »Bin ich sein Vater?« stieß er heiser hervor. »Antworte mir!«

Sie aber blieb stumm, und dieses Schweigen bezwang ihn. Er fühlte sich unfähig, allen Stolzes und jeglicher Ehre beraubt.

»Du bist dumm«, höhnte Rabentochter. »Von diesem Boston-Mann hätte ich viel bekommen können.«

»Warum? Ist Wolf sein Sohn?«

»Wenn ich jetzt nein sage, wie willst du wissen, daß es die Wahrheit ist?«

Er starrte sie an, als ihn die grausame Realität voll traf. Was immer sie sagen mochte, der Zweifel würde bleiben. Wolf mochte sein Sohn sein, doch er würde es nie mit Sicherheit wissen, da auf ihr Wort kein Verlaß war und kein anderer ihm diese Frage beantworten konnte.

»Der Yankee bestritt die Vaterschaft. Der hätte dir nichts gezahlt.«

Zachar versuchte ihr Selbstvertrauen zu brechen.

»Er macht der Tochter deiner verstorbenen Frau schöne Augen.«

»Larissa?«

»Ich hätte viele schöne Sachen von ihm bekommen können – wie dieses Gewand, das er mir damals gab.« Sie strich über das abgetragene und verblichene Material.

»Er hat dir das gegeben?«

Zachar starrte das Gewand an. Es war der Beweis dafür, daß sie im Sommer des Massakers mit Caleb Stone zusammengewesen war. In einer Aufwallung von Zorn riß er ihr es vom Leib und warf es ins Kaminfeuer, ungeachtet ihrer Krallen, die ihn daran zu hindern suchten.

Qualm bildete sich um das brennende Kleid. Gleich darauf sprangen die Flammen hoch und schwärzten den buntgestreiften Stoff. Das plötzliche Aufflammen warf Licht auf Rabentochters nackten Körper, dessen Anblick Zachars Gelüste nicht mehr wecken konnte.

»Ich bekomme andere, viele andere«, kündigte sie trotzig an. »Caleb wird mir alles geben, damit ich Larissa nichts sage.«

Diesmal bekam er sie an der Kehle zu fassen. »Nein, das wirst du nicht. Von nun an wirst du dich mit dem zufriedengeben, was ich dir gebe. Sollte ich je erfahren, daß du versuchst, von anderen Männern Geschenke zu bekommen, daß du diese Lüge über meinen Sohn bei meiner Familie oder bei Freunden verbreitest, dann töte ich dich.«

Er stieß sie von sich. Sie taumelte davon, prallte gegen den Kamin und streifte mit der Wange einen rauhen Stein.

Momentan wurde ihr schwarz vor den Augen. Sie hielt die Hand an die Wange und fühlte das warme Blut aus der Schürfwunde. Abscheu und Verachtung stiegen in ihr hoch, als sie Zachar ans Bett treten sah.

26. Kapitel

Larissa und Caleb schlenderten den Küstenpfad entlang. Für Caleb war es ein echter Schock, als er zu Anfang der Woche erfahren hatte, daß Zachar Tarakanow Larissas Vater war. Ein wenig beruhigt hatte ihn der Umstand, daß sie mit ihm nicht viel Kontakt zu haben schien. Da er Rabentochter zu gut kannte, war er erleichtert, daß Zachar die beiden möglichst auf Distanz hielt. Damit waren für Rabentochter die Möglichkeiten, Unheil zu stiften, eingeengt. Die vergangene Woche hatte Caleb jede freie Stunde damit zugebracht, Larissa glühend zu umwerben. Mit jedem Tag, der verging, wuchs Calebs Überzeugung, daß sie die Richtige war – in jeder Hinsicht.

»Bald werden die Reparaturen an Ihrem Schiff beendet sein.« Das Bedauern in ihrem Ton war nicht mißzuverstehen.

»Jetzt gibt es fast nichts mehr zu reparieren«, gestand er. »Drei Tage noch. Vielleicht kann ich die Zeit auf vier Tage ausdehnen.«

»Dann werden Sie fortsegeln, um von den Kolosch Felle einzutauschen.« Sie hielt den Kopf gesenkt, als sie die zwei nächsten Schritte tat. »Sie werden mir fehlen, Caleb.«

Caleb blieb stehen. »Larissa.«

Auch sie blieb stehen und sah ihn sehnsüchtig an.

»Ich wußte bis jetzt gar nicht, wie einsam mein Leben ist.« Er zögerte. »Spreche ich zu übereilt?«

»Nein«, beeilte sie sich zu sagen und tat unwillkürlich einen Schritt auf ihn zu.

Bislang hatte er nicht mehr gewagt als einen langen Handkuß. Jetzt küßte er ihre Lippen. Er spürte das Beben der Unschuld und Unsicherheit. Doch ihr Zögern war dahin, als sie mit heißem, innigem Druck reagierte. Da vergaß er seine Zurückhaltung und küßte sie heftig, nachdem er sie stürmisch in die Arme genommen hatte. Sie widersetzte sich, die Hände gegen seine Brust gestemmt. Caleb ließ sie sofort los, betroffen, daß er sie mit seiner Leidenschaft erschreckt hatte. Noch ehe er sich entschuldigen und ihre Vergebung erflehen konnte, hatte es heftig zu regnen angefangen. Sie drehte sich um und lief zurück zur Siedlung.

»Larissa, warten Sie.« Caleb lief ihr nach.

Es regnete in Strömen. Das Musselinhemd unter ihrem Sarafan war schon durchnäßt, als er sie einholte und ihr seinen Mantel über Kopf und Schultern legte. Gemeinsam rannten sie zum Haus. Vor der Tür angekommen, faßte sie nach dem Riegel.

»Larissa, warten Sie.« Regen lief ihm übers Gesicht und ließ sein Hemd an der Haut haften. Sie hielt inne, ohne sich umzudrehen. Im Inneren war ihre Großmutter, vielleicht auch ihr Onkel. Vor ihnen konnte er ihr nicht sagen, was er sagen wollte. Mit einer jähen Bewegung nahm sie seinen Mantel ab und drückte ihm das Kleidungsstück in die Hand.

»Ich wollte nicht . . .«, setzte er an.

Sie legte ihm einen Finger auf die Lippen, um ihn zum Schweigen zu bringen. Ebenso jäh stellte sie sich auf die Zehenspitzen und küßte ihn, wobei sie ihn das Ausmaß ihrer

Leidenschaft spüren ließ. Ihr Verhalten betäubte ihn fast. Als er die Hand nach ihr ausstreckte, bekam er nur mehr das nasse Material ihres Rockes zu fassen, so schnell lief sie ins Haus.

Caleb starrte erst die Tür an, dann machte sich ein Lächeln in seinem Gesicht breit.

»Sie ist nicht gut für dich. Sie wird dir nie so zu Gefallen sein wie ich.«

Rabentochters spöttische Stimme ließ seinen Schritt stokken. Das Lachen erstarb in seiner Kehle, als Caleb sich zu der deckenumhüllten Gestalt in dem schmalen Durchgang zwischen zwei Häusern umdrehte. Nach einem hastigen Blick über die Schulter, mit dem er sich vergewisserte, daß er nicht beobachtet wurde, trat er von dem plankenbelegten Weg in den offenen Durchgang.

»Was treibst du hier?«

Rabentochter schob die Decke zurück und wandte den Kopf, um ihm ihre rechte Wange zu präsentieren, über die eine feuerrote Wunde verlief. »Das hat Zachar getan.«

»Du hast es verdient. Ich hätte dir noch mehr angetan.«

»Ja.« Sie drehte sich um und zeigte ihm die unversehrte Gesichtshälfte. Ihre schwarzen Augen funkelten, sie lächelte andeutungsweise. »Du bist der einzige Mann, der es mit mir aufnehmen und mich bezwingen kann. Du hast es fertiggebracht, daß ich vor Schmerzen schrie – und vor Lust.« Sie kam auf ihn zu. »Ich weiß, daß dein Schiff in zwei Tagen seeklar sein wird. Nimm mich mit.«

»Nein.«

»Caleb, wir sind einander ähnlich. Du willst Felle eintauschen. Ich zeige dir die Dörfer, die viele Felle besitzen.«

»Welche Dörfer?«

»Sie geben die Felle nur gegen Waffen. Hast du Waffen?«

»Ja.« Caleb hatte nicht die Absicht, Baranows Erlaß zu befolgen und den Indianern keine Waffen zu verkaufen. »Wo liegen diese Dörfer?«

»Ich werde sie dir zeigen.«

»Ich brauche keine Führerin.«

»Ich kann für dich handeln und viele Felle für eine Waffe herausschlagen«, gab sie zu bedenken, ging aber rasch zu einer anderen Taktik über, als sie merkte, daß sie nichts erreichte. »Zachar wird bald fortgehen – er will zu einer Insel weit im Norden. Dorthin will er mich mitnehmen. Aber ich will das Land meines Volkes nicht verlassen. Ich gehe mit dir. Du nimmst mich mit.«

»Nein.« Caleb schüttelte den Kopf. »Wenn du Zachar verlassen willst, dann geh zu deinen Leuten. Oder will man dich und deinesgleichen dort nicht?«

Ihre Miene wurde kalt. »Vielleicht werde ich mit Larissa sprechen.«

»Der Junge ist nicht von mir. Aber wenn du den Mund aufmachst, dann werde ich dem erstbesten Medizinmann, der mir über den Weg läuft, sagen, daß du eine Hexe bist und daß du es bist, die dein Volk daran hindert, dieses Land den Russen wieder abzunehmen.«

Er sah sie erbleichen und las Entsetzen in ihrem Blick, denn sie wußte, wie die Tlingit mit angeblichen Hexen verfuhren.

Der Schiffsbauer ließ Caleb ausrichten, daß die Reparaturen an der Sea Gypsy am nächsten Morgen beendet sein würden, einen Tag früher als ursprünglich erwartet, genau zu dem Zeitpunkt, den Rabentochter vorausgesagt hatte. Flüchtig ging ihm die Frage durch den Kopf, woher sie das wissen mochte. Dann tat er den Gedanken als unerheblich ab.

Ein Tag war das allerhöchste, was er herausschlagen konnte. Nach nahezu zwei Wochen in diesem Hafen war der Reiz der Neuheit für seine Besatzung vergangen. Die Leute wurden unruhig. Es war Handelssaison, und andere Handelsschiffe würden ihnen den Rang ablaufen, während sie noch kein einziges Fell im Laderaum hatten. Nein, er durfte keine Zeit verlieren, nicht auf seiner ersten Fahrt als Skipper und Eigentümer der Brig.

Entschlossen setzte er sich in Bewegung und überquerte die Straße. Alles schimmerte an diesem sonnigen Morgen. In der russischen Niederlassung herrschte lebhafte Aktivität.

Die alte Tascha Tarakanowa saß auf einem Stuhl im Vorgarten ihres Holzhauses und ließ sich die alten Knochen von der Sonne wärmen. Caleb spürte genau, wie sie ihn beobachtete. Er argwöhnte, daß er ihr mißfiel, obwohl sie nichts gesagt oder getan hatte, was diesen Eindruck erweckt hätte. Und es war ihre Billigung, die er brauchte, denn er hatte von Anfang an gewußt, daß sie in Larissas Leben die wichtigste Rolle spielte.

Caleb sah Larissa im Garten Unkraut jäten. Das bunte Seidenkopftuch war im Nacken gebunden, ein Gürtel umspannte den losen Sarafan um die Mitte. Sie blickte auf, als hätte sie ihn erwartet, und ließ die Harke fallen, um ihm entgegenzulaufen.

»Ich hoffte, du würdest kommen.« Ihre Augen blitzten.

»Du wußtest es«, neckte Caleb sie.

Ihr Lächeln wurde breiter. Sie tat eine kleine Bewegung auf ihn zu, dann zögerte sie und warf einen Blick über die Schulter, als sei ihr die Großmutter eingefallen. Sie nahm seinen Arm und führte ihn den Weg entlang zur alten Frau.

»Guten Morgen, Babuschka.« Von Anfang an hatte er sich die Freiheit herausgenommen, sie mit dem russischen Wort für Großmutter anzusprechen, in der Hoffnung, sie für sich zu gewinnen. »Du siehst aus, als freust du dich über das Wetter. Die Sonne wird dir guttun.«

Larissa fing zu übersetzen an, noch ehe er ausgesprochen hatte, und anschließend übersetzte sie die Antwort der Großmutter. »Sie begrüßt dich und sagt, es sei wirklich ein schöner Morgen.«

Caleb überreichte der Alten ein Päckchen. »Für dich, Babuschka.«

Bei jedem seiner Besuche in der Hütte hatte er ein kleines Geschenk mitgebracht – etwas Tee oder Zucker und einmal Tabak für Larissas Onkel Michail. Diesmal war aber der Anlaß gewichtiger, und er hatte den Wert des Geschenkes entsprechend erhöht. Das Päckchen enthielt einige Ellen feinen englischen Tuches. Er wartete, daß sie es auspackte, doch sie machte keine Anstalten. »Sag ihr, sie soll es auspacken.«

Larissa gab seine Aufforderung weiter. Die Alte sah ihn mit schrägem Kopf und stetigem Blick an. Als sie zu sprechen anfing, wartete Larissa ab, ehe sie zu übersetzen anfing.

»Sie dankt dir für das Geschenk, doch sie wundert sich,

warum du ihr Geschenke bringst. Sie fragt ... Babuschka!« Larissas Wangen röteten sich.

»Was sagte sie?« wollte Caleb mit gefurchter Stirn wissen. Verlegen zögerte Larissa die Antwort hinaus. »Auf den Aleuten ... dort wo meine Großmutter geboren wurde ... wenn ein Mann eine Frau zu sich nehmen möchte, gibt er ... ihren Eltern Geschenke. Werden die Geschenke angenommen, lebt sie mit ihm. Das ist der Brauch.«

»Und sie meint nun, ich versuchte dich zu kaufen?«

Sie blickte zu ihm auf und sah ihn an. »Ich wurde durch die heilige Taufe Christin. Ohne Gottes Segen mit einem Mann zu leben, ist Sünde.«

»Sag deiner Großmutter, daß es wahr ist. Ich liebe dich und möchte dich zur Frau haben, die Geschenke aber bringe ich ihr aus Bewunderung und Hochachtung. Ebenso wahr ist, daß ich heute gekommen bin, um die Einwilligung deiner Familie zur Heirat zu erbitten. Gäbe es in Sitka einen Priester, dann könnte ich ihn bitten, uns zu trauen, doch leider gibt es hier keinen. Frage deine Großmutter, was ich machen soll.«

Die mit Verwunderung gemischte Freude, die aus ihrer Miene sprach, ließ keinen Zweifel darüber, daß sie seine Werbung angenommen hatte. Sie sank neben dem Stuhl ihrer Großmutter in die Knie und bestürmte diese mit einem Schwall russischer Worte, beschwörend und besänftigend.

Während Tascha ihrer Enkeltochter zuhörte, schlich sich eisige Leere in ihren Körper. Plötzlich fühlte sie sich sehr alt und müde. »Du würdest mit ihm fortgehen und zu jenem Ort, der Boston genannt wird, segeln?«

In ihrer Erinnerung tauchte der Tag auf, als sie von Attu aus mit Andrej Tolstych lossegelte und ihre Mutter Winterschwan und ihren Onkel Dichter Bart verließ. Sie warf einen Blick zu den dunkelgrünen, dichtwachsenden Fichten und Zedern, die jenseits der Umzäunung aufragten. Tascha sehnte sich noch immer nach ihrem baumlosen Eiland und dem ständig wehenden Wind.

»Caleb sagt, wir würden oft zurückkommen.« Larissas Stimme riß Tascha aus ihren Erinnerungen. »Hier kann er seinen Geschäften nachgehen. Er sagt, daß er hier vielleicht sogar ein Haus bauen wird. Wenn wir zurückkommen, werden wir darin wohnen.«

»Zurückkommen.« Dieses Wort erinnerte Tascha daran, daß Andrej ihrer Mutter ebenfalls versprochen hatte, sie nach Attu zurückzubringen. Sie hatte es geglaubt. Tascha zog den Wollschal über der Brust zusammen, da sie fror.

»Babuschka, ich liebe ihn. Er segelt bald los.«

»Und du würdest mit ihm gehen?« Sie starrte ihre Enkelin an.

»Ich will dich ja nicht verlassen, Babuschka, aber ich liebe ihn.«

Müde schüttelte Tascha den Kopf. »Sag ihm, daß ich mit meinen Söhnen sprechen werde.« Sie stand auf und ging langsam zur Hütte. Ihre Schritte waren so schwer wie ihr Herz.

Eine Träne glitt über Larissas Wange, als sie ihre Großmutter gehen sah. Sie fühlte sich zerrissen. Das Glück hatte sie so geblendet, daß sie an den Abschiedsschmerz erst gedacht hatte, als sie ihn in den Augen ihrer Großmutter sah. Da spürte sie den warmen Druck von Calebs Händen auf ihren Schultern und drehte sich um.

»Sie möchte mit meinem Vater und mit meinem Onkel sprechen. Caleb, sie ist so gebrechlich.«

»Und du bist jung. Es ist ja nicht so, daß sie außer dir keine Angehörigen hätte. Sie wird nicht allein sein. Sie hat ihre Söhne. Falls es dir Sorgen macht, werde ich Vorkehrungen treffen, daß sie versorgt ist.«

»Ich wünschte . . .« Doch sie war zu verwirrt, um zu wissen, was sie sich wünschte.

»Komm ein Stück mit«, drängte er.

Doch es trieb sie in die andere Richtung. »Vielleicht sollte ich zu ihr.«

»Larissa, uns bleibt so wenig Zeit.«

Von seiner Bitte verunsichert, ließ sie sich überreden, mitzugehen.

Caleb blieb neben dem abgeflachten Felsblock stehen, der an der Wölbung der Bucht lag, und nahm Larissa in die Arme, um sie mit gezügelter Glut zu küssen. Als er den

Kopf hob, ließ er sie nicht los und spürte ihren beschleunigten Atem.

»Larissa, ich kann den Gedanken, dich zu verlassen, nicht ertragen«, raunte er an der glatten Haut ihrer Schläfe. »Du liebst mich doch, oder?«

»Mit ganzem Herzen«, flüsterte sie innig.

»Was ist, wenn deine Familie uns nicht ihren Segen gibt?« Er wollte, daß diese Verbindung seine Handelsbeziehungen mit Russisch-Amerika festigen und keine Kluft aufreißen würde.

»Ich weiß es nicht.«

»Irgendwie mußt du sie dazu bringen. Ich verspreche dir, ich werde dafür sorgen, daß es deiner Großmutter für den Rest ihrer Tage an nichts fehlen soll.«

»Ich . . .«

»Kapt'n! Gelobt sei Patrick, daß ich Sie fand!«

Sein Maat O'Shaughnessy kam auf sie zugerannt, atemlos, mit geröteten Wangen, die mit seinem flammendroten Haar wetteiferten. Caleb trat sofort zurück und brachte eine ehrbare Distanz zwischen sich und Larissa.

»Entschuldigung, Miß.« Der Ire zog verspätet den Hut vor ihr. »Käpt'n, ich durchsuchte diese russische Stadt von vorn bis hinten nach Ihnen.«

»Was gibt es?«

»Der Erste Maat braucht Sie. Er schickte mich auf die Suche.«

»Warum, was ist passiert?«

»Es geht um diesen Gouverneur Baranow. Er kam an Bord der Sea Gypsy, ohne auch nur zu fragen. Als Hicks ihn stellte, verlangte er die Frachtliste zu sehen.«

»Hicks hat sich doch hoffentlich geweigert?«

»Baranow brachte Soldaten mit. Es hieß, Ladeliste oder kämpfen. Aber da die halbe Besatzung an Land war, hätte es nicht viel Kampf gegeben, Sir. Er ließ mich die Liste holen und schickte mich dann auf die Suche nach Ihnen.«

Caleb stieß eine leise Verwünschung aus. »Er wird die Waffen und die Munition auf der Liste sehen.«

»Ja, und ich sagte zu Hicks, gleich wird der Teufel los sein.«

»Komm.« Caleb nahm Larissas Arm.

»Was ist los?«

»Jetzt ist keine Zeit für Erklärungen. Ich muß zurück auf mein Schiff.«

Im Hafen angekommen, verließ Caleb sich dankbar auf Larissas Beteuerung, er brauche sie nicht nach Hause zu begleiten, und stieg sofort in das wartende Boot, um sich zum Schiff rudern zu lassen. Vom Boot aus studierte er die Gruppe von Männern an Deck der Brig und erkannte unter ihnen Baranow. Daß dieser vor Wut toben würde, war vorauszusehen. Calebs Hoffnungen auf Zusammenarbeit oder zumindest auf günstige Handelsbeziehungen waren ernsthaft gefährdet.

An Bord gab Caleb sich vor Baranow gewinnend und unbefangen.

»Ein unerwarteter Besuch, Alexander Andrejewitsch, damit berauben Sie mich der fairen Chance, mich für Ihre großzügige Gastfreundschaft entsprechend zu revanchieren. Hoffentlich haben meine Leute Sie in meiner Abwesenheit zuvorkommend behandelt. Gehen wir nach unten und genehmigen uns einen Drink – wo uns kein Lärm stört.« Er deutete mit einer Handbewegung auf die Zimmerleute, die mehr Interesse für die Konfrontation bekundeten als für die letzten Arbeiten am Schiff. »Ich habe eine Flasche hervorragenden Brandy, die ich für besondere Gelegenheiten wie diese aufspare.«

»Der Gouverneur ist nicht auf einen Höflichkeitsbesuch gekommen«, stellte der Dolmetscher Baranows fest.

Calebs geheucheltem Erstaunen folgte ein Lächeln. »Ach, der Gouverneur hat wohl gehört, daß ich Larissa Tarakanowa regelmäßig besuche und will sich nun überzeugen, ob meine Absichten ehrenhaft sind. Lassen Sie mich versichern, daß meine Absichten mehr als ehrenhaft sind. Die fragliche Dame hat mich vollends bezaubert. Ehrlich gesagt, wollte ich Sie aufsuchen in der Hoffnung, dank Ihrer Fürsprache, die Großmutter des Mädchens zur Einwilligung zu überreden.«

Nichts von dem, was er sagte, schien auf den russischen Gouverneur auch nur den geringsten Eindruck zu machen.

»Dem Gouverneur ist zur Kenntnis gelangt, daß auf Ihrer Frachtliste hundertdreißig Musketen aufgeführt sind«, sagte der Dolmetscher.

»Das ist richtig.« Caleb nickte dazu.

»Warum wurde dies vor dem Gouverneur mit Absicht geheimgehalten?«

»Davon kann keine Rede sein. Mit allem gebührenden Respekt für den Gouverneur, ich wurde nicht nach Waffen gefragt.«

»Sie wissen doch, daß der Verkauf von Waffen an die Kolosch in Russisch-Amerika verboten ist?«

»Ja.«

»Und Sie haben selbst gesehen, was passieren kann, wenn den Kolosch Waffen in die Hände fallen. Sie haben die Folgen des Massakers in der Festung St. Michail mit eigenen Augen gesehen und bringen dennoch Waffen als Handelsartikel.«

Caleb wählte seine Worte mit Bedacht. »Ich muß gestehen, daß ich dies bis vor kurzem nicht für mein Problem ansah. Jetzt bin ich natürlich um die Sicherheit aller hier Lebenden mehr besorgt, da die Familie meiner künftigen Frau hier lebt. Falls der Gouverneur Interesse hätte, die Waffen und Munition zur Ergänzung seines Arsenals zu erwerben, wäre ich überglücklich, sie der Kompanie zu überlassen.«

Der Dolmetscher zögerte sichtlich, Baranows Antwort zu übersetzen. »Der Gouverneur . . . ordnet an, die illegalen Güter aus dem Frachtraum zu entfernen. Sie werden mit Booten an Land gebracht.«

»Zu welchen Bedingungen?« fragte Caleb wachsam.

»Captain Stone, der Gouverneur beschlagnahmt die Waffen.«

Caleb erstarrte. »Mit welcher Berechtigung?«

»Er beschlagnahmt Ihre illegale Ware mit der Begründung, daß Sie einen unfreundlichen Akt gegen die russische Regierung gesetzt haben. An Ihrer Stelle würde ich nicht zu heftig Protest einlegen, Captain Stone«, warnte ihn der Dolmetscher. »Ich glaube, die Version des Gesinnungswechsels nahm er Ihnen ab, doch wenn Sie mit ihm in Streit geraten, wird er wahrscheinlich Ihr Schiff beschlagnahmen. Sie wissen ja, wie er über den Verkauf von Waffen an die Indianer denkt.«

»Eine Beschlagnahme ist ungesetzlich«, beharrte Caleb zähneknirschend.

»Ungesetzlich oder nicht, Sie könnten wenig dagegen unternehmen. Washington ist weit. Wenn er Ihr Schiff nimmt und Sie verhaftet, wird es sehr lange dauern, bis sich etwas zu Ihren Gunsten tut.«

Schließlich blieb Caleb nichts übrig, als einzusehen, daß seine Position unhaltbar war. Er verbeugte sich steif vor Baranow.

»Sagen Sie dem Gouverneur, daß ich entzückt bin, die Waffen zur Verteidigung von Sitka als Schenkung zu geben. Meine Besatzung wird sie vor Ablauf einer Stunde an Deck schaffen.«

»Die Reparaturen am Schiff werden noch vor Einbruch der Nacht beendet. Ich schlage vor, Sie segeln mit der morgigen Flut. Sie sind in diesem Hafen nicht mehr willkommen, Captain«, lautete Baranows Antwort.

Caleb merkte nun, daß seine versöhnlichen Redekünste nichts gefruchtet hatten. Seine wertvollsten Handelsartikel wurden ihm ohne Entschädigung abgenommen, sein Schiff des Hafens verwiesen. Da er es nicht geschafft hatte, sich aus dieser Klemme herauszureden, mußte er eine neue Taktik verfolgen und kämpfen. Aber nicht jetzt. Von den acht Besatzungsmitgliedern an Bord zählte er nur bei dreien eine Waffe. Baranow hatte fünfzehn Soldaten bei sich. Bei einem Kampf würden die Zimmerleute der Werft gewiß Baranows Partei ergreifen. Unwillkürlich ballte er die Hände zu Fäusten. Er mußte auf einen geeigneten Zeitpunkt warten. Sobald Baranow seine Soldaten zum Umladen der Waffen abkommandierte, wollte Caleb seine Besatzung bewaffnen lassen und Baranows Leuten entgegentreten.

»Was immer Sie für Pläne wälzen, Captain«, Baranows Dolmetscher sah ihn mit einer Mischung aus Verständnis und Argwohn an, »darf ich Sie daran erinnern, daß zwanzig Kanonen auf dieses Schiff gerichtet sind. Wenn Sie versuchen, Widerstand zu leisten oder heimlich zu entkommen, wird man Sie aus dem Wasser pusten.«

Caleb war gefangen wie ein Fisch im Netz. Nur mit Mühe beherrschte er seine Wut. »Mit Eurer Erlaubnis, darf ich fragen, ob ich von Bord gehen darf? So oder so, ehe ich segle, möchte ich Miß Tarakanowa sehen.«

Baranow nickte knapp, ohne abzuwarten, bis die ganze Frage übersetzt wurde. Larissa war Calebs letzte Chance, und er war gewillt, sie zu nutzen. Als Baranow mit seinem Dolmetscher von Bord ging, bekam das Kontingent russischer Soldaten den Befehl, an Bord zu bleiben und darauf zu achten, daß alles an Waffen und Munition, das nicht für die Verteidigung des Schiffes vonnöten war, aus dem Frachtraum geholt werden sollte.

»Wie kann Baranow das tun? Das ist nicht fair!« protestierte Larissa. Jetzt begriff sie, warum Caleb auf der Anwesenheit der ganzen Familie bestanden hatte, ehe er berichtete, was passiert war. Er wollte ihnen alles erklären und seinen Namen ihr zuliebe reinwaschen.

»Was ich sagte, nahm er nicht zur Kenntnis.«

Als Caleb sich zum Fenster umdrehte, sah sie seinen hängenden Schultern an, wie enttäuscht er war. Sie wandte sich auf russisch an ihren Vater.

»Wir müssen zu Baranow und ihm erklären, daß Caleb die Waffen nicht an die Kolosch verkaufen wollte.«

»Warum sollte er auf uns hören?« wandte Zachar leise ein.

»Weil er uns kennt. Babuschka, du mußt mit ihm sprechen.« Sie kniete neben dem Stuhl ihrer Großmutter nieder. »Auf dich wird er hören. Du kannst nicht zulassen, daß er Caleb fortschickt.«

»Er hat seine Entscheidung getroffen, mein Kind. Alexander Andrejewitsch ist ein eigensinniger Mensch. Er wird seinen Befehl nicht ändern, nur weil eine alte Frau ihn darum bittet«, sagte sie und hielt gleich darauf die Hand vor den Mund, um ein keuchendes Husten zu unterdrücken.

»Wenn er geht, Babuschka, dann gehe ich mit.«

»Nein.«

»Ich habe in letzter Zeit viel darüber nachgedacht. Und ich gelangte zu dem Entschluß, daß ich mit ihm gehen würde, falls er mich darum bäte.« Sie faßte nach der schmalen Hand ihrer Großmutter und drückte sie an ihre Wange. »Ich will dir nicht weh tun, aber ich liebe ihn.«

»Larissa, das wäre ein Fehler.« Ihr Onkel Michail sagte es mit gerunzelter Stirn.

»Warum?« Sie stand auf. »Vater, erklär ihm, was es heißt, jemanden so zu lieben, daß ohne ihn das Leben keinen Sinn hat. Du willst ohne Rabentochter nicht zu den Pribilow-Inseln. Bei mir ist es ähnlich. Ich gehe mit Caleb.«

»Und was ist mit den Lehren Vater Hermanns? Du würdest eine schwere Sünde begehen.« Wieder war es ihr Onkel, der ihre Entscheidung in Frage stellte, während ihr Vater still blieb.

»Papa ist mit Rabentochter auch nicht verheiratet«, wandte sie ein.

Zachar enthielt sich einer Stellungnahme, da er in seiner Meinung schwankte. Teils war er dagegen, daß seine Tochter den Mann heiratete, der vielleicht Wolfs Vater war. Andererseits wußte er, daß Caleb Stone als Larissas Ehemann wohl kaum Vaterrechte an Wolf geltend machen würde. Aber Zachar war es widerwärtig, zu Baranow zu gehen und ihn zu bitten, seine Entscheidung rückgängig zu machen. Er wollte, daß Caleb ginge – und nie wiederkäme. Und wenn dies bedeutete, daß er seine Tochter verlor, nun gut. Besser die Tochter als den Sohn.

»Rabentochter wurde nicht getauft, du aber schon«, erwiderte Michail scharf.

»Es besteht die Möglichkeit, daß wir getraut werden«, bemerkte Larissa, wohl wissend, daß es die letzte Hoffnung war, die Familie zur Fürsprache für Caleb zu gewinnen.

»Wie denn?« fragte ihr Vater zögernd. »Wir haben keine Priester.«

»Caleb meint, Baranow könnte die Trauung vollziehen. Er ist Gouverneur. Sein Wort ist Gesetz. Er tauft die Kinder und spricht an den Feiertagen die Gebete.«

Sie bemerkte den fragenden Blick, den Michail ihrer Großmutter zuwarf. Sie wußte, wieviel ihre Großmutter von der Meinung ihres jüngsten und liebsten Sohnes hielt. Larissa versuchte sofort, diesen kleinen Vorteil zu nutzen.

»Bitte, Babuschka, sprich mit Baranow. Wenn er schon

sonst keine Zugeständnisse macht, dann überrede ihn wenigstens, daß er uns traut.«

Larissa wartete mit angehaltenem Atem, eine Ewigkeit, wie es schien. Da deutete ihre Großmutter auf ihr graues Haar. »Wo ist mein Kopftuch? Alexander Andrejewitsch sieht es gern, wenn eine Frau ihren Kopf nach russischer Sitte bedeckt.«

»Da ist es, Babuschka.« Larissa, die insgeheim zugleich weinte und lachte, nahm das auf dem Tisch liegende Tuch und reichte es ihrer Großmutter. Dann lief sie an Calebs Seite.

»Wir gehen zu Baranow«, kündigte sie auf englisch an. »Wir alle.«

Baranows Neffe und Sekretär geleitete sie in den Amtsraum, der einen Ausblick über den Sitka-Sund und den jenseits davon liegenden Pazifik bot. Baranow griff zu seinem Stock, um aufzustehen und sie zu begrüßen.

Caleb ignorierte er geflissentlich, um so zuvorkommender war er um ihre Großmutter bemüht, wie Larissa bemerkte. Er sorgte dafür, daß sie in einem Stuhl Platz nahm, auf den die wärmenden Sonnenstrahlen fielen. Obschon Michail sie die lange Treppenflucht hinaufgetragen hatte, war Tascha von der Anstrengung des Weges erschöpft und wurde von einem hartnäckigen, kleinen Hustenanfall geplagt.

»Ja, wir beide kommen langsam in die Jahre, Tascha Tarakanowa.« Baranow ließ sich gemächlich in einem Sessel nieder, den ihm sein Neffe zurechtschob. »An Tagen wie diesen spürt man, was für ein Elend es ist, alt und schwach zu werden.«

»Die Jahre mögen Euren Augen zu schaffen machen, Alexander Andrejewitsch.« Tascha wies auf die mit quadratischen Linsen ausgestattete Brille auf dem Schreibtisch. »Vielleicht seht Ihr nicht mehr so gut wie einst und beurteilt manches falsch.«

»Sprechen wir von meinem Sehvermögen oder von meiner Urteilskraft?«

»Meine Enkeltochter ist der Meinung, Ihr seid mit Captain

Stone zu hart umgesprungen. Ihr hättet nur die Waffen gesehen und sonst nichts.«

»Ach, wie interessant.« Baranow lehnte sich zurück. »Die Familie Tarakanow ist gekommen, um sich für den Yankee-Captain zu verwenden. Nun, Zachar, deine Koloschfrau hat mir seine heimtückischen Absichten verraten.«

»Rabentochter!« Larissa wandte sich an ihren Vater, dessen Miene ein Spiegelbild ihrer eigenen Fassungslosigkeit war.

»Heute morgen kam sie zu mir und sagte, euer guter Captain habe sie gebeten, ihrem Volk zu verstehen zu geben, daß er Waffen und Munition zu verkaufen hätte. Sie hatte Angst, es würde zu Kämpfen kommen, falls der Handel zustande käme.«

»Was sagte er?« wollte Caleb auf englisch wissen. Nachdem Larissa es ihm übersetzt hatte, sprang er auf. »Das ist eine Lüge!«

Baranow zog die Schultern hoch. »Die Ladung der Sea Gypsy beinhaltete eine große Menge Waffen. Das wußte sie.«

»Das könnte sie von jedem einzelnen Mann der Besatzung erfahren haben«, brachte Larissa beschwörend hervor. »Caleb . . . Captain Stone machte daraus kein Geheimnis.«

»Eine Frau kann sich den Luxus leisten zu glauben, was ihr Herz sagt, in meiner Stellung aber muß ich aufgrund von Tatsachen urteilen. Meine Meinung und mein Befehl bleiben unverändert.«

Larissas Flehen und Bitten fruchtete nichts. Ihre Großmutter brachte sie mit einer Handbewegung zum Schweigen.

»Larissas Gefühle für diesen Yankee-Captain sind sehr tief«, sagte Tascha, »sie will mit ihm fort. Die beiden wollen von Euch getraut werden.«

»Fragt den Captain, ob er es jetzt auch noch möchte, nachdem er weiß, daß ich meinen Befehl nicht ändere«, wies Baranow Larissa an.

Sie übersetzte Baranows Worte ins Englische und Calebs Antwort ins Russische.

»Der Captain sagt, daß er mich zur Frau will. Und wie er

sich Ihrer Autorität vorhin beugte, so beugt er sich auch jetzt. Er fühlt sich an das Gelübde gebunden, das wir jetzt ablegen«, versicherte sie voller Stolz.

»Und du, mein Kind?« Er sah sie aus zusammengekniffenen Augen an.

»Ich möchte seine Frau sein.«

»Du willst ihn heiraten, obwohl du weißt, daß mein Befehl auch dich betrifft und du in Sitka nicht mehr willkommen bist, was bedeutet, daß du deine Familie möglicherweise nie wiedersehen wirst?«

Tränen brannten in ihren Augen. »Ja, das will ich.«

Sie wurden in dem Amtsraum vor dem Fenster getraut, das Aussicht auf die Bucht bot. Die Zeremonie wurde auf russisch vollzogen. Da Caleb kein Wort verstand, gab er die Antwort, die Larissa ihm vorsagte. Während das Gebet gesprochen wurde, wanderte sein Blick zum Fenster und den hohen, kahlen Masten seines Schiffes im Hafen.

Der russische Wortschwall riß ab. Caleb warf Larissa einen Blick zu, um festzustellen, ob er etwas sagen sollte. Sie begegnete ernst seinem Blick.

»Es ist vorüber. Wir sind verheiratet.«

Er verdrängte die Gedanken an Rabentochter und lächelte Larissa zu. Sie war eine reizende Braut, auch wenn sie ihm nicht all das in die Ehe einbrachte, was er erhofft hatte. So beherzt Larissa sich für ihn eingesetzt hatte, es gab kein Gegenmittel gegen Rabentochters Gift, das seine Pläne zunichte machte.

»Sie und Ihre Braut werden morgen mit der Flut auslaufen«, ordnete Baranow in seinem mit schwerem Akzent behafteten Englisch an. Auf seinen Stock gestützt, hinkte er zu seinem Schreibtisch.

»Einen Augenblick, Baranow.«

Wütend, daß der Russe sich unnachgiebig zeigte und ihnen keinen zusätzlichen Tag bewilligte, langte Caleb in seine Tasche, um einen Lederbeutel hervorzuholen, den er einen Moment in der Hand hielt, ehe er ihn auf das offene Journal auf dem Schreibtisch warf. »Fünfhundert Dollar in Gold. Für Madame Tarakanowa. Sorgen Sie dafür, daß es ihr an nichts fehlt.«

»Eine edle Geste, Captain.«

»Sie gehört jetzt zu meiner Familie. Ich glaube, Sie schätzen mich falsch ein«, gab Caleb gereizt von sich.

»Das hörte ich schon einmal. Doch habe ich das Gefühl, mit all Ihren Musketen in meinem Arsenal wird sich meine Meinung bessern.«

Baranow machte keine Anstalten, den Beutel an sich zu nehmen. Es war ein verzweifelter Versuch gewesen, in Baranows Augen zu gewinnen. Dieser Fehlschlag machte alle vorangegangenen um so unerträglicher. Verdammt sei diese Rabentochter und dieser Baranow, dachte Caleb verbittert, als er mit seiner neu angeheirateten Verwandtschaft die Gouverneursresidenz verließ.

Am Fuße der Treppe schlug er Larissa vor, sie solle ihre Großmutter zum Haus geleiten und ihre Sachen packen. Er müsse indessen zurück zum Schiff. Er wollte ihr ein paar Mann der Besatzung schicken, die ihr Gepäck zum Schiff bringen sollten.

Als er Zachar unschlüssig an der Treppe stehen sah, fiel ihm ein, daß Larissas Vater die ganze Zeit über kaum etwas gesagt hatte.

»Wußten Sie, daß Rabentochter sich an Baranow wandte? Oder ist dieser Plan gar Ihre Idee? Wollten Sie mich loswerden, damit ich nicht doch noch der Lüge auf den Leim ginge, der Junge sei mein Sohn?«

»Ich wußte von nichts.« Zachar machte einen so niedergeschmetterten Eindruck, als sei er und nicht Caleb derjenige, der eine Niederlage hatte hinnehmen müssen. »Sie sagt mir nichts mehr.«

Caleb glaubte ihm, obwohl ihm ein Sündenbock gelegen gekommen wäre. »Ich wünschte, ich könnte dieses Biest zu fassen bekommen.«

»Sie hätten Baranow von Rabentochters Erpressungsversuch sagen können. Damit wäre erklärt, warum sie zu einer Lüge griff, um Ihnen schaden zu können. Ich bin Ihnen dankbar, daß Sie geschwiegen haben.«

Fast hätte Caleb laut aufgelacht. Er hatte nicht geschwiegen, um Zachar Schmach und Schande zu ersparen, wie der Russe zu glauben schien. Wenn er seine frühere Beziehung zu Rabentochter gestanden hätte, so hätte er hundert Erklärungen und Rechtfertigungen abgeben müssen.

»Was wäre denn gewonnen, wenn man ihre Lügen verbreitet? Es würden nur noch mehr Menschen gekränkt, darunter Larissa«, stellte er fest.

»Hat Larissa Ihnen gesagt, daß ich Sitka bald verlassen werde?«

»Nein.«

»Ich will zu den Pribilows, zu den Inseln der Pelzrobben.« Zachar sprach nur zögernd. »Captain Stone, Sie haben mir zweimal geholfen. Sie haben mich nach dem Massaker gerettet, und Sie haben nicht verraten, daß Wolf vielleicht der Sohn eines anderen sein könnte. Es ist nicht recht, daß ich Sie um einen Gefallen bitte, da ich selbst nicht imstande war, Ihnen zu helfen.«

»Wovon sprechen Sie?«

»In den letzten Jahren wurden sehr viele Robben auf den Pribilows getötet, insbesondere Jungtiere und viele Weibchen. Die Tiere wurden getötet ohne Rücksicht auf Alter, Geschlecht und Fellqualität. Mitunter wurden Tausende Bullen dahingemetzelt, die samt ihren Fellen verrotteten, weil man nur ihre Geschlechtsteile wollte, die getrocknet und pulverisiert wurden. Das Pulver wird in China hochgeschätzt. Im letzten Jahr wurde die Jagd auf die Robben von der Handelskompanie verboten, damit die Herden sich erholen konnten.«

»Und?« Caleb zog eine Braue hoch. Er wußte nicht, worauf Zachar abzielte.

»Da die Jagd vorerst eingestellt wird, wurden die meisten Aleuten und deren Familien nach Hause nach Unalaska geschickt. Nur einige von uns blieben, um ein Auge auf die Brutstätten zu haben und die Gebäude der Kompanie zu bewachen.«

»Ich verstehe«, murmelte Caleb.

»Rabentochter will nicht mit mir auf die Pribilows gehen. Sie will zurück zu ihrem Stamm.«

»Nun, Sie können von Glück reden, daß Sie sie loswerden. Sie bringt nur Verdruß.«

»Ich glaube, Sie verstehen nicht.« Zachar schüttelte den

Kopf. »Wenn sie geht, dann nimmt sie meinen Sohn mit. Einst glaubte ich, ohne Rabentochter nicht leben zu können. Jetzt kann ich ohne meinen Sohn nicht leben. Wenn ich Rabentochter Geschenke geben könnte, dann könnte ich meinen Sohn behalten, aber ich schulde der Kompanie schon mehr, als ich je zurückzahlen kann.«

»Wieviel ist nötig ... was müßten Sie ihr geben, damit sie Ihnen den Jungen überläßt?«

In Anbetracht des Wertes der Information, die Zachar ihm so willig gegeben hatte, war er gewillt, einige Ellen Tuch und ein paar Kleinigkeiten springen zu lassen.

»Kommen Sie mit mir an Bord, und sehen Sie sich meine Waren an.«

»Das würden Sie tun?«

»Wir sind jetzt eine Familie.« Caleb legte einen Arm um die Schulter des Älteren und ging mit ihm zum Beiboot.

27. Kapitel

Caleb stand breitbeinig auf dem schwankenden Deck, die Stirn sorgenvoll gefurcht wie so oft in jüngster Zeit. Seit dem Auslaufen aus Sitka war nicht alles ganz glatt gegangen. Der Handel an der Küste hatte sich als wenig gewinnbringend erwiesen, im Frachtraum lagerten nicht mehr als fünfzig Felle. Jetzt ließ er die Brig mit Kurs Nordnordwest dahinjagen und setzte jedes Zoll Segel ohne Rücksicht auf die Windverhältnisse. Am Nachmittag verdunkelte ein bewölkter Himmel das Meer. Nicht lange, und man hörte von weitem das Gebrüll von den Inselbrutplätzen her, die durch die Nebeldecke der Sicht entzogen waren.

Sie ankerten an einer Stelle, die nach Calebs Einschätzung ungefähr dem russischen Lager entgegengesetzt sein mußte, das Zachar ihm auf der Karte gezeigt hatte. Er informierte seine Besatzung, daß sie mit Ausnahme der Ankerwache vier Stunden schlafen würden, um dann achtundvierzig Stunden auf den Beinen zu stehen.

Der erste Schimmer der Dämmerung kam nicht lange

nach Mitternacht. Nur vier erfahrene Seeleute wurden mit Larissa an Bord zurückgelassen. Alle anderen, darunter auch die sogenannten Freiwächter – Steward, Segelmacher, Schiffszimmermann und Koch –, pferchten sich in die Boote und ruderten zur Küste. Neben Pistolen hatten sie als Bewaffnung Keulen oder Belegnägel und scharfe Messer. Sie landeten auf der mit Felsblöcken übersäten Küste inmitten eines Seehundharems.

Die Männer kletterten aus den Booten und nahmen sich kaum Zeit, diese an Land zu ziehen, ehe sie sich auf die Massen von hundert Pfund schweren Seehundweibchen mit schwarzen Jungen stürzten und mit ihren Keulen viele der dünnschädeligen Tiere betäubten oder töteten. Die Angriffe der massiven, sechshundert Pfund schweren Paschas, der aggressiven Strandmeister, waren vergebens und wurden meist von einem Kopfschuß abgeblockt, einigen wurden einfach die Augen ausgestochen. So wurden über hundert Seehunde in der ersten Stunde getötet.

Aber viel zu viele Robben flüchteten hinaus ins Meer und entkamen. Caleb gebot dem chaotischen Gemetzel Einhalt und teilte seine Leute in Gruppen ein, von denen jede eine bestimmte Aufgabe bekam, um die Jagd effizienter zu gestalten. Die meisten wurden mit der Aufgabe betraut, die bereits toten oder bewußtlosen Robben zu häuten mit der Anweisung, bei vernarbten oder beschädigten Fellen keine Zeit zu vergeuden, sondern nur die Sexualorgane der Männchen zu entnehmen. Dem Rest seiner Leute befahl er, sich auf junge Männchen zu konzentrieren.

Den ganzen Morgen und den ganzen Nachmittag wurde ohne Unterlaß getötet, abgehäutet und kastriert. In den Nachtstunden häuteten, schabten und salzten sie die Häute bei Fackelschein. Am nächsten Morgen teilte Caleb eine Gruppe zum Transport der Felle zur Sea Gypsy ein.

Alles ging erstaunlich glatt. Schon erwog Caleb die Möglichkeit, seine Leute schichtweise ausruhen zu lassen und die Aktion auf weitere vierundzwanzig Stunden auszudehnen. Auf der Insel gab es über eine Million Seehunde. Warum sollte er sie den Russen überlassen?

Zachar schritt rasch aus und hielt die Beine des Jungen fest, der auf seinem Nacken ritt. Immer wieder hob er seine Handfläche, damit Wolf ein paar Krähenbeeren nehmen konnte, die er gesammelt hatte. Das Tundragras reichte ihm bis zu den Knien, so daß er das üppige, mit blauen Lupinen und weißem Enzian durchsetzte Halmdickicht durchwaten mußte.

Über dem baumlosen Eiland jagten Nebelschwaden, verhüllten da und dort einen Hügel oder deckten eine Senke, während er mit seinem Sohn dem Strand zustrebte. Der tollhausähnliche Lärm setzte sich aus dem Schreien der Seevögel, dem Tosen der Brandung gegen die Felsküste und dem ohrenbetäubenden Gebrüll der Seehundmassen zusammen.

Zachar wollte seinem Sohn den Anblick des fast beängstigenden Gewimmels der Robben bieten – er sollte es sehen und in Erinnerung behalten. Aus diesem Grund hatten sie den langen Marsch vom Lager zu dieser Stelle, wo sie ungestört waren, schon mehrfach gemacht. Es drängte ihn, Wolf zu erzählen, wie es gewesen war, als er es das erste Mal gesehen hatte, ihm zu erklären, daß die Zahl der Tiere während seiner Lebenszeit um neunzig Prozent zurückgegangen war. Er wünschte auch, er hätte ihm von Aufrechtem Gang erzählen können.

Aus dem Nebel tauchten ein halbes Dutzend Robben auf, die sich mit ihren Flossen linkisch fortbewegten. Zachar spürte ihre Panik und blieb stehen, halb in Erwartung ihres Verfolgers, eines Paschas, doch es kam keiner. Die Jungbullen, deren eigentliches Fluchtgebiet das Meer war, flohen in offensichtlicher Verwirrung landeinwärts in die Tundra.

Von der Angst der Tiere alarmiert, hörte Zachar jetzt die Pfiffe und lauten Schreie – Geräusche, die von keinem Vogel oder Säuger auf der Insel stammten. Er hob Wolf von der Schulter und setzte ihn auf die Hüfte, um rasch das Geröllfeld zu erreichen, von dem aus das Gelände zum Strand abfiel.

Plötzlich nahm er den Geruch wahr, der mit dem Nebel herangetragen wurde. Als er den Blutdunst einsog, wußte er bereits, was er am Strand vorfinden würde: Robbenkadaver, zu viert und fünft übereinander, bedeckten die Steine an der Küste und verloren sich im Nebel.

»Aufrechter Gang«, stöhnte er wie unter Schmerzen auf.

Es war die Stelle, wo sie einst gelandet waren. Hier hatte der zahme Seeotter sie beschnüffelt. In diesen Gewässern gab es keine Seeotter mehr. Sie waren getötet oder vertrieben worden. Und jetzt lagen Unmengen von Robben da – Bullen, Kühe und Jungtiere, groteske Haufen Robbenfleisch.

Dann hörte er die Rufe – Yankee-Stimmen. Er drehte sich um und sah die Küste entlang. Zwei mit Fellen hochbeladene Boote tanzten auf dem Wasser. Am Strand befanden sich weitere Männer. Ihre Gesichter, Hände und Kleidung waren blutig. Sie häuteten die Tiere ab.

In unmittelbarer Nähe drängten sich drei Mann mit Keulen in eine wild durcheinandertümmelnde Herde von Jungbullen. Zachar sah, wie sie die Keulen schwangen, die nächststehenden Tiere trafen, während die anderen ängstlich aufbellten. Ein beherzter junger Bulle versuchte einen Angriff und fiel die Männer so wütend an wie ein alter erfahrener Pascha. Ein Hieb auf den Schädel machte seiner mutigen Attacke ein Ende.

Zachar setzte Wolf neben einem großen Felsblock auf den Boden. »Du wartest hier.«

Zornbebend ging er auf die Yankees zu. Ich muß sie am Töten hindern, war sein einziger Gedanke.

»Seht, was ihr anrichtet!« rief er ihnen zu.

Plötzlich kam eine Gestalt hinter einem Felsblock hervor, in der Hand eine Pistole, die auf Zachar gerichtet war. Zachar hielt inne. Der Yankee war nur fünf Schritte von ihm entfernt, nahe genug für Zachars schwache Augen, um seine Züge zu erkennen. Im Blick des Mannes lag etwas Wildes, Entrücktes, als sei er besessen vom Töten. Ein zottiger Bart bedeckte die eingefallenen Wangen und verdunkelte seine in tiefen Höhlen liegenden Augen. Zachar erwartete das Mündungsfeuer und den Aufprall der Kugel. Statt dessen richtete die Mündung sich zu Boden.

»Zachar.« Der Mann trat einen Schritt näher heran, sein Mund krümmte sich zu einem Lächeln.

»Caleb Stone!« Der Schock löschte alle Gefühle in Zachar aus. »Sie sind es!«

»Hoffentlich haben Sie niemand anderen erwartet.«

Wie betäubt ließ Zachar den Blick über die blutige Szenerie schweifen. »Wie konnten Sie dies tun?«

»Warum dieses Erstaunen? Als Sie mir sagten, die Pribilow-Inseln seien praktisch unbewohnt . . .«

»Ich sagte es?« Das Gespräch kam ihm vage in Erinnerung. »Ja, ich . . . sagte es.«

Aufstöhnend machte er kehrt und taumelte blindlings in den Nebel. Tränen schossen ihm in die Augen. »Das wollte ich nicht. Nein!«

»Zachar!« Instinktiv umfaßte Caleb den Pistolengriff fester und sah besorgt zu seinen Leuten hin, unschlüssig, ob er Zachar folgen sollte.

Am Rande seines Blickfeldes nahm er eine Bewegung wahr. Sich umdrehend, sah er kleinen Wolf durch das hohe Tundragras in die Richtung laufen, die Zachar eingeschlagen hatte. Bei jedem Schritt hob er die Beine ganz hoch, um den Gräsern auszuweichen. Caleb zögerte, ehe er die Verfolgung aufnahm.

Anstatt landeinwärts zu fliehen, folgte Zachar einem unregelmäßigen Kurs, der ungefähr der Küste folgte. Hinter ihm wirbelten Nebelschwaden. Caleb rief ihm hinterher, wußte aber, daß man ihn wegen des Gebells der Seehunde nicht hören konnte. Als Zachar wie trunken auf die Felsen zusteuerte, schien ein großer Felsblock in Bewegung zu geraten. Gleich darauf merkte Caleb, daß es ein Pascha war, eines jener Tiere, die seine Leute geblendet hatten.

Gepeinigt ging der Bulle nun auf jedes Geräusch hin wütend los und griff Zachar mit erstaunlicher Behendigkeit an. Caleb stieß einen vergeblichen Warnruf aus, als der massige Bulle Zachar voll traf und zu Boden warf. Caleb versuchte, schneller zu laufen, aber seine Beine waren bleischwer und wollten ihm nicht gehorchen. Der Bulle fiel über Zachar her, stieß ihn mit seinen großen Stoßzähnen und schüttelte ihn wie einen Rivalen, der sich auf sein Territorium wagte. Zachar leistete keinen Widerstand.

Der kleine Junge blieb stehen und fing an, den Bullen mit Steinen zu bewerfen, bemüht, ihn von dem leblosen Körper zu vertreiben. In einigen Metern Entfernung blieb Caleb stehen und legte mit seiner Pistole an. Plötzlich lief ihm der

Kleine bewaffnet mit einem Stück Treibholz in die Feuerlinie.

»Aus dem Weg, Kleiner!« brüllte Caleb.

Der geblendete Bulle schwang den Kopf in die Richtung, aus der die Stimme kam. Blutige leere Höhlen klafften an Stelle der Augen. Als der Junge zurückwich, trat Caleb vor, packte ihn am Kragen und riß ihn zu sich heran. Der brüllende Bulle kam auf die beiden zu. Caleb zielte und feuerte. Dumpf prallte das Tier auf dem Boden auf.

Der Junge rannte nun an Caleb vorüber auf den leblosen Zachar zu und kniete neben ihm nieder. Caleb folgte ihm langsam. Zachars linke Schulter war zerschmettert, Blut entströmte dem zerfetzten Fleisch. Caleb bemerkte den blutbefleckten Stein neben Zachars Kopf. Vermutlich war der Russe darauf aufgeprallt und hatte das Bewußtsein verloren. Er fühlte den Puls an Zachars Hals und fand keinen. Warmes, klebriges Blut haftete an seinen Fingern, als er die Hand wegzog. Er versuchte, sie am nebelfeuchten Gras abzuwischen.

Der Junge legte die Hand auf den graumelierten Kopf und versetzte ihm kleine Stöße. Was er auf russisch sagte, verstand Caleb nicht.

Caleb umfaßte sanft seine Schultern und zog ihn von dem reglosen Körper fort. »Er ist tot, mein Junge.«

Der Junge sah ihn finster an, riß sich plötzlich von ihm los und lief davon. Unmittelbar darauf war er im dichten Nebel verschwunden. Nach einem kurzen Versuch, den Jungen einzuholen, gab er die Suche auf. Höchste Zeit, von der Insel fortzukommen. Er hielt sich hier schon eineinhalb Tage länger als geplant auf.

28. Kapitel

SITKA
JANUAR 1818

Michail hörte das gedämpfte Läuten der Kirchenglocke, das kundtat, daß Baranows Halbbluttochter Irina und der Leutnant zur See Semjon Iwanowitsch Janowski, jener Mann, der die Nachfolge Baranows als Gouverneur von Russisch-Amerika antreten sollte, in den heiligen Stand der Ehe getreten waren. Michail versuchte, sich auf das rhythmische Geläut zu konzentrieren und das beschleunigte Atmen seiner Mutter Tascha zu ignorieren. Es nützte nichts. Ihre verzweifelten Versuche, Luft in ihre Lungen zu saugen, waren nicht zu überhören. Er saß vornübergebeugt in dem Stuhl neben dem Bett und starrte sie hilflos an. Er dachte daran, wie sehr sie sich gewünscht hatte, bei der Vermählung der Tochter ihres alten Freundes Baranow zugegen zu sein und das heilige Gerät zu sehen, das ihr Enkel Wolf, der Goldschmiedegeselle, mitgeholfen hatte, aus spanischem Silber zu formen. Nun lag sie auf dem Totenbett, während die Kirchenglocke läutete.

Eine Hand berührte seine Schulter. Aufblickend sah Michail in ein blaues Augenpaar, das dem seines Bruders Zachar ähnelte. Es gehörte einem hochgewachsenen Jungen von fünfzehn Jahren, der Rabentochters schwarzes Haar und betonte Backenknochen hatte.

»Der Tee ist fertig«, sagte Wolf. »Ich setze mich zu Babuschka, wenn du eine Tasse trinken möchtest.«

Michail nickte und stand auf, erleichtert, seine Wache unterbrechen zu können. Als Wolf seinen Platz neben dem Bett einnahm, ging Michail an den Samowar und füllte eine Tasse halb voll, um dann Rum nachzugießen. Nach einem tiefen Schluck sah er zum Bett.

Wolfs Gegenwart rief die Erinnerung an jenen regnerischen Abend vor zehn Jahren wach, als er das von Kodiak kommende Postschiff in den Hafen gelotst hatte, das Postschiff, das die Nachricht von Zachars Tod und seinen Sohn Wolf gebracht hatte. Es war ihm nichts anderes übriggeblieben, als den Jungen zu seiner Großmutter zu bringen. Die Nachricht von Zachars Tod schien Tascha nicht zu überraschen, traf sie jedoch zutiefst.

»Ich wußte, daß er von den Inseln der Seehunde nicht zurückkommen würde«, hatte sie gesagt. »Ich flehte ihn an, nicht zu gehen, er aber sagte, es läge in Gottes Hand.«

Michail hatte den fünfjährigen Wolf, der sich hinter ihm in den Schatten drückte, hervorgeholt. »Zachar hat jemanden unserer Obhut hinterlassen.« Fast war er an den Worten erstickt.

»Ich wünschte, ich wäre ein wenig jünger, damit ich dich heranwachsen sehen kann.« Mit diesen Worten hatte Tascha Wolf in die Arme genommen.

Auch damals hatte er Tee mit viel Rum getrunken, bemüht, seine Wut zu unterdrücken, die ihn erfüllte, weil er nun die Verantwortung für das Wohlergehen seiner betagten, kranken Mutter und seines Neffen ganz allein trug. Zachar war tot. Larissa war fort, mit ihrem Captain aus Boston für immer aus Sitka verbannt. Er, Michail, war der einzige, der übrig war.

Wie hatte er sich damals gegen diese Ungerechtigkeit aufgebäumt! Er hatte gewußt, daß er an keiner der drei Expeditionen teilnehmen konnte, die Baranow im Herbst ausschikken wollte. An jenem Abend waren seine Träume von Fahrten an ferne Küsten gestorben, begraben von der Last seiner Familie – einer Last, die allein auf seinen Schultern ruhte.

Zehn lange Jahre hatte er den Erzählungen jener gelauscht, die von den Orten zurückkamen, von denen er geträumt hatte. Zehn lange Jahre hatte er sich gegen die Verantwortung, die ihn an Sitka kettete, aufgelehnt. Und zehn lange Jahre hatte er seines Grolls wegen Gewissensbisse gehabt.

Michail sah, daß Wolf unverwandt in das Antlitz seiner sterbenden Großmutter starrte. Dann holte Wolf langsam und sachte ihre Hand unter der Decke hervor. Er hielt die Hand ganz fest, als wolle er den Tod hindern, sie ihm wegzunehmen, wie er ihm den Vater genommen hatte. Doch das Weiß ihrer Hand erinnerte ihn an den Nebel damals auf der

Seehundinsel. Das verschwommene Bild des Mannes mit dem wilden Blick und der Pistole in der Hand tauchte vor seinem geistigen Auge auf, und er meinte, die Stimme zu hören, die Yankee-Stimme, die sagte: »Er ist tot, mein Junge.«

Dieser Erinnerung folgte eine andere. Er war sieben oder acht Jahre alt gewesen, als seine Mutter ihn holen kam. Babuschka hatte mit ihr gestritten und wollte ihn ihr nicht geben, worauf Rabentochter erklärte: »Ich habe nie gesagt, daß Zachar sein Vater ist. Zachar hat es gesagt.«

Schließlich war er mit seiner Mutter gegangen und hatte eine Zeit mit ihr in den Blockhäusern ihres Volkes gelebt. Dann wieder in Sitka, wo die Hütte von Babuschka für ihn einen ruhenden Pol bildete. Viele Male hatte er seine Mutter gefragt, ob Zachar sein Vater sei. Meist hatte er keine Antwort bekommen. Als sie einmal vom Feuerwasser der Yankees betrunken war, hatte sie behauptet, sein Vater sei der Boston-Mann Caleb.

Vor drei Jahren, als er zwölf war, hatte seine Mutter sich mit Syphilis, der großen Seuche der Weißen, angesteckt, und kein Russe oder Yankee war nun bereit, ihr Geschenke zu geben, damit sie sich zu ihm legte. Michail hatte sie mit Quecksilber behandelt und kuriert, aber die Männer gingen ihr dennoch aus dem Weg. Weil er Zachars Sohn war, hatte Michail Wolf geholfen und es eingerichtet, daß er das Schmiedehandwerk lernen konnte.

Und auch für Babuschka war er Zachars Sohn. Rabentochter log oft, aber Wolf hatte seine Babuschka nie bei einer Lüge ertappt. Im Laufe der Jahre hatte sich bei ihm immer stärker das Gefühl gefestigt, Zachars Sohn zu sein.

Unvermittelt änderte sich der Rhythmus von Taschas Atemzügen und ging von schnellen, pfeifenden zu ruhigeren über. Das hörte sich so friedvoll an, daß Wolf sich freudig an Michail wandte, überzeugt, daß sein Onkel sich irrte, daß Babuschka im Sterben liege – nicht heute.

»Es geht ihr besser.« Er sagte es ganz leise. »Sieh, wie sie schläft.«

Erst zögerte Michail, dann ging er ans Bett. Als er neben Wolfs Stuhl stehenblieb, atmete die alte Tascha tief ein und ließ die Luft in einem langen Aufseufzen entweichen. Dann war nur mehr Stille.

29. Kapitel

SITKA
FRÜHJAHR 1836

Ein junger Mann von fünfundzwanzig Jahren, in der Uniform eines Ersten Offiziers bei den Yankees, ging langsam die Straße entlang, wobei er alles, was um ihn herum vorging, mit einem Interesse aufnahm, das mehr war als bloße Neugierde. Das Hämmern und Sägen der Zimmerleute, die das neue dreigeschossige Gebäude auf dem Hügel über der Bucht bauten, bildeten ein ständiges Hintergrundgeräusch. Aus der Schmiede hörte man das Klingen bearbeiteten Eisens, denn es wurden hier Pflugscharen und Spaten geschmiedet, die für die russische Niederlassung Fort Ross nahe der Bodega Bay in Kalifornien bestimmt waren.

Die russisch-orthodoxe Kirche erhob sich auf der Südseite der Straße. Zwanzig Jahre zuvor hatte Baranow ein altes Schiff an Land ziehen und zu einer Kirche umbauen lassen, die erste, die es in New Archangel gab. Der Seemann blieb auf dem kleinen Platz stehen und sah zu der flammenförmigen, vom unverkennbaren griechischen Kreuz mit seinem schiefen unteren Querbalken gekrönten Kuppel hinauf. Dann ging er weiter die Straße entlang.

Vor der Werkstatt eines Silberschmiedes fiel sein Blick auf das Geschäftsschild. Er hielt inne und drehte sich um, um es zu lesen, wobei er, wie sein Stirnrunzeln verriet, Schwierigkeiten hatte, die russische Schrift zu entziffern. Dann hellte sich seine Miene auf, und er trat nach kurzem Zögern ein.

Beim Eintreten des Mannes in den Laden blickte der an seiner Werkbank am Fenster sitzende Wolf Tarakanow auf. Sein stumpfes schwarzes Haar und die helle Bronzehaut waren das Erbe seiner indianischen Vorfahren, die grau-blauen Augen und der slawische Gesichtsschnitt verriet russisches

Blut. Bedächtig legte er den silbernen Armreif und das Graviergerät beiseite, richtete sich auf und strich mit der Hand geistesabwesend über den Lederschurz. Er sah den Seemann neugierig an, denn irgendwie kamen ihm Augen und Gesichtszüge des Mannes bekannt vor.

In gebrochenem Russisch fragte der Fremde:

»Ich suche Tascha oder Michail Tarakanow. Auf dem Ladenschild steht der Name Tarakanow. Können Sie mir sagen, wo ich die beiden finde?«

Wolf sah ihn eindringlich an und antwortete auf englisch: »Sie sind Yankee.«

»Ja.« Der Mann schien erleichtert, daß Wolf seine Sprache beherrschte.

»Michail Tarakanow lebt in unserer Niederlassung in Kalifornien. Tascha Tarakanowa starb vor nahezu zwanzig Jahren. Sie ist hier auf dem Friedhof begraben.« Wolf zögerte, noch immer bemüht, herauszubekommen, warum der Yankee-Seemann ihm so bekannt vorkam. »Ich bin ihr Enkel, Wolf Tarakanow.«

»Ich bin Matthew Edmund Stone aus New Bedford, Massachussetts, der Sohn ihrer Enkelin Larissa.«

Wolf blinzelte ihn überrascht an. »Deswegen sind Sie mir bekannt vorgekommen. Sie sind Caleb Stones Sohn.«

»Ja.«

Ein Kältegefühl erfaßte Wolf. Sekundenlang starrte er die ihm zur Begrüßung entgegengestreckte Hand an. Der Name beschwor schmerzliche Erinnerungen und eine alte Frage herauf. Er zwang sich zu einem Händedruck mit dem um etwa acht Jahre Jüngeren. »Ich bin der Sohn Zachar Tarakanows«, erklärte Wolf. »Meine Mutter ist Rabentochter, eine Koloschindianerin. Sie lebt in der Ranche.« Damit war das Indianerdorf im Schatten der Umfriedung der Stadt gemeint. Doch der Name von Wolfs Mutter schien für den Mann fremd. »Ich war noch ein Kind, als Larissa, Ihre Mutter, fortging. Leider kann ich mich an sie nicht erinnern, und es sind viele Jahre her, seit wir mit ihr Verbindung hatten. Hoffentlich geht es ihr gut.«

»Sie starb vor nahezu fünfzehn Jahren an der Schwindsucht.«

»Das tut mir leid zu hören.« Er wollte nach Caleb Stone fragen, brachte aber die Worte nicht über die Lippen. »Ihr Schiff ist vor kurzem in Sitka eingelaufen?«

»Ja. Es ist der Walfänger North Star.«

Wolf warf dem Seemann einen scharfen Blick zu. ›Höllenschiffe‹ nannte man die von notorisch brutalen Tyrannen befehligten Walfänger mit ihrer aus Mördern und Dieben zusammengesetzten Besatzung.

»Sie traten nicht in die Fußstapfen Ihres Vaters, der Kauffahrer war?«

»Ich folgte meinem Vater. Er ist Kapitän der North Star. 1812, nach dem Ende des Krieges mit England, wandte er sich dem Walfang zu.«

Matthew Stone ließ unerwähnt, daß das Embargo und die Blockade der Briten dem Handel der Amerikaner im Pazifik schwer zugesetzt hatten und sein Vater nicht über die Mittel verfügte, diese Schlappe zu verkraften. Sein Vermögen war damals praktisch verlorengegangen.

»Der Walfang wirft beträchtlichen Gewinn ab. Das ist einer der Gründe, warum wir Sitka anliefen. Ein paar Besatzungsmitglieder sprangen in Hawaii ab, und jetzt brauchen wir Ersatz. Die Aleuten sollen gut mit einer Harpune umgehen können. Wir dachten, wir könnten bei der Handelskompanie einige Jäger anheuern.«

»Und dieser Versuch ist fehlgeschlagen«, mutmaßte Wolf und nickte verständnisvoll, als Matthew verneinte. »Die Handelskompanie versuchte es vor ein paar Jahren mit dem Walfang. Ein Experiment, das fehlschlug.«

»Das hörte ich.«

Wolf räusperte sich nervös und fragte sodann: »Ist Ihr Vater ebenfalls in der Stadt?«

»Nein, er ist an Bord geblieben. Er ... er fühlt sich nicht wohl.«

»Wir haben hier einen Arzt und eine Apotheke. Ich bin gerne bereit ...«

»Das ist nicht nötig«, unterbrach Matthew ihn. »Es ist ein Tropenfieber, das in ein paar Tagen vergeht. Wir werden nicht lange bleiben. Meiner Mutter zuliebe wollte ich versuchen, jemanden aus ihrer Familie ausfindig zu machen.«

»Vielleicht könnten Sie es einrichten, heute abend zu mir zum Essen zu kommen und meine Frau Maria und unsere drei Kinder kennenzulernen.«

»Nein . . . ich . . . kann nicht.« Er milderte die Hast seiner Ablehnung, gab aber keine Erklärung. »Es war mir ein Vergnügen, Sie kennenzulernen, aber leider muß ich jetzt zurück auf die North Star.«

In Wahrheit war Wolf erleichtert, daß seine Einladung abgelehnt worden war.

»Hoffentlich geht das Fieber Ihres Vaters bald vorüber.«

»Danke.« Mit einem Nicken verließ Matthew Stone den Laden.

Wolf ging an seine Werkbank zurück, nahm den silbernen Armreif und tat so, als begutachte er die Einzelheiten des Totemmusters, das er in die Oberfläche eingravierte. Dann griff er zum Poliertuch und rieb über das schimmernde Metall. Doch mit den Gedanken war er nicht bei der Arbeit. Sie schweiften in die Vergangenheit.

Er hatte sich schon so lange als Zachars Sohn betrachtet, daß die Zweifel über seine Herkunft sich nie mehr regten, bis heute, als Caleb Stones Sohn den Laden betreten hatte, ein Mann, der so aussah, daß er sein Bruder hätte sein können. Schließlich legte er den Armreif aus der Hand und nahm den Schurz ab. Dann griff er zu Hut und Jacke und verließ die Werkstatt.

Die Holzpalisade, die die Stadt New Archangel von dem angrenzenden, unter dem Namen Ranche bekannten Koloschlager trennte, war stark befestigt worden. Die überdachten Tore waren streng bewacht. Doch hielt niemand Wolf auf, als dieser das Tor durchschritt, denn die Wachen waren an seine regelmäßigen Besuche bei seiner Mutter gewöhnt.

Gedankenverloren ging er weiter, bis er im Inneren des Holzhauses stand, das der Familie seiner Mutter gehörte. Niemand redete ihn an, da bei den Kolosch nicht gegrüßt wurde. Auch war er hier nicht gern gesehen, wie Wolf wußte. Er hatte sich für die russische Lebensweise entschieden, eine Lebensweise, die das Volk seiner Mutter nach wie vor ablehnte.

Als er sah, daß sie sich nicht unter den Frauen befand, die

mit der Zubereitung des Essens beschäftigt waren, ging er weiter zu ihrer Schlafecke. Die Kolosch verachteten den Gebrauch von Möbelstücken; es gab hier keine Stühle oder Betten. Seine Mutter ruhte auf einer Schlafmatte unter einer eingetauschten Decke.

Die Jahre hatten es nicht gut mit ihr gemeint. Ihr Haar war grau, das Gesicht eingefallen. Ihre schlanke Taille war unter einer dicken Fettschicht verschwunden, ihre Brüste hingen schlaff herab. Als er sich neben ihr niederhockte, sah er die Schweißtropfen auf dem geröteten Gesicht.

»Warum hast du mir nicht Nachricht zukommen lassen, daß du krank bist?«

»Mir ist heiß«, sagte sie, als leugne sie damit alle Krankheit, und schob die Decke zurück. Tiefrote Flecken bedeckten die Innenseite ihres linken Unterarmes. Wolf faßte nach ihrer Hand, um die Rötung untersuchen zu können.

»Hast du noch mehr dieser Flecke?« fragte er finster.

Sie nickte und wandte ihr Gesicht ab.

Er richtete sich auf. »Ich hole den Arzt.«

Nachdem der Arzt, ein Deutscher, sie untersucht hatte, eröffnete er Wolf, daß bei Rabentochter nicht die Syphilis von neuem aufgeflammt war. Sie hatte sich mit Pocken angesteckt. Die Seuche war in den Dörfern südlich von Sitka im Tongasgebiet ausgebrochen. Seine Diagnose bedeutete, daß die Blattern sich ausgebreitet hatten. Die gefürchtete Epidemie hatte Sitka erreicht.

Trotz Wolfs flehentlichen Bitten erlaubte seine Mutter nicht, daß der Arzt sie behandelte, und dieser wiederum widersetzte sich Wolfs Ansinnen, Rabentochter in sein Haus zu schaffen, wo er sich um sie kümmern konnte. Der Arzt bestand darauf, daß die Pockenopfer isoliert blieben. Wolf saß mit untergeschlagenen Beinen auf dem Holzboden und löffelte ihr Wasser ein. Der Medizinmann tanzte mit wilden Sprüngen um sie herum, die Geister mit Gesängen beschwörend. Doch seine Kräfte waren nicht imstande, den Todesgeruch zu bannen. Von der Vergeblichkeit aller Bemühungen erbittert, warf Wolf den Löffel fort und faltete die Hände, bemüht, seinen Haß zu unterdrücken. Er starrte Rabentochters nahezu unkenntliche Züge an. Pockenpusteln bedeckten ihr Gesicht. Er wußte, daß sie dem Tod geweiht war und daß er nie die Wahrheit über seinen Vater erfahren würde.

Da erfaßte ihn heftiger und verzehrender Jähzorn. Er packte sie an den Schultern, entschlossen, sie aus ihrer Agonie zu reißen.

»Sag es mir, du Hexe!« herrschte er sie an. »Sag mir in der Stunde des Todes, wer mein Vater ist!«

Ihre Lider zuckten.

»Bin ich der Sohn Zachar Tarakanows oder Caleb Stones?«

Ein matter, krächzender Laut entrang sich ihrer Kehle. Als sich ihre Augen zu Schlitzen öffneten, blitzte in ihnen die alte Bosheit auf, dann verdunkelte die Reue sie.

»Der Sohn Caleb Stones hätte die Frage nicht stellen müssen.«

Ihre geflüsterte Antwort ließ jeden Zorn in ihm ersterben. Wolf setzte sich hin, sonderbar gefühllos.

In der Nacht starb Rabentochter.

30. Kapitel

SITKA
OSTERN 1864

Das Geläute der in Rußland gegossenen und von der orthodoxen Kirche Moskaus gespendeten Bronzeglocken ertönte anhaltend vom Turm der Kathedrale von St. Michail, die der ursprünglichen Kirche fast direkt gegenüber lag. Ihr heller Klang verkündete das Ende der strengen Fastenzeit und Beginn der Osterfeierlichkeiten. Auf der Spitze der Kuppel des Glockenturmes schimmerte das orthodoxe Kreuz golden in der Sonne.

Im prächtigen weiß-goldenen Inneren der in Kreuzform angelegten Kathedrale stiegen duftende Weihrauchschwaden zur runden Kuppel des Querschiffes hoch. Wolf Tarakanow stand inmitten der Gläubigen. Aufrecht und mit Anstand und Würde trug er seine einundsechzig Jahre. Sein dichtes Haar hatte den Farbton matten Silbers angenommen, die blaugrauen Augen blickten ungetrübt. Ihre Schärfe ermöglichte es ihm immer noch, die zwölf kunstvollen versilberten Ikonen, die die Kirchenportale schmückten, zu begutachten. Wie immer ruhte sein Blick voller Stolz auf den silbernen Abendmahlsgefäßen, an deren Entstehung er vor langer Zeit mitgewirkt hatte.

Ein Ellbogen stieß ihn in die Rippen. Diese sanfte Aufforderung, wieder aufmerksam dem Gottesdienst zu folgen, kam von seiner Frau Maria, war aber nur dazu angetan, seine Gedanken auf die eigene Familie zu lenken. Er sah seine reizende Tochter Anastasia, die mit Nikolai Iwanowitsch Politowska, einem Leutnant der kaiserlichen Marine, eine blendende Partie gemacht hatte, seinen zweiten Sohn Stanislaw, einen Kupferschmied, und dessen Frau Dominika, die Koloschblut in den Adern hatte, deren fünfzehnjährigen Sohn Dimitri, dessen schwarze Augen Wolf oft an Rabentochter erinnerten, seinen ältesten Sohn Lew, einen Bergbauingenieur, dessen blonde Frau Aila, Tochter eines finnischen Armeeobersten, und deren zwei Töchter, Nadja, dreizehn Jahre alt, Schülerin der von Lady Etolin gegründeten Mädchenschule, die in ihrem Musselinkleid schon ganz wie eine junge Dame aussah, und Eva, vier Jahre alt, die unscheinbar und ernst war.

Ja, er konnte stolz sein auf seine Familie, ein Gedanke, der bewirkte, daß er wieder der Liturgie folgte. Schließlich kam der Augenblick, der Reihe nach am Priester vorüberzugehen und das juwelengeschmückte Kreuz, das er in seiner Hand hielt, zu küssen. Vor der Kirche dröhnte die Luft vom Glokkengeläut, das mit den brausenden Orgelklängen der lutherischen Kirche auf der anderen Straßenseite wetteiferte.

Am Nachmittag versammelte sich die gesamte Familie Tarakanow im Haus Anastasias zu einem Osteressen. Es wurde nach Herzenslust geschmaust und getrunken.

Gemütlich in einem schöngeschnitzten Sessel sitzend, paffte Wolf nach Tisch seine Pfeife, Geschmack und Aroma des Tabakrauches nach der langen Enthaltsamkeit der Fastenzeit genießend. Nur mit Mühe konnte er sich auf das konzentrieren, was der stämmige Lew, sein ältester Sohn, sagte.

»Will man den Berichten glauben, die mit dem letzten Schiff aus Kalifornien eintrafen«, sagte Lew eben, »dann ist man dort der Ansicht, daß der Verkauf von Russisch-Amerika an die Vereinigten Staaten nach Beendigung des Bürgerkrieges und dem Sieg der Unionsarmeen abgeschlossen wird.«

»Seit drei Jahren spricht man schon vom Verkauf. Es ist nur Gerede«, meinte Wolfs Schwiegersohn, der Marineleutnant Nikolai Politowski verächtlich. »Der Zar wird dieses Land niemals an Amerika verkaufen. Es ist undenkbar. Noch nie im Laufe seiner Geschichte hat Rußland freiwillig auch nur eine Handbreit Land aufgegeben, die es besaß.«

Stanislaw kam näher. »Vielleicht hat der Krimkrieg dem Zaren gezeigt, daß seine Flotte zu schwach ist. Die russische Flotte ist nicht imstande, die Walfängerflotte der Yankees von den Aleuten und der arktischen Küste fernzuhalten. Wenn die Flotte unbewaffnete Walfänger nicht in die Schranken weisen kann, wie könnte sie uns schützen, falls uns fremde Armeen überfallen?«

»England würde eine Invasion nie wagen. Gewiß, es hat das angrenzende Kanada in seinem Besitz, das es jedoch nie auszuweiten versuchen würde.« Nikolai reagierte sehr heftig auf diesen gegen die Flotte des Zaren gerichteten Angriff.

»An England dachte ich nicht«, erwiderte Stanislaw, »sondern an Amerika und dessen Glauben an das ›unvermeidliche Schicksal‹. Seht an, was in Kalifornien geschah, nachdem dort Gold gefunden wurde. Den Spaniern gelang es nicht, die Amerikaner fernzuhalten. Und du, Lew«, er vollführte eine Handbewegung zu seinem Bruder hin, »du sagst, daß du auf deinen Streifzügen Anzeichen für Goldvorkommen gefunden hast.«

»Das stimmt.« Wolfs ältester Sohn nickte dazu.

»In San Francisco sieht man mit neidischem Blick unseren Pelzreichtum«, stellte Stanislaw fest.

»Was wird erst sein, wenn man das Wörtchen ›Gold‹ hört?«

»Das Wörtchen darf nicht ausgesprochen werden«, äußerte Nikolai.

»Sollte man hier wirklich Gold finden, dann müßte die Gewinnung der Handelskompanie vorbehalten bleiben. Würde man unsere Häfen ausländischen Schiffen verschließen, wie die Marine es fordert, dann würde Amerika nichts von unseren Entdeckungen erfahren. Haben wir nicht den Pelzreichtum dieses Landes vor der Welt fünfzig Jahre lang geheimgehalten? Auch die angeblichen Mineralvorkommen müssen wirksam geschützt werden.«

»Gut möglich, daß der Zar uns einen neuen Freibrief verweigerte, weil er das Land zur russischen Provinz zu erklären beabsichtigt und seiner Souveränität unterstellen möchte«, mutmaßte Lew.

»Es wäre nur recht und billig, damit wir nicht mehr den Diktaten der Kompanie unterworfen sind und gezwungen werden, Güter und Vorräte zu deren Preisen zu kaufen.«

Seine Ansicht teilten viele der in der Kolonie Geborenen, die die Kolonialakademie in Sitka absolviert hatten und dort zu Navigatoren, Graveuren, Buchhaltern oder Landvermessern ausgebildet worden waren, um anschließend für zehn oder fünfzehn Jahre gegen geringes Entgelt in den Diensten der Kompanie arbeiten zu müssen.

»Warum wartete der Zar, wenn er diesen Plan hat?« wandte sein Bruder Stanislaw ein. Er schüttelte den Kopf. »Nein, er plant den Verkauf an Amerika. Ich behaupte, wir sollten lieber für diesen Fall vorsorgen. Wenn Amerika Alaska übernimmt, sollen wir dann bleiben oder nach Rußland gehen? Da wir den Eid auf den Zaren geschworen haben, wird uns vielleicht nichts anderes übrigbleiben, als zu gehen. Für dich, Nikolai Andrejewitsch, mag das gut sein, da du in Rußland geboren wurdest und aufgewachsen bist.«

»Ja«, gab Lew ihm recht. »Aber was wird aus uns? Dieses Land ist unsere Heimat. Unser Vater hat seine sechzig Jahre hier verbracht. Wie sollen wir anderswo leben? Wo sollen wir arbeiten?«

»Und wenn wir bleiben, wird es uns dann nicht schlechter gehen?« überlegte Stanislaw, der sich Sorgen wegen des indianischen Blutes in der Familie machte. Seine Frau Dominika und sein Vater Wolf waren zur Hälfte Kolosch. »Wir haben selbst gesehen und gehört, wie die Amerikaner mit Menschen anderer Rasse umgehen.«

In dem bedrückenden Schweigen, das nun eintrat, hielt Wolf den Blick auf den geschnitzten Pfeifenkopf und die erkaltete Asche darin gerichtet. Seit drei Jahren wurde die gesamte Kolonie durch diese Ungewißheit zerrissen. Niemand wagte, für die Zukunft zu planen. Mit Ausnahme des Teehandels, der keinen Einbruch erlitten hatte, war alles ins Stocken geraten. Wolf wußte, daß es so nicht weitergehen konnte.

Es war noch früh am Nachmittag, als Wolf die Tür seiner Werkstatt abschloß und die Straße hinaufging. Nur mehr selten arbeitete er einen ganzen Tag, denn er zog es seit geraumer Zeit vor, die Nachmittage im Kreis der Familie oder mit Besuchen bei Freunden zu verbringen – oder ganz allein.

Vorhin hatten die Batterien Salut geschossen, als ein russisches Schiff in den Hafen einfuhr. Seine Ankunft hatte viele Bewohner der Stadt an den Kai gelockt. Viele hatten Freunde oder Angehörige unter der Besatzung, andere hofften auf Post, aber viele waren einfach nur neugierig.

Die Stille der Straße war eine angenehme Abwechslung von der sonstigen Betriebsamkeit. Zuweilen spürte man, daß mittlerweile fünfundzwanzigtausend Menschen die auf einer Halbinsel gelegene Stadt bevölkerten. Die vier Pritschen im Hinterzimmer der Apotheke waren zu einem Krankenhaus mit vierzig Betten angewachsen. Es gab eine öffentliche Bibliothek, eine Kegelbahn, vier Grundschulen, eine höhere Schule und zwei wissenschaftliche Akademien, die eine zum Studium der Zoologie, die andere für erdmagnetische Forschungen und Astronomie. Das zweite Obergeschoß der Gouverneursresidenz war in ein Theater umgewandelt worden, in dem Stücke in russischer und französischer Sprache aufgeführt wurden.

Als Wolf sich dem kleinen Teehaus in der öffentlichen Gartenanlage näherte, erspähte er einen graubärtigen Russen in der seltenen Kluft eines Pelztierjägers. Er blieb vor dem Teehaus stehen und trat nach kurzem Zögern ein. Drinnen saß er allein an einem Tisch, seiner sonderbar nachdenklichen Stimmung hingegeben.

Da hörte er erregtes Stimmengewirr vom Stadtplatz näher

kommen. Wolf verließ das Teehaus und traf seinen Sohn Lew, der, über das ganze Gesicht strahlend, auf ihn zukam.

»Was ist passiert?«

»Weißt du es noch nicht? Fürst Dimitri Maxutow ist aus St. Petersburg zurückgekehrt. Er wurde zum neuen Gouverneur ernannt.«

Lews Lächeln wurde breiter. »Und er bringt die Nachricht, daß Großfürst Konstantin ein Gesuch unterschrieb, das der Gesellschaft einen Freibrief für weitere zwanzig Jahre sichert.«

»Ein neuer Freibrief?« Wolf brauchte eine Weile, um die Nachricht in ihrer ganzen Bedeutung zu erfassen. »Dann ... dann wird es nicht zum Verkauf kommen.«

»Nein, er hat uns sein Wort gegeben.« Jetzt lachte Lew schallend, und Wolf stimmte in sein Lachen ein, während sie einander aus Freude über die gute Nachricht umarmten. »Heute abend wird gefeiert mit Musik, Tanz und Gesang. Und der Rum wird in Strömen fließen ... auf Kosten der Kompanie.«

31. Kapitel

SITKA
JUNI 1867

»Großpapa, warum will Fürst Maxutow, daß alle auf den Schloßberg kommen?«

Die siebenjährige Eva registrierte mit Verwunderung den wachsenden Menschenstrom, der auf die kleine Warteschlange am Fuße der Treppe zuhielt. Neben ihrem Großvater Wolf einherhüpfend, schwang sie unwillkürlich seine Hand in hohem Bogen.

»Eva, du bist ein Plappermäulchen.« Nadja hob vorsichtig ihre Krinoline an, damit der Saum nicht mit dem Straßenschmutz in Berührung kam. »Ich erwarte, daß der Fürst für uns eine gute Nachricht hat und den Tag zum Feiertag erklären möchte. Vielleicht gibt er heute abend einen Ball.« Sie hoffte es inständig, da sie zu gern tanzte. Mit einem Blick über die Schulter stellte sie fest, daß ihre jüngere Schwester sich alles andere als gesittet betrug. »Hör auf, wie ein Frosch zu hüpfen, Eva«, sagte sie mahnend.

Eva zeigte sich folgsam und ging nun artig an der Hand ihres Großvaters. Zuweilen hatte sie das Gefühl, daß sie nie etwas richtig machte. Erst als sie den tröstenden Händedruck ihres Großvaters spürte, lächelte sie. Ihn störte es nicht, wenn sie zuviel schwatzte oder unscheinbar aussah. Er liebte sie bedingungslos.

Die Familie Tarakanow stand in einer Gruppe am Fuße der Schloßbergtreppe beisammen. Nur Wolfs Frau war nicht zugegen. Sie war durch eine Krankheit ans Bett gefesselt und wurde von einer Aleutenfrau gepflegt.

Soldaten in rotbetreßten, dunklen Uniformen nahmen am oberen Ende der Treppe Habachtstellung ein. Als Fürst Maxutow erschien, senkte sich erwartungsvolle Stille über die Anwesenden. Er schritt die Treppe bis zur halben Höhe herunter, ehe er zu sprechen anfing.

»Es ist meine höchst unangenehme Pflicht, Ihnen mitzuteilen, daß ich aus St. Petersburg offiziell die Mitteilung erhielt, Russisch-Amerika sei an die Vereinigten Staaten verkauft worden.«

Ein Raunen der Enttäuschung durchlief die Menge, dem lauter Protest folgte.

»Und was ist mit dem versprochenen neuen Freibrief?« rief jemand laut.

Als der Fürst weder eine Antwort noch eine Erklärung abgab, war Wolf klar, daß der Zar sein Wort gebrochen hatte. Eine andere Möglichkeit gab es nicht.

»Die Amerikaner werden im Oktober dieses Jahres das Land in Besitz nehmen«, fuhr der Fürst fort. »Die Bedingungen des Kaufvertrages sehen vor, daß es jedem freisteht, hierzubleiben – mit Ausnahme der Marineangehörigen, die nach Rußland zurückkehren müssen. Weiter sieht der Vertrag vor, daß die Einwohner des Gebietes in den Genuß sämtlicher Rechte, Privilegien und Freiheiten aller Bürger der Vereinigten Staaten kommen und den Schutz von Freiheit, Eigentum und Religion genießen. Davon ausgenommen sind die Angehörigen unzivilisierter Eingeborenenstämme!«

Die letzten Worte las er von dem Papier in seiner Hand ab. Es würde also keine rassischen Benachteiligungen geben. Nur den Wilden wurde das Bürgerrecht vorenthalten. Wolf war erleichtert, daß er in seinem Alter nicht gezwungen wurde, seine Heimat zu verlassen. Seine Familie hatte wegen ihrer gemischt russischen und indianischen Vorfahren nichts zu befürchten. Dann bemerkte er die betroffene Miene seiner Tochter und empfand eine Vorahnung von Abschiedsschmerz. Als Frau eines russischen Marineoffiziers würde sie mit ihrem Mann das Land verlassen müssen.

»Falls sich jemand innerhalb von drei Jahren anders besinnt und nach Rußland gehen möchte, so kommt die russische Regierung für den Transport der ganzen Familie auf. Wer in Alaska bleibt, behält das Eigentumsrecht an Land und Häusern, die er im Moment innehat. Die Kompanie wird auf die verschiedenen Läden und Betriebe samt Ausstattung verzichten, so daß jeder seinem Gewerbe weiter nachgehen kann.«

Fürst Maxutow erläuterte dann ausführlich die Bedingungen des in Washington D.C. unterzeichneten Übergabevertrages. Als er geendet hatte, zerstreuten sich die Zuhörer nur zögernd.

»Vielleicht wird es nicht so schlimm sein, wie alle befürchten«, meinte Stanislaw mit einem fragenden Blick zu Wolf.

»Man kann nicht behaupten, wir seien unzivilisiert.« Seine Halbblutfrau Dominika warf einen ängstlichen Blick auf ihren Sohn Dimitri, der kürzlich die Ausbildung als Navigator beendet hatte.

»Es ist ja keine Entscheidung, die wir überstürzt treffen müssen.«

Lew strich sich nachdenklich über den Schnurrbart. »Wir können abwarten, wie sich die Lage unter den Amerikanern entwickelt. Mein Gefühl sagt mir, wir sollten uns alles gut überlegen. Vater, was sagst du?«

Wolf blickte seiner Tochter nach, die sich am Arm ihres Mannes wortlos und mit gesenktem Kopf zum Gehen wandte. Für die beiden gab es keine Alternative.

Nadja war sofort an der Seite ihrer Tante. »Wohin gehst du?«

Anastasia war ihre Lieblingstante, jene Anverwandte, die sie auf festlichen Gesellschaften und Bällen eingeführt hatte.

»Es gibt viel zu tun. Drei Monate sind kürzer, als man denkt.« Sie schien ruhig und gefaßt, doch waren ihre Augen feucht. »Ich muß packen und mich entscheiden, welchen Hausrat ich mitnehmen soll und was mit dem Rest zu geschehen hat.«

»Aber . . .« Nadjas Protest erstarb auf ihren Lippen, als sie zu ihrem Onkel hinsah, dessen Uniform ihr den Befehl des Fürsten ins Gedächtnis rief, daß alle Marineangehörigen nach Rußland zurückkehren mußten. Einen verzweifelten Augenblick fürchtete sie, keine Balleinladungen mehr zu bekommen, wenn Anastasia nicht mehr da war.

»Ich möchte nicht mehr bleiben, ich möchte auch gehen«, stieß sie hervor.

»Diese Entscheidung bleibt deinem Vater überlassen«, bemerkte Nikolai und führte seine Frau an Nadja vorbei.

Nadja wandte sich flehend an ihren Vater. »Wir bleiben auch nicht, nicht wahr, Papa?«

»Ich habe mich noch nicht entschieden.« Seine Antwort war nicht ohne Schärfe.

»Aber wir sind Russen, Papa«, wandte Nadja ein. »Wie können wir bleiben, wenn die Amerikaner kommen? Das wäre unloyal.«

»Der Zar hat uns verraten«, wandte ihr Vetter Dimitri ein. »Warum wurde unser Ansuchen um einen neuen Freibrief nicht bewilligt? Warum wurde das Land in aller Heimlichkeit verkauft? Den Zar kümmert es nicht, was aus uns wird. Ich behaupte, wir schulden ihm keine Treue.«

»Großvater.« Eva zupfte ihn am Ärmel. »Was wirst du tun?«

Wolf schüttelte den Kopf. »Ich muß gehen und Maria sagen, was sich zugetragen hat.« Er wußte, seine Frau würde so entscheiden wie er und den Rest ihres Lebens lieber in der einzigen Heimat verbringen, die sie kannten.

32. Kapitel

Ryan Colby trat aus dem Haus des Gouverneurs und ging an die Verandatreppe. Dort hielt er inne und zog eine lange, spitz zulaufende Zigarre aus der Innentasche seiner Jacke. Gemächlich steckte er die Zigarre in den Mund. Dann holte er aus einer anderen Tasche ein Streichholz, und das alles, während er in aller Ruhe den Blick über die burgartigen Befestigungsanlagen auf dem Hügel und die Hafenszene jenseits der Geschützbatterien schweifen ließ.

Neben den zwei amerikanischen Kanonenbooten, die im Hafen lagen, ankerte die John L. Stevens in der Bucht. Amerikanische Truppen von der Neunten Infanterie und der Zweiten Artillerie lungerten an Deck herum. Die Russen hatten die Landeerlaubnis verweigert, solange das Territorium nicht formell an die Vereinigten Staaten übergeben worden war, ein Ereignis, das erst nach Eintreffen des offiziellen Vertreters der amerikanischen Regierung, General Lovell Rousseau, der an Bord der U.S.S. Ossipee nach Sitka unterwegs war, vonstatten gehen konnte.

Ryan Colby rieb das Streichholz am Hosenboden an und hielt die Flamme dicht an die Zigarrenspitze. Hände und Finger waren makellos gepflegt und wiesen keine Schwielen auf. Die Sonne hob die Kupfertöne seiner sauber gestutzten braunen Schnurrbart- und Haupthaare hervor. Seine Miene war so undurchdringlich, daß sie nichts von seinen Gedanken preisgab. Den Großteil seiner fünfundzwanzig Jahre hatte er von der Behendigkeit seines Verstandes und seiner Hände gelebt, meist in den Goldgräberlagern Kaliforniens, in jüngster Zeit an der Barbary Coast von San Francisco. Die gemachten Erfahrungen hatten seine kantigen Züge zynisch werden lassen und seine braunen Augen alt.

Als er das Streichholz löschte, ging hinter ihm die Tür auf. Er vollführte eine halbe Drehung und nahm lässig die Zigarre aus dem Mund, den Blick auf den Mann mit dem sandfarbenen Haar gerichtet, der auf ihn zukam. Sein Lächeln fiel etwas schief aus. In ihm regte sich eine Anwandlung von Mitleid mit dem eifrigen, jungen Anwalt, denn beide hatten eben bei einer Geschäftsverhandlung den kürzeren gezogen.

»Ich hätte mir jedes Wort sparen können«, erklärte Gabe Blackwood, neben Ryan stehenbleibend. Er knöpfte die Jacke seines braunen Tweedanzuges zu, was deren Paßform nicht verbesserte.

»Der Fürst wollte sich das Angebot, das ich ihm machte, gar nicht anhören. Ich glaube, er war bereits entschlossen, die Warenbestände der Kompanie an Hutchinson zu verhökern.«

Ryan tat den Fehlschlag achselzuckend ab. Für ihn war es nichts Ungewohntes, daß Fortuna jemand anderen begünstigte. Er trug es mit Gelassenheit. »Und Hutchinson hat alles um einen Pappenstiel bekommen. Um lächerliche fünfundsechzigtausend Dollar.«

»Woher wissen Sie das?« Gabe Blackwood fragte es mit gerunzelter Stirn.

»Ich weiß es. Woher, das spielt keine Rolle. Er kann alles in Kalifornien losschlagen und eine Viertelmillion Profit machen. Natürlich hat dieser gerissene Neuengländer Maxutow weisgemacht, daß der Großteil hier im Land bleibt.« Persönlich konnte Ryan diesem Handel seine Bewunderung nicht versagen.

»Es liegt auf der Hand, daß nicht Maxutow die Verhandlungen leitete, als die Russen den Kongreß dazu brachten, sieben Millionen zweihunderttausend Dollar für das Territorium Alaska lockerzumachen.« Der Anwalt setzte seinen Hut auf und ging, begleitet von Ryan, die Stufen hinunter.

Die beiden Männer waren einander auf der Fahrt zu dem neuerworbenen Territorium begegnet. Anfangs hatte Ryan sich über den idealistischen Anwalt amüsiert. Unzählige Male während der Fahrt hatte er sich gewundert, wie naiv und leichtgläubig Blackwood war, immer bereit, das Beste zu glauben, überzeugt, daß das Recht siegen würde. Der Mann war intelligent, es fehlte ihm jedoch an gesundem Menschenverstand. Dennoch empfand Ryan für den Burschen Sympathie, die von einer Spur Mitleid getönt war.

»Was haben Sie jetzt vor?« Blackwood sah ihn neugierig an, während sie die Treppe zur Stadt hinunterstiegen. »Zurück nach Kalifornien?«

»Ich? Nie im Leben. Wenn Alaska wirklich der Eisberg ist,

als den manche Presseerzeugnisse es bezeichnen, dann ist das Gold, das Hutchinson eben machte, nur die Spitze des Eisberges. Ich beabsichtige, meinen Anteil an dem Profit herauszuholen, und dann nichts wie weg.«

Ryan steckte die Zigarre in den Mund und hielt sie mit den Zähnen fest.

»Sie wollen hier ein Geschäft aufmachen? Was für eines?«

»Sehen Sie sich die Stadt an.« Mit einer ausholenden Geste umfaßte er die vor ihnen liegenden Gebäude und Straßen. »Zeigen Sie mir einen Platz, wo ein Mensch seinen Durst stillen kann. Man sieht hier nur Kirchen, eine Schmiede, eine Bäckerei, einen Schneider, Schulen, aber keine einzige Kneipe, keinen Spielsalon. Die Stadt könnte Etablissements dieser Art gebrauchen.«

»Aber die Gesetze verbieten den Handel mit Alkohol. Auch der Import ist ungesetzlich.«

Ryan lachte kopfschüttelnd. »Noch ist das Gesetz hier nicht in Kraft getreten. Legal oder nicht, es werden Kneipen aus dem Boden schießen. Und davon wird eine, wenn nicht mehr, mir gehören. Ich bin nicht so früh gekommen, um die Vorräte der Russen an Schaffellmänteln und Werkzeugen zu kaufen. Diese Sachen kann Hutchinson gerne haben. Ich wollte von der Kompanie Rumfässer und Wein, Zucker und Melasse und Getreide, um selbst Alkohol herzustellen. Wenn nicht anders, muß ich die Sachen jetzt Hutchinson abkaufen. Falls ich sie nicht bekomme, muß ich sie bestellen und liefern lassen.«

»Das ist ungesetzlich.«

»Gabe, wer soll mich hier festnehmen?« spottete Ryan. »Und ich sage Ihnen eines – falls man mich hinter Gitter steckt, schicke ich Sie nach Kalifornien, damit Sie mich verteidigen.«

»Ich werde nicht dort sein«, erwiderte Blackwood leise. Offenbar hatte Ryans kleiner Scherz ihn gekränkt. »Ich bleibe hier und mache ein Anwaltsbüro auf.«

»Was Sie nicht sagen.« Ryan hätte ihn nie als Pioniertyp eingestuft.

»Sie sahen ja, wie es in San Francisco vor unserer Abreise zuging. Alle Welt sprach von Alaska und seinen gigantischen Möglichkeiten. In Portland und Seattle ist es ähnlich, wie ich hörte. Die Menschen werden in großer Zahl nach Alaska strömen. Eines schönen Tages wird Alaska ein Bundesstaat sein, und ich möchte dabei mitwirken.«

Ryan hatte im Leben schon viel Großsprecherei gehört, doch die Entschlossenheit in Blackwoods Stimme und der visionäre Blick des Mannes waren auch für Ryan ungewohnt. »Vielleicht wird aus Ihnen noch der erste Gouverneur«, murmelte er.

Blackwood warf ihm einen scharfen Blick zu, um zu sehen, ob er sich wieder einen Spaß mit ihm erlaubte. »Ja, vielleicht«, erwiderte er herausfordernd.

Idealist oder nicht, der Mann hatte politischen Ehrgeiz, das war Ryan klar. Und er wußte auch, daß einflußreiche Freunde einem die Haut retten konnten. Blackwood konnte sich für ihn womöglich nützlicher erweisen, als zunächst vermutet.

»Wenn Sie ein Büro aufmachen wollen, heißt es zunächst eine Räumlichkeit finden. Die Wahl des Ortes ist in allen Branchen sehr wichtig.« Ryan dirigierte ihn die einzige Geschäftsstraße von Sitha entlang.

Nach einem letzten Zug warf er die Zigarre auf die Straße. Er bemerkte den kleinen Laden, an dem sie eben vorübergegangen waren, zwischen zwei größere Häuser geschmiegt.

»Was ist mit diesem Laden?«

Er winkte dem Anwalt, zurückzukommen und einen Blick darauf zu werfen. Drinnen war niemand zu sehen, dennoch drückte er die Klinke nieder. Die Tür war verschlossen. Er klopfte an und ignorierte den russischen Wortschwall, den er hinter sich hörte.

»Ryan.« Gabe Blackwood faßte nach seinem Arm und deutete auf die junge Frau und das kleine Mädchen, das ihnen auf dem Gehsteig jetzt gegenüberstand.

»Verstehst du Russisch? Ich glaube, sie spricht uns an.«

»Njet.« Ryans Wortschatz war damit erschöpft.

Aber Gabe hörte ihn nicht, denn er starrte die junge, in einen Umhang gehüllte Russin an. Ihr Haar hatte den Ton goldener Kastanien. Sie trug es in der Mitte gescheitelt und aus dem Gesicht gekämmt, das es als perfekter Rahmen umgab. Gabe erschien alles an ihr vollkommen, von der sanften Wölbung der Lippen bis zum zarten Erröten ihrer Wangen und der schwimmenden Weichheit ihrer braunen Augen. Er wünschte inständig, er hätte das russische Wörterbuch bei sich zur Hand gehabt, das er sich in San Francisco besorgt hatte, doch es befand sich in seinem Reisekoffer.

»Ihr seid Amerikaner?« Die Stimme des kleinen Mädchens ließ ihn zusammenfahren. Ihr Englisch hatte einen starken Akzent, war aber verständlich.

»Du sprichst Englisch?« platzte er erstaunt heraus.

»Ich spreche Englisch, Deutsch und Französisch«, versicherte die junge Frau mit einem kleinen Lächeln.

»Sie sind aber hübsch«, murmelte er und wurde dann erst gewahr, was er gesagt hatte. Zugleich wurde ihm bewußt, daß er es an Manieren hatte mangeln lassen und riß den Hut vom Kopf, während er sich vor ihr verbeugte.

»Verzeihen Sie, ich wollte mich nicht aufdrängen. Gestatten Sie, daß ich mich vorstelle. Ich bin Gabriel Blackwood, Anwalt, und beabsichtige, hier in Sitka ein Büro zu eröffnen. Das ist mein Freund Ryan Colby.« Er bemerkte kaum, daß sein Begleiter sich vor ihr verbeugte.

»Ich bin Nadja Lewjena Tarakanowa.« Ihr Knicks war von geschmeidiger Anmut und bestätigte seine Vermutung, daß sie einer angesehenen russischen Familie entstammen mußte. »Das ist meine kleine Schwester Eva. Und das ist die Werkstatt meines Großvaters. Sie ist geschlossen.«

»Ständig geschlossen?« fragte Ryan. »Ich meine, beabsichtigt er, Sitka zu verlassen, wenn die Amerikaner die Stadt übernommen haben?«

»Nein.«

»Und werden Sie fortgehen?« Gabe wußte, daß etliche russische Familien sich für die Rückkehr in die Heimat entschlossen hatten.

»Mein Vater ist entschlossen, eine gewisse Zeit zu bleiben.«

Obschon ihr anzusehen war, daß sie selbst nicht gern blieb, lächelte Gabe. »Das freut mich.« Er sah sie mit unverhohlener Bewunderung an.

»Wir würden gern die Räumlichkeiten von innen sehen«, meinte nun Ryan. »Wäre es möglich, daß Ihr Großvater sie uns zeigt?«

»Mein Großvater trauert um meine Großmutter. Er hat sich nicht festgelegt, wann er wieder öffnen wird.«

»Ich bedauere, vom Tod Ihrer Großmutter zu hören«, beeilte Gabe sich, sein Beileid auszudrücken. »Bitte übermitteln Sie Ihrer Familie meine Anteilnahme, Miß Tarakanowa.«

»Sie sind sehr liebenswürdig.«

»Ich bitte Sie ... Unter den gegebenen Umständen wäre es unpassend, davon anzufangen, aber würden Sie Ihrem Großvater sagen, daß ich an seinem Laden interessiert wäre, falls er verkaufen möchte?« Damit bot sich ihm zugleich der ideale Vorwand, um mit der Familie Tarakanow bekannt zu werden – und mit der reizenden Nadja. »Vielleicht dürfte ich mir erlauben, kommende Woche bei ihm vorzusprechen. Spricht er so gut Englisch wie Sie?«

»Er spricht ein wenig Englisch«, sagte sie.

»Vielleicht könnten Sie oder Ihr Vater zugegen sein, für den Fall, daß es Verständigungsschwierigkeiten gibt.«

»Vielleicht.«

»Wie kann ich Verbindung mit Ihnen aufnehmen? Wo wohnen Sie? Ich könnte Sie zu Hause aufsuchen.«

Gabe war nicht gewillt, sie gehen zu lassen, ohne vorher die Adresse in Erfahrung zu bringen.

Sie zögerte erst, wie es einer richtigen Dame geziemte. Schließlich sagte sie ihm den Weg.

»Kaufen Sie den Laden?«

Nadjas Schwester legte den Kopf schräg und betrachtete ihn mit nachdenklich gerunzelter Stirn.

»Vielleicht.« Gabe fand es unglaublich, daß dieses unscheinbare kleine Ding Nadjas Schwester sein sollte.

»Warum fragst du?«

»Sie sind Amerikaner. Und alle sind traurig, weil die Amerikaner das Land kaufen. Die Kolosch sagen, das Land gehöre ihnen«, sagte sie wichtigtuerisch.

»Die Kolosch?« Gabe zog fragend eine Braue hoch.

»Ich glaube, sie meint die Indianer«, erklärte Ryan.

»Du meinst die Wilden, die außerhalb der Umfriedung in den dreckigen Hütten hausen.« Er hatte die Indianersiedlung jenseits der Tore gesehen und den kleinen Marktbereich, auf dem die hier ansässigen Indianer Fisch und Wild und Holzschnitzereien verkauften.

»Sie sagen, die Amerikaner sollten ihnen das Geld geben«, sagte Eva.

»Die Armee sollte sie und ihre Mischlinge in ein Reservat verfrachten.« In Gabes Ton schwang ein Haß mit, der tief in seinem Inneren loderte – ein Haß, der sich auf den Tod seiner Eltern gründete, die Missionare gewesen waren. Gabe besaß noch die Briefe, in denen sie von ihrer Liebe zu den roten Brüdern schrieben – denselben, die sich dann erhoben und sie unter der Führung eines Halbbluts, dem seine Eltern vertraut und das sie Sohn genannt hatten, töteten.

»Mischlinge?« wiederholte Nadja wachsam. »Was bedeutet dieses Wort?«

»So heißt jemand, der halb rot und halb weiß ist.«

»Ach, wir nennen sie Halbblut. Es leben hier sehr viele. Sie besuchen unsere Schulen und arbeiten für die Kompanie.« Sie lächelte. »Wir müssen jetzt gehen. Es war mir ein Vergnügen, Mr. Blackwood und Mr. . . .«, sie zögerte.

»Colby.« Er nickte ihr zu.

»Mr. Colby.« Sie warf Gabe noch einen Blick zu, ehe sie ihre Schwester an ihnen vorüberschob.

Gabe drehte sich um und sah ihr nach. »Sie haben ja keine Zeit verloren, Ihren Claim abzustecken«, bemerkte Ryan trocken.

Gabe wandte sich zu ihm um. »Sie sind nicht der einzige, der weiß, was er will. Denken Sie daran, daß Sie sagten, ich könnte eines Tages Gouverneur von Alaska werden. Nun, ich glaube, Sie haben eben die Frau kennengelernt, die an der Seite des Gouverneurs stehen wird.«

33. Kapitel

SITKA
18. OKTOBER 1867

Die Familie Tarakanow ging durch die Straßen von New Archange, eine stumme, vom Familienpatriarchen Wolf angeführte Prozession. Der Tod seiner Frau hatte ihn altern lassen, seinem Schritt die Elastizität genommen, seinen Augen die Klarheit. Seine Familie hatte ihn gedrängt, zu Hause zu bleiben, aber Wolf ließ es sich nicht nehmen, der Übergabezeremonie beizuwohnen. Am Morgen war das Schiff mit den russischen und amerikanischen Bevollmächtigten im Hafen eingelaufen. Die Übergabe sollte um drei Uhr nachmittags auf dem Paradeplatz auf dem Hügel stattfinden.

Wolf war der Meinung, seine Familie sollte bei der Übergabe zugegen sein, da sie beabsichtigten zu bleiben. Der Großteil der Bewohner der Stadt zog es jedoch vor, diesem Ereignis fernzubleiben.

Die Stadt bekam die ersten Anzeichen amerikanischer Anwesenheit bereits zu spüren. Weitere Veränderungen würden folgen, sobald der Fürst die Besitzrechte an Häusern, Grundstücken und Läden ihrer verschiedenen Bewohner und Betreiber urkundlich festgelegt hätte. Sogar Wolf hatte eingewilligt, seine Werkstatt an Nadjas jungen Amerikaner zu verkaufen.

Am Fuße der zur Festung führenden Treppenstufen hielt Wolf inne und blickte zurück, um sich zu vergewissern, daß die ganze Familie ihm folgte. Nur Dominika, die Frau seines Sohnes, war nicht mitgekommen. Sie war zu Hause geblieben aus Angst, ihre stark ausgeprägten indianischen Züge würden die Vorurteile der Amerikaner auf den Plan rufen. Doch Stanislaw war mit seinem Sohn Dimitri mitgekommen.

Flache Pfützen waren über das Paradefeld vor der Gouverneursresidenz verteilt, doch es regnete nicht mehr. Die russische Fahne mit dem Doppelader wehte vom dreißig Meter hohen Mast in der Mitte des Feldes.

Nadja, die dicht neben ihrer Tante Anastasia stand, hielt deren behandschuhte Hand ganz fest. Sie war seelisch zerrissen, klammerte sich krampfhaft an die Vergangenheit mit ihren Partys und Bällen, während sie zugleich nach der Bestätigung durch Gabe Blackwoods schmeichelhafte Aufmerksamkeit strebte. Er stand mit einer kleinen Gruppe Amerikaner, meist Kaufleuten aus San Francisco, beisammen. Seit sie seine Bekanntschaft gemacht hatte, hatte es Nadja nicht mehr so eilig, das Land zu verlassen.

Feierlicher Trommelwirbel kündigte den Beginn der Zeremonie an. Gleich darauf hörte Nadja den Marschschritt, als die russischen Soldaten des in der Garnison stationierten sibirischen Regiments mit den achtzig Seeleuten und Offizieren der kaiserlichen Marine die Treppe erstiegen. Angeführt wurden sie vom russischen Bevollmächtigten Oberst Alexej Peschkurow, dem offiziellen Vertreter des Zaren. Die Soldaten in den rotbetreßten Uniformen mit den seidig glänzenden Mützen nahmen vor dem Flaggenmast in strammer Haltung Aufstellung.

Von weitem hörte man neuerlich Trommelwirbel. Die amerikanischen Truppen waren an Land gegangen. Mit ihrem Näherkommen wurde der Trommelschlag immer lauter. Die Amerikaner marschierten über das Paradefeld und nahmen ebenfalls vor dem Flaggenmast Aufstellung.

Die russische Fahnenwache marschierte an die Basis des Fahnenmastes. Die Zeremonie war ganz einfach: Das Einholen der russischen Fahne und das Hissen der amerikanischen, jeweils begleitet von einem Kanonensalut der Festungsbatterien und der Geschütze der im Hafen liegenden amerikanischen Schiffe.

Tante Anastasia senkte beim Anblick der amerikanischen Flagge den Kopf und schlug die Hände vors Gesicht. Nadja legte tröstend den Arm um ihre Schulter. Auch sie weinte leise. Der Jubel der Amerikaner, der sich nun erhob, klang ihr herzlos und grausam in den Ohren. Als das letzte jubilierende ›Hipphipphurra‹ verklang, trat der neue Militärkommandant des von den Amerikanern Alaska genannten Gebietes vor, um eine Ankündigung zu machen.

»Ich bin Generalmajor Jefferson C. Davis. Mir wurde der alleinige Oberbefehl über diese Garnison und das Territorium übertragen. Die Unterkunft für mich und meine Frau in der ehemaligen Gouverneursresidenz ist sofort zu räumen. Ebenso sind die Mannschaftsunterkünfte zu räumen, damit die Truppen der Vereinigten Staaten sie ohne Verzug beziehen können. Sämtliche Gebäude sind nun Eigentum der Vereinigten Staaten.«

»Nein«, murmelte Anastasia, Nadjas Hand umklammernd. »Unser Schiff läuft doch erst in einem Monat aus. Man kann uns doch nicht einfach vor die Tür setzen. Wohin sollen wir gehen?« Verzweifelt wandte sie sich an ihren Vater. »Papa, was sollen wir tun?«

»Du und Nikolai, ihr werdet zu uns ziehen. In meinem leeren Haus ist genug Platz für eure Sachen«, beruhigte Wolf sie, doch der Befehl des Generals machte allen deutlich, daß von einer allmählichen Übergangsphase nicht die Rede sein konnte.

Innerhalb eines Monats veränderte sich das Gesicht von Sitka drastisch. Die russischen Soldaten gingen nicht mehr auf Patrouille. Es waren die Amerikaner in ihren blauen Uniformen, die an den Toren Wache standen. Die Russen hatten sich nicht die Mühe gemacht, die Straßen zu benennen, doch die Amerikaner änderten dies sofort. Die Hauptdurchzugsstraße wurde zur Lincoln Street, und die zwei sie kreuzenden Straßen wurden Rußland und Amerika genannt.

Es herrschte drangvolle Enge, da die Stadt zunächst auch die aus den entlegenen Niederlassungen kommenden russischen Familien aufnehmen sowie Platz für die russischen Soldaten und Seeleute schaffen mußte, die von den Amerikanern verdrängt worden waren und auf Schiffe warteten, die sie nach Rußland bringen würden. Dieses Gedränge wurde noch vermehrt, als einige hundert amerikanische Siedler eintrafen, die zusätzlich die Straßen verstopften.

Die zwei Bevollmächtigten, der Amerikaner Rousseau und der Russe Peschkurow, blieben noch eine Woche in Sitka und arbeiteten gemeinsam daran, die Eigentumsrechte der Russen zu sichern oder deren Besitz urkundlich zu übertragen. Mit Ausnahme der Häuser war fast alles über Nacht in andere Hände übergegangen und wechselte immer wieder den Besitzer, wobei jedesmal der Preis stieg.

Am späten Morgen eines trüben und grauen Novembertages schlenderte Ryan Colby den Bürgersteig entlang, die Hände in den Taschen seines schwarzen Mantels, die Zigarre schief im Mund. Auf den Straßen und Gehsteigen drängten sich die Menschen, doch ihn kümmerte es nicht, wenn er gelegentlich die Ellbogen einsetzen mußte. Er nahm die Zigarre aus dem Mund und stieß seinen Begleiter an. »Sieh mal, Gabe.« Er deutete auf das Gedränge und die Pferdekarren, die ratternd die Straßen in jeder Richtung befuhren. »Es ist eine Stadt im Aufschwung, und was man sieht, ist erst der Anfang.«

An einem Haus auf der gegenüberliegenden Straßenseite wurde ein neues Schild angebracht. Ständig wurden Schilder abgenommen und neue angebracht, da die Unternehmungen oft zweimal wöchentlich den Besitzer wechselten. Dieses Schild zog Ryans Blick auf sich, und er blieb stehen.

»Jetzt bekommen wir sogar einen Friseur. Gabe, ich sage dir, diese Stadt ist im Kommen.«

»Genau dies ist der Grund, warum es so bedeutsam ist, eine Gemeindeordnung festzulegen und einen Bürgermeister samt Stadträten zu wählen, damit man das Wachstum in geregelte Bahnen lenken kann. Zugegeben, die gesetzlichen Grundlagen fehlen uns, und wir können die verschiedenen Grundstückskäufe noch nicht rechtlich fixieren, so lange nicht, bis der Kongreß es uns zubilligt und uns den Status eines Territoriums gewährt und eine Regierung einsetzt.«

Gabe war aktiv am Aufbau einer kommunalen Verwaltung beteiligt, während Ryan Abstand wahrte. Er und das Gesetz waren nie gut miteinander ausgekommen.

»Du sagst, daß die Stadtverordnungen ungültig sind und Gesetzen keine Geltung verschafft werden kann?« Ryan setzte sich wieder in Bewegung.

»Technisch wäre das korrekt. Im Moment unterstehen wir dem Militärrecht, das bedeutet, daß General Davis die einzige Autorität darstellt. Doch ist es nur eine Frage der Zeit, bis der Kongreß Alaska zum Territorium macht. Unsere jetzige Lage ist vorübergehend. Sogar General Davis war mit der Bildung eines Stadtrates und mit der Ernennung eines Bürgermeisters einverstanden und erteilte ihm Machtbefugnisse in städtischen Angelegenheiten.«

»Wahrscheinlich war er froh, Probleme wie das Streuen der Straßen im Winter abschieben zu können«, meinte Ryan trocken, der vor der Tür des neuen Restaurants stehenblieb. »Ich habe noch nicht gefrühstückt. Das Saloongeschäft verhindert, daß aus mir ein Frühaufsteher wie du wird. Komm und trink eine Tasse Kaffee mit mir.«

»Ich . . .« Gabe Blackwood sah widerstrebend nach beiden Seiten, als hätte er ein anderes Ziel. Plötzlich erhellte sich seine Miene. »Ist das nicht . . . Entschuldige, Ryan.« Er drängte sich geschickt durch die Passanten auf dem Gehsteig hindurch.

Ryan brauchte gar nicht hinzusehen, um zu wissen, wen Gabe erkannt hatte. Tatsächlich war es Nadja Tarakanowa in Begleitung ihres Großvaters und ihrer kleinen Schwester.

»Miß Tarakanowa.« Gabe vertrat ihr den Weg und zog trotz des kalten Windes, der sein Haar zerzauste, den Hut. Er hätte auch nach ihrer Hand gegriffen und diese geküßt, hätte der Marktkorb, den sie trug, diese Geste nicht linkisch erscheinen lassen. »Was für eine reizende Überraschung, Sie heute in der Stadt zu treffen. Und Sie auch, Mr. Tarakanow.« Verspätet nahm er ihren Großvater zur Kenntnis. »Sie müssen mir vergeben, daß ich den Blick nur ungern von Ihrer Enkelin losreiße.«

Er war so gebannt von der Schönheit ihres rosenwangigen, von einer pelzbesetzten Kapuze umrahmten Gesichts, daß Gabe ihre Erregung übersah.

»Mr. Blackwood, ich bin ja so froh, Sie zu sehen. Wir kommen gerade vom Markt, wo wir versuchten, Fleisch zu kaufen, doch die Kolosch – oder Tlingits, wie Sie sie nennen, wollten unser Geld nicht mehr nehmen.«

»Ihr Geld . . .« Gabe zögerte und überlegte, wie er seine Frage taktvoll formulieren konnte. »Ist es das Stück Pergament, das die Russisch-Amerikanische Handelskompanie als Zahlungsmittel verwendete?«

»Ja.«

»Es tut mir leid, doch dies nehmen nur wenige Händler als Zahlungsmittel an, und wenn, dann nur mit großem Nachlaß.« Ihre verzweifelte Miene machte auch ihn unglücklich.

»Aber wir haben kein anderes Geld, was sollen wir tun?«

»Nun regen Sie sich nicht wegen einer Bagatelle auf. Es ist wirklich kein Problem. Es handelt sich nur darum, das alte Zahlungsmittel gegen die amerikanische Währung einzutauschen.« Gabe warf einen Blick über die Schulter. Zum Glück stand Ryan noch an der Tür zum Restaurant. Hätte er das Geld gehabt, Gabe hätte es ihr auf der Stelle gewechselt, doch er baute darauf, daß sein Freund ihr aus der Verlegenheit helfen würde. »Mr. Colby wird Ihnen vielleicht helfen können. Bei einer Tasse Tee können wir uns mit ihm unterhalten.«

Sie sagte etwas auf russisch zu ihrem Großvater, der daraufhin nickte. Er schien Gabes Vorschlag zuzustimmen.

Gabe ging zum Restaurant voraus. Nach der Begrüßung traten sie ein. Er führte Nadja an das unbesetzte Ende eines langen Tisches und setzte sich neben sie. Ryan und ihr Großvater saßen ihnen gegenüber, die siebenjährige Eva zwischen ihnen.

Gabe erklärte nun Ryan die Nöte der Tarakanows. Obwohl er so gut wie Ryan wußte, daß die Gutscheine der Kompanie fast ebenso wertlos waren wie Konföderiertengeld, bat er seinen Freund stumm um Großzügigkeit, ihm zuliebe. Ryan kam der Bitte nach und wechselte die fünf Zentimeter im Quadrat messenden Pergamentstücke in beträchtlich mehr Geld um, als sie wert waren.

»Ich kann Ihnen gar nicht genug dafür danken.«

»Verzeihen Sie mir meine Kühnheit«, sagte nun Gabe mit dem ganzen Pathos eines Liebeskranken, und Ryan senkte den Kopf, um sein Lächeln zu verbergen, »aber Sie erinnern mich an eine russische Prinzessin.«

»Eine Prinzessin?« meldete sich da vorlaut die kleine Eva zu Wort. »Wir hatten hier echte Prinzessinen, nämlich Prinzessin Maria sowie Anna, die Kanaifrau, die Mutter von Baranows Kindern war und zu einer russischen Prinzessin gemacht wurde.«

»Du willst damit sagen, daß sie eine indianische Prinzessin war«, glaubte Ryan sie berichtigen zu müssen.

»Nein.« Eva schüttelte mit Entschiedenheit den Kopf. »Der Zar machte sie zu einer richtigen russischen Prinzessin.«

»Soll das heißen, daß die Russen einer Indianerin einen Adelstitel verliehen?« Aus Gabes Miene sprach Skepsis.

»Ja. Die russischen Zaren pflegten Titel und Privilegien des Adels auserwählten Personen eines unterworfenen Volkes zu verleihen«, erwiderte Nadja, wobei Ryan auffiel, wie peinlich ihr das Thema war.

»Aus einer gewöhnlichen Wilden eine Prinzessin zu machen, heißt, diese Sitte übertreiben«, bemerkte Gabe.

»Die Tochter Prinzessin Annas und Baranows ehelichte einen Mann, der einer der Gouverneure von Russisch-Amerika wurde.«

Gabes kritische Bemerkungen waren über Evas Kopf hinweggerichtet gewesen, doch da das Thema ihr das Interesse der Erwachsenen gesichert hatte, verfolgte sie es weiter.

»Einer eurer Gouverneure war mit einem Halbblut verheiratet?« Gabe schüttelte den Kopf. »Hier muß ein großer Mangel an anständigen Frauen geherrscht haben, so wie in den meisten Pioniergebieten.«

»Großvater hat Eva viele Geschichten aus alten Zeiten erzählt«, sagte Nadja, und es hörte sich wie eine Entschuldigung an. »Sie verbringt viel Zeit in seiner Gesellschaft, weil die Schule geschlossen wurde. Ich versuchte, ihr die Fächer beizubringen, in denen ich auf Lady Etolins Schule unterrichtet wurde, aber ohne Geschichts- und Geographiebücher ist das sehr schwierig.«

»Nun, machen Sie sich keine Sorgen wegen Evas Schulbildung«, beruhigte Gabe sie. »Die neue Schule wird bald eröffnet. Wir haben jetzt ein Schulgremium und sind dabei, eine Lehrkraft einzustellen. Bald wird man ein neues, ein amerikanisches Sitka sehen.«

»Ich habe das neue Sitka gesehen«, warf Wolf Tarakanow trocken ein.

Ryan sah ihn neugierig an. »Ihr Ton sagt mir, daß Sie von den Veränderungen ringsum nicht viel halten.«

Der Alte zog die Schultern hoch. »Vielleicht kommen die Veränderungen zu rasch. Unser Leben ist stets in gewissen Bahnen verlaufen. Jeden Tag wußten wir, was uns erwartete. Jetzt ist alles anders. Unser Schritt war langsam, aber ihr Amerikaner seid stets in Eile. Das verwirrt uns.«

Ryan, der merkte, daß Gabes Interesse einzig der jungen Frau an seiner Seite galt, verwickelte ihren Großvater in ein Gespräch über die alten Zeiten. Als man sein Frühstück brachte, hatten die Tarakanows ihren Tee ausgetrunken.

»Nadja Lewjena, ich weiß, du genießt die Gesellschaft des jungen Mannes, aber deine Mama wird sich über unser langes Ausbleiben schon Sorgen machen, und ich habe Mr. Colby schon genug mit meinem Geschwätz gelangweilt«, bemerkte ihr Großvater. »Wir müssen noch unsere Einkäufe auf dem Markt erledigen.«

»Großvater hat recht. Es ist höchste Zeit, daß wir gehen«, gab Nadja widerstrebend zu und stand auf. Als Ryan wohlerzogen ebenfalls aufstand, beeilte sich Gabe, es ihm gleichzutun.

»Ich bedanke mich für den Tee«, sagte Nadja zu Gabe gewendet.

»Ihr Lächeln ist für mich Dank genug«, behauptete er. »Ihre Erlaubnis vorausgesetzt, würde ich Sie heute abend gern besuchen.«

»Ihre Gesellschaft ist uns sehr willkommen.« Sie neigte anmutig den Kopf, doch ihre förmliche Antwort konnte nicht das freudige Glühen verbergen, das ihr Gesicht färbte.

Nachdem die Tarakanows gegangen waren, setzte Ryan sich zu seinem aus siruptriefenden Pfannkuchen bestehenden Frühstück, um wieder sein Lieblingsthema zu erörtern. Er beugte sich vor und sagte zu Gabe:

»Der Boom, den diese Stadt im Moment erlebt, wird nicht von Dauer sein. Es gibt zwei Möglichkeiten: Entweder der Boom läuft langsam aus, oder es gibt eine plötzliche Pleite. Am besten, man macht sein Geld, solange es geht.«

»Und genau das tust du, nehme ich an.«

»Verdammt recht hast du. Ich werde hier mein Vermögen machen, und dann nichts wie weg. Wenn du bleiben möchtest, so ist das deine Sache. Aber halte dich an meinen Rat und sieh zu, daß du zu Geld kommst, solange es möglich ist.«

»Hier gibt es zu viele Typen, die auf schnelles Geld aus sind. Die Stadt würde mehr gottesfürchtige Menschen wie die Johnsons und die Tarakanows brauchen«, wandte Gabe ein.

»Die Tarakanows?« Ryan zog erstaunt eine Braue hoch.

»Ja, die Tarakanows.« Gabe errötete vor Unwillen. »Man braucht nur den alten Mr. Tarakanow anzusehen und weiß sofort, daß er einer ehrbaren russischen Familie entstammt. Seine stolzen, slawischen Züge sprechen für sich.«

Ryan hielt mit der Gabel mitten in der Luft inne. Er erwog, Gabes offensichtlichen Irrtum im Hinblick auf Wolf Tarakanows Herkunft aufzuklären, dessen blaue Augen russisches Erbteil sein mochten. Sein Gesichtsschnitt war jedoch fraglos der eines Halbbluts. Ryan führte die Gabel an den Mund. Es war besser, er schwieg. Wenn Gabe glauben mochte, die Tarakanows seien reinblütige Russen, dann war das seine Sache.

Nadja hielt ihr Gesicht dicht an den Spiegel, drehte es nach der einen und dann nach der anderen Seite und suchte mit Hilfe der hohen Flamme des Lampendochts nach Unvollkommenheiten. Sich ein wenig aufrichtend, befeuchtete sie die Fingerspitzen und strich das goldbraune Haar an den Seiten glatt.

Sie war mit ihrem Aussehen nicht zufrieden. Wenn Gabe Blackwood kam, wollte sie besonders schön aussehen. Allein der Gedanke an ihn versetzte sie in Erregung und beschleunigte ihren Puls. Sie kam sich sehr gewagt vor, als sie das kleine hölzerne Kästchen hervorholte, das sie in einem Schubfach versteckt hielt. Dem Kästchen entnahm sie den darin aufbewahrten Beutel, in dem sich ein mit Weißblei und Kalk getränktes Stück Wollstoff befand. Sorgfältig bestäubte Nadja ihr Gesicht mit dem ›spanischen Papier‹, ganz sparsam, damit man es nicht merkte.

»Was machst du da?«

Nadja fuhr schuldbewußt zusammen. Ihr Herz schlug ihr bis zum Hals, als sie die Hand mit dem Stück weißen Tuches versteckte, doch die Bewegung hinterließ eine pudrige Spur in der Luft. Als sie sah, daß es nur ihre Schwester war, atmete sie auf. »Eva, man schleicht sich nicht an jemanden heran. Du hast mich erschreckt.« Eilig versuchte sie, das Stückchen Wollstoff in den Beutel zurückzustopfen.

»Was hast du da?« Ihre kleine Schwester schnappte nach

Luft. »Du hast ja dein Gesicht gepudert. Mama sagt, nur schlechte Frauenzimmer bemalen ihr Gesicht.«

»Unsinn. Tante Anastasia hat sich auch das Gesicht gepudert und ist kein schlechtes Frauenzimmer.«

»Hat Anastasia dir das Zeug gegeben?« fragte Eva mit großen Augen.

»Wenn du es unbedingt wissen willst . . . ja.« Nadja tat den Beutel in das Kästchen zurück. »Bitte sag Mama kein Wort.«

»Kann ich auch etwas Puder haben?«

»Wenn du älter bist.« Sie schob das Kästchen in eine Ecke des Schubfaches. Dann drehte sie sich zu ihrer Schwester um. »Wenn Mr. Blackwood heute zu Besuch kommt, darfst du kein Wort über die Kolosch oder andere Indianer sagen!«

»Warum nicht?«

»Weil er Indianer nicht leiden kann.« Sie studierte ihr Spiegelbild und korrigierte den Fall ihres Schultertuches.

»Mag er dich denn nicht?«

»Aber ja.«

»Aber du bist doch auch zum Teil indianisch wie ich.«

Nadja drehte ruckartig dem Spiegel den Rücken zu, faßte ihre kleine Schwester an den Schultern und bückte sich, um ihr eindringlich in die Augen zu sehen. »Ich bin Russin und du auch.«

Eva wand sich los. »Aber Großpapa sagt . . .«

»Mir egal, was er sagt«, erklärte Nadja aufgebracht. »Er ist alt und redet dummes Zeug. Indianer sind jene Wilden, die in der Ranche leben. Wir sind keine Indianer, also sag so etwas niemals wieder.«

»Entschuldige.« Eva senkte beschämt den Kopf.

»Nadja?« Als ihre Mutter in der Tür erschien, richtete Nadja sich auf. »Mr. Blackwood ist gekommen, und ich glaube, er möchte dich sehen.«

Nadja drehte sich zu einem letzten prüfenden Blick zum Spiegel um. »Sehe ich gut aus?«

»Ich bin sicher, daß Mr. Blackwood dich schön findet. Komm, er wartet schon«, meinte ihre Mutter mit dem Anflug eines Lächelns.

Als ihre Mutter aus der Tür verschwand, ermahnte Nadja

ihre jüngere Schwester: »Vergiß nicht, was ich sagte.« Dann lief sie ihrer Mutter nach, sich fest auf die Lippen beißend, damit sie rot wurden.

34. Kapitel

Der Märzwind brauste um das Haus, eine dichte Wolkendecke schuf eine falsche Dämmerung und machte schon am frühen Nachmittag Lampenlicht erforderlich. Das Feuer im Ofen des Wohnraumes strahlte starke Hitze aus. Wolf, der in der Nähe der Wärmequelle saß, musterte seine Söhne und deren Familien, die sich in diesem einen Raum zusammengedrängt hatten. Nur seine Tochter Anastasia fehlte. Sie war mit ihrem Mann im Dezember nach Rußland gesegelt.

Er versuchte seiner melancholischen Stimmung Herr zu werden und stand auf. »Deine Nachricht betrübt mich, Stanislaw Wassiljewitsch.«

»Es ist ein Entschluß, den ich widerstrebend faßte. Ich gehe mit meiner Familie sehr ungern fort. Aber bleiben möchte ich ebensowenig«, erklärte sein Sohn. »Seit die Amerikaner hier sind, herrscht keine Ordnung mehr. Meine Frau wurde zweimal auf der Straße von betrunkenen amerikanischen Soldaten belästigt. Und hat man etwas dagegen unternommen? Nein. Wenn die Soldaten keinen Dienst haben, trinken sie. Sich bei ihrem General zu beklagen, ist zwecklos. Der Verkauf von Alkohol sei nicht ungesetzlich, sagt er. Ungesetzlich ist nur der Import.«

»Du hast einen schwerwiegenden Entschluß gefaßt.« Wolf seufzte bekümmert. »Von all dem hast du mir kein Wort gesagt.«

»Du hast wiederholt geäußert, du würdest bleiben«, erinnerte ihn sein Sohn.

Wolf sah seine beiden Söhne an. Beide schwiegen und saßen mit gesenkten Köpfen da. »Lew, wußtest du davon?«

Nach einer kurzen Pause nickte Lew bestätigend, während Stanislaw den Blick auf seine gefalteten Hände gerichtet hielt. »Papa.« Stanislaw faltete die Hände fester. »Wir sagten, wir wollen warten und sehen, wie sich das Leben unter den Amerikanern gestaltet. Aber man kann hier nicht mehr leben und seine Familie ernähren. Die Preise, die sie für alles verlangen, sind sehr hoch. Die Arbeiter in meinem Laden, sogar die Aleuten, verlangen fünf Dollar täglich in Yankee-Gold. Das kann ich nicht bezahlen und daneben noch meine Familie ernähren.« Er warb um Wolfs Verständnis. »Du weißt, wie es für meine Frau ist . . . wie die Amerikaner sie behandeln, mit welchen Namen man sie belegt.«

Dieser Schlag war fast mehr, als Wolf ertragen konnte. Er griff trostsuchend nach seiner Pfeife in der Tasche und versuchte, seinen Kummer zu verbergen. »Ihr geht also fort«, murmelte er.

»Ja. Nächste Woche läuft ein Schiff nach Rußland aus.«

»Und du, Lew?« Wolf sah seinen Ältesten an. »Wirst du mich auch verlassen?«

Mit einem Protestschrei sank Nadja neben dem Stuhl ihres Vaters in die Knie. »Papa, das kannst du nicht tun. Ich möchte bleiben.« Fast gleichzeitig schwang Eva sich auf Wolfs Schoß, umschlang ihn und rief: »Ich will dich nicht verlassen.«

Die Rührung drückte ihm die Kehle zu, als er über den dunkelhaarigen, an seine Brust gepreßten Kopf strich. »Ich will nicht, daß du gehst, mein Liebling.«

»Keine Angst«, beruhigte Lew sie. »Wir gehen nicht, wir bleiben.«

»Ich bleibe auch«, versicherte Stanislaws Sohn Dimitri.

Wolf, dem die Augen feucht wurden, schnüffelte verlegen und brachte kein Wort heraus aus Angst, die Stimme würde ihm versagen.

Als ein Klopfen an der Tür ertönte, wurde die Aufmerksamkeit seiner Familie abgelenkt. Die Haustür wurde geöffnet, und ein kalter Windstoß fuhr herein. Gabe Blackwood beeilte sich, einzutreten und den Schnee von den Schuhen zu klopfen.

»Hallo, allerseits.« Er zog die Pelzmütze vom Kopf und lächelte breit in die Runde.

Nadja, die sich von ihrer Verwunderung erholte, sprang auf und ging ihm entgegen. »Mr. Blackwood, seien Sie willkommen.« Doch ihre Begrüßung war nicht so herzlich, wie es zu erwarten gewesen wäre. Die Anwesenheit der Familie und der Grund des Familientreffens hemmte sie.

»Verzeihen Sie, wenn ich störe. Ich kann ein andermal kommen«, gab Gabe etwas unsicher von sich.

Ehe sie antwortete, warf Nadja einen Blick zu ihrem Großvater in der Hoffnung, er würde ihn zum Bleiben auffordern. Wolf nickte. »Bitte, treten Sie näher, Mr. Blackwood.«

Als Gabe seinen schaffellgefütterten Mantel ablegte, sagte Wolf Tarakanow: »Mr. Blackwood muß halb erfroren sein. Geh mit ihm in die Küche und mache ihm Tee.«

»Ja, den könnte ich gebrauchen, Mr. Tarakanow. Vielen Dank.«

»Obschon Nadja nicht entging, wie begierig Gabe die Gelegenheit wahrnahm, mit ihr allein zu sein, war sie von der vorangegangenen Diskussion zu bekümmert, als daß sie sich darüber gefreut hätte. Ihr war der bedauernde Ton nicht entgangen, als ihr Vater sich einverstanden erklärt hatte, in Sitka zu bleiben. Sie argwöhnte, daß er nicht aus freien Stükken hierblieb, sondern aus Pflichtgefühl seinem Vater gegenüber. In der Küche füllte sie den Samowar und zündete die Flamme an.

»Sie sind aus irgendeinem Grund bekümmert, stimmt's?«

Nadja drehte sich halb um und verbarg mit einem Lächeln ihre trüben Gedanken. »Aber nein. Es ist nur . . . Großvater hat keinen Zucker für den Tee. Er hat nur Honig zum Süßen.« Sie langte nach dem kleinen Tiegel auf dem Bord.

»Nein, irgend etwas stimmt nicht, das spürte ich schon beim Eintreten. Ihre Familie sah so ernst drein. Hat es schlechte Nachrichten gegeben?«

Erst sagte sie ja, dann sagte sie nein. Schließlich sagte sie, den Blick auf den Honigtiegel gerichtet, den sie auf den Unterschrank stellte: »Mein Onkel hat sich entschlossen, Sitka zu verlassen. Er zieht mit seiner Familic nach Rußland. Hier ist es ihm zu unsicher geworden.«

»Mit der Zeit wird alles besser. Diese Situation ist ja nur vorübergehend. Gewiß, die Soldaten haben sich unmöglich benommen, aber das wird sich ändern. Sie werden doch nicht alle Amerikaner nach den Unarten einiger weniger beurteilen?«

»Ich weiß nicht.«

Als er sie zu sich umdrehte, spürte sie, daß seine Hände noch kalt waren. Gabes ernste Miene verlangte ihre volle Aufmerksamkeit. »Ich kann nicht leugnen, daß es hier in Sitka unlautere Elemente gibt, doch das alles wird sich ändern, sobald der Kongreß Alaska den Status eines Territoriums verleiht. Dann ist es aus mit der Militärregierung. Wir bekommen eine Territorialverwaltung, und die Truppen werden abgezogen. Sobald dies der Fall ist, haben wir auch eine Gerichtsbarkeit, die Übeltäter zur Rechenschaft zieht. Im Moment wissen die kriminellen oder zumindest die unlauteren Elemente, daß wir unsere Gesetze nicht durchsetzen können, deswegen mißachten sie diese, aber lange werden sie damit nicht durchkommen. Aus Sitka wird bald eine anständige, ruhige Stadt, in der man eine Familie gründen und mit sicherem Gefühl in die Zukunft blicken kann.«

»Papa sagt, daß er bleibt, ich weiß jedoch, daß er es nur Großvater zuliebe tut. Er ist schon alt. Ich fürchte, daß Papa keinen Grund mehr sieht, nach seinem Tod noch zu bleiben. Und wenn meine Eltern gehen, dann weiß ich nicht, was ich tue. Ich möchte nicht fort, Gabe.« Obwohl sie auch die Kühnheit besaß, ihn so vertraulich anzureden, so reichte diese nicht aus, ihm zu sagen, daß er derjenige war, den sie nicht verlassen wollte.

»Sie dürfen nicht fort.« Er schien wie vor den Kopf geschlagen. »Das lasse ich nicht zu.« Von ihrer Furcht angesteckt, nahm er sie in die Arme und hielt sie an sich gedrückt, die Lippen an ihre Haare pressend.

»Nadja, ich werde dich nie gehen lassen«, raunte er. »Du bist meine Prinzessin.«

Die Leidenschaft seiner Worte erregte sie. Doch haftete dem Augenblick auch etwas Bitteres an, da sie sich fragte, ob diese erste Umarmung auch die letzte sein würde.

»Ich wünschte, du könntest etwas tun – du könntest Papa etwas sagen, damit es nicht soweit kommt«, erklärte sie.

»Es gibt etwas.« Das klang so überzeugt, daß Nadja den Kopf hob und zu ihm aufblickte.

»Was denn?«

»Ich kann ihn um deine Hand bitten, falls . . . falls du

meine Frau werden möchtest.« Seine Finger berührten in einer Liebkosung ihre Wange, während er sie hingebungsvoll ansah. »Ich wünschte es mir seit unserer ersten Begegnung vor der Werkstatt deines Großvaters.«

»Ich auch, mehr als alles in der Welt.«

»Du weißt gar nicht, wie glücklich du mich machst«, flüsterte er mit belegter Stimme und umfaßte eine Gesichtshälfte mit seiner hohlen Hand. »Ich liebe dich, Nadja – meine Prinzessin.«

»Und ich liebe dich.«

Als er sie küßte, glaubte Nadja, sterben zu müssen und in den Himmel zu gelangen, von dem man in der Kirche hörte. Gewiß konnte sich nichts mit dieser Seligkeit messen, die sie empfand. Ihre Lippen hingen einen Augenblick länger an seinen, als er sich von ihr löste.

»Unsere Heirat wird für Alaska ein Symbol sein«, erklärte Gabe. »Eine Verbindung von alt und neu. Du und ich, wir werden den Russen und Amerikanern zeigen, wie man zusammen lebt und in gemeinsamer Arbeit eine bessere Zukunft schafft.«

»Ja.« Sie verstand nicht die Hälfte von dem, was er sagte, doch es klang sehr bedeutungsvoll. Er ließ sie los und trat einen Schritt zurück.

»Ich komme später am Abend wieder, wenn ich deinen Vater allein antreffe.«

»Er wird uns seinen Segen geben, das weiß ich«, erklärte sie.

Als sie den Teekessel vom Bord nahm, ging es Nadja durch den Sinn, daß sie sehr bald mannigfache Handgriffe für ihn tun würde, in ihrem eigenen Heim, als seine Frau.

Ein Aprilregen trommelte gegen die Fenster, als Nadja mit der traditionellen Brautkrone im bestickten Hochzeitskleid vor ihrem Vater kniete und seine Vergebung für alle ihre Sünden erflehte. Wolf stand daneben und sah dem Ritual zu, das stets vor der Trauung in der Kirche im Elternhaus der Braut stattfand. Sein Herz war schwer, weil nur wenige Angehörige zugegen waren.

Als Lew seiner Tochter ein Stück Brot und etwas Salz

reichte, zog Eva an Wolfs Hand. »Warum hat Papa das getan?«

»Es bedeutet, daß er sie nie Not leiden lassen wird, auch wenn sie nicht mehr in seinem Haus lebt.«

Ihr künftiger Ehemann Gabe Blackwood kniete neben Nadja und hörte mit gesenktem Kopf die Gebete, die den Abschluß der traditionellen Zeremonie im Elternhaus der Braut bildeten. Nun wurde es Zeit für den langen Weg zur St.-Michail-Kathedrale. Der Bräutigam half Nadja in ihren langen Umhang, damit ihr Kleid nicht im Regen litt. Alle hatten Regenschirme bei sich, als sie aus dem Haus gingen.

Lew Tarakanow ließ die Tür offen, eine symbolische Geste, die besagte, daß das Haus seiner Tochter immer offenstehen würde, sollte ihr Mann sie jemals schlecht behandeln.

Eva war ein paar Schritte auf dem Gehsteig gegangen, als sie bemerkte, daß die Tür offenstand. Sie ließ die Hand ihres Großvaters los und lief zurück zum Haus. Kaum hatte sie die Tür geschlossen, als sie wieder zurücklief und nach seiner Hand faßte. »Papa hat vergessen, die Tür zu schließen, und es regnete ins Haus. Sicher wird er froh sein, daß ich es bemerkte.« Sie sah lächelnd zu Wolf hoch, stolz auf ihre Tat.

Er wollte ihr den Grund erklären, warum man die Tür offengelassen hatte, dann zögerte er. Das Regengeprassel auf seinem Schirm schien die Klugheit ihres Vorgehens zu bestätigen. Und die offene Tür war schließlich nur ein Symbol.

Vom Fenster seines Saloons aus sah Ryan die Hochzeitsprozession der Kirche zustreben. Man hatte ihn nicht eingeladen, was ihn nicht wunderte. Seine und die Wege Gabe Blackwoods hatten sich vor einigen Monaten getrennt.

Ryan hatte es satt, sich die salbungsvollen Moralpredigten des selbstgerechten, ehrbaren Anwaltes anzuhören. Blackwood gab Ryan die Schuld an den Betrunkenen auf den Straßen, weil er illegal Alkohol importierte.

Ryan hatte ihn nur ausgelacht. »Wenn ich schließe, dann lachen sich die anderen ins Fäustchen – und zudem würden sie über meine Dummheit lachen.«

»Du und deinesgleichen, ihr verderbt die Stadt und vertreibt die anständigen Menschen.«

»Wie die Russen vermutlich. Gabe, du bist ein Narr«, hatte

Ryan erklärt. »Das ist eine Stadt voller Militär, und ein Soldat braucht seinen Rum. Die Schuld an dem, was sich auf unseren Straßen abspielt, kannst du meinetwegen General Davis oder dem Kongreß geben, aber nicht mir, weil ich mein Geld damit mache, daß ich herbeischaffe, was verlangt wird.«

»Aber es ist gegen das Gesetz«, hatte Gabe protestiert.

»Dann bring jemanden dazu, daß er die Einhaltung des verdammten Gesetzes erzwingt. Du bist ein Dummkopf, wenn du glaubst, ich würde ein Vermögen wegwerfen, nur um ein Gesetz zu befolgen.«

An diesem Punkt hatte Gabe die Fassung verloren und ihn wie ein wütender Bulle angegriffen. Der Anwalt hatte zweifellos einen gewalttätigen Zug an sich.

Dieser Vorfall hatte den Schlußpunkt hinter ihre freundschaftliche Beziehung gesetzt, aber Ryan hatte das ohnehin erwartet. Gabe hatte sich einen neuen Bekanntenkreis zugelegt, ehrbare Kaufleute und Siedler. Manchmal hatte es sogar so ausgesehen, als sei es ihm peinlich, in Ryans Gesellschaft gesehen zu werden, da er offenbar der Meinung war, Ryan sei für einen Mann mit politischem Ehrgeiz nicht der richtige Umgang.

Ryan lächelte vor sich hin. Wählerstimmen kaufte man mit Geld. Der gute Wille und die hochtrabenden Ideale würden Gabe Blackwood ohne Geld nichts nützen.

»Na, hört der Regen bald auf?«

Lyle Saunders, der Barkeeper, trat neben Ryan ans Fenster und verschränkte die Arme vor seiner Brust, so daß sie auf seinem ausladenden Bauch zu liegen kamen. Sein schwarzes, pomadisiertes Haar war in der Mitte gescheitelt. Ein buschiger, nach oben gezwirbelter Schnurrbart betonte sein feistes Gesicht.

»Sieht mir nicht danach aus«, bemerkte Ryan.

»Da gehen Blackwood und seine Braut«, meinte der Barkeeper, um dann auf die Familie zu deuten. »Sehen Sie den jungen Kerl, dort? Falls Sie noch immer jemanden suchen, der sich hier in den Gewässern auskennt, könnte er der Mann für Sie sein. Er hat eine Ausbildung als Schiffsführer und spricht die Indianersprache.«

Ryan betrachtete den jungen Tarakanow, der vor dem Alten und dem kleinen Mädchen ging, genauer. Er glaubte sich zu erinnern, daß er Dimitri hieß. »Danke, Lyle«, sagte er. »Den Jungen werde ich mir merken.«

Der Barkeeper wandte sich nach einem letzten Blick auf die Hochzeitsgesellschaft kopfschüttelnd um. »Hätte nie gedacht, daß Blackwood ein Mischlingsmädchen heiratet«, brummte er vor sich hin.

Ryan bezweifelte, daß Gabe von Nadjas indianischem Erbe etwas ahnte. Aber früher oder später würde er es ohnehin erfahren.

35. Kapitel

Nach der Heirat richteten die Blackwoods sich in einem sparsam und mit Einrichtungsstücken aus zweiter Hand ausgestatteten Haus ein. Nadja scheute keine Mühe, um für ihren geliebten Mann ein gemütliches Heim zu schaffen. Ständig war ihre Nadel in Bewegung, um Schutzdeckchen zu machen, die abgewetzte Armlehnen und Rückenlehnen am Sofa und den Sesseln verdecken sollten.

Als sie das scharrende Geräusch einer Feder auf Papier hörte, blickte Nadja von ihrer Handarbeit auf. Gabe saß an dem Tisch, den er als Schreibtisch benutzte, über einen Brief gebeugt. Lautlos legte Nadja die Handarbeit beiseite und ging auf Zehenspitzen durch den Raum. In der Küche bereitete sie Tee zu und stellte die Kanne mit zwei Tassen und einem Tiegel Honig auf das Silbertablett, das Hochzeitsgeschenk ihres Großvaters. Als sie mit dem Tablett das Zimmer betrat, blickte er geistesabwesend auf.

»Vielleicht möchtest du Tee«, sagte Nadja.

»Sehr gern.« Seufzend richtete er sich auf, legte einen Arm um ihre Mitte und zog sie zu sich.

»Was schreibst du da?« Sie warf einen neugierigen Blick auf den Briefbogen.

»Einen Brief an den Kongreß, in dem ich darauf dringe, daß man uns das Recht einer Zivilverwaltung zubilligt. Ohne gesetzliche Grundlagen geht es hier nicht weiter.« Er ließ die Hand höher gleiten, bis zur Rundung ihrer Brust, und hob ihre Hand an, um einen Kuß auf die Handfläche zu drücken. Sanft löste sie sich aus seiner Umarmung und ging ans Tablett, um sich eine Tasse einzugießen. Die ehelichen Intimitäten bereiteten ihr noch immer Unbehagen. Seine Küsse hatte sie genossen, alles andere aber erschien ihr so animalisch.

»Habe ich dir schon gesagt, daß mein Vetter Dimitri Arbeit gefunden hat?«

»Das ist eine wunderbare Neuigkeit. Wo denn?«

»Mr. Colby hat ihn angestellt . . .«

»Colby? Dieser Lump?«

Von seinem aufflammenden Zorn erschreckt, schwankte Nadja unsicher. »Ich dachte, er wäre dein Freund.«

»Der? Niemals!«

Gabe schob mit einem lauten Ruck den Stuhl zurück und fing an, im Zimmer auf und ab zu laufen.

»Sein Saloon und die der anderen tragen für das halbe Übel in der Stadt die Verantwortung. Es sind Häuser der Sünde und Korruption, die man schließen sollte!« Er blieb vor ihr stehen. »Was ist denn in deinen Vetter gefahren, daß er dort arbeiten will? Er wird mit dem Gesetz in Konflikt kommen. Ich kämpfe darum, aus dieser Stadt einen anständigen Ort zu machen, und nun tut ein Angehöriger deiner Familie etwas so Unvernünftiges. Wie sieht denn das aus?«

Nadja wich zurück. »Dimitri wird nicht im Saloon arbeiten. Er ist Schiffsführer«, erklärte sie widerstrebend. »Mr. Colby hat ihn angestellt, damit er sein Schiff segelt.«

»Schiff? Welches Schiff?« Er trat zurück und stand nun nicht mehr so dicht und drohend vor ihr. »Was fängt Colby mit einem Schiff an?«

Sie spürte das Abflauen seines Zorns und beeilte sich, ihm zu versichern, daß ihr Vetter nie etwas Verbotenes tun würde.

»Dimitri sagt, Mr. Colby hätte eine der Schaluppen der Gesellschaft gekauft, damit er mit den Koloschdörfern Pelzhandel betreiben kann. Das wird Dimitri übernehmen. Er kann ein Schiff segeln, kennt die Gewässer hier in der

Umgebung und die Lage der einzelnen Dörfer. Er spricht die Sprache der Kolosch und ist geschickt beim Handeln.«

»Diese Wilden«, stieß Gabe zähneknirschend hervor. »Niemand sollte sich ihnen und ihren hölzernen Idolen auch nur nähern.«

»Ihre Totems sind keine Götzenbilder. Sie erzählen die Geschichten und Legenden ihrer Sippen.«

»Woher willst du das wissen?« fragte er sie finster.

»Das hat man berichtet«, murmelte sie voller Unbehagen.

»Was immer sie sein mögen, es sind heidnische Symbole und sollten verbrannt werden. Kein anständiger Mensch sollte sich mit diesem Pack abgegen. Hätte die Armee einen Funken Verstand, würde sie diesen Ranche genannten Saustall mit seinen Seuchen und Trinkgelagen ausräumen und alle dreckigen Indianer auf eine einsame Insel verfrachten.«

Nachdem er seinen Wortschwall beendet hatte, kehrte Gabe zu seinem Stuhl zurück und schrieb wie besessen weiter.

Nadjas Hand zitterte leicht, als sie nach ihrer Tasse faßte.

Eineinhalb Jahre darauf wehte das Sternenbanner über den Bürgern von Sitka, die sich auf dem Paradefeld versammelt hatten. Ryan Colby stand am Rande der Menge, einen Daumen in die Westentasche seiner Brokatweste gehakt. Die gewohnte Zigarre im Mund, studierte er den schlanken Redner mit den hängenden Schultern, der auf den Verandastufen der Residenz des Militärkommandanten stand.

Der nicht mehr junge Mann hatte nichts an sich, das Aufmerksamkeit auf sich gezogen hätte. Sein Anzug war zerknittert, sein graues Haar zerzaust. Die hohe Stirn und die buschigen Brauen betonten eine Hakennase und ein fliehendes Kinn. Doch dieser Mann war der ehemalige Außenminister William H. Seward, jener Mann, der für den Kauf Alaskas eingetreten war.

Seward verteidigte indirekt den Kauf des Landes, das man in Washington als Sewards Torheit, als Wal-Russia und als Sewards Eiskasten verspottete. Ryans Augenmerk wandte sich nun der auserwählten Gruppe von Bürgern zu, die aufmerksam auf einer Seite der Veranda Aufstellung genommen hatte. Mit einer Ausnahme handelte es sich um Mitglieder der De-facto-Stadtverwaltung, bestehend aus dem Bürgermeister, der auch als Zolleinnehmer der Regierung fungierte, und den Mitgliedern des Stadtrates. Ryan hätte zu gern gewußt, wie Gabe Blackwood es geschafft hatte, sich da hineinzudrängen. Vermutlich dank seiner Briefkampagne, in der er den Kongreß bestürmt hatte, die gegenwärtige Militärgesetzgebung durch eine Zivilregierung abzulösen.

Ein schwarzhaariger Mann mit Schirmmütze und Seemannsjacke ging um die Menschenmenge herum, als suche er jemanden. Ryan, der den jungen Skipper seiner schnellen Schaluppe erkannte, machte sich Dimitri mit einer Handbewegung bemerkbar. Als der junge Mann zu ihm trat, war Ryan von neuem betroffen vom harten und wissenden Blick dieser schwarzen Augen, die seine jugendlichen zwanzig Jahre Lügen straften. Bei ihrer ersten Begegnung im Frühling des Vorjahres war Ryan zu dem Schluß gelangt, daß Dimitri Tarakanow durch pfiffige Intelligenz und gleichmütige Verachtung aller Gefahren wettmachte, was ihm an Erfahrung noch fehlte. Er hatte seine Wahl nicht bereut.

»Lyle sagte mir, Sie seien hier.« Dimitri sprach in gedämpftem Ton.

»Probleme?«

Ein Lächeln hob die Spitzen von Dimitris stacheligem, schwarzem Schnurrbart. »Nein. Die Felle sind in Ihrem Schuppen, und der Whiskey ist auf der Insel versteckt. Wir schaffen ihn heran, sobald es dunkel wird.«

»Gut.«

Ryan steckte die Zigarre in den Mund und kaute nachdenklich daran. Er hatte rasch eingesehen, daß der Pelzhandel nur wenig Profit einbrachte, doch bot er ihm die ideale Tarnung für Rumschmuggel. Die Armee duldete zwar stillschweigend den Handel mit Alkohol, konfiszierte aber ab und zu Schiffsladungen. Für Ryan war Schmuggel deshalb der einzige Weg, um zu verhindern, daß ihm die Vorräte ausgingen.

»Was geht hier vor?« Dimitri deutete mit einer Kopfbewegung auf den Redner.

»Die ehrbaren Bürger von Sitka hoffen, daß Seward für sie

beim Kongreß etwas erreichen kann«, gab Ryan trocken zurück.

Die meisten waren entmutigt und zweifelten, daß ihre Ansuchen je bei der Regierung in Washington Gehör finden würden. Alaska galt als Zollgebiet. Es gab kein Gesetz, keine rechtliche Grundlage für Eigentumserwerb, keine Gerichtsbarkeit, die Übeltäter zur Rechenschaft zog und sie aburteilte, keine Besteuerung, von Zöllen abgesehen, und kein Wahlrecht.

Noch vor Ablauf eines Jahres nach dem Kauf waren über siebzig Schiffe im Hafen eingelaufen und hatten ihn vollbeladen verlassen. Alles, was die Russen an Geräten, Fellen und Vorräten zurückgelassen hatten, war abtransportiert worden. Die Stadt war bereits all dessen beraubt worden, was einigen Wert hatte, doch den Bewohnern war dies noch nicht bewußt.

Der Boom war für die meisten vorbei – für die Spekulanten und Makler, die jetzt nicht mehr Land kaufen und verkaufen konnten, für das sie keine Eigentumsrechte bekommen oder weitergeben durften, für Kaufleute und Händler, Friseure, Schneider und Familienväter, die die Gesetzlosigkeit und das Fehlen jeglicher Ordnung unerträglich fanden. Es blieb eine Stadt zurück, in der Saloonbesitzer, Spieler und Dirnen den Ton angaben.

Soldaten stellten Ryans größtes Kontingent an Kunden dar – Soldaten und Indianer, sowohl die Tlingits aus der Ranche als auch aus entfernteren Dörfern. Aber Ryan hatte auch Konkurrenten bekommen, und nicht nur durch andere Saloons in der Stadt. Ein paar unternehmungslustige Soldaten hatten damit begonnen, sich ihr eigenes Gesöff zu brennen. Angeblich hatte alles in einem Tlingitdorf namens Hoochinoo angefangen. Dort hatte ein Soldat den Indianern beigebracht, wie man aus dem einfachen Gebräu aus Baumrinde und Beeren durch Zufügung von Melasse und Hefe Alkohol destillieren konnte. Seither hatte man diesen Vorgang etwas verfeinert, Hauptbestandteil blieb aber Melasse mit Zusätzen von Mehl, getrockneten Äpfeln oder Reis, Hefepulver und genügend Wasser. Diese Mischung ließ man gären und wurde dann destilliert. Das Endprodukt wurde

Hoochinoo genannt, ein starker, Kopfschmerzen verursachender Melasse-Rum, der so schlecht schmeckte, wie er roch.

In der Ranche kostete ein Glas zehn Cents. Ryan hatte seine eigene Destillieranlage, die er hin und wieder dazu benutzte, um den Whiskey zu verlängern, oder aber er verkaufte das Gesöff, wenn sein Whiskey ausgegangen war, was im Winter vorkommen konnte.

»Ich brauche dich, weil ein paar Melassefässer hinaus in die Brennerei geschafft werden müssen«, sagte er zu Dimitri.

Dieser nickte. Sein Blick blieb dabei an jemandem in der Menge haften. »Mein Großvater hat mich gesehen. Ich muß mit ihm reden.«

»Na, wir sehen uns dann nach Mitternacht im Saloon«, sagte Ryan darauf.

Wieder nickte Dimitri, ehe er sich zu seiner Familie durchdrängte.

Sewards Besuch Anfang August weckte zwar Hoffnungen, aber diese reichten nicht aus, um der Wirtschaft der Stadt wieder Aufschwung zu verleihen. Der September kam mit trübem Wetter, und immer mehr Menschen erwogen, alles liegen- und stehenzulassen und fortzuziehen.

Die neunjährige Eva lag wach in ihrem Bett und lauschte den gedämpften Stimmen ihrer Eltern im anschließenden Raum. Die Trennwand verhinderte, daß sie jedes Wort verstand, doch sie hatte schon genug ähnliche Diskussionen belauscht, so daß sie die Lücken füllen konnte. Es war immer dasselbe – ihr Vater sorgte sich, daß er die falsche Entscheidung getroffen hatte und in Sitka geblieben war, während ihre Mutter ihn nach besten Kräften zu beruhigen versuchte, indem sie behauptete, die Situation würde sich bessern.

Sie zog sich die Decke über die Ohren, um nicht mehr die Stimmen aus dem Nebenzimmer hören zu müssen. Als das nichts nützte, versuchte sie sich auf andere Geräusche zu konzentrieren. Von der Straße waren wüstes Gelächter und lautes Grölen zu hören. Soldaten aus der Garnison. Ihre Stimmen wurden lauter, bis Eva den Eindruck hatte, sie stünden direkt vor dem Haus. Plötzlich wurde an der Tür gehämmert. Eva sprang auf und zog erschrocken die Decke an sich. Einen Moment herrschte völlige Stille im Haus, da der Wortwechsel im nächsten Raum verstummte.

Wieder ertönte das Poltern, gefolgt von gelallten Worten. »Jemand da? He, laßt uns rein! Wißt ihr nicht, daß es regnet?«

Gleich darauf wurde an der Klinke gerüttelt. Eva hörte, wie die Tür gegen den vorgeschobenen Riegel prallte.

»Verriegelt«, stellte einer der Soldaten fest. »Das nenne ich gar nicht gastfreundlich.«

»Jemand muß diesem Halbblut Manieren beibringen.«

Das anschließende Poltern schien das ganze Haus zu erschüttern. Sie hörte die Schritte ihres Vaters, der, aus dem Schlafzimmer kommend, an ihrer Tür vorüberging. Eva schlug die Decke zurück, stand auf und lief barfuß an die Tür. Sie hatte das Gefühl, die Soldaten versuchten, die Tür einzutreten.

Kaum hatte sie ihr Zimmer verlassen, als Holz unter einem heftigen Schlag gegen die Tür splitterte. Ihr Vater rief den Trunkenbolden zu, sie sollten sich davonscheren. Eva schlich die Wand entlang, bis sie zur Haustür sehen konnte. Ihr Vater stand davor, einen eisernen Feuerhaken in der Hand. Als die Tür unter einem erschütternden Schlag erbebte, hörte sie Krachen von Holz und sah, daß der Riegel angebrochen war.

Beim nächsten Rammstoß brach der Riegel zur Gänze, und die Tür flog auf. Drei Soldaten torkelten durch die Öffnung, mühsam um Gleichgewicht kämpfend. Ihre Uniformen waren naß und schmutzig, die dunklen Bärte verfilzt und strähnig. Die rotgeränderten Augen kamen Eva wie die rasender Tiere vor. Schutzsuchend lief sie an die Seite ihres Vaters.

»Nein, Eva.« Erschrocken bemerkte er sie und schob sie rasch hinter sich.

»He, sieh mal die Kleine im rosa Nachthemd. Ist sie nicht häßlich?« Einer deutete auf sie.

»He, Kleine, hast du nicht eine hübsche Schwester irgendwo hinten versteckt?«

»Laßt sie in Ruhe.« Ihr Vater schwang den Feuerhaken.

»Hör dir das an, der glaubt, wir wären für seinesgleichen nicht gut genug.«

»Verlaßt auf der Stelle mein Haus«, forderte ihr Vater sie auf.

»Du könntest uns wenigstens einen Drink anbieten, ehe du uns wieder in Kälte und Regen schickst. Sehr gastfreundlich ist er nicht, habe ich recht, Nate?«

»Ja. Wo hast du deinen Fusel?« verlangte dieser. »Ich weiß, du hast welchen. Jedes Halbblut trinkt gern sein Feuerwasser.« Er trat einen Schritt in den Raum hinein, woraufhin ihr Vater ihm den Weg vertrat.

»Mister, gehen Sie mir aus dem Weg, sonst reißt mir die Geduld.«

»Lew?« rief ihre Mutter aus dem Schlafzimmer.

»Hört ihr? Eine Frau im Haus.« Nate rieb sich triumphierend die Hände. »Ich wußte es, ich wußte es. Jungs, ich sage euch, ich kann sie riechen.«

»Der ist aber darauf erpicht, daß wir abhauen«, bemerkte der andere und wies mit dem Kopf auf ihren Vater.

»Tja, wenn es ihm draußen im Regen so gut gefällt, warum geht er dann nicht?« meinte der andere.

Der erste packte ihren Vater. Ehe dieser sich mit dem Feuerhaken zur Wehr setzen konnte, hatten ihn auch die beiden anderen gepackt und hinausgeschleppt.

»Papa!« schrie Eva auf und stürzte an die Tür.

Ein Soldat wollte nach ihr fassen und verfehlte sie. Sie lief hinaus in den Regen und war an der Seite ihres Vaters, als dieser sich mühsam aus dem Schlamm aufraffte, eine Hand gegen die Rippen drückend.

»Haben sie dir weh getan, Papa?«

Als er den Kopf schüttelte, hörte sie ihre Mutter voller Angst nach ihm rufen. Zugleich hörte Eva, wie Nate erklärte: »Ach, sieh mal. Wir haben hier 'ne gelbhaarige Squaw.«

Das Gesicht ihres Vaters verzerrte sich vor Angst. »Eva, lauf zu Großvater.« Daß sie barfüßig und im Nachthemd war, schien ihn nicht zu kümmern.

»Aber . . .«

»Geh!« Zornig stieß er sie von sich. »Rasch! Deiner Mutter zuliebe!«

Sie hörte ihre Mutter aufschreien. Ihr Vater rannte zurück ins Haus und ließ Eva allein in Regen und Dunkelheit. Ihre

Füße schienen im nassen Boden angewurzelt. Sie starrte zur offenen Tür hin, durch die ihr Vater verschwunden war, hörte das Wollüstige Lachen der Soldaten, die abwehrenden Schreie ihrer Mutter und die wütenden Rufe ihres Vaters. Etwas Schreckliches ging vor sich, das wußte sie. So große Angst hatte sie noch nie im Leben gehabt.

Eva fing zu laufen an. Die Häuser an der Straße lagen im Dunkeln, so daß sie das Haus ihres Großvaters erst in der letzten Sekunde erkannte. Ihre bloßen Füße waren von der nassen, durchdringenden Kälte ganz starr geworden. Sie warf sich gegen die Tür, trommelte mit Fäusten und rief unter Schluchzen nach ihrem Großvater. Als sie glaubte, die Kraft in den Armen ließe sie im Stich, wurde die Tür geöffnet, und ihr Großvater stand vor ihr, eine brennende Kerze in der Hand.

»Kind, was machst du hier um diese Zeit?« fragte er mit gerunzelter Stirn.

Sie zitterte, und ihre Zähne schlugen aufeinander. Einige Augenblicke war sie nicht imstande zu antworten. Er zog sie ins Haus, doch sie riß sich los.

»Nein, es geht um Mama.« Sie versuchte, zwischen ihren Schluchzern die Worte herauszustoßen. »Die Soldaten ... sie haben die Tür aufgebrochen. Papa ... er schickte mich nach dir ... du mußt helfen. Ich ... habe solche Angst. Solche Angst.« Nun konnte sie sich nicht mehr zurückhalten und fing haltlos zu weinen an. »Was werden die Soldaten mit ihnen machen, Großvater?«

»Weinen hilft nichts, Eva Lewjena.« Er ging neben ihr in die Hocke. »Du mußt jetzt tapfer sein. Verstehst du? Du mußt zu deiner Schwester und ihr alles sagen. Sag auch, daß ich zu deinen Eltern gegangen bin. Schaffst du das?«

Eva nickte, während sie noch heftig zitterte.

»Dann geh schon, rasch! Ich hole inzwischen meine Muskete.«

Ihre Schwester wohnte nur drei Häuser weiter. Im Haus ihrer Schwester bewegte sich ein Licht. Der Schein wanderte von einem Fenster zum nächsten. Auf Evas verzweifeltes Pochen gegen die Tür wurde sofort von einer Männerstimme geantwortet: »Wer ist da?«

»Ich! Laßt mich hinein. Ich muß Nadja sprechen!«

Der Riegel ächzte, als er zurückgeschoben wurde. Gleich darauf wurde die Tür geöffnet, und der Mann ihrer Schwester starrte sie an. Eva fiel auf, daß er noch Tageskleidung anhatte. Ihr Blick ging an ihm vorüber zu der gelben Flamme der Petroleumlampe, die ihre Schwester in der Hand hielt.

»Nadja!« rief Eva aus und lief an Gabe vorüber, auf ihre Schwester zu.

»Eva, wie siehst du aus!« rief Nadja entsetzt aus. »Was fällt dir ein, bei diesem Wetter und in diesem Aufzug herumzustreunen! Sofort ziehst du dich um. Was hat Mama sich eigentlich dabei gedacht, als sie dich so hinausließ?«

»Warte«, protestierte Eva. »Es geht um Mama.«

»Was ist los? Ist sie krank?«

Nun platzte Eva mit der ganzen Geschichte heraus. Ihre Worte überstürzten sich aus Angst, Nadja würde sie wieder unterbrechen. Ihre Angst wuchs, als sie den Ausdruck des Entsetzens im Gesicht ihrer Schwester sah.

»Gabe, du mußt etwas unternehmen!« rief Nadja aus.

Seine Miene kündete von Entschlossenheit, als er Mantel und Hut vom Wandhaken nahm und zur Haustür ging. »Ich gehe zum Bürgermeister. Wenn es sein muß, zerre ich ihn aus dem Bett.« Auf der Schwelle hielt er inne, um sich den Mantel anzuziehen.

»Schieb den Riegel vor, wenn ich fort bin.«

»Beeil dich, Gabe.«

Kaum hatte Nadja den Riegel vorgeschoben, als sie sich Eva zuwandte, die vor Kälte zitterte. »Komm in die Küche.«

Eine Stunde später hatte Nadja das Feuer im eisernen Küchenherd wieder angefacht, hatte Eva die nassen und schmutzigen Sachen ausgezogen, sie in eine Decke gewikkelt und sie auf einen Stuhl vor das Feuer gesetzt. Die ganze Zeit über hatte sie nicht aufgehört, ihr Fragen über das Vorgefallene zu stellen, so daß Eva alles wiederholte, was geschehen war. Obwohl die Wärme sie belebte, war Eva nicht getröstet. Sie spürte zu stark die Erregung, die ihre Schwester nicht zu verbergen vermochte. Bei jedem Geräusch fuhr Nadja zusammen und warf ständig Blicke zur Tür hin, als könne sie Gabes Rückkehr kaum erwarten. Sie goß Tee in eine Tasse, süßte ihn mit Honig und reichte ihn Eva.

»Warum ist Gabe noch nicht zurück? Er ist schon so lange weg.«

Wieder bekam es Eva mit der Angst zu tun.

»Großvater weiß, daß ich da bin. Warum kommt er nicht? Sollten wir nicht gehen und nachsehen, was los ist?«

»Nein. Gabc sagte, wir sollten hierbleiben, bis er wiederkäme, und genau das werden wir tun.«

Von der kurzangebundenen Antwort verletzt, ließ Eva den Kopf hängen.

Das plötzliche laute Pochen an der Tür überraschte beide. Eva wäre fast vom Stuhl gesprungen, doch die Decke, die sie einhüllte, behinderte jede Bewegung. Nadja stellte ihre Tasse auf den Tisch und strich ihr Kleid glatt. »Du bleibst hier, Eva . . .«

»Aber wenn . . .«

Es nützte nichts. Ihre Schwester war bereits hinausgegangen. Eva lauschte angestrengt, hörte aber nur das sanfte Rascheln der Röcke und den gleichmäßigen Schritt. Dann vernahm sie die Frage ihrer Schwester, die gedämpfte Antwort einer Männerstimme sowie das Zurückschieben des Riegels. Stiefelschritte klangen durch das Haus.

Eva glitt vom Stuhl. Sie mußte wissen, wie es um ihre Eltern stand.

». . . Bürgermeister und ich hinkamen, war es zu spät.« Gabe schlüpfte aus seinem Mantel und hängte ihn mit dem Hut an den Haken, während er nicht aufhörte, halblaut zu berichten. »Deinen Großvater fanden wir bewußtlos vor. Einer der Soldaten versetzte ihm einen Hieb auf den Kopf. Sein Kopf schmerzt, aber sonst ist ihm nichts passiert. Er hatte versucht, die Soldaten mit seiner alten Muskete einzuschüchtern, doch das Pulver war naß, und die alte Knarre ging nicht los.«

»Und Papa und . . .«

Eva sah, wie Gabe Nadjas Schulter umfaßte und sie festhielt.

»Dein Vater ist ein tapferer Mann. Er muß sich heldenhaft

gewehrt haben, aber sie waren ihm überlegen. Diese ... Wüstlinge schlugen ihn zusammen. Er hat ein paar Platzwunden und Prellungen abbekommen, vielleicht ein paar gebrochene Rippen.«

»Mama? Haben sie ihr etwas getan?« Nadja umklammerte die Aufschläge seiner Jacke.

Gabe zögerte lange. »Es tut mir leid«, sagte er schließlich mit einem unmerklichen Kopfschütteln. »Leider haben sie ihr Gewalt angetan.«

»O nein.« Nadja hielt entsetzt die Hände vor den Mund.

»Ich schwöre dir, für diese schändliche Tat werden sie büßen«, sagte er zornbebend.

»Ich muß zu ihr.« Nadja wollte sich umdrehen.

»Nein.« Gabe hielt sie auf. »Sie will dich nicht dort, glaube mir.«

»Ich muß. Sie braucht mich.«

»Nein. Als ich sagte, ich würde dich schicken, da bekam sie fast einen hysterischen Anfall. Sie will dich nicht sehen – jetzt jedenfalls nicht«, erklärte er widerstrebend. »Im Moment ist dein Vater der einzige, den sie um sich duldet.«

»Arme Mama«, murmelte sie, und Eva hörte das kleine Schluchzen heraus. »Hoffentlich hast du diese Unholde in Eisen gelegt und den Schlüssel ins Hafenbecken geworfen.« Als ihre Bemerkung mit Schweigen beantwortet wurde, starrte sie ihren Mann fragend an. »Du hast doch, oder?«

»Nadja, du weißt doch, daß der Bürgermeister über das Militär keine Gewalt hat. Er hatte keine andere Möglichkeit, als die Rowdys dem wachhabenden Sergeanten zu übergeben. Ich werde am Morgen persönlich General Davis aufsuchen und verlangen, daß diese Männer vor ein Kriegsgericht kommen und für die Untat bestraft werden, das verspreche ich dir.«

»Wie ich diese Soldaten hasse!« Nadja preßte die Hände an die Schläfen. »Ich weiß nur, daß ich bei Mama sein sollte.«

»Glaube mir, es ist besser, wenn du hier bleibst. Deine kleine Schwester wird dich brauchen. Wo ist sie? Hast du sie zu Bett gebracht?«

»Nein, sie ist . . .« Nadja wandte sich um und sah die Umrisse der Kleinen in dem aus der Küche hereinfallenden Licht. »Eva, ich sagte dir, du solltest warten.«

»Aber ich wollte alles hören.« Eva holte Luft und nahm sich ein Herz. »Was heißt, man hat ihr Gewalt angetan? Ist es etwas ganz Schlimmes? Wird meine Mama sterben?«

»Nein! Sterben wird sie nicht«, setzte Nadja ruhiger hinzu. »Es heißt nur, daß sie verletzt wurde, aber sie wird sich wieder erholen.«

»Was hat man mit ihr gemacht?«

»Man . . . hat ihr weh getan.«

»Man hat sie geschlagen wie Papa?«

»Ja, so ähnlich.« Ihre Schwester nickte.

Es war die einzige Erklärung, die man Eva gab. In Minutenschnelle hatte ihre Schwester sie in das zusätzliche Schlafzimmer geschafft und darauf bestanden, daß sie zu Bett ging.

36. Kapitel

Die Morgensonne durchdrang die durchsichtiger werdenden Nebelschichten und verlieh dem Dunst, der vor den Fenstern des Amtszimmers des Militärkommandanten in Baranows Residenz trieb, etwas Durchscheinendes. Gabe schritt an der Ordonnanz vorüber, die ihm die Tür aufhielt, und trat vor den massiven Schreibtisch. Der Stuhl hinter dem Schreibtisch knarrte, als der General seine gestiefelten Füße vom Tisch nahm und sich aufrecht hinsetzte.

»Mr. Blackwood, wie ich höre, wollen Sie eine dringende Sache mit mir besprechen«, bemerkte der General und schloß einen tiefen Seufzer an, als würde man seine Geduld auf eine harte Probe stellen.

»Das kann man wohl sagen, Sir.« Gabe kam ohne Umschweife zur Sache. »Gestern drangen drei Ihrer Leute in das Haus der Familie Tarakanow ein, griffen Mr. Tarakanow tätlich an und taten seiner Frau Gewalt an.«

»Der Vorfall wurde mir gemeldet.«

»Vorfall kann man das wohl kaum nennen«, erwiderte Gabe. »Es war ein schweres Verbrechen.«

»Die fraglichen Soldaten schlafen jetzt ihren Rausch aus. Sobald sie ausgenüchtert sind, wird man geeignete Disziplinarmaßnahmen ergreifen. Ist das alles, Mr. Blackwood?«

Der General gab ihm zu verstehen, daß er keine Lust hatte, eine militärische Angelegenheit mit einem Zivilisten zu diskutieren.

»Diese Frage möchte ich Ihnen stellen, General Davis. Ist das alles?« schleuderte Gabe ihm herausfordernd entgegen. »Werden die Burschen mit ein paar Tagen Arrest bestraft? Sir, es ist nicht das erstemal, daß sich ein ›Vorfall‹ dieser Art ereignet hat. Ihre Leute haben schon mehrfach Häuser aufgebrochen und die Bewohner belästigt. Bei ihren Opfern handelte es sich immer um Bürger indianischer Herkunft, aber diesmal sind die Rowdys zu weit gegangen. Sie haben das Heim einer anständigen Familie angegriffen, und ich verlange, daß sie für diese verdammungswürdige Tat bestraft werden!«

»Sie verlangen?« Der General stand auf und stützte sich mit gestreckten Fingern auf den Schreibtisch. »Ich kümmere mich keinen Deut darum, was Sie verlangen. Ich habe hier das Kommando. Ich habe zu entscheiden, welches Strafmaß angemessen ist, wenn überhaupt.«

»Daraufhin sage ich, daß Sie, nach der Zügel- und Disziplinlosigkeit Ihrer Truppe zu schließen, diesem Kommando nicht gewachsen sind.«

Der General richtete sich auf und straffte die Schultern, während er Gabe eingehend musterte.

»Blackwood. Ach ja, jetzt erinnere ich mich. Sie haben eines dieser russischen Halbblutmädchen geheiratet. Sagen Sie, waren die sogenannten Opfer der vergangenen Nacht Angehörige Ihrer Frau?«

Gabe erstarrte unter dieser gemeinen Anschuldigung.

»Es sind ihre Eltern. Aber es sind Russen, eine der Familien, die sich zum Bleiben entschlossen hat.«

»Vielleicht sind sie zur Hälfte Russen, vielleicht auch mehr, aber sie haben auch indianische Vorfahren.«

»Das ist eine Lüge.« Ein Muskel in Gabes Kinn zuckte.

»Ach? Ich besitze ein vollständiges Verzeichnis aller Familien, die hier zur Zeit der Übernahme durch die Amerikaner lebten. Heute morgen sah ich darin nach, und die Tarakanows scheinen mir auf der gemischten Seite zu stehen«, versicherte ihm General Davis selbstzufrieden.

Auf diese Worte hin schien in Gabes Kopf etwas zu explodieren. Undeutlich hörte er den General etwas schreien. Als nächstes wußte er nur, daß seine Finger sich in den dunklen Bart gruben, die Kehle des Mannes umklammerten, und daß die Soldaten ihn vom General zu zerren versuchten. Er war wie betäubt. »Werft ihn hinaus, ehe ich vergesse, daß er Zivilist ist«, keuchte der General.

Die Soldaten eskortierten ihn bis an den Fuß der Treppe, ließen ihn dort los, nicht ohne ihm einen Stoß zu versetzen. Gabe taumelte davon. In seinem Kopf drehte sich noch alles von dem Schock der ungeheuerlichen Lüge. Es durfte nicht wahr sein. Er konnte kein Halbblut geheiratet haben, er nicht. Er haßte Indianer. Diese blutrünstigen Wilden hatten seine Eltern ermordet.

Wie ein Blinder hastete er die Straße entlang, ohne zu wissen, wo er sich befand und wohin er ging. Da sah er einen Saloon und rüttelte an der Tür. Geschlossen. Zuerst pochte er, dann hämmerte er laut. Schließlich hörte er von drinnen eine Stimme: »Wir haben noch geschlossen.«

»Aufmachen!« Gabe war es egal, ob sie geöffnet hatten oder nicht. Er wollte einen Drink. Nach einem lauten Klicken des Schlosses wurde die Tür einen Spaltbreit geöffnet.

»Ach, Sie sind es. Mr. Blackwood, tut mir leid, aber . . .« Der schnurrbärtige Barkeeper sollte den Satz nicht vollenden, da Gabe einfach die Tür aufschob und sich mit den Schultern den Weg in den Saloon bahnte.

Die Stühle standen umgekehrt auf den Tischen, im Raum hing der säuerliche abgestandene Geruch von schlechtem Whiskey und Tabak. Gabe ging direkt an die Bar.

»Was soll der Lärm, Lyle?«

Ryan Colby trat aus dem Hinterzimmer. Er trug einen langen Morgenrock aus marineblauem Samt.

»Blackwood ist es. Er platzte einfach rein.«

»Ich will einen Drink.« Gabe lehnte sich an die Theke.

»Lyle, mach Kaffee.« Ryan kam hinter die Theke.

»Wenn ich Kaffee wollte, wäre ich ins Restaurant gegangen«, fuhr Gabe ihn an. »Das ist ein Saloon, und ich möchte Whiskey.«

»Whiskey haben wir.« Lächelnd entkorkte Ryan eine Flasche und goß ein. »Aber du hast doch nichts dagegen, wenn ich Kaffee trinke.«

»Laß die Flasche stehen«, befahl Gabe, als Ryan sie aufs Bord stellen wollte.

»Bist du sicher?« Er wölbte eine Braue hoch. Der Gabe Blackwood, den er kannte, rührte Alkohol kaum an.

»Ich kann es bezahlen.«

Gabe griff in die Tasche und knallte das Geld auf die Theke. Ryan ließ die Flasche an ihrem Platz stehen und rückte ein Stück näher die Theke entlang, um sich eine Zigarre anzustecken. Er hatte diesen wilden Blick schon an Kunden gesehen, an Männern, die einen Vorwand für Raufhändel suchten. Ryan hatte nicht die Absicht, Gabe diesen Vorwand zu liefern. Seine Neugierde hielt ihn jedoch davon ab, den Raum zu verlassen und Blackwood mit seiner schlechten Laune alleinzulassen.

»Ich hätte ihn fordern sollen«, murmelte Blackwood und goß einen Schluck hinunter. »Ja, das hätte ich tun sollen.«

»Wie bitte?« Ryan tat so, als hätte er nicht verstanden.

»Ich sagte, ich hätte diesen Schweinehund fordern sollen. Dann würde er sich hüten, Lügen zu verbreiten.«

»Welchen Schweinehund meinst du?«

»Den korrupten kleinen General in Baranows Residenz. Der Kerl ist der Position eines Kommandanten nicht gewachsen, und das sagte ich zu ihm.« Er legte die Hände in einem Würgegriff um das kleine Gläschen. »Es war eine verdammte Lüge, und das kann ich nicht hinnehmen. Colby, hast du eine Pistole da?«

»Wozu?«

»Damit ich es diesem Schweinehund heimzahlen kann. Ich darf nicht zulassen, daß er so von meiner Frau spricht, von meiner wunderschönen russischen Prinzessin. Wer sie sieht, weiß, daß sie kein indianisches Blut hat. Nicht wahr, Colby, das sieht man?«

»Wenn du es sagst . . .« Ryan studierte beiläufig die Patiencekarten, die er auf der Theke ausgebreitet hatte. Endlich wußte er, worum es ging.

»Nein, verdammt!« Gabe hieb mit der Faust auf die Theke. »Ich möchte hören, was du zu sagen hast.«

»Ich sage«, Ryan hielt kurz inne, »daß es mir so oder so einerlei ist.«

»Das ist keine Antwort.« Gabe stieß sich von der Bar ab und ging zu Ryan. Daß er nach drei Drinks schon so schwankte, verriet, daß er wenig Alkohol vertrug. Mit einer ausholenden Handbewegung fegte Blackwood die Karten von der Theke. »Ich möchte die Wahrheit, verdammt noch mal. Glaubst du, daß meine Frau Indianerin ist?«

»Die Wahrheit?« Ryan stieß ein lautloses, humorloses Lachen aus. »Ich denke, vielleicht ist sie es, aber ich weiß es nicht. Mich solltest du nicht fragen. Deine Frau ist die einzige, die dir die Wahrheit sagen kann. Ehe du dir eine Knarre besorgst und jemanden umlegst, frag sie lieber.«

Leicht schwankend ließ sich Blackwood den Vorschlag durch den Kopf gehen. »Ich glaube, das werde ich tun.«

Er wandte sich um und schlurfte zur Tür des Saloons. Vor der Kneipe überlegte Gabe. Ryan hatte recht. Er mußte Nadja mit der Anschuldigung des Generals konfrontieren. Sie allein konnte ihm die Antwort geben, die alles bereinigte. Ryan – und wahrscheinlich alle anderen – glaubten, er hätte ein Halbblut geheiratet. Aber dies war ein Fehler, der ihm nie unterlaufen wäre. Die Ermordung seiner Eltern hatte ihn gelehrt, niemals einem Indianer – reinblütig oder nicht – zu trauen. Der Skalp seiner Mutter hatte vom Gürtel eines Halbbluts gehangen, den seine Eltern geliebt und als Sohn adoptiert hatten.

Nadja hängte den Umhang auf und nahm ihren Hut ab. Geistesabwesend prüfte sie den Sitz ihrer Frisur.

Gabe hatte ihr geraten, nicht zu ihren Eltern zu gehen, ehe er nicht von der Unterredung bei dem General zurück sei, aber Eva hatte sich so große Sorgen gemacht, daß Nadja schließlich doch gegangen war.

Aber Gabe hatte recht gehabt. Ihre Mutter hatte sie nicht

sehen wollen und sich sofort mit entsetztem Ausdruck zur Wand gedreht. Auf Nadjas tröstende Worte hatte sie nicht reagiert, von Angst und Schande gebrochen.

Natürlich hatte sie Eva nicht ins Zimmer der Mutter geführt. Sie wünschte, sie hätte ihre kleine Schwester gar nicht mitgenommen, aber niemand hatte sie darauf vorbereitet, daß ihr Vater so schrecklich aussah. Sein Gesicht war verfärbt und geschwollen, die Lippe geplatzt, so daß sie ihn erst kaum erkannt hatte.

Er hatte Nadja anvertraut, daß ihre Mutter noch in der Nacht zuvor von ihm das Versprechen forderte, niemandem zu enthüllen, was ihr zugestoßen war. Er hatte ihr sein Wort gegeben und verpflichtete nun beide Töchter durch einen Eid zum Schweigen. Falls jemand den Lärm gehört hatte, sollte man nur zugeben, daß Soldaten ins Haus eingebrochen seien und es auf der Suche nach Alkohol verwüstet hätten.

Sie erkannte Gabes Schritte auf den Stufen zur Haustür.

»Gabe, ich bin so froh, daß du da bist.« Sie lief ihm entgegen und nahm verspätet seinen sonderbaren Gesichtsausdruck wahr.

»Ach, bist du das?« spottete er und trat die Tür mit dem Fuß zu.

Nadja glaubte zu bemerken, daß Gabe etwas schwankte. Er stierte sie an, als hätte er sie nie zuvor gesehen. Nadja war das alles nicht geheuer.

»Ist etwas passiert? Du siehst mich so sonderbar an.« Sie lachte nervös auf.

»Ach, tue ich das?«

Ein wenig ratlos drehte Nadja sich um, um wieder ins Zimmer zu gehen. »Was hatte der General zu sagen?«

»Der General hatte sehr viel zu sagen, meine kleine Prinzessin.« Sein Ton war voller Sarkasmus und Bosheit, so daß Nadja sich halb umdrehte und ihn ansah. Ohne zu wissen warum, bekam sie es mit der Angst zu tun.

»Ja, das war tatsächlich die Frage, die er aufwarf. Ob du eine russische Prinzessin bist – oder eine indianische?«

»Was redest du da?« Sie drehte sich wieder um, verzweifelt nach einem anderen Thema suchend, ehe er wieder in eine seiner Hetztiraden gegen Indianer verfiel. Er faßte nach ihrem Arm und drehte sie brutal zu sich um.

»Nadja, beantworte meine Frage. Bist du russisch oder indianisch?« Er kam mit seinem Gesicht ganz nahe an sie heran.

Entsetzt wich sie vor seiner haßerfüllten Miene zurück und wehrte sich gegen seinen festen Griff. »Warum um alles in der Welt fragst du das, Gabe?« murmelte sie.

»Verdammt, antworte mir!« Er verdrehte ihr den Arm.

»Du tust mir weh.« Nadja wimmerte, als der Druck um ihren Arm fester wurde.

»Hast du Indianerblut in den Adern?«

Sie hatte das Gefühl, ihr Arm müßte jeden Augenblick brechen.

»Ja«, stieß sie hervor, um sogleich aufzuschreien, als er ihren Arm noch mehr verdrehte.

»Wie hoch ist der Anteil?«

»Meine . . . Urgroßmutter war halb . . . aleutisch«, gestand sie. »Und mein Großvater ist halb kolosch.« Sie hatte nicht mehr die Möglichkeit, ihm zu sagen, daß auch die Ahnenreihe ihrer Mutter gemischt war, halb finnisch, der Rest russisch, aleutisch und kolosch.

»Du Biest!« Er schlug ihr ins Gesicht.

Die Gewalt des Schlages warf sie zu Boden und raubte ihr momentan die Besinnung. Ihr Arm schmerzte, eine Gesichtshälfte brannte wie Feuer. Vorsichtig stützte sie sich auf und befühlte Wange und Kiefer. Sie spürte Blut im Mund.

»Du hast mich belogen!« brüllte er sie an.

»Habe ich nicht.« Sie kam eilig auf die Beine, bemüht, ihn zu besänftigen. »Ich schwöre, daß ich dich nicht belogen habe, Gabe.«

»Die ganze verdammte Stadt wußte, daß ich ein Halbblut zur Frau nahm – alle, nur ich nicht. Diese kleine Information hast du mir vorenthalten.«

»Du hast nie danach gefragt.«

Er schlug sie auf dieselbe Stelle wie vorhin. Wieder explodierte Schmerz in ihrem Kopf.

»Diese Antwort ist typisch«, höhnte er. »Auch wenn ich gefragt hätte, hättest du mich angelogen. Du hast mich in diese Ehe gelockt.«

»Ich schwöre dir, daß ich es nicht getan habe.« Sie duckte sich und stützte ihr vor Schmerz pulsierendes Gesicht ab. »Ich liebe dich, ich wollte deine Frau sein und dir helfen, alle Pläne und Träume zu verwirklichen.«

»Du hast sie unmöglich gemacht! Du hast alle Chancen vernichtet, die ich hatte! Siehst du das nicht ein, du blöde kleine Schlampe! Wenn dieses Gebiet zum Territorium erklärt wird, dann wird man mich nie zum Gouverneur ernennen! Ich kann von Glück reden, wenn man mich zum Postmeister macht – einen Mann, der einen Indianermischling zur Frau hat!«

Während er wütete, wich Nadja langsam zurück in Vorausahnung des Ausbruches, der nun kommen würde. Doch er folgte ihr und brüllte mit jedem Schritt lauter.

»Ich bin am Ende! Du hast alles ruiniert! Und du hast mich zum Gespött dieses verdammten Kaffs gemacht! Ich muß wie ein kompletter Idiot ausgesehen haben, wenn ich mit dir am Arm durch die Straßen stolzierte. Wie konnte ich nur so mit Blindheit geschlagen sein!«

»Gabe, bitte . . .«

»Halt den Mund!« Er schlug sie und hörte nicht auf, sie zu schlagen.

Nadja versuchte davonzulaufen, was seine Wut noch anzuheizen schien. Er packte sie an den Haaren und zerrte sie zurück. Abwehrend hob sie die Hände, während er unbarmherzig auf sie einprügelte. Als es ihr endlich glückte, ihm zu entkommen, verfolgte er sie durchs Haus, warf Möbelstücke um und zerbrach Teller und Vasen, um sie schließlich in einem kleinen Winkel zu stellen, aus dem es kein Entkommen gab. Nadja sank zu Boden und krümmte sich zusammen, während er sie trat und schlug, bis sie nichts mehr spürte.

Sie merkte nicht einmal, als er innehielt, bis sie das Zuschlagen der Haustür hörte und ihr klarwurde, daß sie allein war. Lange blieb sie so zusammengekauert in ihrem Winkel, vor sich hin weinend.

Als die Nacht kam, war Nadja starr vor Angst. Nicht auszudenken, was er ihr antun würde, wenn er nach Hause käme. Sie verbarrikadierte sich im Schlafzimmer und setzte sich hin, um auf ihn zu warten.

Aber Gabe kam an jenem Abend nicht nach Hause, auch nicht am nächsten oder übernächsten. Allmählich verlor Nadja die Angst, er würde wiederkommen, und es stieg die Angst, er würde nicht mehr heimkommen. Am fünften Tag waren die spärlichen Lebensmittelvorräte des Hauses verbraucht. Sie ließ einen weiteren Tag verstreichen und redete sich ein, Gabe müsse zurückkommen.

Schließlich mußte sie sich eingestehen, daß sie nicht länger warten konnte. Die Spuren der Schläge waren bis auf eine leichte Verfärbung, die man mit ein paar Schichten Puder abdecken konnte, zurückgegangen.

Der Weg in die Stadt erschien ihr ungewöhnlich lang und ermüdend. Vorsichtig wich sie den verrotteten Brettern auf dem Gehsteig aus und näherte sich Gabes Büro mit großem Widerstreben. Fast hätte sie vor der Tür kehrtgemacht. Sie konnte nicht umhin, sich zu erinnern, daß es genau die Stelle war, wo sie ihm zuerst begegnet war. Sie faßte sich ein Herz, öffnete die Tür und trat ein.

Auf den ersten Blick sah das Büro verlassen aus. Ihre schlimmsten Befürchtungen schienen sich bewahrheitet zu haben.

»Gabe?« rief sie zögernd. Nichts. Dann hörte sie ein Krachen, gefolgt von einem Fluch aus dem Hinterzimmer. Nadja schrak vor dem Zorn dieser Stimme zurück, doch war es für ein Entrinnen zu spät, als Gabe in der Tür erschien.

Sein heruntergekommenes Äußeres stellte einen Schock für sie dar. Gabes Bartstoppeln waren Tage alt, die dunklen Ringe unter den Augen ließen diese ganz tiefliegend erscheinen. Sein Anzug war verknautscht und fleckig, sein Haar wirr. Er sah so bleich und mitgenommen aus wie ein Mensch, der Schweres hinter sich hat.

»Was willst du?« Wut und Verbitterung färbten noch immer seinen Ton. Doch Nadja hörte auch Schmerz heraus.

»Ich machte mir deinetwegen Sorgen«, sagte sie zögernd.

»Das kannst du dir sparen«, fuhr er sie an. »Ich möchte nicht, daß eine Indianersquaw sich meinetwegen sorgt. Du hast alles zerstört, also scher dich hinaus!«

»Ich hätte es dir sagen sollen. Das sehe ich jetzt ein. Ich hätte es vor dir nicht geheimhalten sollen, aber es war einfacher, so zu tun, als wüßtest du es ohnehin, deswegen sagte ich nichts. Es war falsch. Aber ich liebte dich so sehr und hatte Angst, dich zu verlieren. Ich kann ja verstehen, daß du wütend bist. Bitte, gib mir die Chance, alles wiedergutzumachen«, flehte sie ihn an. »Ich möchte versuchen, dir zu beweisen, wie leid es mir tut. Bitte, Gabe, komm wieder nach Hause.«

»Nach Hause? Zu wem? Zu dir?«

»Es ist dein Zuhause.« In ihrem Herzen wußte Nadja, daß sie zerstört hatte, was er an Liebe für sie empfunden hatte. Ihre einzige Hoffnung war es, an seinen Besitzerinstinkt zu appellieren. Kehrte er zurück, dann würde sie vielleicht durch völlige Hingabe mit der Zeit erreichen, daß sie wieder seine Achtung und Zuneigung errang.

»Raus! Aus meinen Augen!« Er trat drohend einen Schritt auf sie zu.

Instinktiv wich sie zurück, bis sie die Tür hinter sich hatte. Sie verließ sein Büro und trat hinaus auf die Straße. Da Gabe sie nicht wollte, gab es nur einen Ort, wohin sie sich wenden konnte. Sie machte sich zu ihrem Elternhaus auf.

Die Haustür war versperrt, so daß sie lang pochte. Schließlich hörte sie Schritte. Ihre Schwester öffnete.

»Du solltest doch in der Schule sein.« Nadja hätte es vorgezogen, wenn Eva bei der Unterredung mit ihrem Vater nicht zugegen war.

»Papa wollte, daß ich zu Hause bleibe und mich um Mama kümmere.« Eva sah sie mit schräggelegtem Kopf an. »Was ist denn mit deinem Gesicht los?«

Nadja zögerte, da sie es nicht über sich brachte, vor Eva einzugestehen, daß ihr Mann sie geschlagen hatte.

»Ich bin hingefallen.« Sie ging an Eva vorüber ins Haus. »Wo ist Papa?«

»Im Wohnzimmer.«

Wieder zögerte sie. Es würde nicht einfach sein, ihrem Vater zu gestehen, daß ihre Ehe gescheitert war – durch ihr Verschulden.

Eva folgte ihr hinein. Lew saß zusammengesunken in einem Armsessel am Kamin und starrte mit leerem Blick in die Glut. Die Schwellungen in seinem Gesicht waren zurückgegangen, die Verfärbungen verblaßt. Nadja hielt inne und wartete, daß er ihre Gegenwart zur Kenntnis nähme.

»Wenn er nicht bei Mama ist, dann sitzt er immer so da«, flüsterte Eva.

»Eva, sieh nach Mama. Ich möchte mit ihm unter vier Augen sprechen.« Es bestand nicht die Notwendigkeit, leiser zu sprechen. Ihr Vater schien sie nicht zu bemerken.

»Sie will mich nicht bei sich im Zimmer haben. Sie will nicht, daß ich sie ansehe. Warum ist sie so, Nadja?«

»Jetzt nicht, Eva, bitte.« Nadja war dem Zusammenbruch nahe.

»Das sagen alle«, murmelte ihre Schwester und verließ schleppenden Schrittes den Raum.

Langsam ging Nadja auf ihren Vater zu. Neben seinem Sessel blieb sie wartend stehen, sein Blick aber blieb unbeirrt auf die Glut gerichtet.

»Papa . . .«, sagte sie.

Da bewegte er sich, als müsse er sich aus großer Entfernung zurückholen. Er sah sie an, doch in seiner Miene lag kein Erkennen. Neben ihm auf die Knie fallend, umklammerte sie seinen Arm und kam sich vor wie ein kleines Kind.

»Nadja.« Er strich ihr leicht über die Wange und berührte dabei eine purpurrote Schwellung. »Meine Kleine.«

»Papa, ich mußte kommen.«

Plötzlich war es mit seiner Fassung vorbei. Er schlug die Hände vors Gesicht. »Was habe ich getan?« murmelte er immer wieder. Zuerst glaubte Nadja, er meine damit ihr tragisches Schicksal. »Es ist meine Schuld.«

»Nein, Papa!« Sie konnte nicht zulassen, daß er sich schuldig am Scheitern ihrer Ehe fühlte. Er hatte ja nicht wissen können, daß Gabe ihr dies antun würde.

»Doch.« Er sah auf, sein Gesicht war tränenüberströmt. »Wir hätten nicht bleiben sollen. Wir hätten mit den anderen gehen sollen. Dann wäre dies alles nicht passiert. Deine Mutter wäre . . .« Er sank laut schluchzend in sich zusammen.

Benommen nahm Nadja wahr, daß ihm ihr gezeichnetes Gesicht gar nicht aufgefallen war. Er war in seinem eigenen Kummer und Schuldgefühl völlig befangen. »Weine nicht, Papa«, bat sie.

Er unternahm den Versuch, sich zu fassen, und holte tief Luft. »Ich weiß, daß du mich trösten willst, doch mein Gewissen läßt mir keinen Frieden.« Er schloß die Augen. »Die erste Verantwortung eines Mannes gilt der Familie – seiner Frau und seinen Kindern. Ich aber stellte die Sohnespflicht darüber. Ich brachte alle in Gefahr, indem ich blieb, und jetzt sieh dir an, was passierte.« Er konnte nicht weitersprechen.

Nadja, die sah, wie sehr er sich quälte, brachte es nicht übers Herz, seinen Kummer noch zu vertiefen, indem sie ihm sagte, was zwischen ihr und Gabe vorgefallen war.

»Papa, so darfst du nicht denken. Sicher gibt Mama dir nicht die Schuld an dem Unglück.«

Sein Kopfschütteln schien eine völlige Niederlage anzudeuten. »Ich weiß nicht, was ich tun soll. Ich habe alles versucht. Ich ließ Vater Hermann kommen, aber sie wollte nicht mit ihm beten. Sie wollte nicht einmal das Kreuz küssen. Ich kann nicht arbeiten. Wenn ich aus dem Haus gehe, fürchtet sie sich. Ich . . .«

»Papa«, Eva trat in die Tür. »Ich brachte Mama die Brühe, doch sie will nichts essen.«

»Sie muß.« Als ihr Vater aufstehen wollte, drückte Nadja seinen Arm und zwang ihn wieder in den Sessel.

»Ich geh zu ihr.« Sie stand auf, gegen die eigene Schwäche ankämpfend, die von dem Mangel an Nahrung herrührte.

Er wirkte dankbar und unwillig zugleich, als sie sich umdrehte und hinausging. Nadja roch die Hühnerbrühe schon, ehe sie das elterliche Schlafzimmer betrat. Ihr Magen zog sich in einem Hungerkrampf zusammen.

Beim Betreten des Zimmers fiel ihr Blick als erstes auf die Schüssel mit der nahrhaften Brühe auf dem Tisch neben dem Bett. Das Wasser lief ihr im Mund zusammen. Nur mit Mühe wandte sie den Blick von der Suppe ab und sah ihre Mutter an.

Die drastischen Veränderungen in deren Aussehen waren für sie ein Schock. Ihre Augen waren tief in die Höhlen gesunken und dunkel umrandet, das gelblich-graue Haar, das sie stets adrett zu einer Zopfkrone geflochten hatte, war wirr und stand nach allen Richtungen ab. Ihre einstmals kraftvollen und geschickten Hände zerrten nervös zitternd an der Decke.

»Mama?« Nadja hatte den Eindruck, eine Wahnsinnige vor sich zu haben.

Angst sprang in die Augen ihrer Mutter, als sie Nadja anstarrte. »Wo ist Lew?« fragte sie, um von Panik erfaßt fortzufahren: »Wo ist Lew Wassiljewitsch? Lew!«

»Papa ruht«, versuchte Nadja zu erklären, war jedoch nicht imstande, die verzweifelten Ausrufe ihrer Mutter zu übertönen. Trotz Nadjas Versuchen, sie zurückzuhalten, gelang es ihr, um sich schlagend und kreischend aus dem Bett aufzustehen.

In diesem Moment öffnete sich die Tür, und ihre Mutter lief direkt in die Arme ihres Vaters. Er hielt sie fest und redete liebevoll auf sie ein, während Nadja hilflos danebenstand. Dann führte er seine Frau zurück zum Bett und deckte sie zu wie ein kleines Kind.

»Entschuldige, Papa«, murmelte sie leise. »Ich konnte sie nicht daran hindern.«

»Schon gut.« Er sah hager und abgespannt aus, als er sich auf der Bettkante niederließ und zur Suppenschüssel griff, um ihre Mutter mit dem Löffel zu füttern. Dabei stieg Nadja wieder das köstliche Aroma in die Nase.

»Bitte, Papa, laß es mich machen«, bot Nadja ihm an. »Du sollst ruhen.«

Er zögerte erst, dann setzte er die Schüssel ab und tätschelte die nervös tastende Hand ihrer Mutter.

»Aila, Nadja wird bei dir bleiben, aber ich bin gleich nebenan. Ich verlasse dich nicht.«

Obwohl von seinem Gehen beunruhigt, schien ihre Mutter zu akzeptieren, daß er in der Nähe blieb. Nadja zog ihre Überkleider aus und legte sie auf das Bettende. Dann nahm sie die Stelle ihres Vaters am Rand des Bettes ein. Ihre Hand zitterte, als sie die Schüssel nahm und die Suppe roch. Pflichteifrig flößte sie ihrer Mutter den ersten Löffel ein, doch beim nächsten wandte ihre Mutter den Kopf ab.

»Ist es zu heiß?« Nadja wollte nur einen kleinen Löffel kosten, um die Temperatur zu prüfen, doch es schmeckte so gut, daß sie den ganzen Löffel leerte. »Mama, es ist genau richtig. Hier, versuch noch einen Löffel.« Doch ihre Mutter hielt den Kopf weggedreht. »Bitte, Mama. Wir teilen uns die Suppe, du ißt ein paar Löffel, dann ich«, versuchte Nadja sie zu überreden, doch ihre Mutter hielt die Lippen zusammengepreßt.

Ehe sie wußte, wie ihr geschah, hatte sie bis auf zwei Löffel die Suppe selbst aufgegessen. Ihr schlechtes Gewissen versuchte sie zu beruhigen, indem sie sich sagte, daß ihre Mutter die Brühe ohnehin nicht gegessen hätte. Zum erstenmal in drei Tagen hatte sie etwas in den Magen bekommen.

»Mama, laß mich dein Haar bürsten«, bot Nadja ihr an. Das Haar ihrer Mutter in Ordnung zu halten, überstieg offenbar das Geschick von Vater und Schwester, sonst hätten die beiden gewiß nicht zugelassen, daß es derart vernachlässigt aussah.

»Man fühlt sich gleich besser, wenn das Haar in Ordnung ist.« Doch kaum hatte sie ihr Haar berührt, als ihre Mutter zurückzuckte und sich im Bett zusammenduckte. »Mama, ich tue dir nicht weh. Ich möchte dir nur das Haar in Ordnung bringen.«

»Nein.« Ihre Mutter schluchzte haltlos, und das Schluchzen ging in Schreie über, dann preßte sie die Hände gegen den Kopf.

Nadja versuchte, sie zu beruhigen, aber vergeblich. Als ihr Vater ins Zimmer stürzte, wandte sie sich verwirrt an ihn: »Ich wollte ihr nur die Haare bürsten.«

Er brauchte Minuten, um seine Frau zu beruhigen. Erst dann konnte er Nadja erklären: »Sie läßt niemanden an ihr Haar heran. Ich glaube, *sie* wurden von ihrer hellen Haarfarbe angelockt. Vor drei Tagen ertappte ich deine Mutter, wie sie sich mit einer Schere die Haare abschneiden wollte. Wir mußten alle scharfen Gegenstände aus ihrer Reichweite entfernen.«

Nadja starrte ihre im Bett liegende Mutter an, die die Bibel umklammert hielt, die ihr Vater ihr gegeben hatte, um sie zu beruhigen.

»Sie soll sich nicht mehr aufregen. Am besten, du gehst

jetzt«, sagte er. »Komm ein andermal. Vielleicht geht es ihr dann besser.«

Er setzte sich an Ailas Seite, streichelte ihren Arm und redete beschwichtigend und liebevoll auf sie ein. Am liebsten hätte Nadja ihn angeschrien, ihm gesagt, er solle sie, Nadja, ansehen – damit er ihre Verfärbungen unter der Puderschicht sähe, damit sie ihm sagen konnte, daß ihr Mann sie nicht mehr haben wollte – doch er hatte sie schon vergessen. Mit matten Bewegungen nahm sie Mantel, Handschuhe und Hut vom Fuß des Bettes und ging hinaus.

Es blieb ihr nichts übrig, als nach Hause zu gehen. Als sie eintrat, empfing sie feuchte Kälte. Das Feuer im Kamin war ausgegangen. Sie entfachte es neu und setzte sich in den Schaukelstuhl am Kamin, in dem sie so oft gesessen und Gabe bei der Arbeit zugesehen hatte. Die Einsamkeit drohte sie zu erdrücken. Sie schlang die Arme eng um ihre Mitte, von plötzlicher Angst erfaßt, für den Rest ihres Lebens allein bleiben zu müssen.

Plötzlich ging die Tür auf, und Gabe trat ein. Erleichterung durchzuckte sie. Sie umfaßte die Armlehnen, zu ängstlich, um sich zu rühren, zu ängstlich, um zu sprechen für den Fall, daß er nicht bleiben wollte.

»Was machst du da?« Er sah sie finsteren Blickes an.

»Wohin hätte ich gehen sollen?« Sie wollte ihm nicht sagen, daß ihr Vaterhaus ihr praktisch verschlossen war. »Ich bin deine Frau, ich gehöre hierher.«

Zunächst sagte er nichts. Mit angehaltenem Atem wartete sie, ob er wieder gehen würde. Statt dessen versetzte er der Tür einen Tritt, daß sie zufiel. Der laute Knall ließ sie zusammenzucken. »Mach mir etwas zu essen.«

»Es gibt nichts mehr im Haus.«

Er zögerte, dann langte er in die Tasche und warf ein paar Münzen auf den Tisch.

»Geh und besorge etwas, und zwar rasch – ehe ich dich an einen Soldaten verhökere.«

37. Kapitel

Im Double Eagle Saloon drängten sich Soldaten in blauen Uniformen aus der Garnison. Ihre wüsten Stimmen übertönten das blecherne Geklimper des Pianos. Rauchschwaden durchzogen den Raum und schufen einen blaugrauen Dunst. Der Boden war mit Spucknäpfen übersät, die immer wieder von gelbem Tabaksaft getroffen wurden. Der Soldat Dan Kelly stand mit dem Rücken zur Bar, stützte sich mit einem Ellbogen auf und starrte düster zu den Fenstern hin. Die Scheiben waren bis auf einen Teil in der Mitte vereist, und dieser freie Teil war von der Hitze des Raumes beschlagen, so daß man den Flockenwirbel draußen nicht sehen konnte.

»Kelly!« Die Begrüßung war von einem Schulterklopfen begleitet.

Der Schlag brachte ihn fast aus dem Gleichgewicht, so daß er beinahe sein Bier verschüttet hätte.

»Warum zum Teufel stehst du dir allein hier Löcher in den Bauch und machst ein langes Gesicht? Komm, feiere mit uns!« Sein Kamerad Nate Wheeler stand schwankend vor ihm und blinzelte ihn benebelt an. »Ich geb ein Bier für dich aus. Ich und Gus und Corky mußten zwei Monate die Latrine säubern – nur weil wir uns mit einem gelbhaarigen Halbblut einen kleinen Spaß erlaubt haben. Und heute machen wir richtig einen drauf, nicht wahr, Jungs?«

Kelly sah die zwei anderen Uniformierten, die Wheeler im Chor zustimmten, an. »Ein andermal.« Er drehte sich um.

Aber Wheeler ließ sich nicht abwimmeln. »He, Barkeeper! Noch 'n Bier für meinen Freund!« Er knallte das Geld auf die Theke und schob einen anderen Soldaten mit einem Schulterstoß beiseite, um neben Kelly Platz zu bekommen.

»Hab' dich ewig nicht mehr gesehen. Aber ich kann mir schon denken, wo du dich rumtreibst.« Er kicherte und warf einen Blick zu seinen zwei Kumpanen hin. »Habt ihr schon mal 'nen Kerl gesehen, der am Samstagabend so trübsinnig die Nase hängen läßt? Er hat wieder mal nicht die Goldader gefunden, der er nachjagt.«

»Noch nicht«, gab Kelly zu. »Aber sie ist dort draußen irgendwo.«

Nach über zwei Jahren, in denen er in glühender Sonne oder strömendem Regen durch wildes Gelände gezogen war, in Gebirgsbächen Sand gesiebt und Erzproben aus Felssimsen geschlagen hatte, hatte er genug Goldspuren gefunden, um vom Vorhandensein eines großen Vorkommens überzeugt zu sein.

»Was sucht er? Gold?« Corky, einer der Kumpanen, legte den Arm um Wheelers Schulter. »Zum Teufel, ich weiß, wo es jede Menge Gold gibt. Und auch Silber.«

»Wo denn?« forderte Kelly ihn verächtlich heraus. Der Mann beugte sich zu ihm, um ihm sein Geheimnis anzuvertrauen.

»Hier, direkt vor deiner Nase.« Er gluckste vor Vergnügen. »Wir sind keine hundert Meter weit weg.«

»Ja, wahrscheinlich in irgendeinem Safe«, höhnte Kelly, nahm einen tiefen Zug Bier und wischte sich den Schaum von der Oberlippe.

»Nein, ist es nicht. Es liegt frei herum.«

»Wieso hast du es noch nicht eingesackt?« spottete Wheeler.

»Weil es mehr ist, als einer allein schleppen kann.«

»Du redest dummes Zeug.«

»He, ich werd's dir beweisen!«

Ruhelos warf Aila Tarakanowa den Kopf hin und her und stöhnte verhalten unter dem heißen, erstickenden Gewicht, das auf ihr lastete. In einem verzweifelten Versuch, sich zu befreien, streckte sie einen Arm hervor. Jetzt spürte sie einen kalten Luftzug auf der Haut und erwachte, in kaltem Schweiß gebadet. In ihrem Kopf drängten sich die Bilder vom Alptraum der Vergewaltigung.

Regungslos lag sie da und ließ den Blick verängstigt durch den dunklen Raum wandern, gespannt das kleinste Geräusch aufnehmend. Ihr vor Angst verwirrter Verstand war nicht mehr imstande, Nachtmahr und Wirklichkeit zu unterscheiden. Das Entsetzen kehrte wieder und faßte nach ihr mit eisigen Klauen. Leise nach ihrem Mann rufend, stieg sie aus dem Bett. Ihre Angst stieg, als keine Antwort kam. Sie schlich durch die Dunkelheit in den Wohnraum.

»Lew?« Sie schluchzte seinen Namen ganz leise und doch so laut in ihren Ohren.

Sie fand ihn reglos auf dem Sofa zusammengesunken, so wie ihn damals die Unholde zurückgelassen hatten. Da hörte sie plötzlich von draußen Lärm und fuhr herum. Mit einem entsetzten Blick zur Tür wollte sie feststellen, ob sie wiederkamen.

Dann drehte sie sich um und lief los. Sie floh durch die Hintertür aus dem Haus, hinaus in die verschneite Nacht, ungeachtet des Schnees unter ihren Füßen. Überzeugt, verfolgt zu werden, hielt sie Ausschau nach einem Versteck.

Dann fiel ihr Blick auf die Türme der Kathedrale. Ja, im Haus Gottes würde sie sicher sein. Sie lief zur Kathedrale und erreichte die Stufen zum Portal, wo sie hinfiel und auf allen vieren hinaufkroch, ohne die Bibel aus der Hand zu lassen. Ihre Kraft reichte gerade noch aus, um eine Hälfte der schweren Doppeltür aufzuschieben und ins Innere zu taumeln.

In der Nähe des Altars brannte eine Kerze, auf die sie sich zubewegte. Als sie eine in einen Umhang gehüllte Gestalt am Altar bemerkte, blieb sie abrupt stehen, in der Meinung, es sei ein Priester. Er hatte sie noch nicht bemerkt. Nach einem raschen Blick zur anschließenden Kapelle hielt sie vorsichtig darauf zu.

Plötzlich hörte sie jemanden auf englisch flüstern: »Verdammt, wer von euch hat vergessen, nachzusehen, ob die Tür versperrt ist? Corky, du warst der letzte, geh und mach zu, ehe jemand was bemerkt.«

»Wer soll denn was bemerken?« Die gezischte Antwort kam von der verhüllten Gestalt am Altar. »Mitten in der Nacht hat hier noch nie jemand gebetet. He, Kelly, komm und sieh dir die Kelche an – oder was immer das ist. Massives Silber, schätze ich. Sagte ich nicht, das Zeug läge hier nur herum?«

Eine weitere Gestalt bewegte sich in der Dunkelheit des Kirchenraumes. Aila bemerkte einen vierten. Es waren vier Männer – vier Amerikaner. Keiner trug das Priestergewand. Sie hatten dunkelblaue Umhänge – es waren Soldaten. Sie schnappte vor Angst nach Luft.

»Was war das?«

Die Kerze wurde gehoben, der Lichtkreis wurde größer. Der matte Schein traf sie, als sie schreckerfüllt den Soldaten anstarrte, dem ein dichter strohblonder Schopf unter der Mütze hervorquoll. Einer von ihnen! Einer der Männer, die sie vergewaltigt hatten! Wie waren die ihr hier zuvorgekommen? Sie fuhr sich mit den Fingern durch das wirre Haar.

»Sieh dir diese verrückte alte Hexe an!« Der Mann mit der Kerze trat einen Schritt näher.

Diese Bewegung schien ihre lähmende Angst zu lösen. Nein, nicht wieder – nicht in der Kirche! Sie drehte sich um und lief zum Portal.

»Haltet sie!« rief einer.

Aila schrie auf, als sie schwere Schritte hinter sich hörte.

»Laßt sie. Packen wir das Zeug zusammen und verschwinden wir!« rief ein anderer.

Doch die Schritte hörten nicht auf, sie zu verfolgen.

»He, Sie! Warten Sie!« rief ihr jemand heiser und verhalten nach.

Dan Kelly sah ihre entsetzte Miene, als sie durch die offene Tür stürzte. Auf der obersten Eingangsstufe hielt er inne und blickte hinunter auf die Straße, halb in Erwartung, sie die Hauptstraße entlanglaufen zu sehen, um die Soldaten in den Saloons und in den Baracken und die Posten zu alarmieren. Doch die Straße war verlassen bis auf eine Handvoll halbbetrunkener Soldaten und einiger Tlingitdirnen. Kein Mensch zeigte Interesse für die Kirche. Der kurze Aufschrei der Alten war von niemandem gehört worden.

Aus dem Augenwinkel nahm er eine Bewegung wahr. Kelly sah nach links und bemerkte eine gespensterhafte Gestalt eng an die Häuser gedrückt laufen. Er rannte die Treppe hinunter und setzte ihr nach.

»Wohin läuft sie nur? Dort ist doch nur der Sund«, stieß er halblaut hervor.

Als die Häuser spärlicher wurden, verlor er sie kurz aus den Augen. Doch sie hinterließ Spuren im frisch gefallenen Schnee. Kelly folgte ihnen in weitausholenden Laufschritten, atemlos von der scharfen Kälte.

Als er das Gelände vor sich überflog, schien die Alte vor

ihm Gestalt anzunehmen. Im nächsten Moment war ihm klar, daß sie sich vor dem schwarzen Wasser des Sundes abzeichnete. Die Wasserfläche gebot ihrer Flucht Einhalt. Sie blieb stehen und schien zu zögern, während sie sich verzweifelt nach rechts und links umblickte. Als sie merkte, wie nahe er schon war, geriet sie in Panik.

»Laufen Sie nicht davon!« rief er leise, in dem Versuch, sie zu besänftigen. »Schon gut, ich tue Ihnen nichts, keine Angst.«

Er redete begütigend auf sie ein in der Hoffnung, daß allein sein Ton sie beruhigen würde, falls sie kein Englisch verstünde. Doch sie wich Schritt um Schritt vor ihm zurück und geriet immer näher ans Wasser, während sie die ganze Zeit den Kopf in einer stummen Verneinung hin und her bewegte.

Als sie am Ufer, das von Eiskristallen übersät war, angekommen war, hielt sie inne. Kelly, überzeugt, daß sie nun auf ihn hören würde, streckte ihr die Hand entgegen. »Ich tue Ihnen nichts«, beschwor er sie.

Ohne Vorwarnung wandte sie sich um und lief ins Wasser. Kelly wollte ihr nach, doch dann blieb er stehen. Sie watete immer tiefer hinein, nur von der Wassertiefe und dem Gewicht ihres Nachtgewandes behindert. Dann glitt sie aus und versank.

Mit einem flauen Gefühl in der Magengrube stand Kelly da und starrte zu der Stelle hin, wo sie plötzlich verschwunden war. Nur das leise Schlagen der Wellen war zu hören und aus der Ferne das Gegröle aus der Stadt.

Der Leichnam Aila Tarakanowas wurde am nächsten Tag an Land gespült. Ihr Mann, der, nachdem er entdeckt hatte, daß sie verschwunden war, vor Anbruch der Dämmerung mit der Suche begonnen hatte, fand sie. In der Stadt erregte ihr Tod wenig Aufsehen, denn alles war in heller Aufregung wegen der Plünderung der Kathedrale. Der Raub war sehr früh entdeckt worden, da die Übeltäter im frischen Schnee deutliche Spuren hinterlassen hatten, die zu ihrer Festnahme und der Sicherstellung der gestohlenen Gegenstände führten.

Da es noch immer keine gesetzmäßige Grundlage gab, um den Räubern den Prozeß zu machen, blieb den Bürgern nichts anderes übrig, als sich an General Davis zu wenden. Der kommandierende General schien diesmal der Meinung zu sein, daß seine Soldaten in diesem Fall vielleicht doch zu weit gegangen waren. Zur Strafe für ihr Verbrechen wurden Nathan Wheeler, William ›Corky‹ Travers und August ›Gus‹ Miles schimpflich aus der Armee ausgestoßen und mit dem ersten zur Verfügung stehenden Transport in die Vereinigten Staaten abgeschoben.

Kelly war einer der Bewacher, der die drei in schlechtsitzender Zivilkleidung an Bord des Schiffes begleitete. Keiner der drei hatte ihn in die Raubgeschichte mit hineingezogen, an der er keine aktive Rolle gespielt hatte.

Sie grinsten übers ganze Gesicht. Man hatte sie aus der Armee ausgestoßen, aber ebenso aus diesem gottverlassenen Alaska. Die meisten anderen beneideten die drei, nicht aber Kelly.

Er empfand Verwirrung und Schuldgefühle. Eine Frau war in jener Nacht ertrunken, dieselbe, die seine drei Kameraden vergewaltigt hatten. Damit war erklärt, warum sie in panischer Angst geflohen war. In gewissem Sinn hatten sie die Frau getötet. Und er hatte auch eine Rolle bei ihrem Tod gespielt.

Er ließ den Blick über die Kette schneebedeckter Berge wandern. Ihr Anblick rief den Gedanken an Gold in ihm wach, und Gold war ein Thema, das seine Gedanken stets von allen Sorgen ablenkte.

An einem der für den Januar typischen milden Nachmittage stand die Sonne tief im Westen und färbte mit ihren sanften Strahlen den weißen Kegel des Mount Edgecumbe rosa und die Nebelspuren auf den Wassern des Sitka-Sundes perlweiß. Eva schlang beide Arme um den Beutel mit ihren Schulbüchern und der Bibel ihrer Mutter. Sie hatte sie immer bei sich. Jetzt war er Evas teuerster Besitz.

Sie war schon fast zu Hause, doch sie konnte den Gedanken nicht ertragen, das Haus zu betreten. Sie haßte es. Seit ihre Mutter ertrunken war, hatte sie das Gefühl, der Tod lebe mit im Haus. Ihr Vater saß nur herum und wartete auf den Tod.

Obwohl sie noch nicht zehn Jahre alt war, hatte sie versucht, die Rolle der Hausfrau zu übernehmen – sie kochte, machte sauber und kümmerte sich um ihren Vater. Doch die Mahlzeiten, die sie so mühsam herstellte, rührte er meist nicht an. Ihm war alles gleichgültig geworden, sogar Eva.

Niemand schien zu verstehen, daß auch sie die Mutter vermißte – niemand, außer ihrer Schwester. Sie wußte noch, wie Nadja sie in die Arme genommen und geweint hatte bei ihrem letzten Besuch. Das war vor zwei Wochen gewesen, kurz bevor Nadja auf eisigem Boden ausgeglitten war und sich den Arm gebrochen hatte. Eva entschloß sich spontan zu einem Besuch bei ihrer Schwester. Sie wollte sich vergewissern, daß sie zurechtkam.

Da die Haustür ihrer Schwester offen war, trat Eva ein, ohne anzuklopfen. Fast sofort hörte sie Schritte aus der Küche kommen. Gleich darauf stand Nadja vor ihr, den linken Arm in einer Schlinge. Ihre Miene war abgespannt und sorgenvoll.

»Eva.« Sie schien erleichtert. »Ich dachte, Gabe sei früher gekommen. Was führt dich hierher? Kommst du aus der Schule?« Sie warf einen ängstlichen Blick zur Tür hin, ehe sie sagte: »Gehen wir in die Küche. Ich wollte eben etwas bakken als Überraschung für Gabe. Wie geht's Papa?«

»Immer gleich.« Eva ließ sich auf einen Stuhl sinken. »Er sitzt nur da und spricht kaum ein Wort. Ich hasse ihn. Er ist schuld an Mamas Tod. Als die Amerikaner kamen, hätten wir Onkel Stanislaw folgen und das Land verlassen sollen.« Eva streckte den Finger in den schmackhaften Teig, den ihre Schwester anrührte, und leckte den Finger ab.

»Ja, vielleicht hätten wir das tun sollen«, meinte Nadja dazu.

Diese unerwartete Zustimmung überraschte Eva. Zuvor hatte ihre Schwester einen solchen Vorschlag immer abgelehnt mit der Begründung, daß sie Gabe nie geheiratet hätte, wenn sie außer Landes gegangen wäre.

»Aber wir sind nicht mit Onkel und Tante gegangen, also ist jedes Wort überflüssig.« Nadja sagte es in ungewohnt verbittertem Ton. »Du bist alt genug, um zu wissen, daß man die Vergangenheit nicht ändern kann.«

»Nadja, weinst du etwa?« Eva glaubte, Tränen in den Augen ihrer Schwester zu sehen.

»Mein Arm schmerzt, das ist alles.« Nadja drehte sich um.

In diesem Moment wurden schwere Männerschritte und das Öffnen der Tür hörbar. Eva fiel auf, daß Nadja sichtlich erschrak. Sie sah so verängstigt aus, daß Eva schon glaubte, Soldaten würden ins Haus eindringen. Doch ihre Schwester drehte sich um und trat hastig an den Tisch.

»Geh lieber nach Hause, ehe Papa sich Sorgen macht.«

»Aber wer ist gekommen?« Eva verstand nicht, warum sie plötzlich nach Hause geschickt wurde. »Ist es Gabe?«

»Ja.« Sie senkte die Stimme zu einem Flüstern und bat flehentlich: »Bitte geh. Und vergiß deine Schulbücher nicht.«

»Aber . . .« Eva wußte nicht, wie ihr geschah.

»Du Weibsstück! Wo steckst du?«

Verwundert über den zornigen und fordernden Ton wandte Eva sich zur Verbindungstür um, als der Mann ihrer Schwester darin erschien. Er sah hart und abweisend aus. Sein Lächeln, sein gewinnendes Augenzwinkern waren wie weggeblasen.

»Was macht sie denn hier?« Er sah Eva finster an.

»Sie hat auf dem Heimweg von der Schule hereingeschaut«, erklärte Nadja ängstlich. »Sie wollte eben gehen.«

»Habe ich euch gestört?« Er kniff argwöhnisch die Augen zusammen und ließ den Blick zwischen den beiden hin und her springen. »Jede Wette, daß du mich so früh nicht erwartet hast.«

»Ich wußte nicht, wann du kommen würdest.« Eva hörte das leise Beben aus den Worten ihrer Schwester heraus. »Ich weiß, wie gern du meine Kuchen ißt und wollte dir zur Überraschung etwas backen.«

»Ach, ich verstehe.« Sein Blick fiel auf die Tiegel mit Mehl und Zucker auf dem Tisch. »Für mich eine Überraschung. Hm, möchte wirklich wissen, ob später noch etwas davon übriggeblieben wäre. Oder ob du alles an deine Halbblutfamilie verfüttert hättest. Meinst du, ich wüßte nicht, was hier vorgeht? Du hast sie hinter meinem Rücken ständig mit Essen versorgt.«

»Nein, ich wollte es für dich machen, Gabe!«

»Lügnerin!« Mit einer wütenden Handbewegung fegte er alles vom Tisch. Eva hörte den halberstickten Angstschrei ihrer Schwester und drehte sich um. Erschrocken riß sie die Augen auf, als sie sah, wie er Nadja angriff und ihren gebrochenen Arm packte.

»Schlag mich nicht, bitte«, stieß ihre Schwester hervor.

Gabe schlug ihr ins Gesicht und riß sie mit einem Ruck zu sich. »Lüg mich nicht an, du Biest!«

»Laß meine Schwester in Ruhe!« Eva warf sich auf ihn und versuchte, Nadja aus seinem Griff zu befreien. »Laß sie los!«

Sie übersah sein Ausholen. Schmerz ließ ihren Kopf fast zerspringen, als er ihr mit der Handfläche gegen das Gesicht schlug. Sie fiel hin.

»Eva!« Von weitem hörte sie Nadja ihren Namen rufen, ehe dieser Aufschrei von einem Stöhnen abgelöst wurde. Allmählich konzentrierte sich der Schmerz auf eine Kopfhälfte.

»Mein Arm!«

»Ich breche ihn dir noch einmal, wenn du nicht die Wahrheit sagst.« Gabes Drohung drang undeutlich in Evas Bewußtsein. Sie versuchte, sich aufzusetzen. »Du hast für sie backen wollen?«

Eva hörte wieder einen Schlag und blickte auf, als ihre Schwester gerade zu Boden fiel und dabei hart mit ihrem gebrochenen Arm aufkam. Sie stieß einen scharfen Schrei aus. Eva wollte zu ihr, aber Gabe stand über ihrer Schwester. Sie hatte Angst vor dem, was er ihr vielleicht antun würde, wenn sie erneut versuchte, sich dazwischenzuwerfen.

Ihre Schwester kauerte auf dem Boden, schützend über ihren Arm gebeugt, geschüttelt von stummem Schluchzen.

»Ich warnte dich, mich wieder anzulügen. Vielleicht merkst du es dir endlich«, fuhr er sie an und verließ das Zimmer.

Gegen die Wand gedrückt, blieb Eva reglos sitzen, bis sie das Zuschlagen der Haustür hörte. Als sie aufzustehen versuchte, fühlte sie sich schwindlig. Ein vorsichtiger Griff zur schmerzenden Stelle an ihrem Kopf bewies ihr, daß sie eine Beule von der Größe eines Hühnereis abbekommen hatte.

Kaum hatte der Taumel etwas nachgelassen, als sie sich zu

ihrer Schwester schleppte und ihr behutsam half, sich aufzusetzen. Nadja war bleich, bis auf eine starke Schwellung an der Stelle, wo Gabe sie getroffen hatte.

»Ich hole Großvater.«

»Nein.« Nadja rief sie zurück, als Eva aufstehen wollte. »Du darfst es niemandem sagen. Mir wird es gleich bessergehen.« Langsam öffnete sie die Augen und faßte nach Evas Hand.

»Er hat dich geschlagen.« Eva konnte es nicht fassen, obwohl sie es mit eigenen Augen gesehen hatte. »Du kommst mit mir. Er soll dich nicht wieder schlagen.«

»Ich kann nicht gehen. Papa . . .« Wieder stockte sie. »Hier ist mein Zuhause. Er ist mein Mann.«

»Aber er hat dich geschlagen.« Nun fielen Eva jene anderen Male ein, als sie Prellungen an ihrer Schwester bemerkt hatte. Sie starrte die Armschlinge an. »Du bist nicht auf dem Eis ausgeglitten. Er hat dir den Arm gebrochen.«

»Ja«, gestand Nadja mit gesenktem Kopf. »Ich habe ihn erzürnt.« Eva konnte sich nicht vorstellen, daß ihre Schwester etwas begangen haben konnte, das diese Bestrafung rechtfertigte. Blind starrte sie die Tür an, durch die Gabe verschwunden war. Sie wußte noch, wie ihre Mutter von den Soldaten mißhandelt worden war. Und jetzt war Nadja von ihrem Mann verprügelt worden. Sie zitterte vor Wut und Verwirrung. Warum taten Männer diese schrecklichen Dinge?

38. Kapitel

Als Lew Tarakanow starb, war seine Frau noch kein ganzes Jahr tot. Viele behaupteten, er sei an gebrochenem Herzen gestorben. Doch seine jüngere Tochter Eva faßte seinen Tod als Preisgabe, als Flucht auf, und dafür haßte sie ihn. Sie und ihre mißhandelte Schwester hatten ihn gebraucht. Doch er hatte sie vergessen. Ihr Großvater und ihre Schwester weinten an seinem Grab, Eva aber vergoß keine Träne.

Die Gläubiger übernahmen das Haus samt Einrichtung

und verkauften alles, um die Schulden ihres Vaters abzudekken. Bar aller materieller Mittel zog Eva mit den wenigen Kleidern, die sie besaß, und mit der Bibel ihrer Mutter zu ihrem Großvater.

Das Leben ging seinen gewohnten Gang, fast so wie früher. Noch immer gab es kaum eine Nacht, in der sie nicht durch das Lärmen betrunkener Soldaten geweckt wurde. Ihr Großvater schien mit wenig Schlaf auszukommen und verbrachte die Nächte wachend, die alte Muskete quer auf dem Schoß.

Die Jahre 1871 und 1872 brachten wenig Veränderung. Zu den aus Sitka fortziehenden Kaufleuten und Händlern gesellten sich viele entmutigte Familien. Einige wenige Goldsucher kamen und nahmen ihre Stelle ein, da auf der Baranow-Insel an der Silver Bay goldführende Quarzschichten entdeckt worden waren. Doch die wenigen und glücklosen Goldsucher konnten die darniederliegende Wirtschaft nicht beleben, auch wenn Sitka der Ort war, wo sie sich mit Vorräten eindeckten und sich nach Wochen, manchmal auch nach Monaten der Einsamkeit vergnügten.

Es war unmöglich, daß Eva aus dem Haus ging und nicht einen Betrunkenen die Straße entlangtorkeln sah. Sich über die Schwelle zu wagen, hieß unweigerlich, ihre abschätzigen und beleidigenden Äußerungen auf sich zu ziehen. Als die Schule im Frühjahr 1873 die Pforten schloß, da man keine Lehrkraft mehr bezahlen konnte, war Eva eigentlich erleichtert, weil sie nun keine unflätigen Beschimpfungen mehr über sich ergehen lassen mußte. Inzwischen hatte sich ihr Haß, von dem sie einzig ihren Großvater und den Seelsorger ausnahm, auf alle Männer ausgeweitet.

Als sie in die Pubertät kam, wurde ihr die Bedeutung des Wortes Fleischeslust klar, und sie begriff allmählich, was die Soldaten ihrer Mutter angetan hatten. Etwas Schlimmeres konnte Eva sich nicht vorstellen.

Sie war froh, daß sie nicht das blonde Haar ihrer Mutter besaß, das die Soldaten so angezogen hatte. Ebenso froh war sie, daß ihr Gesicht mit Pickeln übersät war, daß ihr Mund zu groß und ihre Lippen zu aufgeworfen waren und daß ihre

Augen zu eng beisammen standen. Sie war froh, daß man sie Froschgesicht nannte und sie in Ruhe ließ.

Eines Nachts im Frühling lag Eva wach im Bett und beobachtete den zauberischen Tanz der Nordlichter am Himmel.

Als sie das leise Scharren eines Schrittes auf den Stufen zur Hintertür hörte, erstarrte sie. Ihr Großvater befand sich im Haus. Sie hatte ihn vor wenigen Augenblicken im Wohnzimmer umhergehen gehört. Soldaten würden hinter dem Haus umherschleichen. Da sie wußte, daß ihr Großvater schwerhörig war, stand sie auf, schlüpfte in ihren Morgenrock und lief nach nebenan, um ihn zu warnen.

»Großvater«, rief sie leise und rüttelte ihn sanft an der Schulter, um ihn zu wecken. Erschrocken schnaufte er auf und war sofort hellwach.

»Was ist?«

»Hinter dem Haus ist etwas«, flüsterte sie. »Ich hörte jemanden.«

Jetzt hörten beide ein Geräusch an der Tür. Ihr Großvater stand auf, die Muskete fest in beiden Händen. Er ging zur Küchentür.

»Wer ist da?« fragte er barsch auf englisch. »Antworten Sie oder ich schieße.«

»Ich bin es.« Die Antwort kam auf russisch. »Dimitri. Mach auf.«

Eva lief an ihrem Großvater vorüber und schob den Riegel zurück, noch immer ganz erschüttert von der Angst, die ihr Vetter ihr eingejagt hatte. »Warum schleichst du mitten in der Nacht hier herum? Wir dachten schon, es seien Soldaten, die einbrechen wollten. Großvater hätte dich erschießen können.«

»Wird man von seiner Familie so begrüßt?«

»Woher hätten wir wissen sollen, daß du es bist?« Sie roch den Alkohol an seinem Atem und rückte ab.

Ihr Großvater zündete die Petroleumlampe an. Der Lichtschein umfing ihren Vetter in seinen Seemannskleidern.

»Wir wußten nicht, daß dein Schiff einlief, deswegen haben wir dich nicht erwartet«, sagte ihr Großvater. »Komm und setz dich. Eva, bring uns Gläser und die Flasche Wodka aus dem Schrank.«

Sie sah, wie die Hand ihres Großvaters zitterte, als er in jedes Gläschen tüchtig einschenkte. Das war ein Zeichen, daß er sehr über Dimitris Kommen erschüttert war.

»Ich kann nicht lange bleiben«, sagte Dimitri. »Ich bin nur gekommen, um zu sagen, daß Colby seinen Saloon dichtmacht und nach Fort Wrangell am Stikine River geht. Ich gehe mit ihm.«

»Dann wirst du also nicht mehr zurückkommen«, sagte ihr Großvater in gleichmütigem Ton, der seine tiefe Betroffenheit zeigte. Jetzt merkte Eva, wie sehr er mit Dimitri gerechnet hatte, auch wenn dieser die meiste Zeit fort war.

Eva umklammerte die Lehne des Stuhls. »Wie kannst du einfach fortgehen und uns hier allein lassen! Kümmert es dich nicht, was aus uns wird?«

»Schon gut, Eva.« Ihr Großvater versuchte, sie zu beschwichtigen. »Dimitri ist Schiffsführer. Das ist sein Beruf.«

In ihrer aufgebrachten Stimmung wollte Eva sich nicht zum Schweigen bringen lassen. »Er denkt nur ans Geld, ohne Rücksicht, was aus seiner Familie wird. Großvater wird alt, Dimitri. Er braucht dich hier.«

Als sie die Schulter ihres Großvaters umfaßte, griff dieser nach ihrer Hand. »Wir schaffen das schon – wie immer, wenn Dimitri fort war. Es ist schon spät, Eva. Du mußt schlafen.«

»Und was ist mit dir, Großvater?«

»Dimitri und ich haben unsere Gläser noch nicht geleert.«

Widerstrebend ließ sie die beiden allein.

Das Glas einer zerbrochenen Whiskeyflasche blitzte in der Mittagssonne, als Gabe Blackwood aus seinem Büro trat. Er hielt inne und befeuchtete die Lippen. Wie gern hätte er jetzt von dem Whiskey in jener Flasche einen Schluck gehabt. Er warf einen Blick zurück in sein nahezu leeres Büro, in dem nichts mehr vorhanden war, das sich verkaufen ließ.

Auf der fast verlassenen Straße ertönte Hämmern. Es war ein selten gehörtes Geräusch in einer Stadt, die sich einst einer Bevölkerung von nahezu zweitausend Menschen gerühmt hatte, nicht gerechnet die Indianer, die Gabe niemals zählte. Er zögerte unschlüssig, schloß dann die Bürotür und ging den Gehsteig entlang, um zu sehen, was da vor sich ging.

Vor dem Double Eagle Saloon stand eine Gruppe von Arbeitern. Gabe hielt erstaunt inne, als er sah, daß sie das große Schild abnahmen. Da bemerkte er Ryan, der seinen üblichen schwarzen Gehrock samt Brokatweste trug und an einer langen Zigarre kaute.

»Es heißt, daß die Ratten als erste das sinkende Schiff verlassen«, sagte Gabe. Es gab vieles, das Gabe an Ryan Colby inzwischen gründlich mißfiel, nicht zuletzt der Umstand, daß dieser die ganze Zeit über gewußt hatte, daß Nadja ein Halbblut war.

Ryan lachte auf, dann nahm er die Zigarre aus dem Mund, ohne daß er die Arbeiter aus den Augen gelassen hätte. »Ich bin lieber die Ratte als der edle Tor, der untergeht.«

»Was läßt dich glauben, daß das Schiff untergeht?« gab Gabe zurück.

»Was sieht man, wenn man sich umblickt? Eine Vielzahl von leerstehenden Häusern.«

»Die Armee sitzt hier immer noch fest im Sattel. Zudem sind die Soldaten deine wichtigsten Kunden, warum also die Aufregung, wenn ein paar anständige Menschen die Stadt verlassen?«

»Ein paar? Es sind beträchtlich mehr. Die Stadt ist bankrott. Die Schule ist geschlossen. Hier ist alles aus und vorbei.«

Ein Ende des Schildes schlug auf dem Boden auf, als einer der Arbeiter zuviel Seil nachließ. »Gebt acht mit dem Schild!« rief Ryan scharf.

»Was hast du mit dem Schild vor?« Gabe warf einen Blick zu dem leeren Pferdekarren hin, der auf der Straße wartete.

»Ich nehme es mit und hänge es über meinen neuen Saloon in Wrangell.«

»Wrangell?« Gabe war verblüfft. Er hatte erwartet, Ryan würde sagen, daß er nach San Francisco wolle. »Das ist doch auch nur eine Garnison, ähnlich wie Sitka.«

»Im Sommer ist es nicht viel anders, aber im Herbst füllt es sich mit Goldsuchern vom Dease Lake und von den Cassiars in British Columbia. Sie können ihre Claims nicht im

Winter bearbeiten, deshalb verbringen sie ihn in Wrangell und geben dort ihr Gold aus. Die Stadt wird einen Boom erleben.«

»Colby, dich zieht es wohl immer dorthin, wo es leichtes Geld gibt! Dich interessiert nur, wieviel Geld du in einer Stadt machen kannst und nicht, was man aufbauen kann.« Diese schiere unverhüllte Geldgier verachtete Gabe.

»Ich bin gekommen, um Geld zu machen.« Ryan lächelte kalt und schmallippig. »Und das tue ich. Und was ist mit dir, Gabe? Du bist Anwalt in einem gesetzlosen Land. Warum bleibst du?«

Gabe starrte Ryans eleganten Gehrock an, das feine Leinen seines Hemdes, die teure Zigarre. Seine eigene Kleidung war schäbig und abgetragen. In Ryans Taschen klingelte Geld, während Gabe keinen Cent besaß. Er besaß nicht einmal soviel, um die Schiffspassage in die Staaten zu bezahlen, doch war er zu stolz, um einzugestehen, daß er so pleite war wie die ganze Stadt.

»So wird es nicht immer bleiben. Früher oder später wird der Kongreß Alaska das Recht der Selbstregierung geben.«

»Na, bis dahin dürfte noch sehr viel Zeit vergehen.« Ryan sah den Arbeitern zu, die das Schild auf den Karren luden. »Jetzt hat die Alaska Commercial Company das Monopol auf die Robbenjagd auf den Pribilow-Inseln bekommen und bildet eine mächtige Lobby in Washington, die nicht zulassen wird, daß hier eine Regierung die Gewinne besteuert. Diese Interessengruppe wird jede Bemühung in dieser Richtung im Keim ersticken.«

Gabe wußte, daß es stimmte. Alaska war auf sich allein gestellt. Nur wenige Amerikaner wußten, wie dieses riesige Gebiet beschaffen war. Und die großen Geldleute schützten ihre Profite, indem sie das Bild Alaskas als das eines Riesen-eisbergs, auf dem auf Dauer keine weiße Bevölkerung existieren könne, aufrechterhielten. Die Regierung hörte auf diese Männer.

Kaum war das schwere Schild auf dem Karren festgemacht, als der Kutscher sein Gespann mit einem Zungenschnalzen antrieb und die Peitsche über den Pferderücken tanzen ließ.

»Ich fahre mit zum Hafen«, rief Ryan dem Kutscher zu und stieg rasch auf. Dann warf er Gabe einen Blick zu. »Blackwood, du hättest meinen Rat befolgen und rasch Geld machen sollen. Jetzt kannst du von Glück reden, wenn du aus dieser Stadt noch einen einzigen Dollar rauspressen kannst – es sei denn, du findest Gold«, schloß er und steckte sich lachend die schlanke Zigarre in den Mund, ehe er dem Kutscher das Zeichen zum Weiterfahren gab.

39. Kapitel

SITKA
MAI 1877

Aus dem trüben Wohnzimmerfenster blickend sah Nadja ihren Mann kommen. Diesmal sah sie seinem Kommen mit mehr Erregung als Angst entgegen. Er schwankte leicht beim Gehen, ein sicheres Zeichen, daß er getrunken hatte. Wenn man jedoch in Betracht zog, wie schwer er in den letzten Jahren gearbeitet hatte und alles mögliche unternommen hatte, nur damit etwas Eßbares auf den Tisch kam, dann war sein gelegentlicher Griff zur Flasche nicht unerklärlich.

Er hatte es mit dem Goldsuchen versucht, hatte aber nur Narrengold gefunden. Er hatte einige Goldsucher dazu gebracht, ihm einen Anteil an ihren Claims zu geben. Dafür wollte er ihre Rechte wahren, sobald die amerikanische Regierung die Claims rechtmäßig registrierte. Obwohl es nicht soweit gekommen war, hatte er versucht, eine Gruppe von Investoren aufzutreiben, die diese Claims auszubeuten bereit waren – ohne Erfolg. Und als er versuchte, seine Anteile zu verkaufen, hatte sie niemand mehr haben wollen.

Danach war er entmutigt, ja verzweifelt gewesen. Einen Winter lang hatte er es mit Glücksspielen versucht und die Nächte in einem der Saloons an der Lincoln Street verbracht. Eine Zeitlang hatte er tatsächlich gewonnen, doch das Blatt hatte sich bald gewendet. Noch vor Ende des Winters hatte er alles verkauft, was von Wert in ihrem Haus war, vom Silbertablett, dem Hochzeitsgeschenk ihres Großvaters angefangen, bis zu ihrer kleinen Sammlung vergoldeter Ostereier – und das alles, um zurückzugewinnen, was er verloren hatte. Aber auch die letzten Wertsachen hatte er verloren.

Die mißliche Lage wurde durch den stetigen Niedergang Sitkas noch verschärft. Die Menschen verließen in Scharen die Stadt, so daß Sitka bald den Eindruck einer Geisterstadt machte. Sonderbarerweise schien es Gabe nicht mehr zu kümmern, welche Entwicklung die Stadt nahm.

Nadja konnte kaum an sich halten vor Nervosität, als die Tür aufging und Gabe über die Schwelle trat. Sie drückte beruhigend ihre Hand auf den Leib und spürte die kleine, kaum bemerkbare Wölbung, überzeugt, ihre Neuigkeit würde ihn in Hochstimmung versetzen. Sie konnte sich nicht vorstellen, daß jemand vor Freude nicht außer sich geriet, wenn er erfuhr, daß er zum erstenmal Vater wurde. Vielleicht würde ein Kind die Kluft zwischen ihnen überbrücken. Sie selbst konnte vor Glückseligkeit kaum an sich halten.

Gabe sah ihr Lächeln mit finsterem Argwohn. »Was zum Teufel findest du so amüsant?«

»Ach, nichts. Rasch senkte sie den Blick, nahm seinen Hut und Mantel und hängte die Sachen auf.

»Wo ist der Krug Hooch, den ich gestern trank?«

»In der Küche. Ich hole ihn dir.« Und als sie ins Wohnzimmer kam und er nach dem Krug griff, sagte sie: »Gabe, ich habe eine gute Nachricht.«

Gabe schnaubte ungläubig. Er entkorkte das Gefäß und goß das starke Gesöff in ein Glas.

»Gabe, wir bekommen ein Kind.«

Diese Ankündigung widerhallte wie ein Schuß in seinem Kopf. Wie vom Donner gerührt starrte er sie an. Nadja und ein Kind. Sein Kind! Der Gedanke, mit ihr Nachkommen zu haben, in deren Adern indianisches Blut floß, erfüllte ihn mit Abscheu.

»Ich weiß, daß du überrascht bist. Ich war es auch.« Sie lächelte zaghaft. »Nach all der Zeit ist es endlich soweit. Ich hoffe nur, du bist so glücklich wie ich.«

»Sorge dafür, daß du es loswirst.« Er stürzte das Glas in einem Zug hinunter.

»Was?«

»Du hast es gehört.« Gabe goß sich nach. »Geh zu einem Medizinmann in der Ranche und laß dir ein Gebräu zum Trinken geben. Mir egal, wie du es machst. Ich möchte kein Kind mit Indianerblut.«

»Nein.« Mit dem Ausdruck des Entsetzens legte sie schützend die Hände auf den Leib.

»Verdammt! Du wirst tun, was ich dir sage!« Erbittert von ihrer Weigerung schleuderte er das Glas nach ihr. Sie wich aus, und es zerschellte an der Wand hinter ihr. Scherben und Alkohol spritzten in alle Richtungen.

»Nein, das tue ich nicht!«

»Dann werde ich es dir aus dem Leib prügeln!« Mit einem langen Schritt schnellte er auf sie zu. Nadja versuchte auszuweichen, als er ausholte, doch der Schlag landete seitlich auf ihrem Kopf, so fest, daß sie gegen den Herd taumelte.

Er packte ihren Arm und drehte sie um, so daß er sie wieder schlagen konnte. Doch in dem Augenblick der Drehung sah er in ihren Händen eine eiserne Pfanne blitzen. Als nächstes wußte er nur, daß Gesicht und Kopf vor Schmerz fast zersprangen. Er schwankte, Sterne tanzten vor seinen Augen. Als er versuchte, die betäubende Wirkung des Schlages abzuschütteln, sah er Nadja aus der Hintertür schlüpfen und lief ihr taumelnd nach.

Eva jätete mit der Harke die Gemüsebeete hinter dem Haus ihres Großvaters. Im Garten vergaß sie sämtliche Sorgen und Ängste und allen tiefsitzenden Groll, den sie in ihrem relativ jungen Leben angehäuft hatte.

Irgendwo an der Straße schlug eine Tür zu. Sie hörte das Geräusch ein zweites Mal. Dann folgte der angstvolle Aufschrei einer Frau. Eva richtete sich auf und blickte zum Haus ihrer Schwester hin. Es hatte geklungen wie Nadjas Stimme. Ob Gabe sie wieder prügelte? Unwillkürlich umfaßte sie den Harkengriff fester.

Zuerst sah sie Nadja nicht, die durch die Hinterhöfe der verlassenen Häuser lief. Erst als sie in ihr Blickfeld kam, sah sie ihre Schwester und zugleich Gabe, der sie verfolgte. Noch nie zuvor war Nadja vor ihm davongelaufen. Aber sie war auch noch nie schwanger gewesen. Eva ließ die Harke fallen und lief, um ihrer Schwester beizustehen.

»Hilf mir, Eva!« schluchzte Nadja. »Er will mein Kind töten.«

Eva schob ihre Schwester zur Hintertür. »Rasch ins Haus!«

Sie folgte Nadja auf den Fersen. Als sie durch den Eingang stürzte, hörte sie einen dumpfen Schritt auf der ersten Stufe. Nadja lief im Hausinneren durch die Küche auf den Vordereingang zu. Eva drehte sich um und wollte die Hintertür verriegeln – zu spät. Gabe drückte von außen die Tür auf, während Eva sich mit dem ganzen Gewicht dagegenstemmte.

»Großvater!« rief sie.

Ein plötzlicher heftiger Stoß Gabes ließ Evas Widerstand zusammenbrechen. Die Tür flog auf, so daß sie rücklings weggeschleudert wurde. Nadja schrie auf, als Gabe ins Haus stürmte. Eva warf sich ihm rasch in den Weg.

»Nein! Laß sie in Frieden!« Sie schrie es ihm entgegen, und er stieß sie so leicht beiseite, wie er die Tür aufgeschoben hatte.

Er lief an ihr vorüber in den vorderen Raum. Eva folgte ihm und erreichte die Tür, als er ihre Schwester eingeholt hatte. Nadja stieß wieder einen Angstschrei aus und versuchte, sich aus seinem Griff zu befreien. Das alles ging viel zu schnell für ihren betagten Großvater vor sich, der sich erst jetzt mühsam aus seinem Sessel aufraffte.

»Nanu, was geht hier vor?« wollte er wissen.

Gabe schenkte ihm keine Beachtung, als er Nadja ins Gesicht schlug. »Du wirst mir nie wieder davonlaufen«, knurrte er, die Hand erneut zum Schlag erhoben.

Eva sah Blut aus Nadjas Mundwinkel laufen. »Nein!« rief sie, doch ihre Füße waren wie angewurzelt.

Ihr Großvater packte Gabe von hinten. Seine Größe und seine massive Gestalt verhinderten, daß Gabe ihn so wegstoßen konnte wie Eva. Gabe war gezwungen, Nadja loszulassen und sich umzudrehen. »Halte dich da raus, Alter«, stieß er drohend hervor, als Wolf einzuschreiten versuchte.

»In meinem Haus wirst du meine Enkelin nicht schlagen«, schrie Wolf ihn an, das Gesicht vor Aufregung gerötet.

»Ich tue, was mir gefällt.«

Plötzlich öffnete ihr Großvater den Mund zu einem Schrei, aus dem Schmerz und Schock sprachen. Seine Hand verkrallte sich in seiner Brust, seine aufgerissenen blauen Augen sahen Eva flehend an. Sie hatte nicht gesehen, daß Gabe ihn geschlagen hatte. Seine Beine schienen unter ihm nachzugeben, langsam sank er auf dem Boden zusammen. Gabe stand über ihm. Seine Miene drückte ebenfalls Erstaunen aus.

»Großvater!« Als sie ihn reglos auf dem Boden liegen sah, wich die Starre von ihr, die sie an jeder Bewegung gehindert hatte. Eva lief zu ihm und kniete an seiner Seite nieder. »Großvater, was ist denn?« Sie faßte ihn an, doch er rührte sich nicht.

Nadja kam an ihre Seite. Eva nahm vage war, daß der Zusammenbruch des alten Mannes Gabes Angriff Einhalt geboten hatte. »Was ist passiert?«

»Ich weiß nicht.« Eva sah, daß seine Lippen sich bläulich verfärbten.

Nadja hielt ihm die Hand nahe vor Mund und Nase. »Er atmet nicht mehr.« Eilig suchte sie nach seinem Puls. »Ich glaube, er ist tot.«

»Nein.« Eva preßte das Ohr gegen seine Brust und lauschte angestrengt. Diesen Augenblick benutzte Gabe, um sich vom Liegenden zu entfernen. Das Geräusch seiner Schritte übertönte alle anderen. Dann hielt er inne, und es herrschte wieder Stille im Raum.

»Ist er tot?« fragte Gabe.

Von der Gleichgültigkeit seiner Frage schockiert, warf ihm Eva einen verbitterten Blick zu: »Du hast ihn auf dem Gewissen«, schleuderte sie ihm entgegen. Der einzige Mann, der gut zu ihr gewesen war und sie trotz ihres unscheinbaren Äußeren geliebt hatte, war tot. Es würde keinen anderen wie ihn geben. Der Haß gegen alle Männer war nun fest in ihrer Seele eingegraben.

Mit einem Achselzucken tat Gabe ihre Beschuldigung ab.

»Ich habe ihn nicht angerührt. Er war ein alter Mann. Sein Herz hat versagt.« In Gabes Hand schimmerte ein Silberei, das er aus der Vitrine genommen hatte. Mit einem Blick zu den übrigen vergoldeten Eiern hin fragte er: »Gehörten die eurem Großvater?«

»Ja, er hat sie gemacht.« Eva erhob sich voller Empörung. Daß Gabe sich am Besitz ihres Großvaters vergriff, war ungeheuerlich.

»Ach, richtig, er war Silberschmied«, sagte Gabe sinnend. Nachdenklich blickte er sich im Raum um, registrierte die silberne Ikone der Heiligen Jungfrau, die silbernen Kerzenleuchter auf dem Kaminsims und den schimmernden Samowar auf dem kleinen Tisch. »Mein Gott, in diesem Raum befindet sich ein Vermögen.«

Sie vergaß ihre Angst, als sie auf ihn zuging und nach dem Ei in seiner Hand fassen wollte. Gabe zog die Hand zurück. »Es gehört dir nicht. Leg es an seinen Platz zurück«, ordnete Eva an.

»Sei nicht dumm. Wir müssen alles Wertvolle aus dem Haus schaffen, ehe jemand vom Tod eures Großvaters erfährt«, fuhr er sie ungeduldig an. »Du weißt, was passierte, als dein Vater starb. Seine Gläubiger nahmen alles mit. Soll das wieder passieren?«

Eva umfaßte mit einem Blick die Dinge, die ihrem Großvater so viel bedeutet hatten. »Er hätte gewollt, daß Nadja und ich sie bekommen«, murmelte sie.

»Wenn ihr alles hier laßt, dann wird es nicht mehr darauf ankommen, was er gewollt hätte, weil es keine Gesetze gibt, auf Grund dessen ihr darauf Anspruch habt«, rief er ihr in Erinnerung. »Wenn wir die Sachen jetzt nicht fortschaffen, wird jemand anderer sie sich aneignen.« Er fing an, die vergoldeten Eier vom Bord der Vitrine zu nehmen und sie in die Taschen zu stopfen. »Steh nicht rum, tu etwas«, herrschte er sie an.

»Aber . . . was ist mit Großvater?« Gegen seine Logik konnte sie nicht an. Doch sein Vorschlag erschien ihr so pietätlos und habgierig angesichts des Toten. Sie starrte die leblose Gestalt ihres Großvaters an, neben der die tränenüberströmte Nadja kniete.

»Er ist tot«, erwiderte Gabe ungerührt. »Ihr könnt für ihn nichts mehr tun.« Die Vitrine war leer, seine Taschen wölbten sich prall. Da blieb sein Blick an der Ikone haften. »Wir brauchen etwas, um die Sachen zu tragen. Holt irgendwelche Säcke, meinetwegen auch Kopfkissen. Wir dürfen keine Zeit verlieren, beeilt euch!«

Für Eva war jeder Gegenstand mit einer bestimmten Bedeutung oder mit einer kostbaren Erinnerung behaftet. Der Gedanke war ihr unerträglich, daß die Sachen nun womöglich einem Gläubiger in die Hände fallen würden, der sie nur nach ihrem materiellen Wert beurteilte. Dieser Aspekt brachte sie an die Seite Nadjas.

»Komm, Nadja.« Sie vermied es, ihren Großvater anzusehen, als sie Nadja an den Schultern nahm und sie hochzog. »Du mußt uns beim Einpacken helfen.«

Nur widerstrebend ließ sich Nadja in die Küche führen. Sie leerten Mehl- und Kartoffelsäcke und brachten sie Gabe. Dann gingen sie jeder für sich durchs Haus und sammelten alles ein, was von Wert war. Als sie fertig waren, wurde alles in zwei große Säcke umgefüllt.

Gabe hob einen auf die Schulter, den anderen nahm er in die Hand. »Ihr beide bleibt hier. Ich gehe hinten hinaus und verstaue das alles in meinem Haus. Dann gehe ich in die Stadt und hole Simms, den Beerdigungsunternehmer, damit euer Großvater aufgebahrt wird.« Er tat einen Schritt auf die Küche zu.

»Geh zur Kirche und bitte den Geistlichen, er solle kommen«, sagte Eva.

»Ich werde es tun.« In der Küchentür hielt er inne. »Ich weiß nicht, wie lange alles dauern wird. Macht euch also keine Sorgen.«

Das Zuschlagen der Tür hinter ihm schien den Abschluß eines Kapitels in Evas Leben anzukünden. Sie drehte sich zu ihrem Großvater um und begegnete dem leeren Starren seiner blauen Augen. Es war alles so schnell und unter so bewegten Umständen vor sich gegangen, daß ihr keine Zeit zum Überlegen geblieben war. Jetzt erst traf sie die volle Bedeutung seines Todes, vor allem, was ihre Zukunft betraf.

Sie sank auf die Knie und drückte ihm unter Tränen die Augen zu. Niemals wieder würde sie ihm zuhören, wenn er seine alten Geschichten erzählte – von Zachar, von Rabentochter und der alten Tascha, von Larissa und Caleb Stone.

Sie würde nicht mehr in diesem Haus wohnen, das so voller Wärme und Liebe gewesen war.

»Sollten wir ihm nicht seinen guten Anzug anziehen?« meinte Nadja.

Eva war einverstanden. Es war besser, etwas zu tun, als sich über die Zukunft Gedanken zu machen. Gemeinsam zogen sie ihm den Anzug an, den er immer zum Kirchgang getragen hatte. Dann legten sie ihn ausgestreckt auf den Boden und falteten die Hände auf seiner Brust. Anschließend warteten sie auf Gabes Rückkehr.

Die Zeit verstrich langsam, und Eva verharrte in Schweigen, unfähig, ihrem tiefen Kummer Ausdruck zu geben.

»Wo Gabe nur bleibt?« sagte sie, als sie plötzlich merkte, daß es dämmerte. Gabes langes Ausbleiben war ihr nicht geheuer. Warum hatte er so bereitwillig seine Hilfe angeboten? fragte sie sich jetzt. Ihr Argwohn wuchs.

Schließlich ließ es ihr keine Ruhe mehr. »Komm, wir gehen und sehen bei euch drüben nach, wo er steckt.« Eva nahm ihren Umhang vom Haken und legte ihn sich um.

Doch das Haus war dunkel und still, als sie durch die Hintertür eintraten. Nadja machte Licht. Sie sahen sich in der leeren Küche um und gingen dann in die anderen Räume. Gabe war nicht da. In der Tür zum Schlafzimmer blieb Nadja erschrocken stehen. Eva sah ihr über die Schulter.

Der Raum war verwüstet. Der Deckel eines alten Koffers stand offen, sein Inhalt war überall verstreut. Alle Schubfächer waren herausgezogen. Es sah aus, als hätte jemand den Raum durchwühlt.

»Wer kann das getan haben?« murmelte Nadja.

»Sieh lieber nach, was fehlt«, riet Eva ihr.

Nadja fing an, die verstreuten Sachen zu ordnen und zu sichten. Abrupt hielt sie inne, als hätte sie etwas entdeckt.

»Gabes Sachen fehlen . . . und seine Reisetasche ist auch fort.«

»Er ist auf und davon«, sagte Eva. »Großvaters Sachen – wo könnte er die versteckt haben? Rasch, wir müssen nachsehen.«

Aber noch ehe sie das Haus ganz durchsucht hatten, wußten sie, daß sie von den Dingen nichts mehr finden würden.

Er hatte sie gestohlen. Alles war weg. Sie hätten wissen müssen, daß man ihm nicht trauen durfte.

Immerhin bestand noch die Chance, daß er die Stadt nicht verlassen hatte. Ohne Nadja zu sagen, was sie vorhatte, ging Eva aus dem Haus und lief in die Stadt.

Doch das Glück war nicht auf ihrer Seite. Der Besitzer des Handelspostens sagte ihr, daß Gabe, der in großer Eile gewesen sei, das Postschiff genommen hätte. »Er sagte auch nicht, wann er wiederkommen würde«, erinnerte sich der Mann.

Eva wußte die Antwort ohnehin – niemals. Aber das wollte sie ihm nicht sagen, nicht einem Mann. Falls er erführe, daß sie und Nadja jetzt verlassen waren, würde er auf irgendeine Weise ihre Lage ausnutzen.

Ehe sie zurückging, holte sie den Priester und suchte auch Mr. Simms auf, um die Beerdigung in die Wege zu leiten.

Wolf Tarakanow wurde am Tag darauf zu Grabe getragen und fand neben seiner Frau die letzte Ruhe. In jener Nacht holte Eva ihre Habseligkeiten aus dem Haus ihres Großvaters und zog zu Nadja.

Im Juni zogen die Truppen aus Sitka und ganz Alaska ab. Einzige Autorität war jetzt der Zolleinnehmer, dem man zwei Kisten Gewehre und zwei irrtümlich gelieferte Kisten Munition zurückließ. Der Abzug des Militärs weckte in vielen Bürgern Sitkas die Befürchtung, die ständig betrunkenen und randalierenden Indianer der Ranche würden jetzt einen Angriff wagen. Eva lud die Muskete ihres Großvaters und lehnte sie an die Wand neben ihrem Bett. Sie brauchten niemanden, der sie und Nadja beschützte. Diese Aufgabe würde sie selbst übernehmen.

Der Sommer ging vorüber, der Herbst kam, und Nadjas Schwangerschaft war nicht mehr zu übersehen. Jetzt fiel Eva immer mehr Verantwortung zu. Mit dem Geld, das sie sich verdiente, indem sie einmal wöchentlich in der Kirche saubermachte, schaffte sie es, etwas Eßbares auf den Tisch zu bringen, doch sie mußte daneben noch im Wald Brennholz schlagen und es nach Hause schaffen. Aber Eva beklagte sich nicht.

Kurz nach Neujahr setzten bei Nadja die Wehen ein. Nach

zwei Tagen befand sie sich in einem Zustand völliger Erschöpfung, doch das Kind war noch immer nicht da. Niemand hatte Eva darauf vorbereitet, was eine Frau bei einer Geburt durchzumachen hatte. In ihr wuchs die Befürchtung, etwas könne nicht in Ordnung sein. Ihre Schwester hatte kaum mehr Kraft. Sie mußte jemanden finden, der helfen konnte, sonst würde ihre Schwester sterben. Einen Arzt gab es in Sitka nicht mehr. Aber Eva fiel ein, daß Mrs. Karotski, selbst Mutter von sieben Kindern, oft Geburtshilfe geleistet hatte.

»Hm, das hört sich an, als sei es eine Steißgeburt«, erklärte die Frau, als Eva ihr die Situation schilderte. Eilig zog sie sich an und begleitete Eva zurück.

Mit Mrs. Karotskis Hilfe bekam Eva ihre erste Lektion in Geburtshilfe. Nach wenigen Stunden hielt sie ein rotes und brüllendes Neugeborenes, ein Mädchen, in den Armen. Das feuchte Haar des Kindes war so hell, daß das Baby kahl aussah. Es war das häßlichste Ding, das Eva je gesehen hatte – was nicht verhinderte, daß sie es auf den ersten Blick ins Herz schloß. Nur widerstrebend reichte sie das Kleine Nadja, damit diese es stillen konnte.

Eva sah, wie erschöpft Nadja war. Das Lächeln, mit dem sie ihr Kind in Empfang nahm, schien sie allergrößte Mühe zu kosten.

»Die beiden brauchen Ruhe.« Die stämmige Mrs. Karotski faßte Evas Arm und führte sie hinaus. »Ein hübsches Mädelchen hat Ihre Schwester bekommen.«

»Wird Nadja sich wieder erholen?«

»Ganz sicher. Sie hatte es sehr schwer. Sie wird aber wieder zu Kräften kommen.«

»Ich wußte nicht, was für Qualen Frauen bei einer Geburt leiden«, murmelte Eva. Leiden. Das war es, was ein Mann einer Frau brachte. Wie sie die Männer verabscheute. Nadjas Tochter wurde Marischa Gawriljewna Blackwood genannt.

TEIL III

FESTLAND ALASKA

40. Kapitel

SITKA
SOMMER 1897

Da das Dampfschiff einige Stunden festmachen sollte, um Ladung zu löschen und Brennmaterial an Bord zu nehmen, nutzte Justin Sinclair die Gelegenheit, sich die Beine zu vertreten und sich die alte russische Stadt anzusehen. Er hatte mit seinen zweiundzwanzig Jahren weiß Gott nur wenig von der Welt gesehen. Aber was gab es vom Deck eines Fischkutters aus schon viel zu sehen? Er schwor sich, daß sich dies gründlich ändern sollte, sobald er es auf den Goldfeldern am Klondike zu einem Vermögen gebracht hatte.

Andere Passagiere, die ähnliche Absichten hatten wie er, waren vor ihm von Bord gegangen. Sie wurden von einer Gruppe von Indianern, meist Squaws, umdrängt, die ihnen alles mögliche andrehen wollten. Justin Sinclair bahnte sich energisch den Weg durch die Menge und schüttelte verneinend den Kopf auf alle Angebote.

Kaum war er dem Gedränge entkommen, als er innehielt und sich orientierend umblickte. In der Ferne erhob sich ein vollkommen kegelförmiger Berg, der sich scharf von dem mit weißen Wolken übersäten blauen Himmel abhob.

»Können Sie mir sagen, wohin das Schiff fährt?« fragte ihn eine Frau mit sonderbarem Akzent.

Justin war sie aufgefallen, weil sie in ihrem graubraunen Kleid, dem dunklen Umschlagtuch und einem ebenso dunklen, unterm Kinn gebundenen Kopftuch, das ihr Haar völlig verhüllte, so ärmlich und unscheinbar ausgesehen hatte.

»Das Schiff fährt nach Mooresville.«

»Haben Sie gehört, daß man auf der anderen Seite des White Pass am Klondike Gold gefunden hat?« Die Stimme verriet Jugend und Kraft.

»Ja, ich weiß.« Justin riskierte einen zweiten Blick, doch ihr Gesicht war schwer zu erkennen, da sie das Tuch tief in die Stirn gezogen hatte und angestrengt zum Schiff hinüberspähte. Als sie sich umdrehte und ihn ansah, war er nicht wenig verblüfft. Ihre Haut war glatt und weiß, die Augen ganz groß.

»Ist das Ihr Ziel?« fragte sie.

»Ja. Und Sie – Sie leben hier?«

»Ja.« Sie zog das Tuch enger um die Schultern und schien sich in sich zurückzuziehen.

»Mir bleiben ein paar Stunden Zeit, und ich wollte mich in der Stadt umsehen. Vielleicht könnten Sie mich herumführen.«

»Da gibt es nicht viel zu sehen.« Ihr Achselzucken schien Widerwillen auszudrücken. »Ein paar verfallene alte Gebäude, eine Kirche, einen Friedhof, sonst kaum etwas. Außerdem könnte ich Sie nicht begleiten.«

»Warum nicht?« Die junge Frau fesselte sein Interesse. Ihr Gesicht war so außergewöhnlich, daß die unscheinbare, ja schäbige Kleidung um so unpassender wirkte.

»Meine Tante könnte mich mit Ihnen sehen.«

»Nun, man kann verstehen, daß sie es nicht billigt, wenn Sie sich mit einem fremden Mann sehen ließen«, mutmaßte er. »Aber die Situation läßt sich ändern. Mein Name ist Justin Sinclair aus Seattle. Und Sie sind . . .?«

In ihren Augen blitzte es spitzbübisch auf. »Marischa Gawriljewna Blackwood. Und ich fürchte, Sie verstehen nicht, was ich meinte.«

»Marischa. Sind Sie Russin?« Vielleicht war dies der Grund für den leichten Akzent, der ihre Sprache unverwechselbar machte.

»Russisch, amerikanisch, indianisch – ich habe von allem eine Spur mitbekommen.«

Dieses offene Eingeständnis ihrer gemischtrassigen Herkunft erstaunte ihn ein wenig.

»Es war mir ein Vergnügen, Sie kennenzulernen, Mr. Sinclair, aber ich muß gehen.«

Als sie sich umdrehen und entfernen wollte, legte er eine Hand auf ihren Arm. »Warum? Wir sind jetzt keine Fremden mehr. Was könnte Ihre Tante jetzt noch dagegen haben?«

»Meine Tante bringt allen Männern Ablehnung entgegen. Sie sagt, man könne keinem trauen. Mein Vater verschwand vor meiner Geburt und nahm alles mit, was meine Familie besaß.«

»Und was geschah mit Ihrer Mutter?«

»Sie starb, als ich elf war.«

»Und wie alt sind Sie?« Es war unmöglich, ihr Alter zu schätzen, denn er konnte nur ihr Gesicht sehen.

»Neunzehn . . . schon eine alte Jungfer, wie meine Tante.« Ihre Worte waren von Bitterkeit gefärbt. »In dieser Stadt gibt es nur wenig junge, alleinstehende Männer, und sie hat es geschafft, die wenigen hinauszuekeln, die mich besuchen kamen.«

»Wo ist sie jetzt?«

»Sie arbeitet in der Kirche. Und ich sollte im Garten arbeiten, aber ich bin entwischt.« Es zuckte um ihre Mundwinkel, als sie ihm dies ohne Reue gestand. »Sie wird außer sich sein, wenn sie dahinterkommt.«

»Kommen Sie immer hierher, wenn Sie ihr entwischen?«

»Nein. Ich wollte nur das Schiff sehen und herausbekommen, wohin es fährt.« Sie sah sehnsüchtig zu dem Dampfer hin.

»Da ich nichts vorhabe und Ihre Tante ohnehin wütend sein wird, könnten Sie mit mir ja dorthin gehen, wohin Sie sonst entwischen.«

Sie musterte ihn einen Moment, als müsse sie das Risiko abschätzen. Justin zweifelte keinen Augenblick, daß die Tante Marischa praktisch hinter Schloß und Riegel hielt, doch das Mädchen besaß offensichtlich einen aufrührerischen Geist.

»In diese Richtung«, sagte sie und ging ihm voraus.

Sie gingen rasch, am Stadtrand und am Sund entlang, der mit vielen kleinen Inseln bedeckt war. Erst als sie sich dem Waldrand näherten, verlangsamte sie ihren Schritt. Dort blieb sie bei einem großen Felsblock stehen, lehnte sich daran und blickte hinaus aufs Wasser. Justin konnte sich noch so bemühen, etwas zu unterscheiden, doch das dicke Umschlagtuch und ihr voluminöses Kleid ließen nicht erkennen, ob sie von Natur aus plump war oder die Kleider sie so unförmig erscheinen ließen. Eben als ihm dieser Gedanke durch den Kopf ging, seufzte sie und löste den Knoten ihres

Kopftuches, der sich zunächst ihren Bemühungen widersetzte. Endlich aber hatte sie es geschafft und zog das Tuch vom Kopf.

»Donnerwetter!« Justin starrte sie verblüfft an.

Ihr Haar war von hellem Goldgelb, das in der Sonne schimmerte. Der Gegensatz zwischen ihren dunklen Augen und ihrem Goldhaar war auffallend, ja fast dramatisch.

»Sie sind wunderschön«, murmelte er.

Sie lächelte spöttisch und entfernte sich von dem Felsblock, das Kopftuch in ihrer Hand geistesabwesend schwingend. »Schönheit sei ein Fluch, sagt Tante Eva.« Sie sagte es leichthin, doch Justin hörte eine gewisse Bitterkeit heraus. »Ein Mädchen darf sich um sein Aussehen nicht kümmern und soll sich unauffällig kleiden. Das Verlangen, hübsch zu sein, ist leere Eitelkeit und mithin eine Sünde. Andere Kleider als diese habe ich nicht, aber eines Tages werde ich schöne Kleider haben. Eines Tages«, wiederholte sie, das Kinn entschlossen vorgestreckt.

»Hören Sie nicht auf das, was Ihre Tante sagt. Wer solches Haar hat, sollte es nicht verstecken. Meine Mutter sagte immer, das Haar einer Frau ist die Krönung ihrer Schönheit.«

Marischa strich die Strähnen glatt, die sich aus ihrem Nackenknoten gelöst hatten. »Die Krönung – das gefällt mir«, sagte sie halblaut, und wie um absichtlich auf ein anderes Thema zu kommen, schlug sie vor: »Gehen wir ein Stück. Ich möchte Ihnen etwas zeigen.« Sie folgte einem kaum sichtbaren Pfad, der ein Stück parallel zur Küste verlief und dann in den Wald führte. Justin folgte ihr neugierig.

»Haben Sie schon mal Gold gesehen?« Sie wartete seine Antwort nicht ab. »Mir hat einmal ein alter Goldsucher ein Stück Erz gezeigt, das dünne Goldadern aufwies.«

»Hier in der Gegend gibt es Gold?«

»Ein wenig.« Sie nickte. »Drüben an der Silver Bay.« Sie ging schweigend ein paar Schritte weiter. »Ich würde gern Gold finden.«

»Oben am Klondike kann man es aus den Flüssen schöpfen. Dazu braucht man keine Tunnels oder Maschinen.

Man gibt einfach Schotter ins Sieb und holt die Nuggets heraus. Das kann jedes Kind.«

»Oder jede Frau«, sagte sie halblaut wie im Selbstgespräch. Durch eine Öffnung zwischen den Bäumen sah Justin eine schimmernde Wasserfläche, zu der hin das Gelände sanft abfiel. Im Näherkommen sah Justin hinter einer mit Gebüsch bewachsenen Landzunge die Mündung eines Flusses.

»Das ist der Indianerfluß«, erklärte Marischa. »Hier kam es einst zu einem großen Kampf zwischen Russen und Tlingits. Meine Vorfahren waren daran beteiligt. Meine Ururgroßmutter mußte mit ihrem kleinen Sohn in den Wald flüchten, ehe die Russen hier alles überrannten.« Sie sah ihn an. »Ich finde es interessant zu wissen, daß ich nicht hier wäre und davon berichten könnte, wenn die beiden damals umgekommen wären.«

»Sind Sie die letzte Ihrer Familie?«

»Nein, mein Vetter Dimitri lebt als Fischer bei Wrangell. Der Großteil meiner Familie aber verließ Alaska, als die Amerikaner hier alles übernahmen. Seit Jahren hat man nichts mehr von ihnen gehört. Als ich klein war, erzählte mir meine Mutter, wie schön es früher in Sitka war und was für Feste im Schloß des Gouverneurs gefeiert wurden. Meine Tante sagt, daß sich hier alles zum Schlechten veränderte, kaum daß die amerikanische Flagge gehißt wurde.«

»Na, ihre Meinung von den Amerikanern scheint nicht die beste zu sein.«

»Das stimmt, aber sie hat dafür ihre Gründe. Tante Eva hat mir auch manches von dem erzählt, was vorgefallen ist. Manchmal aber kommt es mir vor, sie ist nur neidisch, weil sie so reizlos ist, daß kein Mann mit ihr sprechen möchte. Sie erlaubt nicht mal, daß ich Blumen im Garten pflanze. Wir haben nur Gemüse, weil man Blumen nicht essen kann und sie Zeit und Platz wegnehmen. Aber eines Tages werde ich einen Garten voller Blumen haben. Ich habe es satt, daß alles so häßlich und unscheinbar ist und daß ich nie mit jemandem sprechen kann. Wie ich das alles hasse!«

»Genauso denke ich über die Fischerei«, sagte Justin. »Seit meinem elften Lebensjahr arbeitete ich auf dem Fischkutter meines Vaters. Wie ich den Geruch und den Geschmack satt hatte – und die harte Arbeit.«

»Und Sie sind einfach fort – einfach so?« Sie ließ ein Fingerschnalzen ertönen.

»Genau. Ich war zufällig im Hafen, als die Portland in Seattle lag. Ich sah, wie man eine Ladung Gold vom Klondike von Bord brachte – im Wert von siebenhunderttausend Dollar – eine Tonne Gold. Da wußte ich, daß ich meinen Anteil davon wollte. Auf der Stelle buchte ich eine Passage auf dem ersten Schiff, das nach Norden fuhr. Da gab es nichts zu überlegen. Ich wollte weg, also ging ich.«

»Ich möchte auch fort«, gestand sie. »Nehmen Sie mich mit zum Klondike, damit ich dort Gold waschen kann? Ich verspreche zu tun, was Sie wollen, wenn Sie mich nur mitnehmen.«

Justin war momentan so verdutzt, daß es ihm die Rede verschlug. »Nun ja, Sie können gerne mitkommen, aber Sie müssen die Passage selbst berappen. Mein bißchen Geld werden Vorrat und Ausrüstung für den Treck über den Paß nach Dawson City verschlingen. Kein Kinderspiel, dort hinzukommen.« Er bezweifelte, ob eine Frau das schaffen konnte, auch war er nicht sicher, ob er sich eine solche Last, und sei sie auch noch so hübsch, aufbürden sollte.

»Ich bin kräftig, ich werde Ihnen nicht zur Last fallen«, versprach sie ihm, als könne sie Gedanken lesen. »Ich habe ein bißchen Geld auf die Seite legen können. Eigentlich wollte ich damit nach Juneau, doch bekommt man dort schwer Arbeit, wie ich hörte. Da ist mir das Goldwaschen lieber. Was kostet das Ticket?«

»Keine Ahnung.«

»Nun, ich brauche keinen Schlafplatz und kann mich selbst verpflegen. Was brauche ich sonst noch?«

»Warme Kleidung und vor allem einen dicken Mantel. Am Klondike kann es kalt werden. Dazu feste Schuhe.« Die Aussicht, daß Marischa Blackwood ihn begleiten würde, versetzte ihn in einige Aufregung.

»Wann legt das Schiff ab?«

Justin schirmte die Augen ab und versuchte, den Sonnenstand abzuschätzen. »In einer guten Stunde«, riet er.

»Ich muß nach Hause und meine Sachen packen.« Sie band sich hastig das Kopftuch um. »Warten Sie am Kai auf mich?« fragte sie lächelnd.

»Sicher.«

»Ich beeile mich«, versprach sie und lief mit fliegenden Röcken den Waldweg entlang.

Justin stand am Fuß der Gangway und ließ den Blick über die nahezu verlassene Stadt wandern. Die Schiffssirene gab eben das Signal für die Passagiere, an Bord zu gehen. Das Mädchen war nirgends zu sehen. Er war ein wenig enttäuscht, wenngleich überzeugt, daß es besser so war.

Er hörte den Ruf von weitem und blieb auf halber Höhe der Gangway stehen. Als er sich umdrehte, sah er sie beladen mit etlichen Bündeln zur Anlegestelle laufen.

»Noch nicht ablegen! Es kommt noch ein Passagier!« rief Justin einem der Schiffsleute zu. Er lief wieder hinunter, um ihr zwei schwere Bündel abzunehmen.

»Ich dachte schon, ich würde es nicht schaffen.« Sie keuchte, ihre Wangen waren vom Laufen gerötet, ihr Lächeln offen und strahlend.

»Fast hätten Sie es wirklich nicht geschafft. Kommen Sie, beeilen Sie sich, sonst legt man ohne uns ab.«

»Aber ich habe kein Ticket.«

»Macht nichts, das bekommen Sie an Bord.«

Als das Schiff aus dem Hafen dampfte, stand Marischa auf dem Achterdeck und sah zum Dock hinüber. Wie oft hatte sie dort gestanden und zugesehen, wie andere Schiffe ausliefen, und hatte sich gewünscht, mitfahren zu können.

Marischa starrte zu dem grüngestrichenen Turm der Kirche hin, in der ihre Tante arbeitete. In allerletzter Minute hatte sie eine Nachricht hingekritzelt, ohne allerdings zu verraten, wohin sie wollte. Aber einfach davonzulaufen, dazu war sie nicht imstande gewesen. Und jetzt war sie auf großer Fahrt. Marischa fragte sich, wie lange sie noch in Sitka geblieben wäre, wenn sie an diesem Tag nicht mit Justin Sinclair gesprochen hätte. Zurückgehalten hatte sie bislang eigentlich nur der Umstand, daß sie nicht recht wußte, wohin sie gehen und was sie tun sollte. Justin hatte ihr beide

Antworten geliefert – das Klondikegebiet und die Goldwäscherei. Impulsiv drückte sie ihm einen Kuß auf die Wange und sagte: »Vielen Dank.«

41. Kapitel

Während das Schiff den Lynn-Kanal entlangdampfte, schienen die steilen Küstengebirge immer enger heranzurücken. Da und dort sah man bläuliche Gletscher in die Einschnitte und Klüfte geschmiegt. Und an einer Stelle reichte eine riesige Eismasse bis zum tiefen Wasser.

»Da ist es.« Justin deutete auf ein langgestrecktes schmales Tal. »Der Weg zum Klondike führt diesen Canyon entlang zum White-Paß«, erklärte Justin Marischa. »Er ist länger als der Weg über den Chilkoot-Paß, er soll aber nicht so steil und heimtückisch sein.«

Jenseits der schneebedeckten Bergkämme lagen Kanada und der Klondike – und Goldnuggets samt allem, was man dafür kaufen konnte. Sie zog das verhaßte alte Kopftuch ab. Jahrelang hatte sie es tragen müssen. Entschlossen warf sie es ins Wasser und hatte das Gefühl, alle Konventionen, mit denen sie erzogen worden war, abzulegen.

»Warum wirfst du das fort?« fragte Justin. »Du hättest es gut brauchen können.«

Marischa lachte. »Nein, niemals mehr.« In ihrem Kleiderbündel befand sich ein alter Kapuzenumhang ihrer Mutter, mit Fuchsfell gefüttert. Das Fell war stellenweise schon abgetragen, doch würde der Umhang sie gut wärmen.

Justin stieß sich von der Reling ab. »Wir werden bald anlegen. Laß uns unsere Sachen holen, damit wir rasch an Land können.«

Als die Gangway gelegt wurde, wurden Justin und Marischa von den aussteigenden Passagieren mitgerissen, und der Strom trug sie bis in die Hauptstraße der Ansiedlung. Eine Tafel auf einem der vielen sichtlich provisorisch aufgebauten Häusern stand, daß die Stadt Skaguay hieß.

»Skaguay«, las Justin.

»Ein Tlingitwort, das ›windiger Ort‹ bedeutet.« Soviel wußte Marischa. Und angesichts des langen Flußtales im Hintergrund, das als Windkanal dienen mochte, schien der Name passend.

Ein stämmiger Mann mit Latzschürze stand vor dem Laden, über dem das Schild hing. »Wieso steht hier Skaguay?« fragte Justin. »Ich dachte, der Ort hieße Mooresville.«

»Stimmt – bis zum ersten August. Ein paar Leute, die mit der Queen kamen und von einem gewissen Frank Reid angeführt wurden, entschieden, daß Captain Moore kein Recht hätte, dieses Tal zu besiedeln. Sie vermaßen es neu, legten diesen Ort an und verkauften die Grundstücke. Moore will sie vor Gericht bringen. Aber bis dahin sind wir hier in Skaguay.«

Marischa hatte den Eindruck, daß man diesen Moore mit betrügerischen Methoden hinausgedrängt hatte. Zumindest gab es in Alaska jetzt Recht und Gesetz. Aus Erzählungen ihrer Tante wußte sie, daß dies nicht immer so gewesen war. 1884, als Marischa noch ein Kind war, hatte der Kongreß in Alaska eine gewisse Form der Rechtsprechung zugelassen und das Land dem Staat Oregon zugeordnet. Eine Zivilregierung gab es noch immer nicht. Auch war Alaska noch immer kein Territorium, sondern nur ein Distrikt, wenn auch ein riesengroßer.

Die Straße entlang boten Händler Dinge feil, die speziell auf die Goldsucher zugeschnitten waren, die zum Klondike wollten. Es gab hier alles, von Bekleidung und Werkzeug bis zur neumodischen Ausrüstung für die Goldgewinnung.

Vom Anblick und den Geräuschen dieser aufstrebenden geschäftigen Stadt fasziniert, störte es Marischa nicht, daß sie Justin auf der Suche nach einem Nachtquartier durch den halben Ort nachlaufen mußte. Alle Unterkünfte waren voll. Vor der letzten stellte Marischa ihr Bündel auf den Boden und wartete, während Justin hineinging.

Nach kurzer Zeit kam er und winkte ihr, sie solle hineingehen. »Dein Zimmer ist am Ende des Ganges«, sagte Justin, als sie das kleine Hotel betreten hatten. Er ging voraus und blieb vor einer der Türen stehen. Er stellte seinen Packsack ab, sperrte auf und ließ Marischa eintreten.

Das Zimmer war klein. Nur ein Bett und ein Waschtisch standen darin. In seiner Kargheit erinnerte es sie an ihr Zimmer daheim.

Als er ihr den Schlüssel reichte, fragte sie: »Und wo schläfst du?«

»Das war das letzte freie Zimmer. Ich suche mir draußen etwas. Ich muß mich ohnehin an Nächte im Freien gewöhnen.«

»Das kann ich nicht zulassen. Außerdem möchte ich dir das Geld dafür geben.«

Justin wollte erst das Geld nicht nehmen und ließ sich erst nach einigem Hin und Her dazu bewegen. Aber Marischa erschien es unfair, daß er im Freien die Nacht verbringen sollte, während sie im Warmen lag.

»Das Bett hat Platz für zwei Personen«, sagte sie, und sah sofort sein schockiertes Gesicht.

»Marischa, soll das heißen, daß ich mit dir schlafen soll? Weißt du, was du da vorschlägst?«

Einen kurzen Augenblick lang begriff sie nicht. Dann fiel ihr ein, daß das Bett ein Ort war, an dem nicht nur geschlafen wurde. Sie starrte zu dem Bett hinüber, voller Verwunderung, was es mit dem Akt auf sich haben mochte, den ihre Tante so verabscheut hatte. Sie traute ihrer Tante auf keinem Gebiet. Sie wollte alles selbst herausfinden, alles erleben und selbst entscheiden, ob es gut oder schlecht war.

Ernst sah sie Justin an. »Ich weiß, was ich sage, ich möchte, daß du heute bei mir bleibst.«

Er war noch immer unschlüssig. »Marischa, ein Versprechen gab ich dir nicht.«

»Ich weiß.«

»Sobald ich das nötige Geld beisammen habe, bin ich unterwegs zum Klondike.«

»Ich weiß. Dorthin will ich auch.«

Justin schleppte seinen schweren Packsack herein und schloß die Tür.

Spätabends, als der Docht heruntergedreht war und die Flamme sprühte und zuckte und ihr schwaches Licht das Bett im Dunkeln ließ, lag Marischa in Justins Armen. Seine

Küsse und Liebkosungen hatten ihre Ängste gemildert, dennoch sah sie dem Kommenden mit Bangen entgegen.

Während der peinlichen Momente des ungeschickten Tastens, als er sich auf sie legte, wußte sie nicht, was sie tun sollte. Sie spürte etwas Hartes gegen ihre Öffnung drängen, dann war er in ihr, stieß aber auf Widerstand. Es schmerzte. Im Moment der Penetration durchfuhr sie ein scharfer, sengender Schmerz. Aber allmählich ließ der Schmerz nach, und das Gefühl seiner rhythmischen Bewegung empfand sie als nicht unangenehm. Das Tempo nahm zu. Gleich darauf stöhnte er lustvoll auf und lag dann reglos und schwer auf ihr. Dann rollte er sich neben sie auf die Matratze, offensichtlich erschöpft. Marischa empfand jetzt keinen Schmerz mehr, sondern ein undeutlich hohles Gefühl.

»Hm, war das schön«, murmelte Justin.

Daraus schloß Marischa, daß sie nicht so ungeschickt vorgegangen war, wie sie befürchtet hatte. Als sie sich darüber klar zu werden versuchte, was sie empfunden hatte, gelangte sie zu keiner Entscheidung. Daß sie es genossen hatte, konnte sie nicht behaupten. Sie konnte aber auch nicht sagen, daß sie es verabscheute.

42. Kapitel

Da Marischa noch nie mit jemandem zusammen ein Bett geteilt hatte, hatte sie auch nicht gewußt, daß der Körper eines Menschen so viel Wärme ausstrahlen konnte. Es war, als schmiege man sich an einen warmen Ofen. Aber nicht nur deswegen teilten sie sich das Zimmer auch weiterhin. Sie entdeckte, daß die Liebe beim zweitenmal besser war als beim ersten, beim drittenmal besser als beim zweiten und so fort. Als es mit jedem Mal angenehmer wurde, wuchs ihre sexuelle Neugierde, und sie selbst wurde aktiver. Es war, als hätte sie endlich ein Ventil für ihre so lange unterdrückten Leidenschaften gefunden, und es drängte sie, jetzt alle voll auszukosten.

Nun war es nicht so, daß die beiden ihre ganze Zeit der

Liebe widmen konnten. Der Klondike und das Gold waren ihr wichtigstes Anliegen. Doch die fehlenden Mittel hatten sie gezwungen, die Weiterreise nach Kanada zu verschieben. Erst mußten sie arbeiten und das nötige Geld verdienen.

Marischa hatte Glück. An ihrem zweiten Tag in Skaguay fand sie Arbeit als Geschirrspülerin in einem Restaurant. Der Lohn war karg, doch das Essen war frei, und sie konnte immer ein wenig für Justin hinausschmuggeln.

Nach drei Tagen rückte sie ihres hübschen Aussehens und ihres Geschickes wegen zur Kellnerin auf. Sie arbeitete sich rasch ein und lernte, die vorwiegend männlichen Gäste mit einem Lächeln und einem freundlichen Wort zu handhaben. Die Aufmerksamkeit, die ihr zuteil wurde, war für sie neu und erregend und machte sie stolz auf ihre Schönheit. Glory Girl nannte man sie bald ihres Aussehens und ihrer Ausstrahlung wegen, und Marischa gefiel der Name.

Marischa wickelte ein Tuch um den Griff der Kaffeekanne, dann nahm sie die Kanne und machte die Runde an den Tischen.

»Noch Kaffee, Mr. Cole?« fragte sie mit freundlichem Lächeln einen schwarzgekleideten Gast. Obwohl sie den Mann erst zweimal im Restaurant gesehen hatte, gehörte er nicht zu jenen Menschen, die man leicht wieder vergaß. Sie wußte, daß er Deacon Cole hieß.

Er nickte und schob ihr die Tasse hin. Wie immer trug er einen feierlichen schwarzen Anzug und dazu ein gestärktes weißes Hemd. Anders hatte sie ihn noch nie gesehen. Seine glatten, gepflegten Hände waren ihr besonders aufgefallen.

»He, Glory Girl, bring die Kanne her!« tönte es durch dem Raum. Marischa brauchte sich nicht umzudrehen, um zu wissen, wem die Stimme gehörte.

»Ich komme gleich, Curly«, rief sie zurück, um erst noch Mr. Cole zu fragen: »Noch etwas?«

»Das reicht«, sagte Cole, der stets so saß, daß er die Tür im Auge behalten konnte.

An Curlys Tisch angekommen, füllte Marischa ihm seine Tasse nach.

»Na, hast du ein Lächeln übrig, das mir den Kaffee versüßt?« fragte Curly sie.

Ihre Reaktion war ein Lächeln.

»Du arbeitest hier ganz schön schwer«, stellte Curly nun fest.

»Ein Mädchen muß essen.«

»Hört, Jungs, das Problem könnten wir lösen, wie?« wandte Curly sich an seine grinsenden Freunde.

»Ja, genau«, erwiderte der eine. »Zieh mit uns in die Hütte. Da hast du ein Dach überm Kopf und zu essen. Und einsam bist du auch nicht mehr.«

»Tut mir leid, aber ich bin schon vergeben.« Marischa lächelte unbeirrt, als sie dem zweiten, einem Kerl mit zottigem Bart, nachgoß.

»Na, das kann aber kein ganzer Mann sein, wenn er dich hier schuften läßt«, meinte der zweite und legte den Arm um ihre Mitte. »Wenn du zu uns ziehst, könntest du hier aufhören.« Er lächelte anzüglich.

»Würden Sie mich loslassen, Mister?« Sie versuchte, sich seiner Berührung zu entziehen.

»Miß?« rief ihr in diesem Moment Deacon Cole zu. »Ich möchte jetzt ein ganzes Frühstück bestellen.«

»Ich komme sofort.« Sie sah den Mann, der sie festhielt, eindringlich an. »Entschuldigen Sie mich jetzt? Ein Gast wartet. Tun Sie Ihre Hand weg, oder soll ich Sie mit Kaffee verbrühen?«

»Na, sehr freundlich ist das aber nicht«, fing er zu lästern an.

Da hörte man das Scharren eines Stuhls. Deacon Cole stand mit einer einzigen geschmeidigen Bewegung auf und kam langsam auf sie zu. Knapp vor dem Tisch der drei blieb er stehen.

»Mister, ich sage Ihnen nur einmal: Lassen Sie die Lady los«, sagte er ruhig.

»Kann mich nicht erinnern, Sie eingeladen zu haben. Gehen Sie zurück in Ihre Ecke, und kümmern Sie sich um Ihren eigenen Kram.«

»Das ist mein Kram«, gab Cole zurück. »Ich habe Hunger. Ich will mein Frühstück, und ich bekomme es erst, wenn diese Lady meine Bestellung ausführt. Sie haben Ihren Kaffee. Trinken Sie ihn aus, und lassen Sie die Lady ihre Arbeit tun.«

»Zufällig fühle ich mich zu ihr hingezogen.« Er drückte Marischa ein wenig, als wolle er seinen Anspruch bekräftigen.

Plötzlich war ein Revolver in Coles Hand. »Ich neige zu Jähzorn, wenn Hunger mich plagt«, ließ er sich vernehmen.

»Hm, kein Grund, angriffslustig zu werden«, grollte der Mann unbehaglich und ließ sie sofort los.

Marischa rückte von ihm ab, den Blick auf die gedrungene Waffe mit dem kurzen Lauf gerichtet. Als Cole sich umdrehte, ließ er das todbringende kleine Ding, einen Derringer, flink in seinem Ärmel verschwinden. Ein sonderbares Versteck für eine Waffe, ging es ihr durch den Kopf, als sie ihm zu seinem Tisch folgte und seine Bestellung entgegennahm.

Da die Neugierde sie plagte, fragte sie in der Küche Mab, den Koch und Besitzer: »Kennst du einen Mann namens Deacon Cole?«

»Und ob – das ist ein Kartenkünstler, will sagen, professioneller Glücksspieler. Wer sich mit ihm an den Kartentisch setzt, der verdient, daß er verliert. Wie er wirklich heißt und was er in den Staaten machte, weiß kein Mensch.«

»Ach?«

»Tja, wer oder was man war, spielt hierzulande keine Rolle. Hier kann man ganz neu anfangen.«

Diese Bemerkung gab Marischa zu denken. Sie selbst hatte ein neues Leben begonnen, den alten Namen aber behalten. Ja, sie brauchte auch einen neuen Namen. Sie hatte ihr Leben verändert, und es war höchste Zeit, daß sie auch ihren Namen änderte. Aber wie sollte sie sich nennen?

An jenem Abend saß sie mit untergeschlagenen Beinen auf dem Bett und wickelte die Fleischportion aus, die sie aus dem Restaurant für Justin hatte mitgehen lassen und mit einem halben Laib Brot in den Taschen ihres alten braunen Rocks versteckt hatte.

»Ich werde meinen Namen ändern.« Sie konnte kaum an

sich halten vor Erregung über ihren jüngsten Entschluß. »Ein neuer ist mir allerdings noch nicht eingefallen. Hättest du eine Idee, Justin?« Als von ihm keine Antwort kam, warf sie ihm einen besorgten Blick zu. »Justin, hörst du mich?«

Er saß da und starrte das Stück Brot in seiner Hand an.

»Was redest du da?« knurrte er in einem kläglichen Versuch, Interesse zu heucheln.

»Du hast gar nicht zugehört.« In den letzten Tagen war er sehr bedrückt gewesen. »Was ist denn mit dir?«

»Ist dir nicht aufgefallen, daß das Laub sich schon färbt? Die Zeit wird knapp. Wenn wir nicht bald zum Klondike aufbrechen, wird es in diesem Jahr zu spät.« Er starrte zum Fenster hin. »Und dann versitze ich einen ganzen langen Winter in Skaguay. Nein! Ich muß das Geld zusammenbekommen! Irgendwie muß ich es schaffen.«

»Wieviel brauchen wir denn noch?«

»Zehn Dollar etwa.«

»Vielleicht könnte ich noch eine Arbeit nebenher annehmen – am späten Abend, irgendwo saubermachen.«

Er drehte sich abrupt zu ihr um. »Marischa, machen wir uns nichts vor. Um das Geld zusammenzubekommen, das wir brauchen, gibt es nur eine einzige Art von Arbeit, die eine Frau abends tun könnte.« Er ging zur Tür und nahm den Mantel vom Haken. »Ich muß an die Luft.« Damit riß er die Tür auf. »Bin gleich wieder da.«

Allein in dem bedrückenden Raum zog Marischa die Knie bis unters Kinn und hüllte ihre bestrumpften Füße in den langen Rock. Sie wußte, welche Art Arbeit Justin meinte.

Zwei ganze Tage dachte sie nur an dieses Gespräch. Begierig schnappte sie jeden Gesprächsfetzen auf, bei dem es um das Gold am Klondike ging. Es schien, als sei alle Welt dorthin unterwegs, nur sie nicht. Schon regte sich in ihr die Angst, man würde alles Gold finden, ehe sie und Justin hingelangten.

Als sie das Lokal verließ, hielt sie draußen inne und hörte, wie hinter ihr abgesperrt wurde. Sie zog den pelzgefütterten Umhang am Hals fester zu, ließ aber die Kapuze unten. Müde und mit schmerzenden Füßen schlug sie die Richtung zu ihrer Unterkunft ein.

Durch die Fenster der Saloons sah sie die Saloonmädchen mit ihren Gästen tanzen, und immer war daneben das gedämpfte Klirren von Münzen zu vernehmen.

Ihre Schrtte klangen hohl auf dem Gehsteig. Drei Männer, bereits in unüberhörbar angeheiterter Stimmung, stürzten aus einem Saloon knapp vor ihr. Einer bemerkte sie. Als alle sich nach ihr umdrehten, erkannte Marischa Curly und seine zwei Freunde.

»Ach, sie mal einer an! Unser Glory Girl.« Der Bärtige zog sofort den Hut. Er sah nicht annähernd so ungepflegt aus wie beim letztenmal. Aus der Nähe sah sie auch, daß Curly ein sauberes Hemd anhatte.

»Guten Abend.« Sie nickte ihnen zu und ging am Saloon vorbei, die drei aber fielen sofort in Gleichschritt mit ihr.

»So allein auf der Straße? Wo steckt denn dein Freund?« wollte Curly wissen. »Der sollte lieber aufpassen, daß dir nichts passiert.«

»Nicht nötig. Ich habe ja euch drei als Begleiter.« Sie lächelte.

»Wenn du unser Mädchen wärest, dann würden wir das nie zulassen«, beharrte der dritte.

»Warum kommst du nicht zu uns in die Hütte?« schlug der Bärtige vor. »Das wäre sehr viel lustiger, jede Wette.«

Marischa wollte wie immer diese Bemerkung übergehen, doch in einem besonders mutigen Moment drehte sie sich zu den dreien um. »Wollt ihr wirklich, daß ich mitkomme?«

»Na klar«, platzte der Bärtige heraus.

»Und wenn – wieviel würdet ihr mir zahlen?«

Drei Münder blieben offen vor Überraschung. Keiner sagte ein Wort. Marischa schoß die Röte in die Wangen, da sie das Schweigen als Ablehnung auffaßte.

»Wir hätten nie gedacht, du wärst so eine . . . nun . . .« Der dritte brachte es nicht über die Lippen.

»Tja, wir wußten ja nicht . . . aber wir wollen, daß du mit uns kommst, nicht wahr, Jungs?« meldete sich nun der Bärtige. »Und wir geben dir Geld.«

»Wieviel?« fragte Marischa noch einmal.

»Tja . . .« Der Bärtige warf seinen Freunden einen verlegenen Blick zu. »Üblicherweise kostet es drei Dollar, und wir sind drei, macht also neun.«

»Ich will zehn.« Ihre Kehle war wie ausgedörrt.

»Abgemacht.« Curly wischte sich die Handfläche an der Hose ab und streckte ihr die Hand entgegen.

»Abgemacht.« Sie reichte ihm ihre Hand, die er heftig schüttelte.

»Juhuuu!« Der Bärtige ließ einen Triumphschrei ertönen und schlug dem dritten auf den Rücken, so daß dieser gegen die Tür des nächsten Saloons taumelte. »Hank, hol uns 'ne Flasche. Heute abend wird gefeiert, klar, Glory Girl?«

Ihre Knie waren weich, und sie hatte ein flaues Gefühl in der Magengrube. Ihren Entschluß aber zog sie nicht in Zweifel. Sollten sie und Justin je an den Klondike gelangen und Gold finden, dann brauchten sie Geld. Es war der schnellste Weg, um zu den benötigten zehn Dollar zu kommen. Justin hatte es selbst gesagt.

Die Ritzen in der Wand der primitiven Hütte waren mit Papier gegen den Wind abgedichtet. Der einzige Raum hatte nur ein Fenster. Curly zündete in aller Eile die Lampe an und stocherte in der Glut des Kanonenöfchens. Eine Wand wurde von Stockbetten eingenommen, im rechten Winkel zu ihnen stand eine Liege. Zwei Fässer und eine Holzkiste dienten als Sitzgelegenheiten. Der Mann mit Namen Hank entkorkte eine Flasche, aus der er jeden der drei auf dem Tisch aufgereihten Zinnbecher großzügig vollschenkte.

Als sie die drei so vor sich sah, meldete sich bei ihr eine innere Stimme. »Jungs, ich möchte erst mein Geld.« Woher dieser Argwohn kam, wußte sie nicht.

Momentan zögerten die drei, dann fingen sie an, in ihren Taschen zu kramen.

»So, das wär's, Glory.« Curly drückte ihr die Münzen in die Hand. »Zehn Silberdollars.«

Sie nahm das Geld, drehte sich um und ging in die Ecke zur Liege. Jetzt war es an ihr, sich an den Handel zu halten, mochte ihr Herz auch zum Zerspringen pochen. Sie legte ihren warmen Umhang ab, den sie auf das niedrigere Stockbett legte. Als nächstes folgten Bluse und Rock, dann Flanellunterrock und langärmeliges Kamisol. Ein Korsett trug sie nicht, da ihre Tante dieses Wäschestück als figurbetonend angesehen und daher verboten hatte. Ungeachtet ihrer hämmernden Pulse drehte sie sich tapfer zu den Männern um.

»Wer ist der erste?«

»Das bin ich«, erklärte der Bärtige. Hastig trank er seinen Whiskey aus und wischte sich mit dem Handrücken über den Mund. Er zog seine Hose am Gürtel zurecht und schwankte auf die Liege zu.

Die Münzen klirrten in ihrer Tasche, als sie den Gang entlang zu ihrem Zimmer lief. Unter der Tür drang kein Lichtstreifen hervor. »Justin«, rief sie leise, die Klinke niederdrükkend. Versperrt. Nach längerem Suchen fand sie in ihrer Tasche den Schlüssel, sperrte auf und betrat den dunklen Raum.

Durch das Fenster fiel ein wenig Licht, so daß sie etwas Langgestrecktes auf dem Bett ausmachen konnte. Ohne sich die Zeit zu nehmen und die Lampe anzuzünden, trat sie ans Bett. »Justin, du hättest ruhig auf mich warten können.« Doch als sie versuchte, ihn wachzurütteln, griff sie in ein Kleiderbündel.

Sie drehte sich um. Wo mochte Justin stecken? Vielleicht hat er in einem Saloon Arbeit gefunden, sagte sie sich, während sie im Dunkeln nach Streichhölzern suchte und die Lampe anzündete. Im Licht sah sie dann, daß die wild auf dem Bett aufgehäuften Sachen ihr gehörten. Jemand mußte ins Zimmer eingedrungen sein. Eilig machte sie sich daran, nachzusehen, ob etwas fehlte.

Als sie ihre Sachen sortierte, raschelte etwas. Ein Zettel lag auf dem Bett. Das unbeholfene Gekritzel darauf war nur schwer zu entziffern.

›Liebe M., tut mir leid, daß ich dich nicht mehr sehen konnte, ehe ich mich auf den Weg machte. Habe Arbeit, soll einen Packtrain nach Dawson bringen. Es ist meine Chance, ans Gold zu kommen. Sicher hast du Verständnis.‹

Es stand noch mehr da, doch sie hörte auf zu lesen und

ließ sich auf den Bettrand sinken, während sich ihre Finger um den Zettel krampften. Er war ohne sie losgezogen ... nach einer Weile las sie weiter: ›Brauchte eine Decke. Nahm deine.‹ Sie durchsuchte ihre Habseligkeiten: Die Decke fehlte, ebenso die Säcke mit Mehl, Salz und getrockneten Bohnen, die sie von zu Hause mitgebracht hatte. Wutentbrannt griff sie wieder nach seinem Brief. ›Hatte keine Zeit, Vorräte zu kaufen. Zahle dir alles zurück. Komme zurück, wenn ich das große Geld habe.‹

In einem Anfall von Jähzorn schleuderte sie den zerknüllten Zettel durch den Raum und stand auf. Die plötzliche Bewegung ließ die Münzen in der Tasche ihres Umhanges klirren. Sie griff nach den Geldstücken, starrte sie an und dachte daran, wie sie diese verdient hatte. Vielleicht war es schlecht gewesen, was sie getan hatte, und vielleicht war Justins Verschwinden jetzt die Strafe dafür.

Wut und Kränkung bewirkten, daß sie total durcheinander war.

Sie ließ die Münzen durch die Finger aufs Bett gleiten. Zehn Dollar – das war mehr, als sie je besessen hatte, mehr als sie in einer Woche in dem Restaurant verdienen konnte. Das Geld reichte zwar nicht, um an den Klondike zu kommen, doch dorthin wollte sie ohnehin nicht mehr.

Als sie die Röcke hob und sich aufs Bett setzte, spürte sie die grobe Beschaffenheit des Materials, und zugleich kam der Gedanke, daß sie jetzt genug Geld hatte, um sich neu einzukleiden – Wäsche, Rock, Bluse, es würde sogar noch etwas Geld übrigbleiben. Sie konnte jetzt diese farb- und formlosen Sachen fortwerfen, diese verhaßten Kleidungsstücke, die Marischa Blackwood gehörten, einer Frau, die sie nie wieder sein würde.

Justin war fort, und sie gelobte sich, niemals einen Blick zurück zu tun. Für sie fing ein neues Leben an, mit neuen Kleidern und einem neuen Namen. Von nun an war sie Glory ... Glory ... Sie zerbrach sich den Kopf auf der Suche nach einem passenden Familiennamen. Justin zu Ehren, der mitgeholfen hatte, daß sie diesen neuen Weg einschlug und ihr unwissentlich den Zugang zu dem dafür nötigen Kapital zeigte, entschied sie, daß es nur recht und billig wäre, wenn sie sich seinen Namen ein wenig abgewandelt aneignete. Von diesem Augenblick wollte sie Glory St. Clair sein.

43. Kapitel

Träge zurückgelehnt, saß Glory im Bett und zog die Decke hoch, um ihre bloßen Brüste zu bedecken. Nicht aus falscher Scham vor dem Mann, der sich eben die bestickten Seidenhosenträger über die Schultern zog, sondern weil sie in dem zugigen Zimmer fror. Ihr langes Haar fiel ihr offen um Hals und Schultern. Müßig wickelte sie eine goldene Locke um den Finger, während sie zusah, wie er seine Jacke anzog und den perlgrauen Filzhut aufsetzte.

»Ich möchte jetzt das Fünf-Dollar-Stück.« Sie streckte die Hand nach der Goldmünze aus, die er ihr zuvor mit dem Versprechen gezeigt hatte, sie ihr zu geben, wenn sie mit ihm ins Bett ginge. Seine Kleidung, sein Schmuck, sein Auftreten – alles an ihm roch geradezu nach Geld. Das war auch der Grund, weshalb sie ihn nicht hatte beleidigen wollen, indem sie Vorauszahlung verlangte.

»Glory, es war mir ein Vergnügen, wirklich.« Er holte die Münze aus der Westentasche und hielt sie in die Höhe. »Aber dies ist mein letztes Geld. Deswegen kann ich es Ihnen nicht geben.«

»Aber Sie haben es versprochen!«

»Ja, stimmt. Leider kann ich die Zusage nicht halten. Miß St. Clair, so wie ich Sie jetzt kenne, verfügen Sie über Ihre eigene kleine Goldmine. Sie verhungern nicht so leicht wie ich.« Er steckte die Münze wieder zu sich und tippte an die Hutkrempe. »Guten Abend.«

Kaum war er aus der Tür, als ihr anfänglicher Schock über seine Unverschämtheit sich in Wut verwandelte.

»Kommen Sie sofort zurück!« In den zwei Monaten, seitdem sie ihre Arbeit im Restaurant aufgegeben hatte und nun ganz vom Verkauf ihrer Gunst lebte, war es nicht der erste Mann, der sie um ihr Geld prellen wollte.

Bis Glory an der Tür war, hatte er bereits den halben Korridor hinter sich. In ihrer Aufmachung konnte sie ihn nicht auf die Straße hinaus verfolgen. Hastig schlüpfte sie in ein Negligé, steckte die Füße in ihre spitzen Schuhe und warf ihren alten pelzgefütterten Umhang um die Schultern. Dann lief Glory den Gang entlang und aus dem Haus.

Eine dünne Schicht Neuschnee bedeckte die Straße, weiße Schneeflocken wirbelten durch die dunkle Nacht. Ihr Kunde war nirgends zu sehen, doch seinen frischen Spuren im Schnee konnte sie leicht folgen bis vor den Spielsalon von Jeff Smith. Glory zögerte nur einen Augenblick, ehe sie eintrat.

Die Fassade des Spielsaloons tarnte geschickt die Primitivität des dahinterliegenden Hauses. Der langgestreckte, schmale Raum war finster und stickig, seine Wände und der Boden bestanden aus rohen Planken. Zigarrenrauch behinderte die Sicht, als Glory den Raum nach ihrem Kunden absuchte. Das leise Stimmengewirr wurde vom Klicken und Klappern der Pokerchips, Würfel, Karten und Rouletteräder überlagert.

Die laute Aufforderung eines Mannes übertönte alles andere: »Leute, schließt eure Wetten ab. Wählt die Glückszahl und setzt euer Geld darauf.«

Diese Aufforderung stammte von einem rothaarigen Mann vor einem Roulettetisch. Fast gleichzeitig sichtete sie den Mann mit dem grauen Filzhut an dem Tisch. Sie drängte sich durch die Menge und faßte nach seinem Arm.

»Ich will mein Geld.«

Nach anfänglichem Erschrecken faßte er sich und sah sie abschätzig an. »Was soll das? Ich kenne Sie nicht. Würden Sie freundlicherweise Ihre Hand wegnehmen?«

»Vor zwanzig Minuten in meinem Zimmer redeten Sie anders. Da wollten Sie meine Hand an den verschiedensten Stellen spüren«, rief sie ihm zur Belustigung der Umstehenden in Erinnerung.

»Ich weiß nicht, wovon die Rede ist.« Eine verräterische Röte färbte seinen Nacken.

»Sie schulden mir fünf Dollar, und die möchte ich jetzt haben«, verlangte Glory ihr Recht. »Mich wird kein Mann um mein Geld prellen und damit davonkommen.«

»Unsinn!« Er versuchte, sich mit einem Lachen herauszuwinden, den Blick hilfesuchend auf die Umstehenden richtend. »Sehe ich aus wie jemand, der einen anderen um sein Geld prellt?«

Ganz plötzlich war Deacon Cole an ihrer Seite. »Na, ich weiß nicht, Mister ... die Lady behauptet jedenfalls, Sie schuldeten ihr Geld.«

»Mir egal, was die behauptet.«

Zum zweitenmal erschien blitzschnell der Derringer in Deacon Coles Hand. Er drückte dem Mann die Mündung unters Kinn. »Sie nennen die Lady eine Lügnerin?« Miene und Ton Deacon Coles blieben ausdruckslos.

Im Spielsaloon herrschte plötzlich unnatürliche Stille. Das einzige Geräusch war das Rattern des Glücksrades.

»Nein.« Der Blick des Mannes verriet seine Bedrängnis. »Ich ... ich habe das Geld nicht. Ehrlich.«

»Er hatte ein Fünf-Dollar-Stück in der Westentasche«, entgegnete Glory darauf. »Er hat es mir gezeigt.«

Als Deacon Cole die Westentasche befingerte, gestand der Mann halblaut: »Ich habe das Geld nicht mehr ... es liegt auf dem Tisch. Ich habe es gesetzt.«

Die Goldmünze lag auf einem der Nummernfelder. Glory entdeckte sie sofort unter den Chips.

»Pinky«, wandte Deacon Cole sich an den Groupier. »Hat der Gentleman die Münze gesetzt?«

»Ja.« Das Rad klickerte nun langsamer. Glory wollte nach dem Geldstück fassen, das rechtmäßig ihr gehörte. »Tut mir leid.« Der Rothaarige hielt sie zurück. »Nichts geht mehr. Das Rad ist in Bewegung.«

»Pinky, die Wette gehört der Dame, klar? Das ist doch in Ihrem Sinne, Mister?« Er versetzte dem Kinn des Mannes einen Stoß mit der Revolvermündung.

»Ja, ja.«

Glory glaubte, das Rad würde innehalten, doch es drehte sich weiter, langsamer zwar, während die Zahlen am Zeiger vorüber liefen. Dann stand das Rad still.

»Das Glück ist der Dame gewogen. Sie gewinnt eins zu fünf.«

Die Umstehenden, die bisher in atemloser Stille zugesehen hatten, brachen in Beifall aus. Glory konnte es nicht fassen. Statt fünf Dollar hatte sie jetzt fünfundzwanzig. Der Gewinn wurde ihr zugeschoben, und sie sammelte die Chips ein.

»Ich bin bankrott«, jammerte der Mann nun, da der Derringer wieder diskret versteckt wurde.

»Na, vielleicht wird Ihnen das eine Lehre sein. In dieser Stadt haben wir etwas gegen Betrüger«, belehrte ihn Deacon, der sich sodann umdrehte, Glorys Arm nahm und sie vom Tisch wegführte. »Kommen Sie, kassieren Sie die Chips ein.«

»Aber ... ich dachte, ich könnte vielleicht weiterspielen.« Sie verdrehte sich den Hals, als sie sich nach dem Roulettetisch umblickte.

»Tun Sie es nicht, wenn Sie nicht Ihr schwerverdientes Geld wieder verlieren wollen.«

»Warum nicht?«

Seine Lippen bewegten sich kaum sichtbar, als er halblaut zur Antwort gab: »Weil es ein manipulierter Tisch ist.«

»Aber ich habe eben gewonnen.«

»Genau. Pinky schuldete mir einen Gefallen.«

Glory wußte zwar nicht, wie sein Freund Pinky das geschafft hatte, doch sie glaubte Deacon Cole. Jetzt leistete sie dem Druck seiner Hand keinen Widerstand mehr.

»Wo ist Ihr Onkel?« fragte er.

»Mein Onkel?«

»Ja, Ihr Freund, Partner, oder wie immer Sie den Mann nennen, der dafür sorgt, daß Sie nicht mißhandelt oder betrogen werden. Der Mann, mit dem Sie das Geld teilen.«

»Das Geld gehört mir. Alles. Ich gebe selbst auf mich acht.« Sie drückte ihren Gewinn fester an sich. Als er stehenblieb, blieb auch sie stehen. Sie fühlte sich in die Defensive gedrängt, ohne zu wissen warum.

»Sie sind noch nicht lange im Geschäft, nicht?«

»Nein.« Sie schob ihr Kinn vor.

»Hm, ich habe so das Gefühl, daß Sie noch nicht viel von dem Geschäft wissen.«

»Kann ja sein, aber ich lerne schnell.«

»Nun, es gibt Dinge, die kann man nur auf die harte Tour

lernen, das heißt aber nicht, daß man sich nicht ein paar Tips von . . . sagen wir, Erfahreneren holen kann.«

»Zum Beispiel?«

Er lächelte. Es war die erste Veränderung seiner ausdruckslosen Miene. »Kommen Sie morgen um die Mittagszeit ins North Star Hotel. Ich werde Sie mit einer Dame bekannt machen. Vielleicht bekommen Sie Arbeit bei ihr.«

»Ich brauche keine.«

»Wenn Sie auf Geld aus sind . . . in den Saloons kann man mehr machen als auf der Straße. Also, kommen Sie, wenn Sie wollen.«

»Mal sehen.« Sie warf einen Blick auf die Chips in ihren Händen. »Ich stehe in Ihrer Schuld, weil Sie mir zu meinem Geld verhalfen, aber ich wüßte nicht, wie ich mich revanchieren soll.«

»Ach, ganz einfach.« Sein Lächeln weitete sich aus und erreichte seine Augen. »Meine Taschen sind leer. Ich brauche zehn Dollar Einsatz, damit ich wieder in die Pokerpartie einsteigen kann.« Er deutete auf den Tisch an der Wand, an dem eben Karten ausgeteilt wurden.

»Sind Sie sicher, daß es eine anständige Partie ist?«

»Meine liebe Miß St. Clair, ein ehrliches Pokerspiel ist in dieser Stadt so rar wie eine Jungfrau.«

Sie lachte unwillkürlich auf. Wäre Deacon Cole und sein Freund Pinky nicht gewesen, sie hätte ihr Geld nicht bekommen. Glory gab ihm eine Handvoll Chips. »Viel Glück.«

»Das brauche ich.« Kaum hielt er die Chips in Händen, schien er Glory bereits vergessen zu haben.

Die Pferdewagen hatten die schneebedeckte Straße in einen Sumpf aus Schnee und Schlamm verwandelt. Glory hob ihren granatfarbenen Rock so hoch, daß der Saum den oberen Rand der Knöpfelschuhe freiließ, dann überquerte sie achtsam die Straße. Vor dem Hoteleingang hielt sie kurz inne und strich über die Taille ihrer knappsitzenden pelzbesetzten Kostümjacke mit den Keulenärmeln. Ein langgefiederter Vogel zierte ihre Seehundfellmütze. Dann steckte sie die Hände in den Muff aus Seehundfell und betrat das Hotel.

Bei ihrem Eintreten sah sie sofort den hochgewachsenen

schwarzgekleideten Spieler, der die an einer Wand der fast leeren Halle hängenden Ankündigungen überflog. Auf das Rascheln ihrer Taftunterröcke hin drehte er sich um.

»Ach, ich fragte mich schon, ob Sie kommen würden.« Er musterte sie eingehend, wobei sein Blick weder Anerkennung noch Mißbilligung erkennen ließ.

»Ich dachte mir, anhören kann nicht schaden. Außerdem hatte ich nichts anderes vor«, erwiderte sie mit gespieltem Gleichmut. »Und wie lief Ihre gestrige Pokerpartie?«

»Gut.«

»Was soll das heißen?«

»Ein geschickter Spieler prahlt nie mit der Höhe seiner Gewinne.« Er langte in die Tasche und zog eine Goldmünze hervor. »Es reicht jedenfalls, daß ich Ihnen das Geld zurückzahlen kann.«

Glory schüttelte den Kopf. »Das war ich Ihnen schuldig.«

»Nehmen Sie es trotzdem.« Er zog ihre Rechte aus dem Muff und drückte ihr das Geldstück in die Hand. »Wenn ich wieder mal knapp dran bin, weiß ich, zu wem ich gehen kann.«

»Tja, dann behalte ich das Geld für Sie.« Ihrem Lächeln begegnete er mit einem leichten Verziehen der Lippen.

Die Uhr in der Halle schlug die Viertelstunde. »Sicher wird Miß Rosie schon ungeduldig. Ich bringe Sie zu ihr.«

Miß Rosie entpuppte sich als stattliche Person in einer gestärkten weißen Bluse mit dunkelblauer Schleife um Hals und Manschetten. Ihr messingfarbenes Haar trug sie in einer kleinen Lockenkrone auf dem Hinterkopf aufgetürmt. Das gepuderte Gesicht mit den kalten blauen und mitleidlosen Augen wirkte sehr streng. Auf seltsame Weise erinnerte diese Bordellmutter Glory an ihre prüde, altjungferliche Tante.

Kaum hatte Deacon die beiden miteinander bekannt gemacht, als Miß Rosie ihn entließ. »Ich möchte allein mit ... Miß St. Clair sprechen.« Sie sprach den Namen mit einem Anflug von Verachtung aus. Die Tür fiel hinter ihm ins Schloß, und die Frau fragte sofort: »Wie machen Sie es, daß Ihr Haar diese Farbe hat?« Sie kam näher, um es genauer zu inspizieren.

»Es ist seine natürliche Farbe, ich mache gar nichts.«

»Sehr hübsch, aber das wissen Sie ohnehin.« Sie trat hinter Glory. »Warum legen Sie nicht ab, Miß St. Clair?«

Glory legte Muff und Mantel aufs Bett neben den Mantel von Miß Rosie. Auch sie trug eine Bluse, nur war ihre aus Seide und in einem Farbton, der zu ihrem Rock paßte und mit den Rüschen um den Hals sehr weiblich wirkte.

»Sehr hübsch.« Miß Rosie begutachtete sie kritisch. »Ich sehe es sehr gern, wenn meine Mädchen sich modisch kleiden. Aber Ihr Korsett sollten Sie etwas fester ziehen. Männer mögen schmale Taillen.«

»Ich werde daran denken«, murmelte Glory, obwohl sie die Fischbeinstäbe so einengten, daß sie kaum atmen konnte.

»Wie alt sind Sie?«

»Neunzehn.«

»Wo haben Sie schon gearbeitet?«

»In einem Restaurant unten an . . .«

»Nein, nein. In welchem Saloon oder Freudenhaus?«

»Gar nicht.« Glory sah fasziniert zu, als die Frau sich geschickt eine Zigarette rollte, sie in eine Elfenbeinspitze steckte und anzündete.

»Was ist Ihre Spezialität?« Sie ließ eine Rauchfahne durch den offenen Mund entweichen.

»Meine Spezialität? Ich weiß nicht, was Sie meinen.«

»Na, was tun Sie denn, außer die Leute ranzulassen?«

»Ich kann kochen und nähen . . .« Ehe Glory weitersprechen konnte, fing die Frau zu lachen an.

»Deacon hatte recht. Sie sind neu im Geschäft. Ich meinte mit einem Kunden – außer Küssen und Zärtlichkeiten.«

Glory, die nur ungern ihre Unwissenheit zugab, fragte: »Was gibt es denn sonst noch?«

Miß Rosie schnippte die Asche ihrer Zigarette in den Spucknapf auf dem Boden. »Verschiedene Spielarten von Sex, die meist von verheirateten Männern gewünscht werden. Ich muß wissen, was meine Mädchen zu tun gewillt sind, damit meine Kunden zufrieden sind und wiederkommen.« Ihr Lächeln wurde spöttisch. »Wie lange machen Sie das schon?«

»Zwei Monate.«

»Damit ist Ihre Ahnungslosigkeit erklärt. Welchen Schutz benutzen Sie?«

»Schutz? Sie meinen eine Waffe?«

Die Frau lachte laut auf. »Ich meine ein Mittel, das Sie vor Krankheiten und Schwangerschaft schützt.«

Glory lief rot an, weil es ihr peinlich war, wieder ihre Unwissenheit zugeben zu müssen. »Ich wußte gar nicht, daß man etwas dagegen tun kann.«

»Sie sind ja noch ganz grün.« Miß Rosie sagte es kopfschüttelnd. »Ich empfehle meinen Mädchen, einen Schwamm einzuführen. Und alle decken sich mit Kondomen ein – das sind Gummiüberzüge für Männer. Es gibt Männer, die das nicht mögen, aber meist kaufen sie die Dinger, damit sie sich nicht anstecken.« Sie hielt inne und studierte Glory. Dann sagte sie: »Ich verlange drei Dollar von den Kunden. Wenn sie eines meiner Mädchen für die ganze Nacht wollen, dann macht das dreißig Dollar. Ich kriege die Hälfte, Sie die andere. Daneben behalten Sie alle Trinkgelder und verkaufen Alkohol und Kondome gegen Kommission. Das Zimmer kostet sieben Dollar die Woche. Sobald der Arzt Sie untersucht hat und feststellt, daß Sie gesund sind, können Sie Ihre Sachen in die North Star Dance Hall schaffen.«

»Ich habe ja noch gar nicht gesagt, daß ich für Sie arbeiten möchte«, wies Glory das Ansinnen der Frau zurück.

»Ach?«

»Mir geht es gut, und ich sehe nicht ein, warum ich meinen halben Verdienst abgeben sollte.«

»Wieviel machen Sie in einer Nacht?«

»Dreißig Dollar.« Das war nur zweimal der Fall gewesen, doch das sagte Glory nicht.

»Sie werden bei mir das Doppelte, wenn nicht mehr verdienen, wenn Sie nicht faul sind. Und ich hab' Männer an der Hand, die dafür sorgen, daß keines meiner Mädchen von den Kunden mißhandelt wird. Manchen macht das nämlich Spaß. Sie hatten Glück, daß Sie bislang keinem dieser Typen begegnet sind.«

Diese Bemerkung ließ Glory an die Geschichte denken,

die ihre Tante ihr erzählt hatte – wie grausam ihr Vater ihre Mutter mißhandelt hatte.

»Vielleicht habe ich mich getäuscht, Miß St. Clair, und Sie sind gar nicht so intelligent, wie es den Anschein hat. Sie könnten sich mit Ihrem Aussehen eine beständige und reiche Kundschaft heranziehen.« Sie nahm ihren Mantel vom Bett. »Lange können Sie es in Ihrer Unterkunft nicht mehr treiben. Die meisten Ihres Schlages landen dann in irgendeiner Spelunke. Sie mögen unerfahren sein, Miß St. Clair, das ist verzeihlich und läßt sich ändern. Aber Unerfahrenheit ist keine Entschuldigung für Dummheit.«

»Miß Rosie, da gebe ich Ihnen recht.« Glory griff zu ihrer Jacke. »Und für dumm halte ich mich nicht. Wann könnte ich einen Termin bei diesem Arzt bekommen?«

Glory wurde eines von Miß Rosies Mädchen und lernte die Feinheiten ihres Gewerbes in der North Star Dance Hall. Im Frühjahr, als die ersten Horden von Goldsuchern auf dem Weg zum Klondike in Skaguay einfielen, gab es Nächte, in denen sie dank ihres Anteils am Getränkeverkauf samt Trinkgeldern hundert Dollar verdiente.

Wenn sie in ihrem neuesten Kleid die Straße entlangging, fragte sie sich jedesmal, ob Justin sie erkennen würde und ob er je von Glory St. Clair gehört hatte und ahnte, wer sie war. Im Winter 1898 wußte praktisch jeder, der durch Skaguay kam, von der goldhaarigen Glory aus der North Star Dance Hall zu berichten, und sie befand sich in der beneidenswerten Position, ihre Gunst nur jenen zu gewähren, die ihr zusagten.

Sie besaß jetzt mehr Kleider, als sie anziehen konnte, alle nach der neuesten Mode aus San Francisco. Die Männer überschütteten sie mit Geschenken – von Schmuck angefangen bis zu einem riesigen goldäugigen Husky, den sie ›Nugget‹ nannte. Sie hatte zahllose Heiratsanträge erhalten, einige von angesehenen Geschäftsleuten. Doch sie war eine ständige Verbindung nur mit einem Mann eingegangen. Sie besaß nun alles, was man sich jemals wünschen konnte: Geld, Kleider, Beliebtheit und die Gesellschaft eines Mannes, den sie sehr gern hatte – und doch war sie ruhelos.

Regen trommelte gegen die Fenster der Hotelsuite. Sie hielt sich die Ohren zu, um das Geräusch nicht hören zu müssen. »Ich hasse den Regen.« Er erinnerte sie an Sitka. »Da sind mir Blizzards und Schneefälle lieber.« Unwillig sah sie Deacon Cole an, der dasaß und das Herzas präzise in die Mitte des Schneidegerätes legte, um dann den Elfenbeingriff herunterzudrücken und ein minimales Stück von der Karte abzuschneiden. »Dir macht das alles nichts aus«, klagte sie.

»Regen ist ein Zeichen, daß es Frühling wird.« Er fuhr mit dem Daumen die Kante der zurechtgeschnittenen Karte entlang, die er dann in den Kartenstapel schob.

»Komm und heb ab. Versuch, ein As zu finden.«

Glory wußte, daß er die Ränder aller vier Asse präpariert hatte, doch sie war nie imstande, auch nur den kleinsten Unterschied festzustellen. Dreimal hob sie ab, dreimal schaffte sie es nicht, ein As zu erwischen.

Im vergangenen Jahr hatte sie Deacon unzählige Male beobachtet, wie er sich gewissenhaft auf seine Kartenpartien vorbereitete. Sie starrte seine langen Finger an, die sie so zärtlich zu liebkosen verstanden.

»Warum betrügst du?« Dies hatte sie sich schon oft gefragt. »Ist dir das Gewinnen so wichtig?«

»Das Glücksspiel ist der Beruf, von dem ich lebe. Es gibt hier zu viele gute Spieler, als daß man sich auf Geschick und Glück verlassen könnte. Wenn ein Spieler nicht auch betrügen kann, weiß er selbst nicht, wann er betrogen wird.«

Glory stellte sich hinter seinen Stuhl und strich ihm leicht über die Schultern. Dabei fiel ihr Blick in den Spiegel, vor dem er immer seine Bewegungen beim Umgang mit den Karten beobachtete. Da bemerkte sie, daß er sie beobachtete, wobei seine Miene so wenig verriet wie seine blauen Augen. Gedankenverloren strich sie ihm übers Haar. Was er wohl in ihr sehen mochte? Nie hatte er ihr Geld gegeben oder ihr auch nur ein einziges Geschenk gekauft. Und sie hatte es auch nie gewollt – nicht einmal beim erstenmal. Sie konnte nicht behaupten, daß sie ihn liebte, doch sie vertraute ihm, obwohl er ein Spieler und Betrüger war.

»Ich hörte, daß am Nome River auf der Halbinsel Seward Gold gefunden wurde.« Deacon richtete den Blick wieder auf die Karten in seiner Hand. »Es soll sich um größere Vorkommen handeln. Leute, die es am Klondike nicht schafften, sind jetzt in den Norden unterwegs.«

»Ach?«

»Sieht aus, als würde Nome die nächste Stadt sein, die einen Boom erlebt. Sie ist auch nicht so schwer erreichbar wie der Klondike, da sie direkt an der Küste der Beringsee liegt. Die Leute kaufen bereits Tickets für den ersten Dampfer im Spätfrühling.« Er hob ab. »Ich habe mein Ticket bereits.«

»Du willst fort!« Diese Ankündigung traf sie völlig überraschend.

»Skaguay wird mir zu zivilisiert. Bald wird die Eisenbahnlinie fertig sein, und es wird gemurmelt, daß es hier elektrisches Licht geben wird. Nein, der Klondike-Boom ist vorüber. Ein geschickter Spieler geht dorthin, wo das Geld ist. Höchste Zeit, daß ich fortkomme.«

Glory ging ans Fenster. Noch immer regnete es. »Dort oben schneit es statt dessen«, murmelte sie. Dann drehte sie sich um. »Auf Gesellschaft legst du dort oben wohl keinen Wert? Mir gefällt es hier nämlich auch nicht mehr. Ein Tapetenwechsel könnte nicht schaden.«

Als er die letzte Karte ausgeteilt hatte, sah er Glory an. »Ich muß deine Rastlosigkeit wohl gespürt haben, deshalb buchte ich für zwei Personen.« Er lächelte unmerklich, woraufhin Glory laut loslachte.

44. Kapitel

NOME
JUNI 1899

Das neue Ziel aller Goldsucher lag an der Südküste der Halbinsel Seward, der nordwestlichsten Landspitze des nordamerikanischen Kontinents, der an dieser Stelle so weit in die Beringsee ragt, daß der Abstand zwischen Alaska und Sibirien auf eine ganz schmale Stelle schrumpft. Das Lager selbst lag direkt an diesem exponierten Küstenabschnitt am Eingang des Norton-Sundes.

Das Eis, das die Beringsee im Winter unpassierbar machte und das Goldgräberlager an der Mündung des Snake River von der übrigen Welt abschnitt, brach im Juni auf. Am 20. Juni ankerte das erste Schiff eine Meile vor der Küste, da kein tiefes Hafenbecken vorhanden war. Passagiere und Fracht wurden auf flachen Booten bis knapp vor das Ufer gebracht. Glory, die ihr bestes Reisekostüm trug, beäugte mißtrauisch die Wasserfläche, die es zu überqueren galt, um den Sandstrand zu erreichen.

»Weißt du, wieviel mich dieses Kostüm gekostet hat?« Sie ließ sich am Bootsrand nieder, als Deacon, der dies alles offensichtlich höchst erheiternd fand, ins seichte Wasser sprang. »Mir kommt das gar nicht komisch vor.«

»Steig auf meinen Rücken, ich trage dich an Land«, bot er ihr an.

Mit ihren langen Röcken kämpfend, die ihre Beine behinderten, schaffte sie es schließlich, auf seinen Rücken zu klettern und die Arme um seinen Hals zu schlingen. Auf festem Boden angelangt, setzte er sie ab.

Während sie ihre Röcke in Ordnung brachte, warf sie einen Blick auf diese mitleiderregende Andeutung einer Stadt, als die Nome sich darstellte. Neben einigen aus Treibholz erbauten Hütten waren durchwegs Zelte zu sehen. Die Landschaft war ähnlich trostlos, denn die sogenannten Berge, die hinter der Küste aufragten, waren nicht mehr als hohe windgepeitschte Hügel.

»Du warst wohl noch nie in einem richtigen Goldgräberlager?« fragte Deacon.

Seine Frage ließ Glory vermuten, daß ihre Miene ihre Enttäuschung verraten hatte. »Es ist kein Anblick, der das Herz erfreut.«

»Na, sehen wir uns die Sache näher an.« Er faßte nach ihrem Ellbogen.

Gewundene, ausgetrocknete Spuren führten zwischen den Zelten und Blockhütten, deren Standorte willkürlich gewählt waren, hindurch. Falls die Siedlung ein Zentrum hatte, so war es gut versteckt, stellte Glory fest. Sie hatte keine Ahnung, welcher Spur Deacon folgte, vertraute aber seinem Instinkt. Wüst aussehende, unrasierte Männer starrten sie an, als sie an den behelfsmäßigen Zelten vorübergingen. Hinter sich hörten sie das Sauggeräusch von Schritten im Schlamm und leises Gemurmel. Glory blickte sich um und sah, daß ihnen die Männer folgten.

»Alle wollen in diese Richtung. Wir müssen den richtigen Weg eingeschlagen haben«, sagte sie, die Röcke anhebend.

»Sie folgen uns, meine Liebe«, meinte Deacon trocken. »Wer weiß, wie lange sie keine weiße Frau mehr gesehen haben – und schon gar eine wie dich.« Er blieb stehen, den Blick interessiert auf ein großes Zelt gerichtet. Eine Holztafel lehnte davor. Die schmutzverschmierten Lettern waren kaum zu entziffern, doch das eingeschnitzte Zeichen, dessen gelbe Farbe verblaßt war, erinnerte an ein Zwanzig-Dollar-Stück. »Der Double Eagle. Möchte wissen . . .«, sagte Deacon vor sich hin, um sie sodann mit fester werdendem Griff zum Zelt zu führen. »Laß uns hineingehen.«

Die wenigen Gäste des Saloons verstummten, als Glory und Deacon eintraten. Die Einrichtung war so primitiv und improvisiert wie das ganze Etablissement. Fässer aller Größen und Kisten dienten als Sitzgelegenheiten, Ablageflächen und Stützen der Tische und des langen Brettes, das die Bar darstellte.

Ein grauhaariger Mann richtete sich an der Bar auf. Sein dunkler Anzug und die Brokatweste unterschieden ihn von den nachlässig und ärmlich gekleideten Männern im Saloon. Sein Blick wanderte von Glory zu Deacon und blieb an diesem haften. Er runzelte die Stirn, dann nahm er die Zigarre aus dem Mund.

»Deacon?« fragte er unschlüssig, ehe ein Lächeln seine Miene erhellte. »Verdammt will ich sein, falls du es nicht bist.« Er durchschritt das Zelt mit einer jugendlichen Behendigkeit, die seine grauen Haare Lügen strafte. »Ich hätte wissen müssen, daß nur du mit einer so reizenden Dame am Arm hier aufkreuzen würdest.«

»Wie ich sehe, karrst du dein Aushängeschild noch immer durch die Gegend, Ryan.« Deacon wechselte einen herzlichen Händedruck mit ihm.

»Das Schild ist mein Glücksbringer. Bislang hat es verhindert, daß ich pleite ging. Als letztes hörte ich von dir, daß du in Skaguay seist.« Colbys Blick aber galt bereits Glory.

»Und von dir wußte ich, daß du in Dawson warst«, erwiderte Deacon. Zu Glory gewandt sagte er: »Ich möchte dir Ryan Colby, den Eigentümer des Double Eagle Saloons, vorstellen. Vor zwei Jahren arbeitete ich in Juneau an einem seiner Farotische. Ryan, das ist Miß Glory St. Clair.«

»Miß St. Clair, Ihr Ruf eilt Ihnen voraus.« Colby vollführte lächelnd eine kleine Verbeugung. »Gestatten Sie mir die Bemerkung, daß Sie noch schöner sind, als es die Gerüchte wissen wollen.«

»Danke.« Sie lächelte.

»Das muß begossen werden – auf Kosten des Hauses, versteht sich. Kommt, gehen wir rüber zum Ofen.« Er geleitete sie in die Zeltmitte an den Kohlenofen. »He, Pete, bring uns Whiskey aus meinen Privatbeständen«, rief er dem Mann hinter der Bar zu. »Und hol von hinten einen Sessel für die Dame.«

Als der Barkeeper wiederkam, reichte Colby jedem ein Glas.

»Willkommen in Nome«, trank er ihnen zu, und Glory nahm vorsichtig einen Schluck. »Leider muß ich zugeben, daß von einer Stadt noch nicht die Rede sein kann.«

»Sagen wir mal – es ist eine ungewöhnliche Stadt«, antwortete Glory darauf.

»Abwarten ... bald wird sie in aller Munde sein. Seitdem drei Schweden am Anvil Creek Gold fanden, ist hier die Hölle los – und wird es noch lange sein. Das Bauholz für meinen neuen Saloon müßte heute mit dem Schiff gekommen sein. Deacon, ich brauche wieder einen guten Kartenteiler am Farotisch. Hundert Dollar die Woche.«

»Ryan, das nenne ich ein großzügiges Angebot. Leider muß ich ablehnen. Du mußt wissen, daß ich Miß St. Clair als Geschäftspartnerin gewinnen konnte. Wir wollen unser eigenes Etablissement eröffnen.«

»Und ich hoffte schon, ich könnte Miß St. Clair dazu bewegen, vom Double Eagle aus tätig zu werden. Wenn man bedenkt, wie viele Leute hier aufkreuzen, nur um Sie zu sehen, kann man ermessen, welchen Magnet Sie für mein Lokal gebildet hätten.« Er deutete auf die Gäste, die hereingeströmt waren, sich an der Bar drängten und in Glorys Richtung starrten. »Vermutlich kann ich euch beide zu einer Meinungsänderung nicht bewegen?«

»Nein.« Seitdem Deacon mit seinem Vorschlag gekommen war, hatte Glory der Plan gereizt, ein eigenes Unternehmen aufzumachen. Dank des großen Gewinns, den Deacon beim Poker gemacht hatte, und des Geldes, das sie sich trotz ihrer Extravaganzen hatte ersparen können, hatten sie die Mittel dazu – obwohl sie jetzt nicht mehr sicher war, ob sie Nome als Standort gewählt hätte, wenn sie geahnt hätte, wie es hier aussah.

»Unser Baumaterial wird eben an Land gebracht«, sagte Deacon. »Falls du uns einen geeigneten Bauplatz wüßtest, wären wir sehr dankbar.«

»Ihr habt die große Auswahl. Hier ist noch alles zu haben. Aber bis euer Haus steht, braucht ihr eine Bleibe. Miß St. Clair, darf ich Ihnen meine Privaträume im hinteren Teil des Zeltes anbieten?«

»Mr. Colby, wie überaus großzügig.«

»Aber gar nicht. Es wird nicht lange dauern, und unter den nach Frauen ausgehungerten Goldgräbern in den Hügeln hinter der Stadt wird es sich wie ein Lauffeuer herumsprechen, daß Glory St. Claire im Double Eagle ist. Und sie werden in Scharen kommen und ihr Gold bei mir lassen!

»Deacon und ich werden also reichlich Gelegenheit haben, für unser neues Etablissement zu werben.«

»Aber gewiß doch.« Er zollte ihrem flinken Verstand insgeheim Lob.

»Na, endlich kommt Pete mit dem Sessel. Hoffentlich ist er bequem genug.«

Als Glory sich umdrehte, fiel ihr ein stattlicher weißhaariger Mann auf, der auf sie zukam und Deacon ansprach.

»Entschuldigen Sie«, sagte der Mann, »aber ich konnte nicht umhin, Ihr Gespräch mitanzuhören und zu erfahren, daß Sie auf der Suche nach einem Baugrund sind. Gestatten Sie, daß ich mich vorstelle. Mein Name ist Gabe Blackwood, ich bin Anwalt.«

Glory reagierte, als hätte sie der Blitz getroffen. Alles in ihr erstarrte. Sie konnte sich nicht rühren, nicht atmen, nicht sprechen. War es möglich, daß dies ihr Vater war, von dem es immer geheißen hatte, er hätte die Wertsachen der Familie Tarakanow mitgehen lassen, als er in die Vereinigten Staaten ging?

Ihr Vater mußte jetzt Ende Fünfzig sein. Dieser Mann konnte so alt sein – oder älter. Übermäßiger Alkoholgenuß ließ einen Menschen früher altern, und diesem Mann war anzusehen, daß er viel trank. Aber auch ihr Vater hatte viel getrunken.

»Entschuldigen Sie«, unterbrach Glory Deacons Gespräch mit dem Mann. »Sagten Sie nicht eben, Sie hätten ein Grundstück an der Hand, Mr. . . . Blackwood, oder irre ich mich?«

»Nein, ganz recht, meine Gnädigste. Gabriel Thornton Blackwood.«

»Glory St. Clair.« Sie streckte ihm die Hand entgegen, über die er sich beugte. Glory wußte noch, daß ihre Mutter oft erzählt hatte, ihr Vater hätte galante Umgangsformen gehabt.

»Sie stammen aus Alaska, Mr. Blackwood?«

»Nein, ich bin erst kürzlich aus San Francisco gekommen, da ich einige Klienten vertrete, die hier investieren wollen.«

»Dann sind Sie zum erstenmal in Alaska?«

»Nein, ich kenne dieses Land bereits – speziell die Gegend um Juneau.«

Etwas hielt sie davon ab, ihn zu fragen, ob er je in Sitka gewesen war, obwohl sie überzeugt war, daß es sich bei diesem Mann um ihren Vater handelte. Nach all den Jahren war sie ihm zufällig begegnet.

»Wir interessieren uns für ein Grundstück, auf dem wir bauen können«, sagte sie. »Ich halte es für einen glücklichen Zufall, daß unter den ersten Menschen, denen wir hier begegnen, ein Anwalt ist. Da ich möchte, daß alles rechtmäßig vonstatten geht, könnte uns niemand gelegener kommen. Sie werden uns doch an die Hand gehen, Mr. Blackwood?«

»Es ist mir ein Vergnügen.« Seine Haltung straffte sich merklich. »Ich finde es sehr vernünftig, daß Sie sich an einem Ort wie Nome eines Rechtsbeistandes versichern. Wie in so vielen Städten, die einen plötzlichen Boom erleben, wird das

Gesetz hier oft mißachtet. Meiner Meinung nach sind die meisten Claims rings um Nome ohne rechtliche Grundlage abgesteckt worden.«

»Wieso das?«

»Weil die Schweden, die hier angeblich das Gold entdeckten und an allen goldführenden Gewässern für sich, ihre Freunde und Familien Claims absteckten, nicht amerikanische Bürger sind. Sie sind als Ausländer dazu nicht berechtigt. Das Land und seine Bodenschätze gehören den Amerikanern, wie ich den zahlreichen amerikanischen Goldsuchern hier immer wieder versichere.«

»Wie interessant«, murmelte Glory. »Sind Sie verheiratet, Mr. Blackwood?«

»Guter Gott, nein«, beeilte er sich zu antworten, von ihrer Frage einigermaßen verblüfft. Sofort aber nahm seine Miene den Ausdruck tiefen Kummers an. »Ich bin Witwer. Meine Frau ist schon lange tot. Sie war eine Schönheit und russischer Abstammung. Gott gebe ihrer Seele Frieden.« Diese Worte äußerte er ohne eine Spur von Gefühl. Glory fragte sich, ob er überhaupt wußte, daß ihre Mutter tot war. »Warum fragen Sie?« Er zog seine Brauen zusammen.

»Ach, ich wollte Ihnen vorschlagen, heute mit Mr. Cole und mir zu Abend zu essen. Ich glaube, wir könnten von Ihnen viel über die neue Stadt erfahren. Vielleicht könnten Sie uns bei der Grundstückssuche behilflich sein.«

»Sehr gern.«

»Gut. Wir treffen uns dann hier um sieben.« Sie wandte sich an Colby. »Mr. Colby hat uns liebenswürdigerweise hier Quartier angeboten.« Sie warf Deacon einen Blick zu. Obschon seine Miene nichts verriet, wußte sie, daß er ihr Verhalten Blackwood gegenüber beargwöhnte. Aber im Moment hatte sie keine Lust, ihn über ihre Beweggründe aufzuklären.

»Ich möchte mich zum Dinner umziehen. Vielleicht sollten wir wieder ans Ufer gehen und dafür sorgen, daß unser Gepäck gebracht wird.«

»Ja, das sollten wir.«

Sie sah wieder Gabe Blackwood an. »Also, dann bis sieben?«

»Ich freue mich.« Er hielt ihre Hand fest und sah sie leicht erstaunt an. »Miß St. Clair, sind wir einander schon begegnet? Mir kommt vor, als hätte ich Sie schon gesehen.«

Sie spürte eine Aufwallung von Befriedigung. »Falls Sie schon einmal in Skaguay waren, dann ist es nicht ausgeschlossen, aber ich habe Sie noch nie gesehen, Mr. Blackwood. Ich würde mich an eine Begegnung erinnern.« Sie entzog ihm ihre Hand, drehte sich um und stellte ihr Glas auf ein Faß. »Meine Herren . . .« Sie nickte beiden zu, nahm Deacons Arm und ging mit ihm zum Zeltausgang, wohl wissend, daß alle ihr nachstarrten.

Ryan nahm die Zigarre aus dem Mund. »Da läuft mein Geschäft davon. Na ja, kann man ihnen nicht verdenken. Sie ist eine Schönheit.«

»Und sie kommt mir so bekannt vor«, murmelte Gabe wie im Selbstgespräch. »Ihre Kopfhaltung . . .«

». . . wie eine Prinzessin.« Ryan entging der erschrockene Blick, den Gabe ihm zuwarf. »Tja, unter den Dirnen ist sie die Königin. Nun, eines steht fest, wenn die Huren und Glücksspieler aufkreuzen, dann ist das ein sicheres Zeichen für den Aufschwung einer Stadt.«

Er warf dem Mann, in dessen Gesellschaft er vor so vielen Jahren nach Alaska gekommen war, einen Blick zu, der von der geheimen Frage begleitet war, warum eine Frau wie Glory St. Clair sich so angetan von Blackwood zeigte und praktisch an seinen Lippen gehangen hatte.

Mit Hilfe Gabe Blackwoods schafften es Glory und Deacon in weniger als zwei Wochen, ein erstklassiges Grundstück an der Front Street, der Hauptdurchzugsstraße von Nome, zu erwerben. Mit dem Bau wurde sofort begonnen. Noch immer holte sich Glory unter den verschiedensten Vorwänden bei Gabe Blackwood Rat und beriet mit ihm ungeachtet der Proteste Deacons jede Einzelheit des Baues.

Der Sommer in Nome brachte vierundzwanzig Stunden Tageslicht, so daß rund um die Uhr gearbeitet werden konnte. Um halb zehn Uhr abends stand Glory an der Baustelle und inspizierte die Fortschritte der Zimmerleute, die sich bereits am Obergeschoß betätigten.

Sie sah zu Gabe hoch, mit dem sie Arm in Arm dastand.

»Ich bin ja so froh, daß die Arbeiter den Zeitplan einhalten.« Sie neigte sich näher zu ihm, um das laute Gehämmer zu übertönen. »Mein Partner versteht von diesen Dingen nichts, und ich muß gestehen, daß ich außer Ihnen niemanden kenne, den ich hätte bitten können.«

»Wie immer war es mir ein Vergnügen.« Er runzelte andeutungsweise die Stirn. »Wo ist Ihr Partner heute abend?«

»Im Double Eagle beim Poker.«

»Hoffen wir, daß er nicht verliert.«

»Deacon hat eine glückliche Hand und verliert selten. Natürlich ist er ein hervorragender Spieler, der nicht zu Tricks zu greifen braucht«, log Glory. »Sobald die Einheimischen merken, daß an seinen Tischen ehrlich gespielt wird, müßte unser Unternehmen florieren.«

»Ach, dann soll das also ein Spielsaloon werden. Ich war meiner Sache nicht sicher.«

»Nun, nicht so ganz. Es wird Karten und Alkohol geben, doch wir wollen das Palace als privaten Klub führen, als einen Ort, wo ein Mann sich entspannt, ein, zwei Drinks zu sich nimmt, Karten spielt oder würfelt, und wenn ihm danach zumute ist, die Gesellschaft einer schönen Frau genießt. Als Gast möchten wir nicht den einfachen Mann von der Straße. Nein, wir hoffen Gentlemen wie Sie zu unseren Gästen zu zählen.«

»Sie sind ein reizendes, intelligentes Mädchen. Sie gehören nicht in dieses Geschäft.« Seine grauen Brauen zogen sich zusammen. »Sie sollten einen anständigen vielversprechenden jungen Mann heiraten.«

»Leider war der junge Mann, dem ich begegnete, weder anständig noch vielversprechend. Aber bis ich es merkte, war ich ruiniert. Kein anständiger Mann möchte ein gefallenes Mädchen zur Frau.« Glory hatte sehr bald gemerkt, daß Männer Geschichten wie diese der Wahrheit vorzogen. »Hätte ich jemanden wie Sie kennengelernt, dann wäre ich heute nicht hier.«

»Jetzt schmeicheln Sie einem alten Mann«, neckte er sie, doch sie merkte, daß er sich etwas aufrechter hielt. Auch war ihr in letzter Zeit aufgefallen, daß er sich mit seiner äußeren

Erscheinung mehr Mühe gab – er war immer untadelig gekleidet und gepflegt. Und so alt war er noch nicht, daß die Aufmerksamkeit, die sie ihm zollte, nicht sein Interesse geweckt hätte.

»Sie sind nicht alt«, protestierte sie. »Ich sehe Sie jedenfalls nicht so. Sie sind viel zu intelligent und distinguiert, wie ... ja, wie ein Gouverneur vielleicht.« Sie lachte verhalten auf, während sie auf seine Reaktion wartete. »Man stelle sich vor, ich am Arm eines Gouverneurs.«

Seine Züge waren von Melancholie überschattet, als er sie ansah. »Glory, jeder Gouverneur wäre stolz, Sie an seiner Seite zu haben. Ich darf Sie doch Glory nennen?«

»Falls ich Sie Gabe nennen darf.«

Er lächelte. Gemeinsam gingen sie in die Richtung des Double Eagle.

»Einst war es mein Traum, Gouverneur von Alaska zu werden«, schwelgte er in Erinnerungen.

»Das wäre doch auch jetzt möglich, oder?«

»Nein, ich glaube nicht.«

»Nun, Sie sind viel zu bescheiden. Ich bin ja nicht die einzige, die sich von Ihnen beraten läßt. Auch die Goldsucher hören auf Sie. Alaska wartet auf eine Persönlichkeit wie Sie.«

»Ihr Vertrauen schmeichelt mir, aber ich fürchte, um Gouverneur zu werden, bedarf es mehr.«

»Ja, man braucht Kapital. Es ist eigentlich eine Ironie, von Geld zu sprechen, angesichts dieser Berge, die vor Gold strotzen. Und fast alles in den Händen von ein paar Ausländern. Da müßte man doch etwas dagegen unternehmen können. Warum findet sich niemand, der eine Versammlung der Goldsucher einberuft und alle Claims für null und nichtig erklärt? Dann hätte jeder eine Chance, neue Claims abzustecken. Das erschiene mir nur recht und billig, aber sicher verstehen Sie davon mehr als ich.«

»In diesem Fall käme es zu einem Massenansturm in den Bergen, und alle würden sich um dieselben Claims raufen.«

»Tja, dann müßte man eben der erste sein. Ein Jammer, daß ein Mann wie Sie nie auf eine Goldader stößt. Sie würden das Geld vernünftig verwenden, anstatt es in Spielsaloons und Freudenhäuser zu tragen.« Sie lachte auf. »Deacon sagt gern, daß jeder seines Glückes Schmied ist.«

»Da Sie von Ihrem Partner sprechen – da kommt er.« Mit einem Nicken lenkte er ihre Aufmerksamkeit auf den hochgewachsenen, schlanken Mann in dem feierlichen schwarzen Gehrock, der langsam und gemessenen Schrittes auf sie zukam. »Ich wünsche Ihnen eine gute Nacht und überlasse Sie ihm. Wie immer war die mit Ihnen verbrachte Zeit für mich das reinste Vergnügen, Glory.« Damit führte er ihre Hand an seine Lippen.

»Für mich ebenso, Gabe«, erwiderte sie und sah, wie er an die Hutkrempe tippte, als er an Deacon vorüberging.

»Jetzt warst du wieder mit ihm zusammen.« Deacon blickte Gabe nach. »Möchte wirklich wissen, was du an ihm findest. Reich ist er nicht, also kann Geld nicht der Grund sein. Er ist ein alter Schwätzer, also kann es auch nicht seine anregende Konversation sein.«

»Er interessiert mich. Aber vielleicht tut er mir leid. Schließlich ist er ein alter Mann ohne Familie.« Es war etwas, wofür sie selbst keine Erklärung hatte. Aus vielerlei Gründen haßte sie ihn. Aber sie war auch neugierig. Sie wollte wissen, wie er war, was er dachte, was er sich erträumte – und wo er zu treffen war. So wußte sie bereits, daß er leicht lenkbar war – nicht umsonst hatte sie ihm weisgemacht, daß er einen guten Gouverneur abgäbe und daß die Goldsucher ihm den nötigen finanziellen Hintergrund verschaffen konnten – und er hatte es geschluckt.

»Was ist mit deiner Pokerpartie?« fragte sie, zu Deacon aufblickend. »Haben es deine Partner schon satt, ständig zu verlieren?«

»Ja, so ähnlich.«

Nun erst fiel ihr die Eskimofrau auf, die geduldig hinter ihm stand, eine kleine, untersetzte Person, die in ihrem Parka und den dicken Mukluks, den Eskimostiefeln, noch stämmiger wirkte.

»Wer ist deine Freundin?« Glory sah Deacon mit schiefem Lächeln an.

»Ach ja, fast hätte ich es vergessen.« Er winkte der Frau, sie solle vortreten. Mit einem scheuen Lächeln kam sie der

Aufforderung nach. »Das ist dein neues Mädchen. Ich habe sie beim Pokern gewonnen.«

»Wie bitte?«

»Ja, sie gehörte zum Gewinn. Ein alter Goldgräber hatte kein Geld mehr, war aber überzeugt, ihm stünde eine Glückssträhne bevor. Also setzte er diese Eskimofrau ein und schwor, daß sie kochen, nähen und putzen kann.«

»War sie seine Frau?«

»Nein. Er behauptete, er hätte sie irgendwo aufgegabelt, damit sie für ihn im Winter kocht und näht – und ihn nachts wärmt, schätze ich, obschon er das nicht sagte. So oder so, ich habe sie gewonnen. Und du wirst ein Mädchen brauchen. Sie spricht ein wenig Englisch.«

»Das erleichtert die Sache.« Deacon hatte recht, ohne Hilfe würde sie nicht auskommen.

»Hat sie einen Namen?«

»Matty«, gab die Frau zurück, auf ihre Brust deutend. »Mich heißen Matty.«

»Und ich bin Glory St. Clair. Was meinst du – möchtest du für mich arbeiten, Matty?«

»Und wie, Miß Glory, schwer arbeiten. Gut arbeiten.«

45. Kapitel

Die weißen Seitenplanen und das Dach des Zeltes schirmten die grelle Vormittagssonne ab und erfüllten das Innere mit sanftem Licht. Glory saß auf einem mit einem Kissen belegten Faß, noch immer in ihrem weißen Leinennachthemd, dessen Ausschnitt mit Spitzen verziert war. Ihre Hände hielt sie gefaltet im Schoß, ihre Augen waren geschlossen, während Matty das taillenlange Haar mit rhythmischen Bürstenstrichen bearbeitete.

Die Einsamkeit, unter der sie in letzter Zeit oft litt, erschien ihr nicht mehr so bedrückend. Sehr sonderbar, daß sie sich, umgeben von Scharen von Männern, die ihr Gesellschaft leisten wollten, einsam fühlte. Zudem hatte sie Deacon, der sie nachts in den Armen hielt – zumindest in den

Nächten, die er nicht bei einem Pokermarathon verbrachte. Stark, ruhig und anspruchslos war Deacon stets zur Stelle, wenn sie ihn brauchte. Und nie erlaubte er sich ein Urteil über sie. Und doch blieb eine Leere, die er nicht ausfüllte.

Es war ein Schmerz, der nicht weichen wollte und den sie seit der Begegnung mit Gabe Blackwood spürte. Es war ein dem Heimweh ähnliches Gefühl, was jedoch lächerlich war, denn niemals hatte sie sich nach Sitka und nach dem Leben dort zurückgesehnt. Glory stieß einen matten Seufzer aus.

Matty hielt inne. »Ich ziehe Haar. Missy weh getan.«

»Nein, Matty, du hast es ganz richtig gemacht.« Tatsächlich hatte sich die Eskimofrau als größere Hilfe entpuppt, als Glory es anfangs für möglich gehalten hätte. Matty war intelligent und von rascher Auffassungsgabe. Glory mußte ihr immer nur einmal zeigen, wie etwas gemacht wurde. Dazu war Matty umgänglich und ständig zu einem Lächeln bereit.

Von ihrer Mutter abgesehen, hatte Glory zu keiner anderen Frau eine enge Beziehung gehabt. Für ihre allzu strenge Tante hatte sie niemals viel Zuneigung empfunden. Deacon war der einzige Mensch, dem sie Vertrauen und Achtung entgegenbrachte. Er war ihr Geschäftspartner und ihr Partner im Bett, doch darüber hinaus verband sie wenig. Mit Justin Sinclair hingegen hatte sie sehr viel gemeinsam gehabt – ihre Träume und Sehnsüchte, ihre Enttäuschungen und Abneigungen.

Glory versuchte sich von dieser in Selbstmitleid schwelgenden Stimmung zu befreien und schlug die Augen auf. Neben ihrem eigenen Spiegelbild sah sie das der Eskimofrau – das abgeflachte Profil, die vorwitzige kleine Nase, die runden Wangen.

Es gab so wenig, was sie von Matty wußte. Sie war fünfundzwanzig und hatte Mann und Sohn verloren. Beide waren an einer der von den Weißen eingeschleppten Seuchen gestorben, die unter den Eskimos gewütet hatten. In den letzten Jahren hatte Matty mit diesem oder jenem Weißen zusammengelebt, meist mit Goldsuchern, die am Yukon und seinen Nebenflüssen gearbeitet hatten. Glory konnte sich gut vorstellen, daß auch Matty unter Einsamkeit litt.

»Hast du Angehörige, Matty? Eltern oder Geschwister?«

»Nein, niemand. Meiner Mutter Leute in einem Dorf weit weg. Ich nie gesehen.«

»Und die Familie deines Vaters?«

»Er weißer Mann. Walfänger, ein Kapitän«, äußerte sie voller Stolz. »Ein alter Mann, aber gut zu Mutter.«

»Hast du ihn je zu Gesicht bekommen?« fragte Glory.

»Er nie zurückgekommen. Ich nach ihm genannt.«

»Und wie hieß er?«

»Captain Stone.«

»Stone!« Glory drehte sich um und starrte die Frau ungläubig an. »Doch nicht Caleb Stone?« Nein, unmöglich. Caleb Stone mußte schon lange tot sein. Doch der Name löste Erinnerungen an zahllose Geschichten aus, die ihre Tante ihr über die Familie erzählt hatte. Ohne zu überlegen, erzählte sie, was ihr im Zusammenhang mit Caleb Stone einfiel. »Taschas Enkelin Larissa ehelichte einen Yankeekapitän namens Caleb Stone und segelte mit ihm davon. Die Familie hat sie nie wieder gesehen. Später erfuhr man, daß sie gestorben war. Warte einen Moment.« Sie faßte aufgeregt nach Mattys Arm. »Sie hatte einen Sohn. Er war es, der zurückkam und der Familie alles berichtete. Er war Walfänger und hieß ... Matthew Edmund Stone.«

»Ich auch Matthew. Wie er.«

»Matthew ... Matty. Meine Güte, ist dir klar, was das bedeutet?« Glory lachte laut auf und faßte nach der Hand, welche die Bürste hielt. »Du und ich, wir sind verwandt, Matty. Wir sind Kusinen ... dritten oder vierten Grades, aber ... ist das nicht unfaßbar? Ich kann es kaum glauben.«

»Sie sind Kusine von mir?« wiederholte Matty ratlos.

»Ja.« Glory nickte. »Wir sind eine Familie. Dein Vater war der Vetter meines Urgroßvaters – so irgendwie. Ich weiß nur, daß du Taschas Urururenkelin bist und ich ihre Ururururenkelin.« Wieder lachte sie, entzückt über ihre Entdekkung.

Daß Matty zur Hälfte Eskimo war, störte sie nicht. Diese Großzügigkeit verdankte sie vermutlich ihrer Tante, die dafür gesorgt hatte, daß sie sich ihrer Blutmischung nie geschämt hatte.

»Dein Vater war kein Weißer«, sagte sie zu Matty. »Er war

teils Amerikaner, teils Russe, teils Aleute. Ich bin dies alles auch und noch ein Teil Tlingit dazu.« Sie schüttelte den Kopf, da sie es noch immer nicht fassen konnte. »Matty, wie bin ich froh, daß Deacon dich damals bei dem Pokerspiel gewonnen hat. Andernfalls wären wir einander nie begegnet.«

»Ich auch froh«, erwiderte Matty ernst. »Hab' jetzt Arbeit. Und hab' Familie.«

»Ja.« Obwohl sie dieselben Worte benutzt hatte, war Glory gerührt, sie jetzt aus Mattys Mund zu hören. Tränen stiegen ihr in die Augen. »Wir beide haben jetzt Familie.«

Da wurde die Zeltklappe angehoben, und Deacon trat gebückt ein. Trotz der Pokerpartie, die die ganze Nacht in Anspruch genommen hatte, wirkte er frisch. »Ich traf zufällig einen Freund von dir.«

»Wen denn?« Sie merkte, daß Matty mit dem Bürsten fortfuhr.

»Deinen Mr. Blackwood. Er möchte dich sehen und wartet draußen.«

Sie hatte Blackwood seit der verunglückten Goldgräberversammlung vor fast zwei Wochen nicht mehr gesehen. »Sag ihm . . .«, setzte sie steif an und sah dann von der Ablehnung ab, die sie hatte aussprechen wollen, ». . . er soll hereinkommen. Matty, meinen Morgenmantel. Und eine Schleife für mein Haar.«

Als Deacon durch die Öffnung in den anschließenden Raum verschwand, trat Gabe Blackwood ein und nahm den Hut ab.

»Guten Morgen. Hoffentlich störe ich nicht.«

Glory wandte sich ihm zu. »Ihre Abwesenheit hat mich viel mehr gestört. Seit unserem letzten Beisammensein ist so viel Zeit verstrichen, daß ich mich schon fragte, ob Sie es ernst meinten, als Sie sagten, Sie genössen meine Gesellschaft.«

»Ich dachte, Sie wären meiner überdrüssig.«

»Das ist nicht der Fall.« Mit ihrem charmantesten Lächeln deutete sie auf den Ledersessel neben einem ihrer Reisekoffer. »Bitte, setzen Sie sich.« Er zögerte und warf einen kurzen Blick zu Matty hin. Dabei huschte Abneigung über seine Gesichtszüge. Glory, die merkte, daß er Mattys Anwesenheit mißbilligte, sagte: »Matty, geh und sieh nach, ob Mr. Colby fertigen Kaffee hat. Bring uns zwei Tassen.«

Gabe sah ihr nach, als sie hinausging, ehe er sich auf dem Sessel niederließ. »Mir gefällt nicht, daß Sie ständig diese Indianerin um sich haben. Man darf denen nicht über den Weg trauen. Sie lügen und betrügen und bestehlen einen, wenn man ihnen nicht ständig auf die Finger schaut.«

»Matty ist eine Eskimo und keine Indianerin.« Glory betonte diesen Unterschied, auf den die Eskimos großen Wert legten.

»Das kommt aufs gleiche heraus.« Daß sie Matty verteidigte, schien ihm nicht zu behagen.

»Nicht für einen Eskimo.« Da sie sein Vorurteil kannte, tat sie, als wolle sie ihn necken, und fragte lächelnd: »Und wenn ich Ihnen nun sagte, daß Matty keine reinrassige Eskimo ist? Ihr Vater war ein Yankee, ein Walfänger.« Es reizte sie, ihm zu sagen, daß sie und Matty verwandt waren, doch schreckte sie davor zurück, ihm ihre wahre Identität zu enthüllen.

»Halbblut oder Indianerin, das ist doch alles eins. Die Wilden sind ein nichtsnutziges Pack, alle miteinander, die man in ein Reservat verbannen sollte.«

Glory bedachte ihn mit einem erstaunten Blick. »Ich hätte nie gedacht, daß Sie solche Ansichten vertreten.«

»Man kann keinem von denen trauen. Wenn wir sie alle loswerden könnten, dann hätten wir hier keinen Bedarf mehr für die Soldaten. Das Militär war von Anfang an Alaskas Ruin.«

»Ich hörte von der Versammlung der Goldgräber.« Glory setzte sich auf einen Koffer neben seinem Sessel.

»Dann wissen Sie auch, daß man uns mit Gewalt zwang, die Versammlung aufzulösen.« Seine Empörung über diesen Zwischenfall war offensichtlich. Dabei ließ er unerwähnt, daß der eigentliche Zweck der Versammlung die Ungültigkeitserklärung aller Rechte an den Claims des Bezirkes war, damit man für eine neue Einteilung freie Hand hatte. Auch verschwieg er ihr, daß auf seine und die Veranlassung seiner Freunde ein paar Getreue oben auf dem Anvil Mountain kampierten und auf ein, den erfolgreichen Abschluß signalisierendes Feuerzeichen hin die besten Claims abstecken sollten. Aber Glory wußte ohnehin von diesem Plan und hatte es sich zur Aufgabe gemacht, alles in Erfahrung zu bringen, womit Gabe Blackwood zu tun hatte.

»Ich weiß von der Anordnung der Armee, daß kein Mensch Pistolen oder Revolver bei sich tragen darf«, bemerkte sie nun.

»Das ist eine Anordnung, die sich unmöglich durchsetzen läßt. Gescheiterte Goldgräber aus dem Klondikegebiet treffen zu Hunderten in Nome ein. Niemand, und schon gar nicht eine Handvoll Soldaten, wird diesen ausgefuchsten Goldsuchern ihre Waffen abnehmen können. Glauben Sie mir, nachdem diese Männer es am Klondike zu nichts gebracht haben, kommen sie nicht eben frohgemut hier an, und dann müssen sie feststellen, daß sämtliche lohnenden Claims schon von irgendwelchen Außenseitern abgesteckt wurden. Natürlich haben sie das Gefühl, es sei ihr gutes Recht, diese Claims in Besitz zu nehmen. Das kann man ihnen nicht mal verübeln.«

»Sie haben in letzter Zeit etliche Streitigkeiten zwischen Besitzern geschlichtet, ehe es zu Blutvergießen kam. Zumindest habe ich es so gehört.«Sie hatte auch gehört, daß die Eigentumsverhältnisse an den Claims mitunter durch Erpressung beigelegt wurden.

»Haben Sie deswegen Ihre Besuche bei mir eingestellt?« fragte Gabe Blackwood.

»Da so viele wichtige Angelegenheiten Ihre Zeit beanspruchen, wäre es nicht recht, wenn ich Ihnen meine Gesellschaft aufzwinge.« Sie hielt den Blick auf ihre züchtig gefalteten Hände gerichtet.

»Meine Liebe, von Aufzwingen kann keine Rede sein.« Der Sessel ächzte, als er im Vorneigen sein Gewicht verlagerte. »Ihre Besuche stellten für mich immer den Höhepunkt des Tages dar. Ich freue mich auf Ihr Kommen.«

»Sie wissen gar nicht, was es mir bedeutet, Sie dies sagen zu hören. Ich wünsche mir so sehr, daß Sie mich mögen.« Das Beben in ihrer Stimme war echt. So sehr sie ihn haßte, weil er ihre Mutter so elend behandelt hatte und sie samt ihrem ungeborenen Kind im Stich gelassen hatte, so wünschte sie sich doch, daß er sie liebgewann. Sie wollte wissen, ob er imstande war, etwas für sie zu empfinden. Zugleich wünschte sie, ihn am Boden und vernichtet zu sehen. Eine verrückte Sache. Sie wußte, daß es in ihrer Macht stand – wenn sie es darauf anlegte.

»Ich mag Sie, Glory, sehr sogar.« Er umfaßte ihre Hände, als wolle er der Aufrichtigkeit seiner Worte besonderen Nachdruck verleihen. »Seit unserer ersten Begegnung fühlte ich mich zu Ihnen hingezogen. Sie bedeuten mir viel, ehrlich.«

Mit gespielter Rührung entzog sie ihm ihre Hände, stand auf und kehrte ihm den Rücken zu. Das Ächzen seines Sessels sagte ihr, daß er ebenfalls aufgestanden war. »In der Stadt redet man über uns. Das wissen Sie doch sicher, oder?« Sie hielt inne, wohl wissend, daß er dicht hinter ihr stand. »Man sagt, wir hätten eine Affäre miteinander.«

»Was für ein Unsinn! Über einen Handkuß bin ich nie hinausgegangen!«

»Ich weiß.« Sie drehte sich um. »Aber bedenken Sie, wer ich bin. Wenn Sie eine stadtbekannte Kurtisane tagtäglich in Gesellschaft desselben Mannes sähen, würden Sie dann auch glauben, ihre Beziehung sei platonisch? Vermutlich nicht. Und das glauben auch die Leute nicht von uns.«

»Sie dürfen nicht auf diese Schandmäuler hören.« Sanft umfaßte er ihre Schultern.

»So begreifen Sie doch, es geht nicht um mich. Sie sind es, um den ich mir Sorgen mache. Der künftige Gouverneur von Alaska sollte sich nicht mit der berühmt-berüchtigten Glory St. Clair sehen lassen. Als mir der Klatsch zu Ohren kam, wußte ich, daß ich Sie nicht mehr besuchen konnte.«

»Wenn ich etwas auf das Gerede der Leute gäbe, dann wäre ich jetzt nicht hier. Ein halbes Dutzend Menschen sah mich eintreten.«

Aus dem angrenzenden Saloon hörte man erregte Stimmen. Glory war aber an lautes Stimmengewirr zu sehr gewöhnt, als daß sie darauf geachtet hätte.

»Möchte wissen, um was es dort drüben geht«, sagte Gabe nervös.

»Ach, vielleicht hat jemand am Farotisch gewonnen.«

Glory sagte es achselzuckend. In diesem Augenblick trat Matty mit zwei Tassen Kaffee ein. »Matty, warum diese Aufregung nebenan?«

»Mann kam. Sagt, daß Gold im Sand gefunden.« Sie stellte die Tassen aus Blech auf eine Kiste, die als Tisch diente.

»Gold? Am Strand? Und die Leute glauben ihm?« Glory registrierte sofort, daß die Stimmen verstummt waren.

»Alle sind hinaus, nachsehen«, antwortete Matty.

Neugierig trat Glory an die Öffnung und hob die Klappe ein wenig, um in den Saloon zu sehen. Er war leer. Durch die hochgeschobene Klappe sah sie Menschen vorübereilen. Alle liefen zum Strand.

Sie warf Gabe einen Blick zu. »Halten Sie das für möglich?«

»Gold in geringen Mengen wurde im Sand an anderen Stellen entlang der Seward-Halbinsel gefunden«, meinte er. »Die Goldsucher sehen dies als Hinweis auf das Vorhandensein von Goldadern landeinwärts an.«

Glory starrte zu den am Zelt vorübereilenden Menschen hinaus. »Wir wollen sehen, was es damit auf sich hat.«

Sie nahm ein Umschlagtuch von einem Kleiderstapel auf einer Kiste. »Kommen Sie mit?«

Seine mißbilligende Miene, die ihrem halbbekleideten Zustand galt, ließ sie unbeachtet. Draußen auf der Straße wurden sie sofort von dem zum Strand flutenden Menschenstrom erfaßt.

Der Uferstreifen vor der Stadt war übersät mit den kleinen Zelten der in letzter Zeit vom Klondike herübergewechselten verzweifelten Goldsucher. Deren Lager war jetzt von Leuten aus der Stadt überschwemmt, die mit Feuereifer im Sand gruben, als Glory dort ankam. Sie lief schneller und suchte sich eine weniger bevölkerte Stelle aus, um dem Gedränge und Geschiebe zu entgehen.

Sie sah, wie ein bärtiger alter Goldgräber, ein Sourdough, wie diese Typen in Alaska genannt werden, Sand in seine Pfanne häufte und damit ans Wasser ging. Als er sich bückte, um den Sand in der Metallpfanne herauszuspülen, lief Glory ihm nach, um zu sehen, was dabei herauskäme. Sie bezog hinter ihm Aufstellung und sah ihm über die Schulter, während er geduldig das Wasser hin und her schwenkte, die leichteren Sandkörner mit dem Wasser über den Rand rinnen ließ, bis allmählich der Sand in der Pfanne weniger wurde und das schwerere Gold – falls vorhanden – sich am Grund absetzte. Ein mühseliger Vorgang.

Glory hielt es vor Nervosität nicht aus. »Nun, ist Gold im Sand?« fragte sie voller Ungeduld.

Der Goldwäscher konnte sich eine Antwort sparen, denn man sah am Grunde der Pfanne Goldstaub schimmern – nicht viel, nur soviel etwa, wie unter einem Fingernagel Platz hat. Doch wenn diese Menge in einem beliebigen Häufchen Sand enthalten war, wieviel mochte es dann hier insgesamt geben? Sie raffte den Rock ihres Nachtgewandes und ihr Umschlagtuch hoch und lief zurück zu Matty.

»Hier gibt es Gold«, stieß sie hervor, Mattys Arm mit beiden Händen umklammernd. »Matty, wir werden reich. Das Gold gehört uns. Endlich werden die Tarakanows reich sein!«

»Miß Glory, alles in Ordnung?« Matty sah sie voller Besorgnis an.

»Ja.« Glory lachte übermütig auf. »Du bleibst hier. Ich beeile mich und komme rasch wieder.«

Die Nachricht von den Goldvorkommen am Strand hatte sich wie ein Lauffeuer verbreitet. Glory mußte gegen einen Strom von Goldsuchern, Händlern, Barkeepern und Spielern, die sich dem allgemeinen Gedränge anschlossen, ankämpfen. Obwohl sie eifrig nach Deacon Ausschau hielt, konnte sie ihn nirgends entdecken. Wohin Gabe Blackwood inzwischen verschwunden war, kümmerte sie nicht. In aller Eile erstand sie eine Schaufel, einen rostigen Eimer, etwas Quecksilber und einen einfachen Schwingtrog. Da sie niemanden hatte, der ihr half, die neuerstandene Ausrüstung an den Strand zu transportieren, mußte sie sich ganz allein damit abschleppen.

Der Nachmittag war zur Hälfte vergangen, als sie und Matty noch immer auf ihrem Claim schufteten. Die ersten Goldpartikel waren fest in ein Spitzentaschentuch eingebunden. Glory hatte bald ein System entwickelt, nach dem sie vorgingen: Sie schaufelte rubinfarbenen Sand in den einer Wiege ähnlichen Schwingtrog. Nun schüttete Matty einen Eimer voll Meerwasser über den Sand, worauf Glory die ›Wiege‹ heftig schwingen ließ, während Matty die Rückstände entfernte.

Das Prinzip des Schwingtroges war einfach: Das Wasser schwemmte den leichteren Sand durch den Gießer hinaus, das schwerere Gold hingegen fing sich in den Bodenrillen, während die feineren Goldpartikel von der quecksilberbeschichteten Kupferplatte am Boden festgehalten wurden.

Trotz der kühlen Brise vom Meer her war Glory in Schweiß gebadet. Während Matty in die Brandung watete, um den Eimer zu füllen, lehnte Glory die Schaufel an den Trog und richtete sich auf. Ihr Rücken schmerzte, ihre Muskeln waren steif. Sie merkte erst jetzt, daß eine Blase auf ihrer Handfläche aufgeplatzt war. Ohne lange zu zögern, riß sie einen Streifen vom Saum ihres Nachthemdes ab und wikkelte ihn um die Hand.

»Ich hätte Handschuhe mitnehmen sollen«, meinte sie zu Matty, die einen vollen Eimer herbeischleppte. Der Anblick des Wassers brachte ihr zu Bewußtsein, wie ausgetrocknet ihr Mund war. »Ich hätte auch daran denken können, einen Wasservorrat mitzunehmen.«

»Missy möchte, daß ich Wasser hole?«

»Nein, jetzt ist keine Zeit dazu. Ausruhen können wir uns später.«

Auf dem gesamten Küstenabschnitt vor der Stadt schufteten Männer und gruben auf der Suche nach Gold den Sand um. Dabei bedienten sie sich aller nur denkbaren Werkzeuge.

Als die Sonne am dunstigen Horizont sank, fiel Glory neben dem Trog auf die Knie. Ihre Armmuskeln zitterten vor Anstrengung.

»Ich muß kurz ausruhen«, sagte sie zu Matty, die keine Müdigkeit zu kennen schien. »Matty, lauf in die Stadt und hole Essen, Wasser und ein paar Decken. Wir wollen hier draußen schlafen.« Sie wollte verhindern, daß jemand in der Nacht ihre Ausrüstung klaute.

Nachdem Matty losgegangen war, ließ Glory sich gegen

den Schwemmtrog fallen und gönnte sich eine Atempause. Die Wange an das Holz des Troges gedrückt, starrte sie das auf dem Boden zurückgebliebene Gold an. Es glitzerte und schimmerte, ja, fast hatte sie den Eindruck, es zwinkere ihr zu. Davon hatte sie seit ihrer Kindheit geträumt.

Sie faßte in ihre Tasche und holte das Spitzentaschentuch hervor, in dem sie ihr Gold aufbewahrte, legte es auf den Boden des Troges und knüpfte es auf. Mit ruhiger Hand tat sie die auf dem Boden haftengebliebenen Goldkörner zu denen in ihrem Taschentuch. Nachdem sie es wieder zusammengeknotet hatte, drückte sie das kostbare Bündel an ihre Brust. Mit Tränen in den Augen lachte und weinte sie zugleich. Sie hatte sich Gold gewünscht. Jetzt hatte sie es.

Eine Hand umklammerte ihre Schulter. Erschrocken faßte Glory nach der an dem Trog lehnenden Schaufel und holte gegen den Dieb aus, der es auf ihr Gold abgesehen hatte. »Es gehört mir!« rief sie aus.

Der Mann hielt den Holzstiel fest, ehe der Schlag ihn traf. »Glory, um Gottes willen, ich bin es!«

»Deacon . . .« Die Schaufel wog plötzlich schwer in ihrer Hand. Sie ließ zu, daß er sie ihr abnahm und beiseite stellte.

»Ich traf Matty, und sie sagte mir, wo ich dich finden könnte.« Er ging neben ihr in die Hocke und streifte sich den Sand von den Hosenbeinen. »Weißt du überhaupt, wie du aussiehst?«

Glory fing hastig an, den Sand von ihrem Umhang abzustreifen. Ihr Blick fiel auf den schmutzigen Lappen, mit dem sie ihre Hand verbunden hatte, auf die zerfetzten Spitzenmanschetten, die unter den Samtärmeln ihres Morgenmantels hervorsahen. Das offene Haar fiel ihr wirr und von Sand verklebt auf Rücken und Schultern.

»Ich sehe katastrophal aus«, gestand sie.

»Ja, katastrophal«, wiederholte er spöttisch. Sie zuckte zusammen, als durch seinen festen Griff eine Blase auf der Hand aufging. Trotzig hielt sie ihm das verknotete Taschentuch entgegen.

»Wieviel hast du da drinnen?« Er nahm es ihr aus der Hand.

Sie unternahm nicht den Versuch, es ihm wieder abzunehmen, und sah statt dessen beklommen zu, wie er es auf der Handfläche wog.

»Fünfzig Dollar, vielleicht auch weniger.« Er warf es ihr in den Schoß. »Ist das alles?«

»Bis jetzt.« Ihr Goldfund war ein Grund zum Feiern, und Deacon zog alles ins Lächerliche.

»Wie lange hast du dazu gebraucht?«

»Seit Mittag.«

»Dann hast du dich über zehn Stunden für fünfzig Dollar abgerackert.« Er schüttelte mißbilligend den Kopf. »Glory, du kannst in einer einzigen Nacht im Bett mehr verdienen.«

Es war ihr unerträglich, ihn anzusehen. Deacon, der sie nie grob behandelt hatte, packte plötzlich ihren Arm, riß sie hoch und zerrte sie herum, daß sie zum bevölkerten Strand hinsehen mußte.

»Wenn du Gold möchtest, Glory, dort ist es . . . in den Taschen der Idioten, die draußen im Sand buddeln wie die Verrückten! Und weißt du, was sie mit ihrem Gold anfangen werden? Sie werden es ausgeben. Sie werden es für die tollste Zeit ihres Lebens aufwenden – sie werden es versaufen, verspielen, verhuren. Wenn die alle in die Stadt zum Feiern kommen, werde ich das Palace eröffnen. Ich werde dafür sorgen, daß sie ihr Gold verjubeln können. Das bedeutet natürlich jede Menge Arbeit. Wirst du mir dabei helfen?«

Das Gold in ihrer Hand, die Erfüllung aller ihrer Träume, wog schwer. »Deacon, das verstehst du nicht«, sagte sie in einem Ton, aus dem Beharrlichkeit sprach. »Es ist mein Gold.«

Abrupt ließ er sie los und ging. Glory sah es mit Tränen der Enttäuschung. Den Blick auf das Spitzentaschentuch in ihrer Hand gerichtet, umschlossen es ihre Finger noch fester.

46. Kapitel

Nach ein paar Stunden unruhigen Schlafes, die sie in eine Decke gehüllt auf dem Sand liegend verbrachte, erwachte Glory so steif und ungelenk, daß jede Bewegung eine Tortur bedeutete. Doch das Gold wartete. Den ganzen Strandabschnitt entlang herrschte emsige Aktivität. Es gab Männer, die sogar im Zwielicht der Mitternacht weiterarbeiteten. Glory weckte Matty, als ihr der Duft von Kaffee und gebratenem Speck in die Nase stieg. Sie selbst mußten sich mit abgestandenem Wasser und einem Stück Brot begnügen, das vom Abend zuvor übriggeblieben war.

Kaum hatte sie den letzten Bissen Brot mit Wasser hinuntergespült, als Glory auch schon wieder zu arbeiten anfing. Doch jedesmal, wenn sie die Schaufel hob oder den Trog in Bewegung setzte, protestierten ihre Muskeln so heftig, daß sie glaubte, sie könnte keine Bewegung mehr tun. Das ging eine Zeitlang, bis sie sich vor Erschöpfung kaum mehr auf den Beinen halten konnte. Am liebsten wäre sie auf dem Sand zusammengebrochen und hätte geheult. Matty, die ebenso lang und so schwer gearbeitet hatte, klagte nicht. Schuldbewußt raffte Glory sich daher wieder auf und wehrte ab, als Matty ihr unter die Arme greifen wollte.

»Laß das. Wir wollen jetzt das Gold herausnehmen, das wir bis jetzt ausgewaschen haben«, sagte sie und schleppte sich mit bleiernen Beinen zum Trog.

Am Tag zuvor hatte sie nach jeder Schaufel Sand, die durchgewaschen worden war, das Gold aus den Rillen gekratzt. Heute hatte sie es so wie die anderen Goldwäscher gemacht und gewartet, bis sich mehr angesammelt hatte. Der Strandsand enthielt keine ganzen Nuggets, nur feinen Goldstaub. Sie kratzte ihn säuberlich aus den Holzrillen und gab ihn in ihr Taschentuch.

In ihrem Blick, mit dem sie das kleine gelbe Häufchen anstarrte, lag Verachtung. »Es hat keinen Zweck. Diese Plackerei hat uns nicht mehr als achtzig Dollar eingebracht. Deacon hat recht, Matty.« Sie blickte den Strandstreifen entlang, auf dem dichtgedrängt Männer Sand schaufelten und Gold aus dem Sand wuschen. »Das Gold von Nome befindet sich in den Taschen dieser Männer.« Sie stand auf und hielt die Hände als Trichter vor den Mund: »He, wer möchte einen Trog und eine Schaufel kaufen? Meine sind zu haben!«

Köpfe wandten sich ihr zu. Bald war sie von einem Dutzend Möchtegerngoldwäschern umringt. Glory versteigerte alles – und bekam doppelt soviel, als sie ursprünglich bezahlt hatte . . . in Goldstaub.

Als die Käufer sich mit ihren Neuerwerbungen entfernten, hakte Glory sich bei Matty unter. »Gehen wir ins Palace. Deacon müßte schon dort sein. Außerdem möchte ich baden und etwas Warmes essen.«

»He, einen Augenblick!« Ein Mann mit struppigem Bart kam auf sie zugelaufen.

»Tut mir leid, Mister. Sie kommen zu spät. Ich habe alles verkauft.« Glory hielt im Gehen nicht inne.

»Marischa, warte!«

Sie stutzte. Kein Mensch kannte ihren richtigen Namen bis auf . . . Sie drehte sich um und musterte den ungepflegten Goldwäscher. Ein schmuddeliger und ausgebleichter Filzhut bedeckte das Haar, das lang und gelockt auf den Kragen seines karierten Hemdes und der verdreckten Jacke fiel. Hosenträger hielten die ausgebeulte, an den Knien notdürftig geflickte Hose. Ein Vollbart verbarg sein Gesicht, so daß sich sein Alter schwer schätzen ließ, doch seine Augen kamen ihr irgendwie bekannt vor.

»Ja, du bist es«, erklärte er jetzt. »Ich wußte ja, daß es in Alaska keine zwei Frauen mit solchem Haar gibt.«

»Justin . . .?« sagte sie mit fragendem Unterton. Nur Augen und Stimme waren zu erkennen.

Er strich sich über seinen dicken Bart, als käme ihm sein verändertes Aussehen erst jetzt zu Bewußtsein. »Ja, ich sehe wie ein richtiger alter Goldgräber aus. Wenn man ein paar Winter im Landesinnern hinter sich hat, ist das unvermeidlich.«

Glory wandte den Blick nicht ab. Sie war sich der Ironie dieser Begegnung sehr wohl bewußt. Immer hatte sie sich gefragt, ob Justin sie wohl erkennen würde. Doch wie sie jetzt aussah – in verschmutzten, formlosen Sachen, mit zerrauftem Haar und ungeschminkt –, glich sie vermutlich der seinerzeit unscheinbaren Marischa Blackwood. So hatte sie sich eine Begegnung wirklich nicht vorgestellt.

»Ich kann nicht glauben, daß du hier bist.« Justin schüttelte erstaunt den Kopf. »Ich bin selbst erst vor ein paar Tagen angekommen. Hast du meinen Brief bekommen?«

»Brief? Nein, ich ... ich habe nichts bekommen ... nur deine Nachricht, als du zum Klondike gingst.«

Sein Blick irrte kurz ab. »Ich konnte dich nicht mitnehmen. Und der erste Winter war sehr hart. Für eine Frau war dort kein Platz. Ich befürchtete, du würdest auf eigene Faust kommen, anstatt in Skaguay zu bleiben.«

»Und ich dachte, du hättest mich ganz vergessen.«

»Nein.« Bart und Schnurrbart teilten sich und zeigten in einem Lächeln weiße Zähne. »Wie du siehst, ist mir der große Treffer nicht geglückt. Als ich hörte, daß es hier oben Gold gäbe, schrieb ich dir, daß ich in Nome mein Glück versuchen wollte. Klar, daß du den Brief nie bekommen hast.«

»Nein.« Sie würde ihn auch nicht bekommen haben, wenn sie in Skaguay geblieben wäre, da er ihn an eine nicht mehr existierende Person gerichtet hatte.

»He, Glory! Du rackerst hier auf diesem Stückchen Sand?« rief ihr ein grauhaariger Goldwäscher zu, der mit seinen Partnern auf dem von Glory abgesteckten Stückchen Strand stand.

»Nein, du kannst es haben«, rief sie zurück. Justins erstaunte Miene entging ihr nicht.

»Wie hat der Kerl dich genannt?«

»Glory. So heiße ich jetzt. Ich nenne mich Glory St. Clair. Den Familiennamen lieh ich mir von dir. Das erschien mir gerechtfertigt, da du Sachen mitgehen ließest, die mir gehörten.« Sie beobachtete, wie Fassungslosigkeit sich in seiner Miene breitmachte.

»Du bist Glory St. Clair?« Sein Blick erfaßte das wirre Haar, ihre schmutzigen, zerrissenen Sachen und die verbundenen Hände.

Sie mußte unwillkürlich lächeln. »In einigen Stunden werde ich es sein – nachdem ich gebadet und mich umgezogen habe.« Plötzlich wollte sie das Gespräch nicht mehr fortsetzen, nicht, solange sie so aussah. »Warum treffen wir uns nicht heute abend?«

»Aber gern.« Er war noch zu erstaunt, um alles richtig zu erfassen. »Wo finde ich dich?«

»Das weiß die ganze Stadt. Man wird dir sagen, wo ich bin.« Sie hatte es plötzlich eilig fortzukommen. »Komm, Matty, laß uns gehen.«

»Er ein Freund?« fragte Matty, als sie durch den Sand auf die Stadt zu stapften.

»Ja. Justin kenne ich schon sehr lange. Oder zumindest kommt es mir so vor.« Sie hätte zu gern gewußt, was in dem Brief gestanden hatte, den er erwähnte.

Erst beim Palace blieben sie stehen. Von außen wirkte der Bau bereits fertig. Sogar der Name stand in verschnörkelten goldenen Lettern da. Im Inneren aber fehlte noch sehr viel. Die Wände waren roh verputzt, Spiegel, Bilder und Wandleuchter waren noch nicht aufgehängt. Nur die kürzlich eingetroffenen Spieltische und Stühle standen schon im Spielzimmer und im sogenannten Saloon bereit.

Handwerker waren nirgends zu sehen, das ganze Haus war still. Glory glaubte schon, auch Deacon wäre nicht da. Da hörte sie an der reichverzierten Bar, die sie aus San Francisco hatten kommen lassen, ein Glas klirren.

»Deacon?« rief sie zögernd.

Er richtete sich hinter der Theke auf, ohne Jacke, die Hemdsärmel hochgerollt. Seine Finger umschlangen die Henkel dreier Bierkrüge. Er sah sie ohne die Spur eines Lächelns an. Glory hielt inne, voller Zweifel, ob sie willkommen war.

»Wie ich sehe, bist du endlich vernünftig geworden«, bemerkte er trocken und stellte die Krüge auf das verspiegelte Regal hinter der Bar. »Du kommst gerade recht, um mir beim Auspacken zu helfen. Ich kann Hilfe gut gebrauchen. Auch Mattys Hilfe.«

»Jetzt kann ich nicht. Und Matty auch nicht. Ich brauche sie«, entgegnete Glory ganz rasch. »Ich war nicht sicher, ob du mich noch als Partnerin haben möchtest.«

»Dein Geld steckt genauso in dieser Bude drin.«

»Ehe du dich festlegst, solltest du etwas wissen. Am

Strand stieß ich zufällig auf einen alten Freund. Wir treffen uns heute abend . . . Ich brauche Matty, damit sie mir beim Baden und Umziehen hilft. Ich möchte einigermaßen aussehen.«

»Und deswegen kannst du mir nicht helfen, die Eröffnung vorzubereiten«, mutmaßte Deacon ganz richtig.

»So ist es.« Sie wollte Deacons Freundschaft nicht verlieren. Ebensowenig wollte sie ihn anlügen. Auch wenn sie nicht wußte, wie der Abend mit Justin enden würde, Deacon sollte wissen, daß Justin für sie etwas Besonderes war, und sie zog es vor, dies von Anfang an klarzustellen.

Er zögerte nur kurz. »Glory, ich stelle keine privaten Ansprüche an dich.« Diese Feststellung war von einem Achselzucken begleitet. Der Gleichmut, mit dem er es nahm, setzte Glory nicht wenig in Erstaunen. »Wenn Matty dann Zeit hat, soll sie meine Sachen in eines der oberen Zimmer schaffen.«

Sie spürte einen Stich der Enttäuschung, weil er sie so leichten Herzens einem anderen überließ.

»Ja, das wird sie.« Sie war unschlüssig. »Deacon . . .«

Er ließ sie nicht weitersprechen. »Du bist mir keine Erklärung schuldig. Geh und triff dich mit deinem Freund oder was immer du mit ihm vorhast. Je eher das vorbei ist, desto rascher kannst du zurück sein und mir helfen. Ich möchte das Haus morgen eröffnen.«

»Ja, natürlich.« Es gab nichts mehr zu sagen, obwohl Glory wünschte, es hätte etwas gegeben, das ihr die Sache erleichterte. Bemüht, ihr Schuldbewußtsein abzuschütteln, wandte sie sich um und ging hinaus.

In ihrer Unterkunft im Double Eagle schaffte Glory es, eine Badewanne zu ergattern. Matty schleppte Wasser heran und machte es über einem Feuer hinter dem Saloon heiß. Kaum war die Wanne voll, entledigte Glory sich ihrer Sachen und wies Matty an, sie zu verbrennen. Dann seifte sie sich ab und schrubbte ihre Haut, bis sie prickelte.

Anschließend rieb Matty sie mit duftenden Essenzen ein und bürstete ihr Haar trocken. Sie half ihr beim Anziehen, schnürte ihr Korsett besonders fest und hakte das rote Satinkleid mit dem skandalösen Ausschnitt zu, das Glory sich für den Tag der Eröffnung des Palace aufgespart hatte. Trotz aller Cremes und Salben blieben ihre Hände unansehnlich, so daß sie ein Paar ellenbogenlange Handschuhe überstreifte. Ein Hauch Puder deckte die Röte ihres von Sonne und Wind verbrannten Gesichtes ab.

Als sie fertig war, ließ sie Matty Deacons Sachen einsammeln und ins Palace schaffen. Nun setzte sie sich hin und wartete auf Justin. Als sie nach der Whiskeyflasche griff, um eines der zwei Gläser auf dem Tablett zu füllen, hörte sie hinter sich ein Räuspern. Sie drehte sich um. Justin hatte, den Hut in der Hand, einen Schritt in den abgeteilten Raum getan. Glory starrte ihn an. Ja, dies war der Justin, wie sie ihn in Erinnerung hatte. Kinn und Schnauzbart waren verschwunden und ließen die vertrauten Züge sehen, die jetzt merkwürdig bleich waren. Die langen, ungepflegten Locken seines dunklen Haares waren auf eine natürlich gewellte Haarlänge zurückgeschnitten worden. Hemd, Hose und Jacke waren neu.

Justin starrte sie reglos an. Seine Lippen setzten zweimal an, ehe etwas zu hören war. »Es . . . es hieß, du seist hier drinnen. Ich hätte angeklopft, aber an Zeltwände klopft es sich schwer.«

Sie lächelte, denn seine Reaktion erfüllte sie mit Selbstvertrauen. »Tritt ein, Justin, möchtest du einen Drink?«

»Ja, den könnte ich gut gebrauchen . . .« Er kam näher und nahm das Glas Whiskey, das sie ihm einschenkte, in Empfang, ohne den Blick von ihr zu wenden.

»Wir sollten auf etwas trinken.« Sie hob ihr Glas und wartete darauf, daß er einen Trinkspruch ausbrachte, doch ihm fiel es sichtlich schwer, etwas zu sagen. »Auf unsere Wiederbegegnung in Nome«, sagte sie kurzentschlossen. Sie trank einen Schluck, er aber machte keine Anstalten, ihrem Beispiel zu folgen. »Ist etwas?«

»Ich begreife nicht . . . ich meine . . . als ich ging, da hattest du Arbeit.« Er gestikulierte heftig trotz des Hutes in seiner Hand. »Du hast in einer Kneipe gearbeitet. Du hattest ein Dach über dem Kopf und zu essen. Da dachte ich mir, du würdest gut zurechtkommen. Was ist passiert?«

»Ich kündigte.«

»Warum denn? War es meine Schuld? Als ich ging, da warst du doch nicht guter Hoffnung oder so?«

»Nein, nichts dergleichen. Siehst du das Kleid, das ich trage, Justin? Ich ließ es eigens in San Francisco anfertigen. Eine Kellnerin hätte sich ein Kleid wie dieses nie leisten können, und wenn sie hundert Jahre gespart hätte. Wie sonst hätte ich als Frau genug Geld zusammenbringen können, um zur Hälfte Miteigentümerin des Palace zu werden, das unten an der Straße eröffnet wird? Ich hätte auf Gold stoßen und einen reichen Mann heiraten müssen, dessen Eigentum ich dann wäre. Ich entschied mich, meine eigene Goldmine zu werden.«

»Aber heute am Strand, da . . .«

». . . da fiel ich kurz dem Goldfieber zum Opfer. Für eine Weile ließ ich mich von dem Traum betören, den wir vor langer Zeit träumten. Weißt du noch, wie wir ständig von dem Gold redeten, das wir am Klondike finden würden? Ich ließ mich zu dem Glauben verleiten, der Traum würde hier in Nome wahr werden. Zum Glück kam ich rechtzeitig zur Vernunft.«

»Hast du denn kein Gold gefunden?«

»Aber ja doch. Gold im Wert von achtzig . . . meinetwegen hundert Dollar nach zwei Tagen harter Plackerei.«

»Na und, was ist so schlimm daran? Ist dir klar, wieviel zusammenkommt, wenn man ein Jahr lang täglich so viel erarbeitet?«

»Und ist dir klar, wie ich nach einem Jahr aussehen würde? Meine Haut wäre ruiniert, ebenso mein Haar. Ich hätte Muskeln wie ein Mann und Schwielen an den Händen. Ich will nicht reich sein und aussehen wie eine verbrauchte alte Vettel.« Tränen des Zornes brannten in ihren Augen, während sie versuchte, ihm alles begreiflich zu machen. »Du weißt, wie ich aufwuchs – ich hatte nichts, weder Freunde noch Kleider, noch Vergnügungen. Ständig bekam ich nur zu hören, was ich zu tun hätte und wie ich mich benehmen sollte. So möchte ich nie wieder leben, egal, was ich tun muß. Ich dachte, du müßtest das besser verstehen als jeder andere.«

»Tue ich ja. Vermutlich habe ich das alles nie so gesehen. Es ist nur . . . ich wollte dir mit meinem Verschwinden damals keinen Schmerz zufügen.«

»Du hast es aber getan. Aber das ist nicht der Grund dafür,

daß ich eine Hure wurde. Ich bin es des Geldes wegen geworden. Für mich ist es ein Geschäft.«

»Das glaube ich dir. Aber welche Rolle spiele ich dabei?«

»Kommt darauf an, welche du spielen möchtest«, erwiderte Glory. »Vielleicht sollte ich dich fragen, warum du heute abend gekommen bist? Etwa, um dein Gewissen zu beruhigen?«

»Da bin ich selbst nicht sicher«, gestand er, ohne den Blick von ihr zu wenden. »Zum Teil sicher aus Neugierde. Praktisch jeder Goldgräber von hier bis zum Yukon hat von Glory St. Clair gehört. Und ich wollte Marischa wiedersehen. Als ich Skaguay verließ, hätte ich nie gedacht, daß sie mir – daß du mir so fehlen würdest.« Trotz seines Auflachens waren ihm sein Unbehagen und seine Verlegenheit anzusehen. »Als meine Partner dahinterkamen, daß ich eine Verabredung mit dir habe, steckten sie mich in die Wanne und schleppten den Friseur an, damit er mich rasiert und mir die Haare schneidet. Ich kaufte mir sogar ein paar neue Sachen zum Anziehen. Ich bin nicht mal sicher, was du von mir erwartest. Es heißt, daß du mit diesem Spieler eine Art Abkommen hast.«

»Deacon ist mein Freund und mein Geschäftspartner, doch wirst du seine Sachen hier in diesem Raum nicht vorfinden. Ich habe niemanden, an dem mir liegt.«

»Niemanden?«

Sie schüttelte den Kopf. »Du warst der einzige, mit dem ich etwas gemeinsam hatte – Gedanken, Gefühle, Träume. Niemand kennt mich so wie du. Für die anderen bin ich nur Glory St. Clair.«

»Mari-« Er hielt lächelnd inne. »Ich sollte mich lieber daran gewöhnen, dich Glory zu nennen.«

Sie trat ganz dicht an ihn heran und studierte die sanfte Linie seines Mundes, in Gedanken bei jenem lange zurückliegenden Tag, als ihr diese Lippen den ersten Kuß gegeben hatten. »Ja, vielleicht solltest du das.«

»Glory.« Er wollte sie anfassen und merkte erst jetzt, daß seine Hände nicht frei waren. Noch immer hielt er den Hut in der einen und das Glas in der anderen Hand. Einen verlegenen Moment lang wußte er nicht, was er tun sollte. Dann lachte er auf und warf Hut und Glas in die Luft. In der nächsten Sekunde war sie in seinen Armen, und er küßte sie mit der Ausdauer eines Mannes, der sich lange Zeit nach dem Geschmack ihrer Lippen gesehnt hatte.

Justin lag neben ihr, den Kopf an ihre Schulter gebettet, während seine Hand ihre Brust unter der Decke liebkoste. In Gedanken versunken wickelte Glory eine seiner dunklen Lokken um den Finger. Die Liebe mit ihm hatte gutgetan. Er war zwar nicht so erfahren wie Deacon, machte dies aber durch Leidenschaft wett – so als müßte er beweisen, daß er besser sei als jeder andere, mit dem sie im Bett gelegen hatte. Doch die anderen waren Geschäft, und dies hier war Vergnügen, ein feiner Unterschied, den er vielleicht nicht begreifen würde.

»Die reinste Verschwendung, daß ich mir neue Sachen kaufte«, murmelte Justin. »Mehr als zwanzig Minuten hatte ich sie nicht an.«

»Schon möglich. Aber ich bin froh, daß du dir ein Bad und den Friseur geleistet hast. Für mich ist dies der größte Nachteil von Nome.«

»Daß die Leute nicht baden?«

»Nein, daß das Baden so umständlich ist – Wasser holen, heißmachen. Das ist wohl die Russin in mir. Das regelmäßige Baden fehlt mir.«

»Baden, brrr.« Er rollte sich weg und legte den Kopf auf das danebenliegende Kissen. »Weißt du, daß ich seit Skaguay in keinem Bett mehr geschlafen habe?« Er starrte zu dem mit Wasserflecken übersäten Zeltdach empor. »Wie froh wäre ich, wenn meine Partner und ich ein Zelt zum Schlafen hätten.«

»Ihr habt keines?«

»Nein. Unser Boot kenterte auf dem Yukon, wir verloren das Zelt samt dem Großteil der Ausrüstung und Vorräten. Wir hofften hier, Ausrüstung gegen Gewinnbeteiligung zu bekommen, aber bislang ist uns das nicht geglückt.«

»Und inzwischen kampiert ihr im Freien?« Eine einzige Nacht auf dem feuchten Sand hatte Glory gereicht. Etwas Jämmerlicheres konnte sie sich nicht denken.

»Hättest du eine bessere Idee?«

»Aber sicher.« Sie stützte sich auf einen Ellbogen auf. »Du kannst hier schlafen.«

»Na, ich weiß nicht, wie ich das meinen Partnern beibringen soll – irgendwie erschiene es mir nicht fair, obwohl mir persönlich der Gedanke nicht mißfällt.«

Nun, da er ihr spontanes Angebot ablehnte, wurde ihr klar, daß es so am besten war. Das Bett war ja nicht immer frei, und es konnte zu peinlichen Szenen kommen, wenn sie Kunden hatte. Aber helfen wollte sie ihm unbedingt. Es gab noch eine andere Alternative.

Glory rollte sich aus dem Bett und nahm die Decke mit, in die sie sich einhüllte. Barfuß tappte sie zu einem großen Schiffskoffer und kniete hin, um ihn zu öffnen. Sie klappte das im Inneren angebrachte Geheimfach auf und holte einen flachen Lederbeutel hervor.

»Was machst du da?« Justin hatte sich im Bett aufgesetzt.

Sie nahm fünf Scheine aus dem Beutel, den sie wieder in das Geheimfach tat und die Kleider davor so anordnete, daß man nichts sah.

»Du brauchst ein Zelt, Ausrüstung und Proviant. Reichen fünfhundert Dollar?«

Er starrte erst die Banknoten und dann Glory kopfschüttelnd an. »Das kann ich von dir nicht annehmen.«

»Warum nicht? Du wolltest ein Darlehen gegen Gewinnbeteiligung. Da hast du es. Es ist die ideale Lösung, weil wir beide bekommen, was wir wollen. Ich wollte immer einen Goldclaim, und damit erkaufe ich mir einen Anteil.«

Er zögerte noch einen Moment, ehe er das Geld nahm und aufstand. Noch nie hatte Glory einen Mann erlebt, der so geschwind angezogen war. Mit der Jacke in der Hand und dem Hut auf dem Kopf kam er um das Bett herum und gab ihr einen raschen, harten Kuß. »Ich muß weg. Danke . . . Glory.«

Seine unverhohlene Erregung zauberte ein Lächeln auf ihr Gesicht – ein Lächeln, das ein wenig Bedauern ausdrückte, als er aus dem Zelt lief. Sie seufzte und wünschte, er wäre noch ein wenig länger geblieben und hätte es nicht gar so eilig gehabt.

Obwohl das Palace noch nicht ganz fertig war, öffneten Deacon und Glory am Tag darauf doch die Pforten für alle, besonders aber für jene, die Goldstaub im Beutel hatten. Das Lokal war sofort gedrängt voll mit Männern, die ihre Goldfunde feiern wollten. Da Deacon nur ein Minimum an Personal eingestellt hatte, mußte Matty mit zupacken. Sie wurde kurzerhand an die Goldwaage gesetzt und überwachte das Wiegen des Goldes, für das der Dollargegenwert in Gutscheinen ausbezahlt wurde. Deacon und Glory gingen davon aus, daß ein Goldsucher über ein ›zufälliges‹ Verschütten seines Staubes durch eine unbeholfene Eskimofrau hinwegsehen würde. Daher wurde ein Laken unter das Bord innerhalb der abgeschlossenen Theke, auf der die Goldwaage stand, gespannt. Im Knick des Lakens fing sich der verschüttete Goldstaub. An einem guten Abend konnte man Staub im Wert von hundert Dollar aus dem Laken sammeln.

Die nächsten Wochen wurden für Glory und Deacon ziemlich chaotisch. Schreiner und Tapezierer legten letzte Hand im Palace an, indem sie ihre Arbeit trotz der ständig hereinströmenden Gäste verrichteten. Der Flügel kam aus Seattle. Ein Pianist, der zuvor im Symphonieorchester von Philadelphia gespielt hatte, war bereit, für sie zu spielen, solange sie ihn mit Morphium versorgten.

Der Nachschub an Weiblichkeit wurde direkt bei Ankunft eines Schiffes angeworben, so daß die Zahl von Glorys Mädchen auf vier anstieg. Miß Rosies Beispiel folgend, ging Glory bei der Auswahl mit größter Sorgfalt vor. Gesundheit, Reinlichkeit und einigermaßen gutes Benehmen waren die Kriterien, nach denen sie eine erste Wahl traf. Wurden diese Bedingungen erfüllt, fiel die endgültige Entscheidung aufgrund von Persönlichkeit und Aussehen, da Glory ihren Gästen eine gewisse Auswahl bieten wollte. So gesellten sich zu der sinnlichen kupferhäutigen Frankoindianerin aus Saskatchewan mit dem allgegenwärtigen Namen Frenchie und der fülligen, hennagefärbten ›verrückten‹ Alice, so genannt wegen ihres wechselhaften Temperaments, die babygesichtige Gladys, die von den Goldgräbern sehr bald mit dem Namen ›Happy Bottom‹ belegt wurde, und die ›brave‹ Betsy, eine ehemalige Lehrerin, die ihre Kunden immer lobte, wenn sie ›brav‹ waren.

Glorys Abkommen mit den Mädchen ähnelte jenem mit Miß Rosie. Zusätzlich vereinbarte Glory mit ihrer Schneiderin in San Francisco, daß sich ihre Mädchen dort Kleider machen lassen und die Kosten Glorys Konto verrechnen durften. Trotz der Kosten für Rausschmeißer, Hausmädchen, Küchenpersonal, den Klavierspieler und die monatliche von der neuen Stadtverwaltung eingeführte ›Buße‹ von zehn Dollar für jedes Mädchen war der Profit ansehnlich.

Das Palace sollte jedoch bald Konkurrenz bekommen. Mitte September 1899 waren zwanzig verschiedene Saloons in Betrieb. Hinter einigen dieser Saloons auf der Nordseite der Front Street betrieben hartgesottene Prostituierte ihr Gewerbe in Einraumzelten und Holzhütten. Dieser Bereich wurde bald durch einen hohen Zaun von der übrigen Stadt abgetrennt, um die rechtschaffenen Bürger vor den unlauteren Elementen, die dort anzutreffen waren, zu schützen.

Da die Bevölkerung von Nome bis auf fünftausend Einwohner angestiegen war, blühte das Geschäft in allen Branchen. Aber nicht das war es, was Glory daran hinderte, Justin mehr als ein- oder zweimal die Woche zu sehen. Die Besitzverhältnisse der Schürfclaims blieben strittig. Was den Strand betraf, so ging man davon aus, daß Strände nach US-Gesetz öffentliches Eigentum waren und daher allen offen stünden. Solange ein Mann eine Schaufel in der Hand hielt, hatte er das Recht auf ein Stück Strand.

In dem Bemühen, das von ihnen abgesteckte Stückchen dauernd besetzt zu halten, gingen Justin und seine Partner abwechselnd in die Stadt, zwei blieben ständig draußen am Strand und paßten auf. Glory machte sich nichts aus der Trennung, denn um so schöner war dann die gemeinsam verbrachte Zeit. Jetzt hatte sie endlich etwas, auf das sie sich freuen konnte. Deacon schien diese Veränderung in ihrer persönlichen Beziehung mühelos überwunden zu haben, wenngleich er zuweilen nachdenklich und in sich gekehrt schien.

Die Septembersonne schien strahlend, als Glory in ihren Stiefeln durch den Schlamm watete. Sie kam an eine große schmutzigbraune Pfütze und blieb vorsichtig stehen. Da stieß sie Matty von hinten, so daß sie fast das Gleichgewicht verlor.

»Warum bleibst du stehen?« Matty steckte beide Arme durch den bogenförmigen Henkel des vollbeladenen Einkaufskorbes.

»Ich muß mich erst entscheiden, ob ich durch diese Pfütze wate oder schwimme«, gab Glory zurück.

Obwohl Matty meist allein einkaufen ging, begleitete Glory sie immer, wenn größere Einkäufe nötig waren. Oft gelang es ihr, die Kaufleute, die gelegentlich das Palace frequentierten, zu einem Preisnachlaß zu bewegen. Da Gerüchte über eine Lebensmittelknappheit im bevorstehenden Winter kursierten, versuchte Glory, einen Vorrat an haltbaren Sachen anzulegen.

Sie verschob den Griff des schweren Marktkorbes in ihrer Hand. Für gewöhnlich lud sie ihre Einkäufe in ein von zwei Schlittenhunden gezogenes Wägelchen. Diesmal machte es der Schlamm unmöglich. Glory wußte aber, daß der Korb nicht mehr viel schwerer werden würde, da sie nur mehr ein Ziel, nämlich die Bäckerei, vor sich hatte.

»Viel weiter kann sie nicht sein.« Sie spähte die Reihe der Gebäude mit den angedeuteten Fronten entlang und versuchte, die Ladenschilder zu entziffern. »War die Bäckerei nicht neben dem Uhrmacher?«

Wo sich ihrer Erinnerung nach die Bäckerei befinden mußte, war ein leerer Platz. Ganz leer war er allerdings nicht. Das Fachwerk eines neuen Hauses ragte in die Höhe.

»Weg ist sie«, bemerkte Matty. »Die Stadt ist verrückt. Die Menschen sind verrückt.«

»Ja, du hast recht.« Glory seufzte und ging zu dem Früchte- und Zigarrenladen zurück, an dem sie eben vorübergekommen waren. »Entschuldigen Sie, können Sie mir sagen, was aus der Bäckerei wurde, die neben dem Uhrmacher lag?«

»Jemand karrte sie mitten in der Nacht weg, als der arme Mr. Parker im Bett lag. Jetzt kommt ein Kaufhaus her.«

Glory wunderte sich nicht weiter über diese Geschichte. Der Raub von Grundstücken kam in Nome so häufig vor wie der Raub der Claims. »Danke«, sagte sie nur, um zu Matty gewandt zu fragen: »Was jetzt? Bis auf Brot hätten wir alles.«

»Ich glaube, es gibt dort drüben noch eine Bäckerei.« Matty deutete mit einer Kopfbewegung auf ein Haus, das in einer Seitenstraße lag.

Als Glory sich umdrehte, winkte ihr jemand von der anderen Straßenseite aus zu. Das ständige Hin und Her der Straßenpassanten nahm ihr momentan die Sicht auf den Mann. Sie sah ihn erst wieder, als er durch den Schlamm auf ihre Seite watete. Sein Kragen war aufgestellt, der Hut saß tief in der Stirn. Es dauerte noch einen Augenblick, ehe sie sein Gesicht sehen konnte und Gabe Blackwood erkannte. In letzter Zeit war sie so eingespannt gewesen, daß sie ihn nur selten gesehen hatte.

»Glory, welch ein Glück! Ich wollte Ihnen eben einen Besuch abstatten.« Er lächelte breit, jeder Zoll der angesehene Anwalt, keine Spur mehr von dem in die Jahre gekommenen schäbigen Winkeladvokaten, den sie bei ihrer Ankunft in Nome kennengelernt hatte. Ihr war bewußt, daß sein neuerwachtes Selbstvertrauen zu einem guten Teil ihr Verdienst war. Nun, sehr schwierig war es nicht gewesen. Sie hatte nur seiner Eitelkeit schmeicheln müssen. Alles, was sie über ihn gehört hatte, stimmte. Sie hatte genug von seiner Engstirnigkeit und seinen Vorurteilen kennengelernt, um das zu wissen. Jetzt war es ihr sogar gleichgültig, ob er sie mochte oder nicht.

»Ja, wir haben uns länger nicht gesehen, Gabe. Wie geht es Ihnen? Nach allem, was man so hört, sind Sie ein vielbeschäftigter Mann.«

»Man tut, was man kann«, gab er mit gespielter Bescheidenheit zurück. »Sie wissen sicher, wie hart der Wettbewerb unter den Anwälten dieser Stadt ist.«

»Hier gibt es fast so viel Anwälte wie Saloons.« Ihr fiel auf, daß er die vor ein paar Tagen abgehaltene Wahl nicht erwähnte.

Es war eine Wahl, bei der es um die Zusammensetzung der Stadtverwaltung ging. Die Bürger von Nome einigten sich darauf, den Bürgermeister, Gemeinderat und Polizeichef zu wählen. Weiter gaben sie ihr Einverständnis, daß Gesetze und Verordnungen geschlossen und daß Steuern erhoben wurden. Der Kongreß der Vereinigten Staaten mußte jedoch erst ein Gesetz erlassen, das die Bildung von Stadtverwaltungen in Alaska mit dem Recht der Gesetzgebung und Steuererhebung gestattete.

Bei der Wahl hatte Gabe sich mit der Gruppe zusammengetan, die aus den Geschäftsleuten und sechzehn Anwälten der Stadt bestand. Wahlentscheidend aber war die Partei der Prospektoren gewesen. Auch die wenigen Frauen der Stadt hatten wählen dürfen, und Glory hatte von diesem Recht Gebrauch gemacht. Daß sie für die Partei der Gewinner gestimmt hatte, verschwieg sie Gabe.

»Nun, im kommenden Winter wird Nome auf einen der Anwälte verzichten müssen«, kündigte er wichtigtuerisch an.

»Was heißt das? Sie wollen uns verlassen?«

»Ja. Ich wollte Sie aufsuchen und es Ihnen sagen.« Er holte aus der Innentasche seiner Jacke einen Umschlag und ein Dampferticket. »Auf dem nächsten Schiff, das San Francisco anläuft, habe ich eine Passage gebucht. Von dort geht es mit dem Zug nach Washington D.C.«

»Was wollen Sie dort?« Sie kämpfte gegen aufsteigende Panik an. »Ich verstehe nicht . . . was soll das alles?«

Er schwenkte den Umschlag. »Erinnern Sie sich, ich sagte einmal, daß ich in Washington ein paar Leute kenne? Nun, nach längerer Pause schrieb ich im Frühsommer einem meiner Freunde und schilderte ihm die Situation hier in Nome. Kürzlich bekam ich Antwort. Es sieht aus, als würde im Frühjahr eine Gesetzesvorlage eingebracht, welche die Bildung einer Zivilregierung in Alaska fordert. Damit könnte auch das Problem der Schürfrechte gelöst werden. Da ich die Lage aus eigener Erfahrung kenne, schlug mein Freund vor, ich solle nach Washington kommen und mit ein paar Senatoren die hiesige Situation diskutieren.«

»Sehr klug von Ihrem Freund . . .« Sie atmete erleichtert auf und lachte, um jegliche Beunruhigung, die ihr womöglich anzumerken war, zu übertönen. »Ich gestehe, daß ich dachte, Sie würden für immer fortgehen. Es freut mich, daß dies nicht der Fall ist, denn Sie hätten mir gefehlt. Sie werden mir auch in der Zeit Ihrer Abwesenheit fehlen. Sicher werde ich Sie bei Ihrer Rückkehr mit Fragen bestürmen.«

»Na, hoffen wir, daß ich gute Nachrichten mitbringen kann.« Mit selbstzufriedener Miene steckte er Umschlag und Ticket wieder in die Innentasche.

»Was für Nachrichten?«

»Wenn das Gesetz verabschiedet wird, dann wird man Alaska wahrscheinlich in mehrere Distrikte aufteilen. Das bedeutet, daß weitere Bundesrichter ernannt werden. Die gegenwärtige Lösung ist zu umständlich ... ein einziger Richter, der noch dazu in Sitka sitzt.« Er zwinkerte ihr zu. »Könnte sein, daß Sie mich nach meiner Rückkehr mit ›Euer Ehren‹ anreden müssen.«

»Richter Blackwood«, murmelte Glory, von dem Gedanken erfüllt, daß der Sturz eines Mannes um so härter war, je höher seine Position. Das lieferte ihr einigen Stoff zum Nachdenken.

47. Kapitel

NOME
WINTER 1899/1900

Viele der Bewohner von Nome erkämpften sich lieber einen Platz auf dem letzten Schiff, als über Winter im Norden auszuharren und der drohenden Lebensmittelknappheit und einer möglichen Typhusepidemie zu trotzen, ganz abgesehen von den Schneestürmen und tiefen Temperaturen, die es im fragwürdigen Schutz von Zelten und primitiven Holzhütten zu ertragen galt. Einige der übelsten Typen wurden von der neugewählten Verwaltung deportiert, mit ihnen viele Mittellose, die kein Geld hatten, um den langen Winter zu überstehen oder sich ein Ticket zu kaufen.

An die dreitausend Menschen blieben in Nome zurück, um trotz widriger Umstände auszuharren und ihre Besitztümer zu schützen. Die ›brave‹ Betsy, die ehemalige Lehrerin, war das einzige Mädchen aus dem Palace, das nicht bleiben wollte.

Justin und seine Partner entschieden sich fürs Überwintern. Sie suchten Holz zusammen und zimmerten am Strand eine Hütte aus Bauholzabfällen, zerbrochenen Kisten und Treibholz.

Mitte November lag eine fünf Fuß dicke und meilenweit ins offene Meer reichende Eisschicht vor der gesamten Küste. Die Beringstraße hingegen war nur selten von einer durchgehenden Eisdecke bedeckt. Eine offene, meist mit Eisschollen bedeckte Wasserfläche erstreckte sich jenseits des Packeises.

In dieser Tundraregion war der gesamte Untergrund ständig gefroren, ein Umstand, der für die Stadt Nome ein großes Problem darstellte. Man konnte keine Brunnen bohren und war auf den Snake River als einzige Trinkwasserquelle angewiesen. Der gefrorene Boden konnte auch keine Abwässer aufnehmen. So wie man das gesamte Trinkwasser mühsam herbeischaffen mußte, mußten auch die Fäkalien mühsam fortgeschafft werden. Den Sommer über wurden sie in den Snake River gekippt, ein Vorgehen, das Typhusgefahr mit sich brachte, weil das Trinkwasser dadurch verschmutzt wurde. Im Winter lösten die Stadtväter dieses Problem, indem sie Müll und Fäkalien hinaus aufs Eis schaffen ließen, damit das Frühjahrstauwetter alles in die offene See schwemmte.

Diese primitive Lösung des sanitären Problems war natürlich nicht ausreichend. Bis zum Februar wagte Glory sich nicht auf die Gasse neben dem Palace, da dies eine Rutschpartie auf einer dicken Eisschicht von Urin bedeutet hätte. Auf der Front Street sah es ähnlich schlimm aus.

Trotz Typhus, Ruhr und Fällen von Lungenentzündung wuchs die Bevölkerung von Nome im Winter noch an. Viele wurden von der Nachricht über ›Armeleutefunde‹ an der Küste angelockt. An die fünfzehnhundert hatten das Glück gehabt, noch einen Platz auf dem letzten, von Dawson den Yukon abwärtsfahrenden Heckraddampfer zu ergattern, der im Spätherbst in Nome eintraf. Der Großteil aber wartete den Wintereinbruch ab, bis der Fluß festgefroren war. Dann setzte der verrückte Exodus nach Nome auf der Eisbahn des Flusses ein. Sie kamen mit Hunde- oder Pferdeschlitten. Andere gingen die ganze Strecke zu Fuß, hinter sich kleine Schlitten mit der Ausrüstung herziehend. Wieder andere schnallten sich Eiskufen an und fuhren auf Schlittschuhen nach Nome. Ein paar Tollkühne machten sich die letzte Modetorheit zunutze und durchquerten mitten im Winter Alaska auf dem Fahrrad.

Sie kamen den ganzen Winter über – erschöpft, ausgehungert, erfroren oder halberfroren. Es waren nicht nur Goldsucher, die vom Klondike kamen. Viele waren, wie die kanadischen Mounties sie beschrieben, der Abschaum von Dawson – Spieler, Dirnen, Taschendiebe, Betrüger, Schwindler, Diebe, kurzum Gauner aller Schattierungen.

Nur wenige Gäste befanden sich im Palace, als Glory zu dem Stuhl neben dem Kohlenofen ging und sich Deacon gegenübersetzte. »Ruhig ist es heute«, sagte sie. Während sie Deacon zusah, bemerkte Glory plötzlich, daß er Karten gezielt dem Kartenstock entnahm.

»Warum um alles in der Welt spielst du mit gezinkten Karten Patience?« fragte sie.

Um seine Augenwinkel zeigten sich Lachfältchen. »Glaubst du, ich ließe den Teufel gewinnen?«

Sie seufzte. »Du bist unverbesserlich.«

Die schwere Mahagonitür des Palace schwang auf. Ein bis zu den Augen dichtvermummter Mann trat inmitten eines Wirbels von kalter Luft und Schneeflocken ein. Glory erkannte ihn am Gang, noch ehe Justin sich seines Schals entledigte. Sie stand auf und ging ihm entgegen.

»Heute abend hätte ich dich nicht erwartet.«

»Ich bin gekommen, um etwas zu feiern«, kündigte er an.

»Was denn?«

»Heute haben wir eine ganze Schicht rubinroten Sand ausgebuddelt, den goldhaltigsten Sand, auf den wir bislang gestoßen sind.« Schnee und Frost hatten der Goldwäscherei am Strand kein Ende bereitet. Der Sand wurde jetzt innerhalb der Zelte und Hütten durchgeschaufelt und gewaschen.

Justin legte einen Arm um Glorys Mitte und zog sie an

seine Seite. Seine Jacke war feucht und kalt, da schmelzende Schneeflocken daran hingen. Glory wich der Berührung aus und ging an die geschnitzte Mahagonibar. »Paddy, eine Flasche guten Whiskey und zwei Gläser.« Mit den Gläsern und der Flasche kam sie wieder zu Justin. »Etwas Feuerwasser wird dich aufwärmen.«

»Das hatte ich eigentlich nicht im Sinn, aber für den Anfang wird es reichen.« Er rieb sich die Hände, um die Zirkulation anzuregen, als er ihr zum Tisch beim Ofen folgte.

Sie stellte die Gläser auf den Tisch und entkorkte die Flasche. Deacon, der sich bei seiner Patience nicht stören ließ, schenkte ihnen keine Beachtung. »Justin, hast du Hunger?«

»Na und ob!«

»Matty, sag der Köchin, sie solle ein Stück Speck abschneiden und für Justin ein paar Pfannkuchen machen«, rief sie über die Schulter. Dabei blieb ihr Blick unwillkürlich auf Mattys dunklem Kleid mit dem hohen Spitzenkragen haften. Nicht nur Mattys äußere Erscheinung hatte eine Veränderung durchgemacht. Die ganze Wirtschaftsführung des Palace war praktisch ihr Aufgabenbereich geworden, zusätzlich zu den Näh- und Flickarbeiten, die sie erledigte. Und sie stand im Begriff, Lesen zu lernen.

»Willst du den ganzen Abend über hier stehen oder was?« forderte Justin ihre Aufmerksamkeit.

Sie raffte ihren Rock an sich und setzte sich auf den Stuhl neben Justin. Dieser trank einen Schluck Whiskey und blickte dann vielsagend zu dem schweigsamen Deacon hin. Glory bezweifelte, ob Deacon so sehr in seine Patience vertieft war, daß er nicht bemerkte, wer sich zu ihm an den Tisch gesetzt hatte. »Deacon, siehst du, wer da ist?« versuchte es Glory. »Unser treuester und zuverlässigster Gast.«

»Warum sollte der anderswo einkehren, wenn er hier alles gratis bekommt, was er möchte?« Deacon schob die Karten zu einem Stapel zusammen und stand auf.

Bestürzt über seinen Sarkasmus starrte Glory ihn an, als er vom Tisch zur langen Bar ging. Die Ellbogen aufgestützt, blieb er stehen, wandte ihnen den Rücken zu und stellte einen Fuß auf die umlaufende Messingstange. Je mehr Glory über diese beleidigende Bemerkung nachdachte, desto weniger gefiel sie ihr. Sie hatte nicht die Absicht, die Sache einfach so auf sich beruhen zu lassen.

»Entschuldige mich«, sagte sie halblaut zu Justin, stand auf und ging ebenfalls an die Bar. Als sie neben Deacon stehenblieb, erfaßte dessen Blick sie kurz, um sich sofort wieder auf sein Glas zu richten. Er trank es leer und griff nach der Flasche, um nachzufüllen. »Deacon, ich verlange, daß du eine Erklärung für deine Bemerkung lieferst«, forderte Glory.

»Wüßte nicht, was es da zu erklären gäbe. Die Sache müßte jedem, also auch dir, klar sein.« Er korkte die Flasche zu und leerte das Glas, ohne den Blick von der Bar abzuwenden.

»Mir wäre lieber, du sagst es mir.«

»Na schön.« Er wandte den Kopf und richtete den Blick auf sie. »Seit der Eröffnung des Palace kommt er in der Woche zwei-, dreimal her, trinkt den besten Whiskey und ißt nach Herzenslust. Und das alles gratis – ganz zu schweigen von deiner Gesellschaft.«

»Deacon, wenn es dir um das Geld geht, dann kannst du seine Mahlzeiten und Getränke von meinem Anteil am Gewinn abziehen«, stieß sie erregt hervor. »Ich möchte dich nicht übervorteilen. Schließlich ist er mein Freund und nicht deiner.«

»Nicht ich werde übervorteilt, Glory, sondern du. Siehst du das nicht?«

»Nein.«

»Dann mach gefälligst deine Augen auf, denn du wirst tüchtig ausgenutzt.«

Sie merkte erst, als sie die sengende Berührung mit seiner Wange spürte, daß sie die Hand gehoben hatte. Momentan war er wie erstarrt. Vorsichtig, zu vorsichtig, setzte er das Whiskeyglas auf die Theke und richtete sich auf. Unwillkürlich hielt Glory in Erwartung einer gewaltsamen Vergeltung den Atem an, doch Deacon drehte sich um und ging zur Treppe. Seine Schritte waren so beherrscht wie seine Gefühle.

Sofort bereute sie zutiefst, daß sie ihn geschlagen hatte. Ein offener Bruch mit Deacon war das allerletzte, was sie wollte.

»Deacon . . .!« Sie lief ihm nach, und Deacon blieb am Fuß

der Treppe stehen und wartete. »Es tut mir leid, das wollte ich nicht.«

»Nun, mir tut es nicht leid. Was ich sagte, war mein voller Ernst.«

»Du irrst dich, was Justin angeht.«

Er schüttelte verneinend den Kopf. »Du hast dem Mann die Ausrüstung finanziert. Du kommst für sein Essen und für die Getränke auf. Du schläfst mit ihm. Und jetzt sag mir, was er dir außer seiner Gesellschaft geschenkt hat, die du dir eigentlich erkaufst. Er hat den Beutel voll Gold, das er aus dem Sand gewaschen hat, und doch hat er keinen Penny davon für dich ausgegeben.«

»Was hätte er mir kaufen sollen?« wandte sie ein. »Ich habe alles.«

»Du würdest also auf eine Kleinigkeit von ihm keinen Wert legen, auf etwas so Einfaches wie eine hübsche Schleife für dein Haar? Ein kleines Geschenk, das dir zeigt, daß du ihm nicht gleichgültig bist? Glory, er ist ein Nehmer. Wenn du das nicht einsiehst, bist du eine Närrin.«

Sie tat nichts, um ihn aufzuhalten, als er die Treppe hinaufging. Sekundenlang sah sie ihm nach, dann drehte sie sich um und ging zurück an den Tisch.

»Um was ging es denn?« wollte Justin wissen.

»Ach, um gar nichts.« Doch insgeheim war ihr klar, daß Deacon Fragen aufgeworfen hatte, die ihr noch lange zu schaffen machen würden.

48. Kapitel

NOME
ENDE JUNI 1900

Glory stand am Fuß des Himmelbetts und sah stumm auf die reglose junge Frau mit dem Kindergesicht nieder. Gladys hatte große Ähnlichkeit mit einer schlafenden Puppe. Ein gelbes Band, zu einer hübschen Schleife gebunden, wand sich um ihr loses nußbraunes Haar. Die ungewöhnlich langen Wimpern waren sehr dicht. Ein Bild der Unschuld, dem nur die rosige Farbe der runden Wangen fehlte. Gladys war nämlich totenblaß.

Zwei Stunden zuvor hatte Matty das Mädchen in einer Blutlache liegend aufgefunden, in der Hand den verräterischen Stiefelknöpfler. Glory hatte gar nicht gewußt, daß Gladys schwanger war. Nun, jetzt war sie es nicht mehr.

Der Arzt, der ihr den Puls gefühlt hatte, steckte Gladys' Arm unter die Decke und nahm sein Stethoskop ab, um es in seine neben dem Bett abgestellte schwarze Tasche zu tun. Als er den Verschluß zuschnappen ließ, setzte Glory zu der Frage an: »Wird sie . . .«, doch der Arzt brachte sie mit erhobenem Zeigefinger zum Schweigen und deutete auf die Tür. Glory folgte ihm hinaus in den fensterlosen Korridor, in dem das neuinstallierte elektrische Licht brannte. »Wird sie sich wieder erholen, Dr. Vargas?«

»Sie ist jung und offenbar von kräftiger Konstitution. Ja, ich glaube, sie wird wieder auf die Beine kommen. Glauben Sie mir, Miß St. Clair, ich habe leider viel schlimmere Fälle gesehen«, antwortete er unterwegs zur Treppe. »Es könnte sein, daß sie noch Fieber bekommt. Das käme nicht unerwartet. Sollte es aber sehr hoch steigen, müßten Sie mich sofort holen lassen.«

»Ja, das werde ich.« Glory begleitete ihn die Treppe hinunter.

»Es wird einige Wochen dauern, bis sie wieder ganz hergestellt ist. Bis dahin wird sie Ruhe brauchen. Also, tun Sie Ihr Bestes.«

»Selbstverständlich.« Glory ging mit ihm an die Bar und sorgte dafür, daß er sein Honorar bekam.

Obwohl um diese Jahreszeit die Sonne vierundzwanzig Stunden schien und man um ein Uhr morgens auf der Straße so viele Menschen wie um ein Uhr mittags sah, war das Palace an diesem Morgen nur schwach besucht.

Das Palace machte nicht mehr den Eindruck eines protzig aufgemachten Saloons. Mit dem ersten Schiff, das im Frühling Nome anlief, waren neue Möbel, Spiegel, Gemälde und Kunstgegenstände eingetroffen. Im Palace sah es jetzt wie in einem exklusiven Klub für Gentlemen, in dem ein angesehener Bürger an diskret aufgestellten Tischen Faro, Blackjack oder Poker spielen konnte. Nur einzelne Aktbilder und die Lampen mit den roten Kugeln waren ein diskreter Hinweis auf jene anderen Vergnügungen, die Glorys modisch gekleidete Mädchen boten. Der Eintrittspreis betrug lächerliche fünfundzwanzig Dollar.

Deacon wurde am Farotisch von einem anderen Geber abgelöst und kam an die Bar, um sich nach Gladys zu erkundigen. »Sie wird es schaffen, aber für ein paar Wochen fällt sie aus«, berichtete Glory mit einem Seufzer. »Und dabei würden wir sie so dringend brauchen. Klingt hart, nicht? So war es wirklich nicht gemeint. Aber warum muß Alice auch ausgerechnet jetzt ihren Fotografen heiraten . . . uns bleiben nur Frenchie und die drei neuen. Ich wünschte, Alice würde nicht ausgerechnet jetzt heiraten. Es ist ja nicht so, daß sie nie wieder einen Antrag bekäme . . . bei dem Frauenmangel in Alaska findet jede einen Ehemann, wenn sie wirklich einen möchte.«

»Und du möchtest keinen.«

»Jetzt nicht«, gab Glory ein wenig steif zurück, wohl wissend, daß seine Bemerkung auf Justin gemünzt war. »Vielleicht niemals.« Sie hatte Deacons Sticheleien gründlich satt. Als Matty auf sie zukam, ergriff Glory die Gelegenheit, das Thema zu wechseln.

»Hat Justin sich aus diesem Grund mehr als eine Woche nicht blicken lassen?« fragte Deacon vor Mattys Ohren.

»So lange ist es nicht«, gab Glory zurück, bemüht, ihn zu ignorieren.

»Oliver brachte die Post«, sagte Matty. Oliver war ein ehemaliger Boxer, der nun im Palace als Rausschmeißer und Faktotum arbeitete.

»Danke.« Glory nahm das halbe Dutzend Umschläge in Empfang, die Matty ihr gab, und sah sie flüchtig durch. Es waren meist Rechnungen – von ihrer Schneiderin, vom Alkoholgroßhändler. Der unterste Umschlag trug als Absender den Namen Gabe Blackwood.

»Glory, hilf deinem Gedächtnis auf die Sprünge«, fing Deacon wieder an. »Es ist mindestens eine Woche her, seitdem Justin da war.«

»Ich sehen Justin heute morgen, als ich den Arzt holte«, warf Matty ein.

»Er war in der Stadt?« Der Brief Gabe Blackwoods war momentan vergessen, als Glory erstaunt aufblickte.

»Er war im Zelt von der Kuchenlady, als ich vorüberging.«

»Soviel ich weiß, verbringt er dort ziemlich viel Zeit«, bemerkte Deacon dazu.

»Woher willst du das wissen?« fragte Glory ihn.

»Ich machte es mir zur Aufgabe, solche Dinge zu wissen.«

Sie ließ seine Äußerung unbeachtet. »Matty, was hat er dort gemacht?«

»Er saß drinnen und plauderte.«

»Sarah Porter ist eine Witwe aus der Gegend um Portland, die zwei kleine Kinder durchfüttern muß. Wie viele andere kam sie hier völlig abgebrannt und in der Meinung an, sie könne wie durch Zauberhand Gold aus dem Sand gewinnen. Jetzt verdient sie sich ihren Unterhalt mit dem Backen und Verkaufen von Kuchen. Wie man hört, hat sie es seit ihrer Ankunft vor zwei Wochen zum Liebling der Goldsucher gebracht.« Deacon betonte die kurze Zeitspanne, die diese Frau in Nome verbracht hatte, auf subtile Weise.

»Du scheinst ja allerhand über sie zu wissen. Ich nehme an, du kennst sie persönlich?«

»Ich hatte schon öfter zu hören bekommen, daß es in ganz Nome keine mit ihren Apfelkuchen aufnehmen könne, so daß ich das überprüfen wollte. Der Kuchen war gut.«

»Und Mrs. Porter?« Am liebsten hätte Glory sich die Zunge abgebissen, als ihr diese Frage entschlüpft war.

»Ein angenehmer Anblick.« Er sah so amüsiert und selbstzufrieden drein, daß sie am liebsten laut geschrien hätte.

Sie riß den Umschlag von Gabe Blackwoods Brief auf, da sie Deacon nicht die Befriedigung gönnte zu sehen, wie seine Anspielungen sie getroffen hatten. »Wenn diese Frau wirklich so beliebt ist, wie du behauptest, finde ich es sonderbar, daß ich noch nichts von ihr gehört habe.«

»Aber Glory, sie ist eine alleinstehende junge Mutter mit zwei Kindern, die sie im sündigen Nome aufziehen muß«, gab er in sarkastischem Ton von sich. »Du glaubst doch nicht, ein Mann würde dir von ihr erzählen.«

»Damit willst du wohl ausdrücken, daß sie anständig und ehrbar ist und ich nicht.«

»Das sagte ich nicht.«

»War auch nicht nötig.« Sie wandte sich an Matty. »Würdest du wohl Oliver sagen, daß ich den Buggy brauche?«

»Wohin willst du?«

»Mrs. Porter und ihren Kuchen einen Besuch abstatten. Das Palace rühmt sich immer, den Gästen das Beste vorzusetzen, was Nome zu bieten hat. Vielleicht ist uns etwas entgangen.« Sie funkelte Deacon an. »Denk daran, nach Gladys zu sehen, während ich fort bin«, sagte sie zu Matty, um dann raschen Schrittes zur Treppe zu gehen und ihre Röcke anzuheben, um die Stufen zu nehmen, während sie wie zufällig die Post in ihrer Hand zerknüllte.

Oben angekommen, ging sie auf ihr Zimmer und warf die Briefe aufs Bett. In nur wenigen Minuten hatte sie ein züchtig aussehendes hochgeschlossenes Tageskleid aus blaugoldenem Satindamast angezogen, dessen Keulenärmel sie unter einem Bolerojäckchen versteckte.

Als sie gleich darauf aus dem Palace trat, stand Oliver mit dem Buggy schon parat.

»Soll ich mitfahren, Miß St. Clair?«

»Nein, danke, Oliver.« Sie nahm die Zügel und versetzte damit dem Braunen einen leichten Klaps.

Menschen, Pferde, Hunde, Fahrzeuge aller Art verstopften die Straße. Alles bewegte sich im Schneckentempo, doch war eine Fahrt im Buggy bei weitem besser, als auf der ungepflasterten, ständig von einer Staubschicht überlagerten Straße geschoben und gedrängt, womöglich sogar vom Mob zertrampelt zu werden.

Neubauten schossen wie Pilze aus dem Boden, meist Fertigteilhäuser, die von Seattle oder San Francisco angeliefert und an Ort und Stelle zusammengebaut wurden. Theater, Banken, Zeitungsredaktionen, Restaurants und über hundert Saloons waren im Bau, alle an einer langen Haupt- und Durchzugsstraße gelegen. Nome, das nach Meinung vieler mit einem Fuß auf Strandsand und mit dem anderen auf Tundraboden erbaut worden war, präsentierte sich zwei Blocks breit und fünf Meilen lang.

Als sie sich der Gegend näherte, wo Dr. Vargas seine Ordination hatte, hielt Glory nach dem Kuchenladen Ausschau. Schließlich entdeckte sie auf einem Zelt ein handgeschriebenes Schild. ›Hausgemachte Kuchen‹ stand darauf, mehr nicht. Nach der Anzahl der das Zelt umdrängenden Männer zu schließen, mußte dies der Laden sein. Glory ließ den Buggy am Straßenrand stehen und stieg aus.

Sämtliche seitlichen Zeltwände mit Ausnahme der rückwärtigen, waren aufgerollt. Von Kisten gestützte grobe Bretter dienten auf drei Seiten als Verkaufstisch. Die Kunden standen so dicht gedrängt davor, daß Glory auf die Person dahinter keinen Blick werfen konnte.

Sie raffte die kleine Schleppe ihres Kleides hoch, damit sie nicht über den staubigen Boden schleifte, und trat näher heran, so nahe, daß ihr das Aroma der ofenfrischen Kuchen in die Nase stieg. Ein Mann drehte sich um, sah zufällig in ihre Richtung und erstarrte. Es war Justin. Sein Staunen hätte sie nicht gestört, wäre da nicht der Anflug von Schuldbewußtsein gewesen und dazu der ängstliche Blick, den er der Frau hinter dem Verkaufstisch zuwarf. Doch als er auf Glory zuging, lag ein breites Lächeln auf seinem Gesicht.

»Glory, was treibst du denn hier?« Er sagte es halblaut und achtete darauf, nicht zu dicht an sie heranzutreten, was sie sehr wohl registrierte.

»Nun, vermutlich dasselbe wie du. Ich hörte, daß es hier die besten Kuchen der ganzen Stadt gäbe.«

»Das ist richtig.« Er steckte die Hände in die Taschen.

»Was könntest du mir empfehlen?« Sie schritt an ihm vorüber auf das Zelt zu. »Angeblich soll der Apfelkuchen gut sein.«

»Stimmt. Mir schmeckt aber auch der Rosinenkuchen ausgezeichnet.« Er folgte ihr, darauf bedacht, vor einem zufälligen Beobachter nicht den Eindruck zu erwecken, sie gehörten zusammen.

Glory sah, daß ein alter Goldgräber seinen Platz am Verkaufstisch verließ und trat kurzentschlossen an seine Stelle. Ein sommersprossiger Neunjähriger, der mit beiden Händen den Drahtgriff einer großen emaillierten Kaffeekanne hielt, stand auf der anderen Seite des Verkaufstisches.

»Einen Kaffee, Ma'am?«

»Nein, danke.«

Im hinteren Teil des Zeltes stand ein zweiter Junge, etwa ein Jahr jünger, vor einem Waschbecken, mit beiden Armen bis zum Ellbogen im Spülwasser. Dann sah sie die Frau, die emsig damit beschäftigt war, einen Kuchen in Teile zu zerschneiden. Das braune, zu einem Nackenknoten zusammengefaßte Haar ließ die Ohren frei und ringelte sich über der Stirn zu ein paar Löckchen. In ihrer schlichten weißen Bluse mit der dunklen Krawatte und dem schwarzen Rock, über den sie eine weiße Schürze gebunden hatte, wirkte sie sehr zierlich. Typisch ›kleines Frauchen‹, dachte Glory boshaft, die ideale Hausfrau und Mutter.

Glory war mit der Absicht gekommen, Sarah Porter auf den ersten Blick Abneigung entgegenzubringen, und das tat sie denn auch. Nicht zuletzt erbitterte sie die Geduld, die die ungehobelten Goldsucher hier an den Tag legten, und ihr Verzicht auf die gewohnten unflätigen Flüche.

Als die Frau Glory bemerkte, eilte sie sofort herbei. »Was darf es sein?«

Aus der Nähe mußte Glory zugeben, daß sie auf unauffällige Weise hübsch war, wenngleich ihre Augen zu nahe beisammen standen. »Ich möchte einen Kuchen. Wie ich hörte, sind Ihre Apfel- und Rosinenkuchen ausgezeichnet.«

»Sie müssen mit Mr. Sinclair gesprochen haben.« Sie bedachte den diskret neben Glory stehenden Justin mit einem Lächeln. »Er hat den Rosinenkuchen am liebsten.«

»Er hat ihn mir empfohlen«, gestand Glory. »Ich glaube, ich nehme von beiden ein Stück.«

»Natürlich.« Mrs. Porter wandte sich halb um. »Andrew, bring der Dame Kaffee. Sie möchten doch einen, oder?«

»Nein, danke. Ihr Sohn hat mir bereits einen angeboten. Es ist doch Ihr Sohn?«

»Ja, ich heiratete ganz jung. Vergangenen Winter verlor ich dann unter tragischen Umständen meinen Mann. Wir stammen aus Oregon. Sicher können Sie sich denken, wie schwierig es für eine Frau ist, allein zwei Jungen großzuziehen. Ich mußte unseren gesamten Besitz verkaufen, um die Reise zu bezahlen, in der Hoffnung . . .« Sie hielt mit einem entschuldigenden Lächeln inne. »Entschuldigen Sie. Sie sind nicht gekommen, um sich mein Gejammer anzuhören. Es tut nur so gut, ein weibliches Gesicht zu sehen. Es gibt so wenig Frauen in Nome. Anständige Frauen, meine ich.«

»Ja.« Glory war nicht überzeugt, daß die Frau nicht die Wahrheit über ihren Beruf ahnte, schon deshalb nicht, weil die Zahl der Frauen in Nome wirklich so klein war. »Aber Sie scheinen sich recht gut durchzubringen.«

»Das tue ich. Nie hätte ich gedacht, daß ich mit etwas so Einfachem wie Kuchenbacken den Unterhalt für meine Kinder verdienen könnte. Einige dieser armen Männer sagten mir, daß sie seit Jahren keinen hausgemachten Kuchen gegessen hätten. Und es war ein Segen Gottes, daß ich Mr. Sinclair begegnet bin. Ach, entschuldigen Sie, ich kann wieder mal kein Ende finden. Jetzt bringe ich Ihre Kuchen.« Die junge Witwe entfernte sich und überließ es Glory, sich zu fragen, was Justin, der sich in seiner Haut sichtlich unwohl fühlte, mit all dem zu tun habe.

»Bist du auf dem Weg in die Stadt, Justin?« fragte sie. »Ich nehme dich gern im Wagen mit.«

»Nein, ich ... hm ... muß zurück zur Arbeit. Ich kam nur, um Kuchen zu holen ... für meine Partner, als Überraschung sozusagen.«

»In diesem Fall fahre ich dich zurück.«

»Das wäre großartig.« Doch seiner Antwort mangelte es an Begeisterung.

Die junge Witwe kam mit den Kuchen wieder. »So, da wären sie. Noch ofenwarm.«

»Was bin ich schuldig?« Glory öffnete die Schmuckschnalle an ihrer flachen Tasche.

Sarah Porter sagte es ihr, und Glory bezahlte, um sodann zuzusehen, wie die junge Witwe sorgfältig das Wechselgeld vorzählte. Doch als sie die Hand wechselte, um es Glory zu geben, erwachte schlagartig Glorys Argwohn. Das Geschäftsleben hatte sie sämtliche Tricks gelehrt, wie man jemanden um Wechselgeld betrügen konnte, und der Wechsel von einer Hand in die andere war die einfachste Art, eine Münze in der Hand zu behalten. Glory zählte die Münzen, die sie bekommen hatte, genau nach.

»Ich glaube, ich bekomme noch einen Vierteldollar«, sagte sie.

»Ach?« Mrs. Porters Erstaunen und Unschuld waren sehr überzeugend. Sie zählte das Geld, das sie Glory gegeben hatte, noch einmal nach. »Leider habe ich nicht den Kopf für diese Dinge.« Auf dem Weg zur Geldkassette warf sie einen Blick auf den Boden. »Nanu, da liegt er ja. Ich muß ihn fallen gelassen haben.« Sie bückte sich und hob eine Münze auf, doch Glory war überzeugt, daß sie diese die ganze Zeit über in der Hand gehabt hatte. »So, das wär's. Es tut mir sehr leid.«

»Schon gut.« Glory war sicher, daß alles nur gespielt war – das arme hilflose Frauchen, das keinen Kopf fürs Geschäft hatte. Eine höchst überzeugende Rolle – für alle, nur nicht für eine andere Frau.

»Ich nehme jetzt meine Kuchen, Mrs. Porter. Höchste Zeit, daß ich zurück zur Arbeit komme«, sagte da Justin.

»Sofort.« Doch als sie sich umdrehte, war es, um ihre Söhne zu rufen. »Timothy, Andrew, Mr. Sinclair möchte gehen. Wolltet ihr ihm nicht etwas sagen?«

Beide riefen im Chor: »Danke für die Süßigkeiten, Mr. Sinclair.«

»Gern geschehen«, erwiderte er und sagte gleich darauf zu Glory: »Es sind so wohlerzogene Kinder. Wenn du einen Moment wartest, helfe ich dir, die Kuchen zum Buggy zu bringen.«

»Ja, gern«, murmelte sie. Damit lieferte sie ihm einen Vorwand, mit ihr fortzugehen.

Sarah Porter brachte ihm seinen Kuchen. Justin bezahlte und bestand darauf, daß sie das Wechselgeld behielt. Glory kochte innerlich, als er sie zum Buggy begleitete. Wortlos stieg sie ein. Justin verstaute die Kuchen und setzte sich neben sie. Sofort ergriff sie die Zügel und trieb die Pferde an.

Auf der Fahrt zum Strand herrschte peinliches Schweigen zwischen ihnen. »Warte, bis du den Kuchen gekostet hast«, wagte Justin schließlich einen Vorstoß. »Sie sind köstlich. Ich sagte Mrs. Porter schon, sie sei eine so hervorragende Köchin, daß sie unbedingt ein Restaurant oder eine Pension aufmachen sollte.«

»Ach?« murmelte Glory nur.

Ihr war klar, daß Justin bei der Witwe über das Kuchenessen hinausgelangt war. Schweigend lauschte sie seinem Lobgesang über Sarah Porters Küche. Sie gewann den Eindruck, Justin versuche, sie auf diese Weise zu überzeugen, daß dies sein einziges Interesse an ihr sei.

»Eine erstaunliche Frau«, unterbrach Glory ihn schließlich. »Und sie scheint dir ja für deine Hilfe überaus dankbar zu sein.«

»Ach, so viel habe ich ihr gar nicht geholfen . . . ich borgte ihr nur etwas Geld, damit sie sich ein paar Vorräte und Sachen kaufen konnte, die sie für ihren Laden brauchte.«

»Sehr großzügig, Justin.« Überaus großzügig, dachte Glory. Und die ganze Zeit über hatte sie selbst von ihm nicht die geringste Kleinigkeit bekommen. Langsam dämmerte ihr, daß Deacon mit seiner Einschätzung Justins vielleicht von Anfang an recht gehabt hatte. »Ich wollte dich ohnehin schon längst fragen, wie sich deine Goldwäscherei am Strand bezahlt macht. Doch wie ich sehe, mußt du gut dran sein, wenn du dir leisten kannst, Mrs. Porter Geld zu borgen. Inzwischen muß mein Anteil an deinem Claim ein hübsches Sümmchen an Gold ausmachen.« Sie hatte für das Ausrüstungsdarlehen vom vorigen Sommer noch nicht eine Unze Gold bekommen.

»Tja, inzwischen holen wir längst nicht mehr so viel heraus wie anfangs. Wir haben es an anderen Stellen versucht, es sieht aber so aus, als sei der Sand ausgelaugt. Bei diesen Menschenmassen und all den ausgeklügelten Vorrichtungen zum Goldwaschen ist kaum ein Stück Strand unberührt geblieben.«

Zwar war dies eine Klage, die man allgemein hörte, doch aus Justins Mund hörte sie sich an, als versuche er, Glorys Anteil herunterzuspielen. Er hatte nur zu bereitwillig genommen, was sie ihm gab, und schien der Meinung, er schulde ihr gar nichts – nicht einmal seine Treue.

Deacon hatte versucht, sie zu warnen, und sie hatte es nicht einsehen wollen. Sie hatte geglaubt . . . ja, was denn? Daß Justin sie liebte? Daß sie ihn liebte? Glory wußte es nicht mehr und kam sich jetzt unsäglich töricht vor. Es war eine Neuauflage der Situation in Skaguay. Justin stand im Begriff, sie ein zweites Mal im Stich zu lassen.

Glory hörte gar nicht mehr zu, was der ununterbrochen redende Justin äußerte, und widerstand der Versuchung, ihm zu sagen, daß die arme hilflose Witwe Sarah Porter keineswegs so rein und unschuldig war, wie er glaubte. Als sie ihn am Strand absetzte, war Glory kaum imstande, ihm normal Lebewohl zu sagen.

Wieder im Palace, eröffnete Glory Paddy, dem Barkeeper, daß, sollte Justin Sinclair sich wieder blicken lassen, er für seine Zeche bezahlen müßte. Sie wies Paddy an, das gesamte Personal von dieser Veränderung in Kenntnis zu setzen. Der in der Nähe stehende Deacon hörte jedes Wort, doch Glorys Stolz ließ es nicht zu, ihm zu gestehen, daß er recht gehabt hatte. Wortlos ging sie an ihm vorüber, direkt auf ihr Zimmer, ohne noch einmal bei Gladys vorbeizusehen.

Die Post lag auf dem Bett, wo Glory sie hingeworfen hatte. Einen Moment lang starrte sie den aufgerissenen Umschlag ihres Vaters Gabe Blackwood an – jenes Mannes, der ihre Mutter benutzt und mißbraucht hatte, der mit ihrem Geld verschwunden war, wie Justin es mit ihrem Geld beabsichtigte. Höchste Zeit, daß Männer dieses Schlages ihre Lektion bekamen und leiden mußten, wie ihre Mutter gelitten hatte – und wie sie selbst gelitten hatte. Nie hätte Glory es für möglich gehalten, daß ihr auch nur ein Funken Rachsucht innewohnte, doch es war so. Sie gelobte sich, daß sie es den beiden heimzahlen würde.

Sie griff nach dem Umschlag, nahm den Brief heraus und fing an, ihn zu lesen.

Teuerste Glory,

wenn Sie diesen Brief in Händen halten, werde ich vermutlich bereits unterwegs nach Nome sein. Ich habe auf dem Dampfschiff Senator, das Mitte Juli in Nome eintreffen soll, einen Platz gebucht.

Vielleicht haben Sie erfahren, daß der Kongreß die gesetzlichen Grundlagen dafür schuf, daß es in Gemeinden mit über dreihundert Einwohnern künftig eine Stadtverwaltung geben soll. Ich kann mich rühmen, daß meine ständigen Bemühungen in dieser Richtung von Erfolg gekrönt wurden, obwohl die Gesetzesvorlage nicht allen unseren Vorstellungen entspricht.

Soviel ich zu berichten hätte, so mangelt es mir doch an Zeit und Raum. Rasch sei noch gesagt, daß ich mit dem neuernannten Bundesrichter für Alaskas zweiten Distrikt reisen werde, nämlich mit Arthur H. Noyes, sowie mit dem Staatsanwalt Joseph K. Woods und einem höchst einflußreichen Mann namens Alexander Mackenzie, dem Präsidenten der Alaska Gold Mining Company. Ich sehe mit großer Ungeduld einem Wiedersehen mit Ihnen entgegen. So viele aufregende Dinge zeichnen sich für die Zukunft ab. Bald werde ich bei Ihnen sein, um die wundervollen Neuigkeiten mit Ihnen zu teilen. Bis dahin verbleibe ich

Ihr ergebener
G. Blackwood

Auch wenn er das angestrebte Richteramt nicht erlangt hatte, so hegte er hochfliegende Pläne und große Erwartungen. Es war genau das, was Glory wollte.

49. Kapitel

Am ganzen Strand spielten sich Szenen wie in einem Tollhaus ab. Tausende Tonnen Frachtgut stapelten sich am Ufer. Es war die Fracht jener Schiffe, die einige Meilen vor der Küste ankerten. Maschinen aller Art lagen am Strand: Druckereipressen, monströse Goldgewinnungsanlagen, Klaviere, Bareinrichtungen, Öfen, Nähmaschinen und Buggys, Tausende Fuß Holz, Tonnen von Kohle und Getreide, Kisten voller Konserven und anderer Vorräte. Dazu kam noch das Gepäck der Passagiere.

An jenem Morgen war das Dampfschiff Senator eingetroffen. Kaum war Glory zu Ohren gekommen, daß das Schiff draußen vor Anker gegangen war, als sie in ihrem Buggy an den Strand fuhr und auf die Passagiere wartete, unter denen sich Gabe Blackwood befinden mußte.

Sie blieb, vor der prallen Sonne geschützt, unter dem Dach des Buggys sitzen und beobachtete das langsame Näherkommen des Landungsbootes. Von der Brandung getragen, trieb das Boot ans Ufer und traf knapp vor dem Strand auf Grund. Das letzte Stück mußten die Passagiere an Land waten.

Glory erkannte Gabe Blackwood in dem Moment, als er ins Wasser sprang. »Oliver.« Sie beugte sich vor und rief dem bulligen Exboxer, der das Pferd am Zaumzeug hielt, zu: »Mr. Blackwood kommt an Land. Sag ihm, daß ich da bin.«

Von ihrem Sitz aus konnte Glory mitansehen, wie Oliver auf Gabe zuging – und auf den Herrn in Gabes Begleitung, einen großen Mann von höchst eindrucksvollem Auftreten, wie sie selbst aus dieser Entfernung feststellen konnte.

Oliver, der ihnen den Weg durch die Menge bahnte, führte Gabe und dessen Begleiter zum Buggy. Erst aus der Nähe bemerkte Glory, daß Gabe sich verändert hatte. Zwischen dem Mann, den sie jetzt sah, und dem, der er vor über einem Jahr gewesen war, bestand ein großer Unterschied. Haar und Kinnbart waren viel weißer. Statt des schäbigen, schlecht sitzenden Anzuges trug er jetzt einen einreihigen Anzug aus dunkelblauem Flanell und dazu einen perlgrauen Filzhut. Doch war es mehr als die äußere Erscheinung, die eine Veränderung signalisierte. Das Selbstvertrauen, das er ausstrahlte, stammte nun nicht mehr aus einer Flasche.

»Meine Liebe, was für eine reizende Überraschung«, erklärte er an den Buggy tretend. Er erfaßte die Hand, die sie ihm reichte. »Ich habe nicht gedacht, daß Sie mich hier erwarten.«

»Sie waren so lange fort, daß Sie damit rechnen mußten, mich hier anzutreffen und Sie in Nome willkommen zu heißen.«

»Ein Mann meines Alters wagt dergleichen nicht zu hoffen«, meinte er darauf. Nun erst schien er sich seines Begleiters zu erinnern und drehte sich zu dem Mann um. »Darf ich Ihnen Mr. Alexander Mackenzie vorstellen, Präsident und Generalmanager der Alaska Gold Mining Company, der hier von Nome aus das Unternehmen leiten wird. Mr. Mackenzie, Miß Glory St. Clair, die mit ihrem Partner das Palace betreibt, eines der feinsten Etablissements der Stadt.«

Aus der Nähe wurde der Eindruck bestätigt, den sie von

dem Mann gehabt hatte. Über einsachtzig groß, breitschultrig und beleibt, besaß Alexander Mackenzie ein imponierendes Auftreten. Seine dunklen Augen wirkten hart und berechnend. Von dem vollen, dunklen, seinen Mund fast zur Gänze verdeckenden Schnurrbart abgesehen, war er glattrasiert. Hocherhobenen Hauptes und mit vorgerecktem Kinn schien er jedem Widersacher Paroli zu bieten.

»Willkommen in Nome, Mr. Mackenzie«, sagte sie.

»Danke.« Er tippte an die Hutkrempe. »Es ist mir ein Vergnügen, Ihre Bekanntschaft zu machen, Miß St. Clair.«

»Ich wünsche Ihnen viel Glück bei der Suche nach Büroräumen, Mr. Mackenzie«, fuhr sie fort. »Wenn Sie überhaupt Räumlichkeiten finden, dann zu Höchstpreisen. Die kleinste Kammer kostet sechzig Dollar Monatsmiete ohne Heizung und Licht.«

»Miß St. Clair, ich weiß Ihren Rat zu schätzen, bin aber sicher, etwas Passendes zu finden.« Seine Selbstsicherheit war fast beängstigend.

»Ich muß gestehen, daß ich Sie für den neuen Richter hielt, als ich Sie in Mr. Blackwoods Gesellschaft sah. Wie ich hörte, soll er auf der Senator eintreffen.«

»Richter Noyes fühlt sich nach der langen Seereise nicht wohl und will ein, zwei Tage in seiner Kabine verbringen.«

»Es freut mich zu hören, daß er ankam, da ich weiß, daß Mr. Blackwood es kaum erwarten kann, seine zahlreichen Fälle vor einen Richter zu bringen, damit die Besitzverhältnisse an den Claims endlich geklärt werden.«

»Ja, Mr. Blackwood und ich haben einige dieser Fälle eingehend diskutiert«, erwiderte Mackenzie.

Es war nicht bei Diskussionen geblieben, wie Glory im weiteren Verlauf des Tages erfahren sollte, als sie Gelegenheit hatte, mit Gabe vertraulich zu sprechen. Er hatte seine fünfzigprozentigen Honoraransprüche an den Rechtsstreitigkeiten an Mackenzie abgetreten und dafür Anteile an Mackenzies Gesellschaft erhalten. Eine zweite Anwaltspraxis in Nome sei eine ähnliche Vereinbarung eingegangen, sagte Gabe, um Glory dann zu erklären, daß Mackenzie behauptet habe, er hätte Richter Noyes ›in der Hand‹, genauso wie den neuen Bundesstaatsanwalt.

Nur zwei Tage darauf sollte sich dies bestätigen. Ein Vertreter der anderen Anwaltspraxis wollte bei dem neuen Richter im Interesse seiner Klienten eine vorläufige Verfügung für einige der ältesten und ergiebigsten Claims, die sich in skandinavischem Besitz befanden, erreichen, da das ganze Verfahren ungesetzlich sei. Der Richter gab dieser Verfügung nicht nur statt, sondern bestimmte die Alaska Gold Mining Company als Eigentümerin bis zur endgültigen Klärung der Besitzverhältnisse durch ein Verfahren. Weiter ordnete der Richter an, daß sämtlicher persönlicher Besitz auf dem strittigen Gelände samt dem gefundenen Gold konfisziert werden sollte und Mackenzie pro Mine eine Kaution von fünftausend Dollar hinterlegen müsse. Das alles ging in Minutenschnelle über die Bühne, ohne Einspruch der ursprünglichen Kläger oder deren Rechtsbeistände. Es sah ganz so aus, als hätte jemand vergessen, sie davon in Kenntnis zu setzen, daß ihre Klage zur Verhandlung käme.

In Nome schwirrte es vor Neuigkeiten. An jenem Abend war das Vorgehen des neuen Richters das einzige Thema im Palace. Während viele es nicht ungern sahen, daß die Klage der sogenannten Ausländer abgewiesen wurde, so waren doch die meisten der Meinung, der Richter hätte Mackenzie praktisch einen Freibrief zur Aneignung fremder Claims ausgestellt.

Vom Eingang her hörte man plötzlich erregte Stimmen. Glory warf einen prüfenden Blick hin und lächelte unmerklich, als sie Justin erkannte. Ihm wurde der Eintritt von dem Mann im dunklen Anzug, der das Eintrittsgeld kassierte, verweigert. Als sie zur Tür wollte, sah sie, daß Oliver bereits unterwegs war, um den Streit zu schlichten.

»Oliver!« Justin erkannte ihn mit einer Mischung aus Erleichterung und Empörung. »Würdest du diesem Herrn wohl sagen, wer ich bin? Ich versuchte ihm klarzumachen, daß ich zu Glorys Freunden gehöre, aber er will nicht hören. Er besteht darauf, daß ich zahlen müßte.«

»Tut mir leid, Mr. Sinclair . . .«, setzte Oliver an.

»Schon gut, Oliver«, sagte Glory, die nur ein paar Schritte entfernt war. »Ich übernehme das schon.«

»Sehr wohl, Miß Glory.« Oliver trat beiseite, blieb aber in Reichweite.

»Bin ich froh, daß du kommst.« Justin ließ wieder sein Lächeln spielen. »Ich glaubte schon, ich müßte mir den Weg hinein erkämpfen. Der Kerl wollte nicht glauben, daß ich ein Freund bin.«

»Das war nicht Hawkins' Schuld«, erwiderte sie geschmeidig. »Schließlich arbeitet er erst seit drei Wochen bei uns. Und während dieser Zeit warst du kein einziges Mal hier.«

»Ich weiß.« Er mußte gemerkt haben, daß sein Lächeln keine Wirkung hatte. »Es tut mir leid, aber ich war in letzter Zeit sehr beschäftigt. Die Zeit ist mir einfach zwischen den Fingern zerronnen.« Er wollte einen Schritt ins Innere tun, doch der neue Mann vertrat ihm abermals den Weg. In seiner Ungeduld und Verwirrung sah Justin Glory stirnrunzelnd an. »Würdest du dem Burschen wohl sagen, daß er mich eintreten lassen soll?«

»Hast du schon bezahlt?« Glory fragte es lächelnd.

»Natürlich nicht.« Die Furchen auf seiner Stirn vertieften sich.

»Dann tut es mir leid, Justin. Es ist gegen die neuen Hausregeln.«

»Seit wann?«

»Seit ich es so bestimmte.« Sie sagte es in ruhigem Ton und genoß den Augenblick aus ganzem Herzen. »Du bezahlst deine Rosinenkuchen. Warum sollst du nicht den Eintritt bezahlen?«

»Ach, das ist es?« Er sah sie finster an. »Ich machte dir nie irgendwelche Versprechungen.«

»*Ich* machte dir nie irgendwelche Versprechungen, Justin.« Glory sagte es mit Wonne. »Als alter Freund bist du im Palace natürlich sehr herzlich willkommen, jederzeit. Aber von nun an wirst du bezahlen müssen. Freie Runden gibt es nicht mehr – wenn du verstehst, was ich meine.«

Ohne mit einer Wimper zu zucken, blieb Justin eine geraume Weile reglos stehen. Dann drehte er sich abrupt um und stürmte hinaus, die Tür hinter sich zuknallend. Glory blieb kurz stehen, den Blick auf die Tür gerichtet, dann drehte sie sich um. Vom anderen Ende des Raumes aus hatte

Deacon sie beobachtet. Sie glaubte, ein zustimmendes Lächeln in seiner Miene zu lesen und erwiderte es.

Gegen Morgen, als die meisten Gäste schon gegangen waren, kam Deacon zu ihr aufs Zimmer, und Glory entdeckte, daß der alte Zauber, den es einmal zwischen ihnen gegeben hatte, noch immer wirkte. Wichtiger noch, bei ihm fühlte sie sich ungezwungen. Begründungen waren nicht nötig. Deacon kannte den Unterschied zwischen Geschäft und Vergnügen.

Der August brachte Regen. Er verwandelte Nomes ungepflasterte Straßen in eine Schlammwüste. Die am Strand gewonnenen Goldmengen wurden immer geringer, mochten die Geräte zur Goldgewinnung auch noch so genial und kostspielig sein.

Die ergiebigen Vorkommen in den baumlosen Bergen des Landesinnern lieferten noch immer Nuggets und Körner, doch wurde der Großteil dieser Claims von Mackenzie kontrolliert. Alle Welt war überzeugt, daß das Gold in seine Taschen wanderte und die rechtmäßigen Eigentümer leer ausgingen. Richter Noyes weigerte sich, die Einsprüche der ursprünglichen Besitzer zur Kenntnis zu nehmen und blockte ihre Eingaben an das übergeordnete Gericht in San Francisco ab. So kam es, daß die Anwälte der Claimbesitzer Ende August nach San Francisco fuhren, um direkt beim Appelationsgericht eine Wiederaufnahme der Verfahren zu erwirken.

Im Spätsommer war der Goldabbau in den Bergen praktisch zum Erliegen gekommen. Stieß ein Goldsucher in den Bergen auf Gold, buddelte er alles wieder zu, aus Angst, man könne ihm die Besitzrechte streitig machen und der Claim würde dank der Machenschaften bei Gericht Mackenzie in die Hände fallen.

In ganz Nome knisterte es. Die Verbrechensrate schnellte in die Höhe; ständig war zu befürchten, daß die Goldsucher das Gesetz selbst in die Hände nehmen würden, wenn sie sich von den Gerichten im Stich gelassen fühlten. Zwischen den Goldsuchern und Mackenzies Banden drohte ein offener Krieg.

Am Mittag des 12. Septembers saß Glory auf der Chaiselongue in dem kleinen Wohnbereich ihres Schlafzimmers. In ein loses Gewand gehüllt, hörte sie zu, wie Gabe sich über Mackenzies Macht und Einfluß ausließ, während draußen ein Unwetter tobte, das in einen Orkan auszuarten drohte.

»Meine Anteile an der Alaska Gold Mining Company werden einmal ein kleines Vermögen wert sein«, erklärte er. »Mehr sogar, sobald der Richter die früheren Ansprüche auf die Minen für ungültig erklärt und Mackenzie zum Eigentümer macht.«

»Sie scheinen ja ganz sicher zu sein, daß es so kommen wird.«

»Diese Ausländer haben kein Recht, sich Claims auf amerikanischem Boden anzueignen. Das weiß doch jeder«, erwiderte er mit der Geduld eines Vaters, der ein Kind belehrt.

»Vielleicht. Aber meiner Meinung nach ist allein die Regierung befugt, über die Herkunft eines Claimbesitzers Erkundigungen einzuziehen. Kein anderer Goldsucher hat das Recht, die Herkunft einer Person zum Vorwand zu nehmen, sich deren Claim anzueignen. Wie können Sie so sicher sein, daß der Richter zugunsten der Alaska Mining Company entscheiden wird?«

»Weil Mackenzie den Richter nach seiner Pfeife tanzen läßt. Der Richter wird tun, was Mackenzie verlangt. Glory, ich sage Ihnen, es wird ein großer Tag, wenn die Entscheidung fällt. Meine Anteile werden mich nicht nur zum reichen Mann machen, mit Mackenzie als Gönner werde ich noch Gouverneur von Alaska. Warten Sie ab.«

»Gabe, machen Sie sich denn keine Sorgen, was in San Francisco passieren könnte? Die Anwälte zweier großer Minenunternehmen legen gegen Richter Noyes' Entscheidung Berufung bei der nächsthöheren Instanz ein.«

»Dabei wird nichts herauskommen. Wann hat es denn jemals jemanden draußen gekümmert, was hier in Alaska vorgeht? Und vergessen Sie nicht«, er beugte sich vertraulich vor, »Mackenzie hat einflußreiche Freunde. Der Mann kennt jeden Präsidenten der Vereinigten Staaten, von Cleveland bis McKinley. Seine Machtbasis hat nicht ihresgleichen.« Er lachte vergnügt. »Er wird nicht umsonst Alexander der Große genannt.«

Viel interessanter als Mackenzies Macht war für Glory der korrumpierende Einfluß, den er auf Gabe ausübte. Wie oft hatte ihre Mutter von seinen hohen Idealen gesprochen, von seinem Traum, Gouverneur zu werden. Und jetzt hatte er einen Mann gefunden, der über die Macht verfügte, diesen Traum wahr werden zu lassen.

Der heulende Wind und das Toben des Unwetters übertönte fast das Pochen an der Tür.

»Herein«, rief Glory.

Matty trat mit einem Tablett ein, auf dem ein silbernes Kaffeeservice stand. »Bring es hier rüber, Matty.« Glory schwang die Beine von der Chaiselongue, während Matty das Tablett auf einem niedrigen Tisch abstellte.

»Der Sturm wird immer schlimmer«, sagte sie. »Die Wellen werden auch immer höher. Das Meer ist zornig. Bald wird es an Land kommen.«

»Hoffentlich irrst du dich, Matty. Denk an die vielen Menschen in den Zelten am Strand . . .«

»Wenn so heftige Stürme toben, dann verläßt mein Volk die Küste und geht landeinwärts, wo es sicherer ist.« Matty warf einen ängstlichen Blick hinaus auf das unheilverkündende Grau hinter den regen- und sturmgepeitschten Scheiben. »Die Anzeichen sind schlimm. Vielleicht sollten wir auch gehen.«

»Ach, wir haben solche Stürme schon gut überstanden«, meinte Glory. »Heute ist es zwar besonders wild, aber daß man drastische Maßnahmen ergreifen müßte, glaube ich nicht.«

»Deacon sagt, vielleicht doch«, bemerkte Matty im Gehen.

Während Glory Kaffee eingoß, dachte sie an Mattys letzte Bemerkung. Deacon war nicht der Mensch, der sich leicht ängstigte. Sie reichte Gabe eine Tasse und trat mit der ihren ans Fenster. Jetzt erst nahm sie wahr, wie das Haus unter der Wucht des Windes erbebte. Ganz schwach hörte man das Krachen und Poltern von allen möglichen Trümmern, die draußen umhergewirbelt wurden.

Hinter ihr schnaubte Gabe verächtlich: »Die Anzeichen sind schlimm. Dieser dumme Aberglaube der Eingeborenen.«

Von unten hörte man, wie das Wasser gegen die Fundamente des Palace schlug. Glory hatte gar nicht gewußt, daß es bereits so nahe war. »Die Wellen sind schon an der Hintertür«, sagte sie in besorgtem Ton.

»Was heißt das schon?« äußerte er voller Verachtung. »Der Sturm hat schon öfter an den Zehen der Stadt genagt. Lassen Sie sich von diesem Unsinn nicht beirren. Ich wünschte, Sie würden auf mich hören und sich dieses . . . Frauenzimmers entledigen. Sie und ihresgleichen taugen nichts.«

»Das haben wir bereits besprochen.« Glory wandte sich ihm zu.

»Sicher, sie ist eine billige Arbeitskraft, aber es ist kein Verlaß auf sie. Ich weiß, wovon ich rede, glauben Sie mir. Ich habe Erfahrung im Umgang mit Indianern. Man muß ihnen beibringen, wohin sie gehören.«

Je länger sie ihm zuhörte, desto mehr wuchs ihr Zorn. Sie wußte nur zu gut, wie er ihre Mutter behandelt hatte.

»Und wohin gehören sie?« fragte sie kalt.

»Jedenfalls nicht unter anständige Weiße. Am besten, Sie werfen sie hinaus. Schicken Sie sie zurück ins Iglu, wo sie Robbenspeck essen kann. Es ist nicht gut, daß Sie sich mit diesem Pack abgeben.«

»Und was ist, wenn ich jetzt sage, daß ich zu diesem Pack gehöre?« Sie hatte sein Vorurteil satt. Diesmal war er zu weit gegangen.

Erst starrte er sie verständnislos an, dann lachte er kurz auf. »Was reden Sie da?«

»Wenn ich nun sage, ich gehöre zu diesem Volk? Oder vielleicht sollte ich es anders ausdrücken. Sie ist mein Volk. Wir sind verwandt. Matty und ich sind Kusinen.«

»Das glaube ich nicht.«

»Es stimmt. Gabe, was ist denn? Sehe ich für Sie nicht wie eine Indianerprinzessin aus?«

»Wohl kaum.«

Nachdem sie soweit gegangen war, reizte es sie, alles zu sagen. »Und wie eine russische Prinzessin?«

Erschrocken wich er zurück, plötzlich nervös und wachsam werdend. »Russisch? Warum sagen Sie das?«

»Ich bin unter dem Namen Glory St. Clair bekannt. Möchten Sie wissen, wie ich wirklich heiße?«

»Wie denn?«

»Marischa Blackwood, Tochter von Nadja Lewjena Blackwood, geborene Tarakanowa.«

Diese Eröffnung ließ ihn aufspringen. »Das ist ausgeschlossen!« rief er aus.

»Nadja Lewjena Tarakanowa, eine Mischung aus Aleuten, Tlingit und Russen, ehelichte den amerikanischen Anwalt Gabe Blackwood in der St.-Michails-Kathedrale zu Sitka, Alaska. Gewiß ist Ihnen der Tag noch in Erinnerung.« Sie ging auf Gabe zu, dessen Miene von Schock und Fassungslosigkeit gezeichnet war. »Vielleicht ist Ihnen der Tag Ihres Verschwindens deutlicher in Erinnerung geblieben – der Tag, an dem Nadjas Großvater, Wolf Tarakanow, einen Herzanfall erlitt, nachdem er Sie daran gehindert hatte, Ihre Frau und Ihr ungeborenes Kind zu töten, der Tag, an dem Sie alles Silber aus seinem Haus stahlen und sich auf einem Postschiff aus dem Staub machten.«

»Woher – woher wissen Sie das? Wie sind Sie dahintergekommen?«

Er wich vor ihr zurück, während er den Kopf in ungläubiger Verneinung schüttelte.

»Das meiste weiß ich von der Schwester meiner Mutter, von Tante Eva. Aber auch Mutter sprach von dir, von deinem Wunsch, Gouverneur zu werden.«

»Ich weiß nicht, wer Ihnen dies alles erzählte, aber es ist eine Lüge«, plusterte er sich auf. »Kein Wort stimmt. Sie irren sich, wenn Sie glauben, Sie könnten mich damit erpressen. Ich werde alles abstreiten.«

»Dich erpressen? Was für eine Tochter ist das, die ihren Vater erpreßt? Du bist mein Vater.«

»Nein, das kann nicht sein!«

»Es ist so. Weißt du noch, wie bekannt ich dir anfangs vorkam? Wäre es nicht möglich, daß ich dich an meine Mutter erinnere?«

»Nein.«

»Gabe, du kannst es abstreiten, soviel du willst, doch es ist eine Tatsache. Ich bin deine Tochter und kann es beweisen. Meine Mutter ist tot, aber meine Tante Eva lebt. In Sitka gibt es viele, die sich an mich erinnern – an die arme kleine Marischa Blackwood. Ich bin erst seit drei Jahren fort.« Gabe starrte sie an wie ein Gespenst, als sie vor ihm stehenblieb und mit dem Finger den abgerundeten Aufschlag seines Jacketts entlangfuhr. »Was ist denn, Papa? Du scheinst aber gar nicht glücklich über die Begegnung.«

Er stieß ihre Hand weg. »Fassen Sie mich nicht an! Weg! Halten Sie Abstand!« Er drehte sich halb um, von offenkundiger Panik erfaßt.

»Was meinst du, wird Mackenzie dazu sagen, wenn er erfährt, daß du mein Vater bist? Meine Blutmischung wird ihn nicht stören, doch der Umstand, daß der zukünftige Gouverneur von Alaska der Vater eines der berühmt-berüchtigten leichten Mädchen von Alaska ist, wird ihm zu denken geben. Irgendwie habe ich das Gefühl, es wird seine Entscheidung ungünstig beeinflussen.«

»Sie werden es ihm doch nicht sagen?«

»Ach, nicht?« Sie ging auf Abstand. »Die Presse ist ganz wild auf Skandale. Kannst du dir die Schlagzeilen vorstellen? ›Berüchtigte Tingeltangeltaube Tochter des Mannes, der Gouverneur von Alaska werden möchte.‹« Glory lachte schallend. »Gabe Blackwood, aus dir wird nie ein Gouverneur. Ich wollte warten, bis das Amt in deine Reichweite rückt. Aber du wirst es nie bekommen.« Sie wandte sich ihm wieder zu. »Dafür werde ich sorgen. Du wirst nie zum Gouverneur, zum Richter oder auch nur zum Müllkutscher ernannt werden. Du bist und bleibst ein Nichts.«

»Du hast mich reingelegt. Die ganze Zeit über hast du mich reingelegt.« Er bebte vor Wut. »Genauso, wie sie es tat! Ihr seid alle gleich. Verlogenes dreckiges Pack!« Er trat drohend auf sie zu, Glory aber wich keinen Schritt zurück. Sie würde sich nicht einschüchtern lassen wie ihre Mutter. »Damals ließ ich zu, daß sie meine Chancen ruinierte. Aber diesmal wird es nicht wieder passieren. Ich habe zu lange darauf gewartet.«

»Warten wirst du bis an dein Totenbett«, spottete sie.

Seine Hand schien aus dem Nichts zu kommen. Glory sah nur ein kurzes Zucken, ehe sie ihr Gesicht traf. Die eine Seite des Kopfes explodierte schmerzhaft. Sie merkte gar nicht, daß sie einen Schrei ausstieß, als sie unter der Wucht des Hiebes rücklings taumelte und ihre Tassen fallen ließ. Sie stieß gegen einen Gegenstand, der ihr Zurückweichen behinderte. Wieder schlug Gabe auf sie ein, und sie fiel aufs Bett. Auf der weichen gefederten Matratze versuchte sie, sich auf die andere Seite zu retten. Noch ehe sie ihm entkommen war, war er auf dem Bett und umklammerte ihre Kehle.

Glory schrie in höchster Verzweiflung aus Leibeskräften, da nicht anzunehmen war, daß man sie bei dem Toben des Unwetters hören würde. Rasch erstickte er ihre Schreie. Wild um sich schlagend, fuhr sie ihm mit den Fingern ins Gesicht, zerkratzte ihm das Gesicht mit den Nägeln und versuchte, ihm in die Augen zu stechen. Glory wußte, daß sie mit ihrer Gegenwehr bald am Ende sein würde. Wenn sie nur eine Waffe – irgend etwas – zur Hand gehabt hätte, womit sie auf ihn hätte einschlagen können.

Ihre Kräfte ließen rasch nach. Aber plötzlich war sie von seinem Griff befreit. Mit dem ersten tiefen Atemzug kam ein Hustenkrampf. Sie faßte nach ihrer Kehle und zog sich zu ihrem Nachttisch hinüber mit der Absicht, ihre Pistole aus der Lade zu holen. Dabei blickte sie sich nach Gabe um, doch war es Deacon, den sie an seiner Stelle neben dem Bett stehen sah. Gabe stieß sich eben von der Wand ab, mit der Linken sein Kinn reibend.

»Glory, ist bei dir alles in Ordnung?« Deacon fragte es, den Blick in dem Augenblick auf sie gerichtet, als sie sah, wie Gabe in seine Jacke griff und einen Revolver zog.

»Achtung! Er schießt!«

Deacon fuhr herum. Der Derringer schnellte aus seinem verborgenen Ärmelpolster hervor. Aber noch ehe er anlegen konnte, sah Glory Gabes Mündungsfeuer und hörte den ohrenbetäubenden Knall. Deacon zuckte zusammen und faßte nach seinem rechten Arm. Der Derringer ging los, doch die Kugel durchschlug harmlos die Zimmerdecke.

»Nein!« Glory raffte sich vom Bett auf.

Sie riß die Pistole mit dem Perlmuttgriff aus dem Schubfach und legte, die Waffe mit beiden Händen haltend, auf Gabe an. Während sie abdrückte und die Waffe in ihrer Hand zuckte, schloß sie unwillkürlich die Augen. Der Schuß ging weit von Gabe entfernt in die Wand. Als Glory zum zweitenmal abdrücken wollte, stürzte er aus dem Zimmer.

Deacon kniete neben dem Bett und umfaßte mit der Linken seinen rechten Arm nahe dem Ellbogen. Pfeifend sog er die Luft ein, sein Gesicht war schmerzverzerrt. Glory lief zu ihm, den flüchtenden Gabe und ihre eigenen Schmerzen und Verletzungen vergessend. Ein Blick auf das Blut, das zwischen seinen Fingern hindurchdrang und über seinen linken Handrücken lief, genügte, um sie zur Tür laufen zu lassen.

»Matty!« schrie sie. »Komm, schnell!« Dann war sie wieder an Deacons Seite. Mit unsicheren Händen riß sie einen Streifen vom Saum ihres Gewandes und wickelte ihn um die Wunde. Mit einem Kaffeelöffel, den sie vom Tablett nahm, improvisierte sie einen Knebel, um die Blutung zu stillen.

»Ich kam herauf, um dir zu sagen, daß der Sturm an Stärke zunimmt.« Seine Stimme war rauh vor Schmerz. »Merkst du, wie das Haus schwankt? Das ist der Anprall der Wogen. Andere Hausbesitzer an der Straße versuchen, ihre Häuser fest zu verankern. Wir müßten es auch versuchen. In der Zwischenzeit aber wäre es am besten, wenn wir alles hinausschaffen und retten, was möglich ist. Glory«, er hielt inne, und sie hörte sein schweres Atmen, »was ist denn hier passiert? Blackwood sah aus wie ein Wahnsinniger.«

»Pst, nicht sprechen.« Seine Blässe machte ihr angst. »Das erzähle ich dir später.« Vom Gang her hörte sie Mattys Schritte. »Deacon wurde angeschossen. Wir müssen ihn zu einem Arzt schaffen«, sagte Glory, als Matty in der Tür erschien.

Glory zog rasch ihren langen Regenmantel und Stiefel an, während Matty eine Armschlinge für Deacon zurechtmachte und ihm in einen Ärmel seines Regenmantels half. Als sie den Raum verließen, hob Glory die Waffe vom Boden auf und stopfte sie in ihre Manteltasche.

Kaum hatte sie einen Schritt ins Freie getan, als der orkanartige Wind sie mit voller Wucht traf. Trümmer wurden durch die Luft geschleudert, Wasser überflutete die Straße.

Alle Zelte waren verschwunden, einige der wenigen soliden Bauten standen im Begriff zusammenzubrechen. Ein größeres und fester gebautes Haus war von seinem Fundament gerissen worden.

Beim Überqueren der Straße, als sie völlig dem Wind ausgesetzt waren, der sie umzuwerfen drohte, merkte Glory, daß dies kein gewöhnliches Unwetter war. Die vernichtende Kraft des Sturmes ging über alles hinaus, was Nome bislang erlebt hatte. Vor dem Verlassen des Palace hatte sie Deacons Empfehlung, alle zu evakuieren und soviel als möglich zu retten, an Oliver weitergegeben.

Deacons Züge, die jetzt seiner eisernen Selbstbeherrschung nicht mehr gehorchten, waren schmerzverzerrt. Glory wußte, daß es noch weit zur Praxis des Arztes war, für Deacon vielleicht zu weit.

»Das Krankenhaus!« überschrie sie das Tosen von Sturm und Meer. Das Krankenhaus lag nur einige Blocks entfernt. Matty nickte, und sie schlugen die andere Richtung ein, Deacon in die Mitte nehmend.

Einen Häuserblock vor ihrem Ziel entfernt, sah Glory einen Mann aus einer Tür treten und ihnen entgegenkommen, wobei er an den Hauswänden Halt suchen mußte. Man sah, daß er eine Tasche an die Brust drückte, während er sich mühsam und in gebückter Haltung weiterarbeitete. Im nächsten Sekundenbruchteil erkannte sie Gabe, und plötzlich vermeinte sie, wieder seine Hände um ihre Kehle zu spüren. Die Wut und Angst, die sie empfunden hatte, waren schlagartig wieder da. Er würde dafür büßen, was er ihr angetan hatte!

»Geh weiter!« sagte Glory zu Matty und blieb stehen.

Gabe, der sie auch erkannte, blieb ebenfalls stehen und blickte sich gehetzt um. Glory fiel die Pistole in ihrer Tasche ein. Sie tastete nach der Waffe, bis ihre Finger auf das nasse, glatte Metall stießen und sie die Mündung hervorschieben konnte. Eine bewußte Tötungsabsicht hatte sie dabei nicht. Sie wollte ihn nur für alles büßen lassen, auf welche Weise, das hatte sie nicht bedacht.

Knapp vor ihr schlug etwas in ein Fenster. Um sich vor Glassplittern zu schützen, hob sie die Arme. Dabei wurde die Waffe in ihrer Hand sichtbar. Gabe wich zurück und lief unvermittelt auf die hoch mit Wasserschlamm bedeckte Straße hinaus, auf der Trümmer trieben. Glory watete ihm nach und trachtete ihm den Weg abzuschneiden, ein mühsames Unterfangen, da ihre nassen Röcke sie sehr behinderten. Auch Gabe hatte schwer zu kämpfen, denn sein Alter und die vorangegangene Aufregung setzten ihm schwer zu.

Mitten auf der Straße hielt er inne, ließ die Tasche fallen und suchte in seiner Jacke nach der Waffe. Glory zögerte, da sah sie ein Stück Blech durch die Luft sausen und seinen Arm treffen, so daß ihm die Waffe aus der Hand geschlagen wurde und im Schlamm landete. Erst wollte er danach suchen, aber dann fing er an zu laufen, mühsam Schritt für Schritt durch den Schlamm stapfend. Glory hob ihre Röcke und nahm die Verfolgung auf.

Plötzlich duckte er sich und verschwand zwischen zwei Häusern.

Als sie in den schmalen Zwischenraum einbog, hatte er eben kehrtgemacht, da ihm die herantosende See den Fluchtweg versperrte. Jetzt war er in die Falle geraten und stand ihr gegenüber. Langsam bewegte er den Kopf in schweigender Verneigung, ein gebrochener Mann.

»Ich bin nicht meine Mutter.« Der Wind riß Glory die Worte von den Lippen. Sie hob die Pistole und starrte den durchnäßten, schmutzigen, mitleiderregenden alten Mann an.

Da wurde sie durch ein näher kommendes, überlautes Tosen abgelenkt. Schreckerstarrt sah sie hinter Gabe einen gewaltigen Brecher in die Höhe wachsen. Reglos und stumm sah sie mit an, wie die gewaltige Woge in den hinteren Teil der Häuser schlug, gleich darauf Gabe erfaßte und ihn verschlang.

Im nächsten Moment hatte die Woge Glory erfaßt. Sie suchte an der Hauswand Schutz und klammerte sich an der Ecke an, damit der Sog sie nicht mit hinaus ins offene Meer trüge. Die Gewalt des Wassers hob das Haus an und drückte es nach vorne. Fast hätte Glory den Halt verloren. Kaum hatte sie wieder Boden unter den Füßen, als sie auf die Straße taumelte, um dem nächsten Brecher zu entgehen.

Glory warf nur einen flüchtigen Blick zurück. An der Stelle, wo sie Gabe zuletzt gesehen hatte, sah man nur Trümmer und wirbelndes Wasser.

Der Orkan tobte stundenlang und erreichte seinen Höhepunkt erst in der Nacht. Tausende Zelte wurden zerrissen und fortgeweht, Werkzeuge und Geräte an der Küste zerstört und weggeschwemmt. Nahezu die Hälfte des Geschäftsviertels von Nome, praktisch jedes Haus an der Seeseite der Front Street wurde zerstört, einschließlich des Double Eagle. Eine genaue Zahl der Opfer wurde nie ermittelt.

Vom Palace blieb nur Kleinholz übrig. Ein Augenzeuge berichtete Glory, daß die Wellen das ganze Haus erfaßt und es gegen das Haus auf der anderen Straßenseite gerammt hätten. Die Mädchen hatten zum Glück ihre Garderobe in Sicherheit bringen können, und Oliver war es gelungen, ein paar Wertsachen zu retten. Alles andere war verloren.

Was Deacon betraf, so hatte die Kugel nicht, wie Glory befürchtet hatte, sein Ellbogengelenk zerschmettert, sondern nur den Knochen gesplittert und einen Nerv verletzt. Dies war auch der Grund für die unerträglichen Schmerzen, die nur durch regelmäßige Morphiumspritzen gelindert werden konnten. Über die Heilungschancen konnte der Arzt nichts Genaues sagen.

Wie Tausende andere in Nome hatten sie kein Dach über dem Kopf mehr. An die fünfzehntausend Menschen kehrten in jenem Herbst Alaska den Rücken und gingen in die Vereinigten Staaten, viele davon waren völlig mittellos. Aber Glory, Deacon und Matty blieben, und Glory machte sich daran, das Palace wieder aufzubauen, diesmal aber nicht unmittelbar am Wasser.

Am 15. Oktober wurde Alexander Mackenzie unter dem Verdacht des Betruges festgenommen und mit dem letzten Schiff des Jahres nach San Francisco gebracht, wo er vor Gericht gestellt werden sollte.

50. Kapitel

In jenem Winter entdeckte Glory, daß sie schwanger war. Minuten nachdem der Arzt ihren Verdacht bestätigt hatte, wußte sie genau, was sie tun würde. Sie würde das Kind bekommen und es selbst großziehen, ohne Rücksicht auf die Schwierigkeiten, die es mit sich bringen mochte.

Als Deacon von ihrem Entschluß erfuhr, bestand er auf einer Ehe. Seine Wunde war verheilt, nicht aber sein verletzter Nerv. Er konnte Hand und Arm voll gebrauchen, hatte aber das Tastgefühl darin fast ganz verloren. Ständig plagte ihn ein scharfer, brennender Schmerz, und immer mehr verließ er sich auf seine Morphiumspritzen, um über den Tag zu kommen.

Daß sie Deacon sehr viel bedeutete, daran zweifelte Glory nicht, denn auch sie hatte ihn sehr liebgewonnen. Es war eine Form der Liebe, die womöglich stärker war als die romantische Liebe, von der sie einst geträumt hatte. Deacons Zeit als Berufsspieler war vorüber. Zwar konnte er noch Karten spielen, doch er konnte seine Tricks nicht mehr anwenden, da es ihm an Fingerfertigkeit mangelte – wegen des Unfalls, der ihretwegen geschah.

Am 11. Februar 1901, dem Tag, an dem Alexander Makkenzie in Kalifornien zu einem Jahr Gefängnis verurteilt wurde, heiratete Glory Robert ›Deacon‹ Cole. Als das Frühlingstauwetter einsetzte, bauten sie ein paar Blocks vom neuen Palace entfernt ein kleines Haus mit einer Fassade im Zuckerbäckerstil. Glory konnte in ihrem Zustand nicht viel mehr tun, als alles zu überwachen. Den Großteil des täglichen Geschäftes überließ sie Deacon und Matty.

Der Sommer brachte diesmal keine Scharen von Goldsuchern an den Strand von Nome, denn der Sand gab nichts mehr her. Über zwei Millionen Dollar in Gold waren daraus gewonnen worden. Die Wirtschaft der Stadt beruhte jetzt auf den landeinwärts gelegenen Minen, die reich und ergiebig waren. Mit dem ersten Schiff des Jahres kam die Nachricht, daß Präsident McKinley Mackenzie begnadigt hatte, da dessen Gesundheitszustand ›zu angegriffen‹ war. Man versäumte auch nicht zu erwähnen, daß der gesundheitlich

Angegriffene beobachtet wurde, wie er dem aus Oakland abfahrenden Zug überaus behende nachsetzte. Glory bekam den Eindruck, daß Gabe recht gehabt hatte, als er behauptete, Mackenzie hätte Verbindungen auf höchster Ebene.

Im Juli schenkte Glory einem sieben Pfund schweren Knaben das Leben. Deacon stand neben ihrem Bett, das Neugeborene in seinem rechten, gesunden Arm haltend.

»Glory, ich glaube, wir haben da ein As abgekriegt«, murmelte er, in die Betrachtung des Kleinen versunken.

Und so nannten sie ihn auch, nämlich Ace Matthew Cole – Matthew nach Matty, dem zweiten Menschen, der Glory am nächsten stand. Die drei schafften es, ihn über die Maßen zu verwöhnen, doch gehörte Ace zu jener Art von Glückskindern, denen dies nicht schadete. Glory fand so viel Befriedigung in ihrem neuen Leben und mit ihrer Familie, daß sie es mit Gleichmut aufnahm, als sie erfuhr, daß die Witwe Sarah Porter, die in Nome eine bekannte Pension besaß, Justin Sinclair geheiratet hatte.

Im Sommer verbot die Stadtverwaltung Glücksspiele und Prostitution, was nicht verhindern konnte, daß beide Gewerbe in aller Öffentlichkeit florierten. Die Mehrheit der Bürger war nicht gewillt, ihre Laster aufzugeben. Im gleichen Sommer wurden Nomes Straßen mit drei Zoll dicken und einem Fuß breiten Planken belegt.

Im Jahr darauf nahm Glory ihre Arbeit im Palace wieder auf und überließ es Matty, sich um Ace zu kümmern. Es waren gute Zeiten, diese ersten Jahre nach der Geburt des Kindes. Zwar waren die Gewinne nicht mehr annähernd so hoch wie während der wilden Jahre des Goldrausches, es reichte aber, daß Glory einen chinesischen Koch, Chou Ling, engagieren konnte, der für die Familie kochte, und um ein Piano im Salon aufzustellen und Kristall und Porzellan für den eigenen Gebrauch zu kaufen. Daß Deacon nun immer öfter im Hinterzimmer des Palace verschwand, wo er seinen Morphiumvorrat aufbewahrte, versuchte Glory zu übersehen.

Am Abend des 12. Septembers 1905, auf den Tag fünf Jahre nach dem verheerenden Unwetter, veranstaltete Deacon im Palace einen Preisboxkampf – verbotenerweise, da Preisboxen wie Glücksspiel und Prostitution verboten war.

Diese Boxkämpfe waren eine Zugnummer, die das Geschäft erst richtig in Schwung brachten. An diesem Abend blieben die Leute bis lange nach Mitternacht, es wurde getrunken und gespielt, und alles amüsierte sich prächtig. Erst nach drei Uhr morgens wurde es etwas ruhiger. Glory schlenderte an die Bar.

»Na, was möchtest du?« Paddy fragte es mit einem Lächeln, während er das Glas in seiner Hand polierte.

»Kaffee, falls es welchen gibt.« Sie lehnte sich erschöpft an die Theke.

Deacon kam und stellte sich neben sie an die Bar. »Na, wie geht's?«

»Gut.« Sie hütete sich, ihn zu fragen, wo er die vergangenen Stunden gewesen war. »Es war ein guter Abend.«

»Ja, ein sehr guter.« Er klang frisch und munter.

Glory registrierte plötzlich genau, welche Veränderungen Deacon durchgemacht hatte, Veränderungen, die ganz langsam gekommen waren. Sie wußte, daß er abgenommen hatte, doch wie dünn er geworden war, das fiel ihr erst jetzt auf. Dazu kam seine ungesunde Blässe, und auch sein Blick hatte sich verändert. Seinen Augen fehlte es an Schärfe, sie blickten trüb, so als litte er ständig Schmerzen oder stünde unter Drogeneinfluß. Wenn sie an den Deacon von ehedem dachte, hätte sie am liebsten geweint.

Plötzlich hörte man von draußen das Klingeln der Feuerwehr, begleitet von Schreckensrufen. Einen Augenblick stand Glory nur da und starrte zur Tür hin. Ein paar Gäste liefen hinaus, um nachzusehen, was los war.

Einer kam eilig wieder zurück. »Feuer!« rief er voller Entsetzen. »Feuer in der Umfriedung!« Die Nachricht, daß der Brand so nahe war, löste einen Ansturm zur Tür aus.

»Du bleibst hier!« Deacon lief zum Ausgang.

Aber Glory hatte nicht die Absicht, sich aufs Zusehen zu beschränken. Sie lief erst ins Büro, um sich den Pelzparka zu holen, den Matty für sie gemacht hatte. Mit dem Parka über den Schultern rannte sie zur Tür. Draußen drängte sie sich durch die dichte Menge, die die Straße bevölkerte. Alles starrte zu der riesigen Rauchwolke und dem Feuerschein hinüber, der hinter den Saloons am unteren Teil der Straße zu sehen war. Ein Mann kam gelaufen und schrie: »Der Alaska Saloon brennt!«

Der Saloon war einen knappen Block vom Palace entfernt. Das Feuer hatte die Gasse übersprungen, die den umfriedeten Teil der Stadt vom Geschäftsviertel trennte. Plötzlich ließ eine Explosion Flammen hochzucken.

»Allmächtiger, ein Benzintank muß hochgegangen sein«, hörte Glory neben sich jemanden sagen.

Praktisch jedes Haus an der Straße hatte einen Tank. Der Brand war bereits außer Kontrolle geraten. Glory wußte, daß er noch schneller um sich greifen würde, wenn weitere Tanks explodierten. Dann würde womöglich der ganze Block, im schlimmsten Fall die ganze Stadt in Flammen aufgehen. Die Bewohner der näher am Brandherd gelegenen Häuser schleppten bereits ihr Hab und Gut heraus und versuchten zu retten, was noch zu retten war. Glory lief zurück ins Palace.

Oliver, Paddy und einer der Kartenverteiler waren dabei, die kostbaren Gemälde von den Wänden zu nehmen. Glory schickte die Mädchen auf ihre Zimmer, damit sie ihre Habseligkeiten packten.

»Wo ist Deacon?« fragte sie atemlos.

»Mr. Cole ist im Büro«, sagte Oliver. »Keine Angst, Ma'am. Diesmal bringen wir alles in Sicherheit.«

»Das weiß ich.« Sie wußte, wie sehr er unter Schuldgefühlen gelitten hatte, weil beim großen Orkan so viel verlorengegangen war.

Ihre Röcke hochraffend, lief sie nach hinten ins Büro. Als sie den Raum betrat, warf Deacon einen Blick über die Schulter und fuhr sodann fort, Bargeld aus dem Safe in eine kleine Tasche zu stopfen. Sie ging zu ihm, als er die letzten Münzen hineintat. Ehe er die Tasche schloß, konnte sie einen raschen Blick auf seinen Morphiumvorrat am Boden der Tasche tun.

»Nimm das und geh nach Hause.« Er drückte ihr die Tasche in die Hand.

»Aber . . .« Es gab hier so viel zu tun, wenn sie nicht alles verlieren wollten.

»Ich weiß, daß Matty sich um Ace kümmert, aber mir wäre lieber, wenn ich wüßte, daß du drüben bist.«

Die Erschütterungen einer Explosion, viel näher als die letzte, ließen das Haus erbeben. Das Feuer griff rasch um sich, und ihr Haus lag nur zwei Blocks weiter. Deacons Befürchtungen waren nicht unbegründet.

»Ja, ich geh schon.«

Zu Hause angekommen, mußte Glory niemanden wekken. Alle waren schon auf den Beinen – Matty, Chou Ling und Ace. Als Vorsichtsmaßnahme ließ sie Matty und Chou Ling einige Wertsachen und lebenswichtige Dinge und ein paar unersetzliche Andenken einpacken.

Nun blieb nichts zu tun, als abzuwarten und zu beobachten, wie der Feuerschein heller wurde und sich über ein immer größer werdendes Gebiet verbreitete.

Bis der Brand gelöscht werden konnte, waren zwei Blocks im Herzen der Stadt eingeäschert. Glory stand neben Deacon und besah sich das verbrannte Gelände beiderseits der Front Street. Nichts war übriggeblieben außer rauchenden Trümmern, ein paar Eisenstangen da und dort und angesengte, feuersichere Safes. Hinter ihnen stand Matty, die Ace mit eisernem Griff an der Hand hielt.

»Wir werden wieder aufbauen müssen«, murmelte Glory. Einige Hausbesitzer waren bereits damit beschäftigt, verkohlte Trümmer wegzuräumen.

»Nein«, sagte darauf Deacon.

»Was?« Sie sah ihn erstaunt an. »Warum nicht?«

»Es wird Zeit für eine Veränderung. Man holt zwar noch immer Gold aus den Bergen, doch der große Boom ist vorbei.« Das war typisch Glücksspielermanier – absahnen und verschwinden, nie zu lange an einem Ort bleiben. »Wie man hört, ist Fairbanks stark im Wachsen begriffen.«

So wie Glory seinem Urteil vertraut hatte, als er entschied, sie sollten nach Nome gehen, so vertraute sie ihm auch jetzt. Wenn sie einen Neuanfang machen mußten, dann gleich an einem neuen Ort. »Wir haben gestern ohnehin praktisch alles gepackt«, sagte sie.

»Ich weiß.«

Sie verkauften das Haus und das Grundstück an der Front Street und viele Dinge, die sie nicht mitnehmen wollten.

Dann wurde alles verladen, und sie segelten nach St. Michael – alle fünf: Deacon, Glory, Ace, Matty und Chou Ling. Dort nahmen sie eines der letzten Flußschiffe den Yukon aufwärts, das Fairbanks und noch weitere Ziele im Landesinneren anlief. Für Glory war das Innere Alaskas völlig neu. Die wilde Schönheit des Landes machte auf sie einen tiefen Eindruck – die schroffen Gebirgszüge, die birkenbestandenen Hügelflanken in der Pracht der Herbstfärbung. Jetzt erst wurde ihr bewußt, wie sehr ihr in Nome Bäume gefehlt hatten, auch wenn es hier nicht die hohen Zedern oder Fichten der Gegend von Sitka waren. Und überall wimmelte es von wilden Tieren – Elche, Bären, Wölfe und Karibus. Und je weiter man sich von der Küste entfernte, desto blauer wurde der Himmel.

Fairbanks lag am flachen Ufer des Tanana River, einem Nebenfluß des Yukon. Glory fiel sofort auf, daß hier nicht die Atmosphäre des typischen Goldgräberlagers herrschte. Saloons, Spielhöllen und Rotlichtbezirke gab es zwar auch hier, doch es fehlten die üblichen Banden von Betrügern und Dieben. Die neue Stadt war von erfahrenen Goldsuchern gegründet worden, die zu ausgefuchst waren, um sich von diesen Typen übers Ohr hauen zu lassen.

Das in dieser Region geschürfte Gold war kein ›Armeleutegold‹ wie in Nome. Es war vielmehr ein reiches Lager in einer Schotterschicht von hundert Fuß Tiefe. Es würde noch Jahre dauern, bis das Vorkommen erschöpft war, und viele Menschen würden hier Arbeit finden.

Richter James Wickersham hatte Fairbanks als Sitz des Gerichtes auserkoren. Ein neues zweigeschossiges Schulhaus stand bereits, denn Bergleute wie Kaufleute hatten ihre Familien mitgebracht. Als Glory und Deacon mit Ace durch die Straßen spazierten, um die Stadt kennenzulernen, wurden sie von Frauen angesprochen, die dem niedlichen kleinen Jungen an Glorys Hand ein Lächeln schenkten, und Herren tippten höflich an die Hutkrempe. Seit sie Nome verlassen hatten und an Bord des Flußschiffes gegangen waren, wurde Glory von den Menschen, denen sie begegnete, wie eine anständige Frau behandelt. Niemand hatte vertraulich den Arm um sie gelegt oder anzügliche Bemerkungen gemacht, auch nicht die, die sie erkannt hatten. Und Glory stellte fest, daß ihr die bewiesene Achtung sehr behagte.

Am Ende der ersten Woche zeigte Deacon Glory einen Saloon, der zum Verkauf angeboten wurde. »Er ist nicht so groß, wie ich es mir wünsche, aber im nächsten Frühjahr können wir vielleicht ans Vergrößern denken. Vor Wintereinbruch wird die Zeit zu knapp. Der Preis ist viel zu hoch, und das Obergeschoß ist auch nicht so, wie du es gern hättest. Aber im Moment ist nichts anderes zu bekommen. Also, was hältst du davon?«

»Deacon, wenn der Saloon dir gefällt, dann kauf ihn. Aber etwas mußt du wissen.«

»Was denn?«

»Ich habe mich entschlossen, nicht mehr zu arbeiten. Wir sind in einer neuen Stadt und fangen neu an. Seit unserer Ankunft habe ich mir alles gründlich überlegt. Ace ist jetzt vier und kommt bald zur Schule. Ich will nicht, daß er sich meinetwegen schämen muß.«

»Wenn es das ist, was du willst – mir soll es recht sein. Aber . . . Glory, was wirst du machen?« Er schüttelte ungläubig den Kopf. »Ich kann mir nicht denken, daß du zu Hause bleibst, kochst und saubermachst. Was sollen denn Matty und Chou Ling tun?«

Tief einatmend rückte Glory mit ihrem Plan heraus. »Das habe ich mir auch schon überlegt.«

»Ach?« Seine Brauen zuckten hoch.

»Ich möchte eine Pension aufmachen. Chou Ling wird kochen, und Matty wird beim Aufräumen helfen. Ich habe Erfahrung mit Gästen und mit Buchführung. Ehrlich gesagt, habe ich auch schon den idealen Standort gefunden.«

»Wo denn?« fragte Deacon mit schiefem Lächeln, als ihm klar wurde, wie gründlich sie geplant hatte.

»Am Stadtrand steht am Weg nach Valdez ein alter Schuppen. Wenn Fairbanks weiter so rasch wächst, wird die Straße bald stark befahren werden.«

»Wieviel kostet das Grundstück?«

»Das ist das einzige, was ich noch nicht weiß.«

»Erstaunlich«, sagte er trocken. »Ich dachte schon, du hättest es gekauft.«

So kam es, daß sie zusätzlich zum Saloon auch das Grundstück für Glorys Pension erwarben. Den ganzen Winter über arbeitete sie an den Plänen, legte die Zahl und Größe der Räume fest und die Aufteilung der Privatwohnung im rückwärtigen Teil.

Mit dem Bau konnte im Frühling begonnen werden. An Aces fünftem Geburtstag zogen sie ein, und zwei Tage darauf kam der erste Gast. Im Herbst wurde Ace eingeschult, und Glory fand, es sei höchste Zeit, daß sie anfingen, gemeinsam sonntags in die Kirche zu gehen.

Im Jahr darauf wurde mit dem Bau einer Telegrafenleitung und mit der Verbesserung der Verbindung von Fairbanks nach Valdez, einem südlich von Fairbanks gelegenen und das ganze Jahr über eisfreien Hafen, begonnen. Die Kennecott Copper Company erwarb den meilenlangen Claim im Chitina River Valley, wo Kupfer gefördert wurde. Um das geförderte Kupfer die zweihundert Meilen zum Hafen zu schaffen, wurde der Bau einer Eisenbahnstrecke in Angriff genommen.

1910 wurde die Straße von Fairbanks nach Valdez eröffnet. Von nun an gab es eine regelmäßige Verbindung, im Winter mit Pferdeschlitten, im Sommer mit Reisekutschen. Die Fahrt dauerte eine Woche.

Die Pension Cole lag nur einen Häuserblock von der Haltestelle entfernt, so daß Glorys Geschäft florierte und ihr Haus sehr bald zu einem *der* Häuser in Fairbanks aufrückte. Auch Deacons Saloon lief gut. Besonders stolz aber war Glory auf Ace, der ein sehr intelligenter Junge war, wie ihr seine Lehrerin versicherte. Die Coles waren zu angesehenen Bürgern der Stadt geworden, zu eifrigen Kirchgängern, die großzügig für wohltätige Zwecke spendeten. Glory sang im Kirchenchor, und Deacon wurde Mitglied der Freimaurerloge. Matty hatte ein Eskimohalbblut geheiratet, den Glory für Gelegenheitsarbeiten in der Pension und im Saloon beschäftigte. Matty und Billy Ray Townsend bauten sich ein Häuschen auf dem rückwärtigen Teil des Grundstückes.

Das Leben war schön, und es sah ganz so aus, als sollte es so bleiben. 1912 wurde vom Kongreß ein vom Abgeordneten James Wickersham, ehemals Richter in Fairbanks, vorgelegter Gesetzesantrag angenommen, und Alaska offiziell zu einem Territorium der Vereinigten Staaten erklärt, allerdings mit einer Beschränkung der territorialen Gesetzgebung. Fünfundvierzig Jahre nachdem die Vereinigten Staaten Alaska Rußland abgekauft hatten, erhielt es endlich den Status eines Territoriums mit dem Recht zur Selbstverwaltung und zur Vertretung im Kongreß.

Im folgenden Jahr sah Glory das erste Automobil den Richardson Trail entlangfahren. Es kam aus Valdez und hatte fünfundachtzig Kilometer zurückgelegt. 1914 konnte man in Fairbanks in der Zeitung lesen, daß die Vermessungsarbeiten für eine neue Bahnlinie begonnen hätten.

Ein Eisnebel lag über Fairbanks und reduzierte die Sicht auf nahezu Null – ein ziemlich häufiges Phänomen im Winter, das stets auftrat, wenn die Temperatur tief unter dem Gefrierpunkt lag und Windstille herrschte. Glory wußte längst, daß Fairbanks ein Ort der Extreme war. Die Temperaturen konnten im Sommer weit über dreißig Grad klettern und im Winter ebenso tief fallen.

An diesem dunklen grauen Wintertag hatte ihr halbes Dutzend Gäste das Frühstück bekommen, das Geschirr war abgeräumt, die Betten gemacht, und Chou Ling hatte mit den Vorbereitungen zum Mittagessen begonnen. Diese Ruhepause nutzte Glory zum Atemholen. Sie saß an dem neuen Nußholztisch in ihrer Privatwohnung, vor sich die Zeitung des Vortages, daneben eine Tasse Kaffee.

Als sie geistesabwesend nach dem großen Bernsteinkamm in ihrem Haar griff und überprüfte, ob ihr Haarknoten noch fest war, bemerkte sie Deacon zum wiederholten Mal zum Fenster gehen. Sie wollte ihm vorschlagen, er solle sich setzen und mit ihr Kaffee trinken, doch schien er so gereizt und nervös, daß sie lieber schwieg.

Sie beobachtete, wie er sein Taschentuch herauszog und sich die Nase putzte. Sein gutsitzender Anzug verbarg seine erschreckende Magerkeit. Sein fast völlig ergrautes Haar ließ ihn älter aussehen, als es seinen Jahren entsprach. Als er sich vom Fenster abwandte, bemerkte sie, daß sein Gesicht schweißnaß war. Sie wollte ihn fragen, ob er sich erkältet hätte, doch immer, wenn sie sich nach seinem Befinden erkundigte, trug ihr dies unweigerlich eine scharfe Antwort ein. Seinem Blick ausweichend, wandte sie ihre Aufmerksamkeit wieder der Zeitung zu und überflog den Artikel, der vom Krieg in Europa berichtete.

»Hier steht, die Vereinigten Staaten müßten in den Krieg gegen Deutschland eintreten«, bemerkte sie gleichmütig. Dies alles trug sich in so großer Ferne zu, daß es ihr keine ernsthaften Sorgen bereitete.

Ihre Bemerkung entlockte Deacon keine Antwort. Als sie aufblickte, stand er wieder vor dem Fenster. Glory trank einen Schluck Kaffee und widmete sich erneut der Lektüre.

»Das kann ich nicht glauben.« Sie las den Artikel noch einmal laut vor. »In diesem Bericht steht, daß die Eisenbahnlinie etwa fünfzig Meilen vor Fairbanks enden soll. Wie kann man nur so dumm planen?« klagte sie. »Deacon, hast du gehört?«

»Ja«, gab er abrupt zurück und drehte sich um.

»Es ist doch sinnlos, die Bahn . . .« Erst jetzt merkte sie, daß er ihr gar nicht zuhörte. Er durchschritt hastig den Raum und ging zur Hintertür. Als er Mantel und Hut vom Ständer nahm, stand sie beunruhigt auf. »Deacon, wohin gehst du?«

»Ich muß in den Saloon.«

»Jetzt?« Erschrocken nahm sie wahr, daß er sich vornüber krümmte, als stäche ihn ein scharfer und rasch wieder abklingender Schmerz. »Es ist zu früh. Warte wenigstens, bis die Sonne aufgeht. Was für ein Unsinn, jetzt in Kälte und Nebel hinauszugehen. Man kann doch kaum die Hand vor den Augen sehen. Später wird es vielleicht besser und . . .«

»Glory, wenn es nicht wichtig wäre, würde ich nicht gehen«, stieß er unwillig hervor. »Ich habe so lange gewartet wie möglich.«

Glory hörte das Zufallen der Haustür. Langsam ging sie zurück an den Tisch.

Da stimmte irgend etwas nicht. Sie dachte an seinen Schweißausbruch und an den plötzlichen Schmerz. Plötzlich kam ihr der Gedanke, daß ihm womöglich das Morphium ausgegangen war, da er es in letzter Zeit öfter und in größeren Dosierungen hatte nehmen müssen. Sie wußte, daß er davon total abhängig geworden war.

Sie lief ins Schlafzimmer und suchte das Schubfach durch, in dem Deacon sein Morphium aufbewahrt hatte. Es war nicht da. Nun zog sie alle Schubfächer auf und sah an allen Stellen nach, die ihr einfielen, doch sie fand nichts.

Zu ihrer Besorgnis gesellte sich Angst. In diesem Stadium war Deacon sehr gefährdet, und der Eisnebel war für ihn in seinem Zustand besonders gefährlich. Sie lief aus dem Schlafzimmer und zum Wandtelefon im Salon.

»Hallo, Millie«, sagte sie, kaum daß in der Zentrale abgehoben wurde. »Hier Mrs. Cole. Würden Sie den Saloon anrufen?«

»Mach ich. Ach, übrigens bekam Helen Chalmers gestern ihr Baby. Wieder ein Junge. Ach, und der alte Deveraux rutschte aus und hat sich die Hüfte gebrochen.«

»Wie schrecklich«, murmelte Glory ganz automatisch.

»Mrs. Cole, es läutet, aber niemand hebt ab.«

»Lassen Sie es läuten. Papa Tom ist vielleicht irgendwo hinten.« Papa Tom war der Hausmeister, den Deacon zum Saubermachen angestellt hatte. Er bewohnte eines der Hinterzimmer.

»Hal-lo?«

»Papa Tom.« Glory faßte nach dem langen Mundstück des Telefons und zog es zu sich heran. »Hier Mrs. Cole. Deacon ist eben aus dem Haus gegangen und muß unterwegs in den Saloon ein. Er soll mich anrufen, wenn er ankommt. Es ist wichtig.«

»Ja, ist das alles?«

»Ja, danke.« Sie hängte den Hörer auf.

Eine halbe Stunde verging, ohne daß Deacon sich meldete. Wieder rief sie im Saloon an, und Papa Tom versicherte ihr, daß Deacon noch nicht gekommen sei, andernfalls er sie angerufen hätte. Ihre Angst verbot ihr, länger zu warten. Sie gestand Matty ihre Besorgnis ein, und diese gab ihr recht. Billy Ray würde sich sofort auf die Suche machen.

Erst in der Nacht fand ein aus Nachbarn gebildeter Suchtrupp Deacons Leiche. Es hieß, daß er erfroren sei, doch Glory wußte, daß das Morphium ihn ebenso getötet hatte wie die Kälte.

Die Monate nach Deacons Tod waren die schwersten, die Glory je durchlebt hatte, obwohl Ace und Matty ständig in der Nähe waren und sie trösteten. Nie hätte sie gedacht, daß ihr ein Mensch so fehlen würde. Deacon war immer zur Stelle gewesen. Jetzt erst wurde ihr klar, daß er, mit Ausnahme der Ehe, nie etwas von ihr verlangt hatte.

An einem heißen Julisonntag bückte Glory sich neben seinem Grabstein und legte ein Sträußchen Vergißmeinnicht auf sein Grab. Als sie sich aufrichtete, warf sie durch das dichte Netz ihres Schleiers einen Blick auf die Inschrift: Geliebter Ehemann und Vater – Robert ›Deacon‹ Cole.

»Ich glaube, es ist Zeit für einen neuen Anfang«, bemerkte sie später zu Matty, als sie zu Hause angekommen war.

»Ja.«

»Ich habe mich entschlossen, die Pension zu verkaufen.« Sie sagte es mit einem erleichterten Aufseufzen.

»Was wirst du dann anfangen?« fragte Matty erstaunt.

»Neu anfangen. Höchste Zeit für einen Ortswechsel. Das würde Deacon jedenfalls sagen.«

»Und wohin möchtest du?«

»An der Cook-Meerenge, wo das Baulager der Eisenbahngesellschaft liegt, entsteht eine neue Stadt. Sie wird Anchorage heißen. Wenn Ace und ich ein neues Leben beginnen, dann soll es in einer neuen Stadt sein.« Sie faßte nach Mattys Hand. »Kommst du und Billy Ray mit?«

»Wir sind eine Familie. Eine Familie soll zusammenbleiben.«

51. Kapitel

ANCHORAGE, ALASKA
25. MAI 1923

Glory schob das Reisig mit dem Rechen zu dem großen Haufen und hielt zum Atemholen inne. An schwere körperliche Arbeit war sie nicht gewöhnt, zudem machten sich ihre fünfundvierzig Jahre bemerkbar. Ihr Blick glitt über das langgestreckte Feld, auf dem emsig gearbeitet wurde.

In unmittelbarer Nähe traten Männer mit Schaufeln von dem Baumstumpf zurück, den sie ausgegraben hatten, und sahen zu, wie ein anderer eine Kette um den Stamm spannte und sie an einem Pferdegespann befestigte. Ein Traktor stotterte vorüber, an einer Kette einen anderen Baumstamm hinter sich herziehend. Als der Fahrer ihr zuwinkte, erkannte sie ihren Sohn Ace und winkte zurück.

Wohin man auch blickte, überall waren Menschen an der Arbeit. Die Männer gruben Baumstümpfe aus und hieben das Strauchwerk ab, Frauen und Kinder rechten Zweige zusammen. Auf dem sechzehn Morgen großen Gelände wimmelte es vor Menschen. Die Aufregung, die sich hier bemerkbar machte, erinnerte Glory an eine andere Zeit und einen anderen Ort.

»Trudy, weißt du, woran mich das erinnert?« sagte sie zu ihrer Schwiegertochter.

»An was denn, Mutter Cole?«

Glory hatte sich mit dieser Anrede noch nicht abfinden können, da sie sich dabei immer so alt vorkam. Doch sie wußte, daß Trudy sie aus Liebe und Respekt so nannte. Sie lächelte dem Mädchen zu, das Ace vor drei Jahren geheiratet hatte. Als Tochter eines beim Bau der Bahnstrecke beschäftigten Arbeiters war Getrude Hannigan mit ihrer Familie vor vier Jahren aus Seattle hierhergezogen. An dem Tag, als Ace ihre Bekanntschaft gemacht hatte, war er nach Hause gekommen und hatte Glory eröffnet, er hätte das Mädchen gefunden, das er heiraten wolle.

Glory fand an seiner Wahl nichts auszusetzen. Trudy war ein intelligentes, warmherziges Mädchen, von Aces nahezu unbegrenzten Fähigkeiten felsenfest überzeugt und mit ihren ebenmäßigen Zügen und dem angenehmen Lächeln sehr hübsch. Ihr dunkles Haar war, der neuesten Mode folgend, als Bubikopf geschnitten. Von überdurchschnittlicher Größe machte sie einen überaus kräftigen Eindruck. Ein Zweijähriger mit dunklem Haar und ebensolchen Augen kam auf rundlichen Beinchen daher und schmiegte sich an Trudy. Es war ihr Sohn, Glorys Enkel Wylie Deacon Cole.

»Woran erinnert dich das, Mutter Cole?« drängte Trudy, die ihr Söhnchen auf den Arm nahm.

Glory ließ den Blick über die Szene wandern. »An Nome und an jenen Sommer, als man Gold am Strand fand und die Leute dort eifrig wie die Ameisen buddelten. Damals ging es ebenso laut und chaotisch zu.«

»Es muß eine aufregende Zeit gewesen sein.«

»Ja, der Sommer 1900 war der reinste Irrsinn«, sagte Glory nachdenklich. »Ähnlich wie jetzt hier. Wozu planieren wir hier das Gelände für einen Flughafen, wenn es in Anchorage kein einziges Flugzeug gibt?«

»Es wird auch nie welche geben, wenn sie nirgends landen können. Ace sagt, die Fliegerei würde eines Tages Alaska erschließen, wie es Straßen nie könnten. Der Fliegerei gehöre die Zukunft.«

Ace war seit dem Krieg von der Fliegerei fasziniert. Damals hatte er sämtliche Berichte über die Luftkämpfe der Fliegerasse in Europa verschlungen, und diese Faszination war zur Besessenheit geworden, als er zum erstenmal ein Flugzeug sah – eine alte Klapperkiste, die auf dem Wasser aufsetzte. Glory wußte, daß er nicht rasten und ruhen würde, ehe er diese Besessenheit befriedigt hatte. Und das machte ihr zuweilen Sorgen, vor allem deswegen, weil sie fürchtete, er würde Alaska den Rücken kehren und in die Staaten gehen, um dort fliegen zu lernen.

Die Vereinigten Staaten erlebten eine wirtschaftliche Blüte, während es mit Alaska bergab ging. Seit Kriegsende war der Bedarf an Alaskas Exportgütern – Lachs und Kupfer – weltweit drastisch gefallen. Meist war die Pension, die Glory in Anchorage gebaut hatte, halb belegt und brachte ihr nur die Betriebskosten ein. Und es hätte noch viel schlimmer sein können, wäre Anchorage nicht der Hauptsitz der Alaska Railroad gewesen, die dort die Reparaturwerkstätten unterhielt, in denen auch ihr Sohn arbeitete. Und zwei der sechs Häuser, die Glory inzwischen gehörten, standen leer, ohne daß Aussicht auf Vermietung bestanden hätte.

Über ein Jahr war vergangen. Glory saß auf dem Rücksitz ihres drei Jahre alten Ford-T-Modells, neben sich ihren Enkel Wylie. Sie fuhren hinaus zum Flugfeld von Anchorage. Ihr Sohn saß am Steuer und redete aufgeregt auf seine Frau ein. Es ging natürlich wieder um seine Lieblingsthemen, um die Fliegerei und Flugzeuge. Immer wieder brachte er die Rede auf die Vorteile, die die Fliegerei für Alaska mit sich bringen würde, denn das Territorium war riesig, und die spärlichen Ortschaften waren nicht immer durch Überlandstraßen verbunden. Um von Anchorage aus Nome zu erreichen, mußte man ein Schiff nehmen oder man konnte mit dem Zug nach Fairbanks gelangen und von dort mit einem Schiff auf dem Yukon flußabwärts fahren, kam dann aber doch nicht ganz an sein Ziel. Derartige Fahrten waren auch nur den Sommer über möglich. Im Winter stellte der Hundeschlitten das einzige Transportmittel dar. Acht Monate lang mußte die gesamte Post nach Nome per Hundeschlitten befördert werden. Eine Strecke, für die ein Schlitten mehr als eine Woche brauchte, konnte ein Flugzeug an einem Tag schaffen. Hinzu kam, daß Alaska genau in der Mitte der langen Strecke von den Vereinigten Staaten in den Fernen Osten lag. Bald würde man Post und Fracht durch die Luft befördern, und Alaska würde zum Mittelpunkt der ganzen Welt werden.

Als sie sich dem in Eigenregie geschaffenen Flugfeld näherten, verlangsamte Ace die Fahrt und hielt am Straßenrand an. Er hob Wylie aus dem hinteren Sitz und war in Gedanken schon bei dem Flugzeug am Ende des Flugfeldes, das startklar gemacht wurde. Geistesabwesend half er Glory beim Aussteigen.

»Da ist es!« rief er aufgeregt. »Eine Standard mit Hisso-Antrieb.«

Mit einer Mischung aus Skepsis und Abneigung sah Glory zu, als die Maschine das Feld entlangrollte, immer schneller, um schließlich abzuheben. Sie dröhnte an ihnen vorüber und gewann stetig an Höhe.

»Sieh mal, Wylie«, rief Ace und deutete auf die Maschine. »Eines Tages wird dein Daddy so ein Ding fliegen.«

Doch es sollten noch fünf Jahre vergehen, ehe sein Wunsch in Erfüllung ging und er einen Piloten fand, der sich bereit erklärte, ihm das Fliegen beizubringen. Danach aber gab es für ihn kein Halten mehr. Er nahm seine gesamten, eigentlich für den Ankauf eines neuen Hauses gedachten Ersparnisse und lieh sich den fehlenden Rest von Glory, um einen lädierten Stinson-Doppeldecker mit Wright-Antrieb samt allen nötigen Ersatzteilen zu kaufen.

An einem frischen Herbsttag im Oktober 1929 war die kompakte rotgestrichene Stinson endlich für den Probeflug bereit. Die ganze Familie, inklusive Chou Ling, rückte zu diesem Ereignis aus. Glorys Herz schlug bis zum Hals, als sie die Maschine über das Flugfeld rollen sah. Alles jubelte, als sie abhob, Glory aber stieß einen Seufzer der Erleichterung aus.

Nach einer Stunde war Ace wieder zurück und landete mühelos wie ein Vogel. Er rollte zu der Stelle hin, wo seine Familie stand, und schaltete den Motor ab. Sein Stolz war offensichtlich. Als alle ihn umdrängten und ihn beglückwünschten, zog er Glory zu sich. »Komm, Mama, wir machen jetzt einen Rundflug.«

»Was – ich? Nein, Ace, du solltest Trudy als erste mitnehmen.«

»Mama, du bist Teilhaberin an der Maschine. Dir gebührt der Vortritt.«

Ace startete, hob ab und überflog Anchorage ziemlich tief. Glory konnte es zunächst gar nicht fassen, wie verändert alles von oben aussah. Nicht einmal ihre Pension erkannte sie, bis Ace sie ihr zeigte. Es war eine ganz neue Welt – eine aufregende Welt. Endlich stellte sich bei ihr so etwas wie Verständnis für die Flugleidenschaft ihres Sohnes ein.

Bis es Abend wurde, hatte Ace sämtliche Familienmitglieder zu einem Rundflug in seiner Maschine entführt.

In der Woche darauf kündigte Ace bei der Alaska Railroad, und der Ace-Flugdienst nahm seinen Betrieb auf. Glory fungierte als Teilhaberin, Trudy führte die Bücher, Billy Ray spielte Mechaniker und Bodencrew. Noch im gleichen Monat kam es zum Börsenkrach, und in der Wallstreet geriet man in Panik.

Die Depression brachte Arbeitslosigkeit, und die Menschen, die Alaska verlassen hatten, um hochbezahlte Jobs in den Vereinigten Staaten anzunehmen, kamen allmählich wieder zurück. Der steigende Goldpreis machte den Goldabbau in kleinem Rahmen wieder rentabel, und die Lachskonservenindustrie erholte sich langsam.

Fast von Anfang an war Ace gut im Geschäft. Ständig wollte irgend jemand irgendwohin – ob es nun Goldgräber, Trapper, Fischer, Techniker oder gar Prostituierte waren –, und die meisten hatten es eilig. Und wenn sie nicht selbst irgendwohin mußten, dann hatten sie etwas, das sie verschicken oder abholen lassen wollten. Oft mußten Vorräte abgeworfen werden, oder es handelte sich um einen medizinischen Notfall, und es mußte ein Arzt irgendwo abgesetzt oder ein Patient zum Arzt geflogen werden.

Es verstand sich von selbst, daß es dabei nicht ohne Zwischenfälle abging. Die Landepisten bestanden meist aus kleinen Sandbänken in Flüssen, zugefrorenen Seen oder abgeflachten Hügelkuppen. Der Maschine wurden die Landevorrichtungen abgerissen, Propeller brachen, Streben wurden abrasiert, die Spitzen der Tragflächen knickten ab. Es konnte vorkommen, daß Aces Maschine zu beschädigt war und nicht starten konnte, so daß er sie an Ort und Stelle behelfsmäßig zusammenflicken mußte. Auch das Navigieren war in Alaska mit Schwierigkeiten verbunden, da es ein Land ohne Straßen, ohne Telegrafenmasten oder Bahngleise war, nach denen man sich hätte orientieren können. Zum Glück kam es nicht oft vor, daß er sich verirrte. Und wirklich verloren fühlte er sich nie, denn er wußte, daß er über Alaska flog.

TEIL IV

DER KREIS SCHLIESST SICH

52. Kapitel

ANCHORAGE
10. MAI 1935

Die zwölfjährige Lisa Blomquist renkte sich fast den Hals aus, um in dem überfüllten Festsaal über die an langen Tischen sitzenden Menschen hinwegsehen zu können.

Es war ihr unbegreiflich, wie ihre jüngeren Brüder es geschafft hatten, so rasch zu verschwinden. Sie fand es unmöglich, daß sich ihre Brüder bei diesem großartigen Bankett, das ihnen zu Ehren gegeben wurde, so benahmen.

Nun, eigentlich nicht ihnen zu Ehren, da sie ja nur Kinder waren. Der festliche Abend fand zu Ehren jener Familien statt, die nach Alaska gekommen waren, um im Matanuska Valley Farmen zu gründen. Sie, Erik und Rudy gehörten zu einer solchen Familie.

Die ganze Stadt Anchorage hatte die Neuankömmlinge am Bahnhof empfangen. Eine Musikkapelle spielte, alle Häuser waren beflaggt. Eigentlich kein Wunder, daß ihre Brüder die endlosen Reden satt hatten. Diese Reden begleiteten sie, seitdem sie und die anderen Familien aus Minnesota St. Paul verlassen hatten und mit der Bahn nach Seattle gefahren waren, um dann per Schiff nach Seward, Alaska, zu kommen. Auf der ganzen Strecke waren sie herzlich begrüßt worden, und Zeitungsleute waren gekommen und hatten ihnen Fragen gestellt. ›Kolonisten‹, wurden sie genannt, ›Pioniere‹, die sich in die Wildnis Alaskas wagten.

Dies alles war Teil des New Deal, wie Franklin D. Roosevelts Wirtschaftsprogramm genannt wurde. Farmer aus Gebieten, in denen die Landwirtschaft die Leute nicht mehr ernährte, wurden nach Alaska verpflanzt. Lisa verstand das alles nicht ganz, obwohl sie zugehört hatte, als der Regierungsbeamte es ihren Eltern erklärt hatte.

Fast hatte sie es aufgegeben, ihre Brüder ausfindig zu machen, als der neunjährige Erik angelaufen kam und aufgeregt nach ihrer Hand faßte. »Komm, Lisa, ich muß dir was zeigen.«

»Was denn? Wo steckt Rudy? Ihr beide hättet in der Nähe bleiben sollen. Mama wird wütend sein.«

»Aber wir haben einen Indianer entdeckt«, flüsterte Erik mit leuchtenden Augen. »Du hast gesagt, hier gäbe es keine, und jetzt haben wir einen gefunden.«

»Unsinn. Ich sagte dir, daß es in Alaska keine Indianer gibt. Hier gibt es nur Eskimos, und die leben hoch im Norden in Iglus im ewigen Eis und Schnee – nicht hier, wo es Bäume gibt und alles grün ist.« Gleich darauf erspähte sie ihren blondgelockten Bruder, an eine Seitenwand gelehnt, zappelig vor Nervosität, halb umgewandt, so daß er aus den Augenwinkeln jemanden um die Ecke beobachten konnte.

»Hör damit auf, Rudy«, ermahnte Lisa ihn ungeduldig und warf dann einen Blick in dieselbe Richtung, um festzustellen, von wem die Rede war. Der Junge war groß und wirkte trotz der breiten Schultern eher schlaksig. Er konnte nicht viel mehr als zwei, drei Jahre älter als sie sein. Sein Haar war schwarz und ein wenig stumpf. Er zerrte an seinem Hemdkragen, als sei er ihm zu eng. »Erik, das ist kein Indianer. Er trägt lange Hosen und ein Jackett.«

»Ja, aber sieh dir die Haare und die Augen an«, beharrte Rudy. »Und seine braune Haut. Lisa, du weißt auch nicht alles. Alaska ist ein Grenzland, und Indianer leben an der Grenze und greifen Siedler wie uns an.«

Sie bemerkte, wie der Junge einen Blick in ihre Richtung warf, und entschloß sich, Rudys Gerede ein für allemal ein Ende zu bereiten, ehe er Erik zu Alpträumen verhalf. Sie nahm Erik an der Hand. Als dieser bemerkte, daß sie ihn zu dem ›Indianer‹ bringen wollte, versuchte er sich loszumachen, wenn auch unauffällig, um kein Aufsehen zu erregen. »Entschuldige«, sagte sie ungeachtet des Widerstandes ihres Bruders zu dem Jungen. »Aber mein Bruder hält dich für einen Indianer.« Einen Augenblick machte sein unbewegter Blick sie ein wenig nervös, dann lächelte er. Es war ein nettes Lächeln.

»Der Urgroßvater meiner Mutter war zu fünf Achteln Indianer, aber ich weiß nicht, ob das zählt. Aber sie sagt, ich sähe ihm ähnlich.«

»Siehst du, ich sagte es ja«, erklärte Rudy triumphierend.

Lisa wußte nun nicht, ob die Antwort bedeutete, daß er Indianer war oder nicht. »Wohnst du hier?«

»Ja. Mein Dad ist Buschpilot.«

»Was ist denn das?«

»Er fliegt Leute und Vorräte an entfernte Orte.«

»Ach, so einer.« In Nordminnesota hatte man nicht viele Flugzeuge zu sehen bekommen, doch sie kannte die Maschinen von Bildern und aus der Wochenschau.

»Kannst du eine Maschine fliegen?« wollte Rudy wissen.

»Ja, mein Dad hat es mir beigebracht.«

»Mensch, super!« Rudy war gebührend beeindruckt. »Wie alt bist du?«

»Vierzehn.«

»Wartet nur, ich werde auch mit vierzehn fliegen lernen. Vielleicht sogar schon früher«, erklärte Rudy.

»Und woher willst du die Maschine bekommen?« Um einen Streit mit ihrem Bruder zu vermeiden, wechselte sie rasch das Thema. »Entschuldige, ich heiße Lisa Blomquist, und das sind Rudy und Erik, meine Brüder. Wir sind eben aus Minnesota gekommen.«

»Das dachte ich mir. Ich bin Wylie Cole.« Es war aber mehr als gutes Benehmen, das Wylie dazu brachte, ihr seinen Namen zu nennen. Für gewöhnlich machte er sich nichts aus Mädchen, da sie ständig kicherten und sich albern benahmen. Aber diese Lisa schien anders zu sein. Er mußte zugeben, daß sie reizend aussah mit ihren großen blauen Augen und dem Haar von der Farbe wilden Honigs, das sie zu zwei langen Zöpfen geflochten trug.

»Lisa! Rudy! Kommt sofort her.« Diese ungeduldige Aufforderung bewirkte, daß Lisa sich schuldbewußt umdrehte. Als Wylie ihrer Blickrichtung folgte, sah er die Frau, die steif auf sie zukam.

»Das ist meine Mutter«, erklärte Lisa hastig. »Wir müssen gehen. Lebwohl.« Noch einen Blick warf sie zu ihm zurück, während sie ihre Brüder vor sich her scheuchte. »Es war nett, dich kennenzulernen.«

»Ganz meinerseits. Vielleicht sieht man sich mal wieder.«

Ein flüchtiges, bedauerndes Lächeln war die Antwort.

Wylie stieß einen enttäuschten Seufzer aus. Eigentlich hatte er gar nicht zum Empfang für die Kolonisten kommen wollen. In Gesellschaft fühlte er sich nicht besonders wohl, da er nie wußte, was er reden sollte. Aber mit Lisa hatte er sich ganz ungezwungen unterhalten, so ungezwungen, daß er gern länger mit ihr geplaudert hätte.

Glory erwartete sie beim Wagen. »War das ein Abend! Na, was hältst du von diesen Kolonisten, Trudy?«

»Ich werde das Gefühl nicht los, sie seien auf ein eis- und schneestarrendes Land gefaßt gewesen, auch wenn man ihnen das Gegenteil erklärt haben mag. Mir ging es genauso, ehe ich herkam. Für mich war es auch eine Überraschung, daß es hier grün ist und das Wetter so mild und warm.«

»Kann ich mir denken.« Glory stieg hinten ein, und Trudy setzte sich neben sie. Ace und Wylie saßen vorn. »Ich muß sagen, daß ich mir Farmer etwas anders vorstelle. Einer sagte mir, er wäre in einer Sägemühle beschäftigt gewesen und habe nur nebenbei ein paar Morgen Land bearbeitet. Und er sagte, die Baumstämme auf seiner Farm seien ein Problem gewesen. Na, der wird sich wundern, wenn er die Baumstämme im Matanuska Valley sieht. Aus diesem Land Farmland zu machen, ist nicht so einfach, wie alle zu glauben scheinen.«

»Andere haben es auch geschafft«, rief Ace ihr in Erinnerung und fuhr los. »Einige Familien sind im Tal seßhaft geworden. Was heute auf dem Tisch stand, stammte von ihnen.«

»Aber sieh dir an, wie viele nach einigen Jahren aufgeben mußten«, gab Glory zurück. »Du hast das Tal oft überflogen und weißt so gut wie ich, wie viele verlassene Farmen dort stehen.«

Auch Wylie konnte sich daran erinnern. Er wollte nur hoffen, Lisas Eltern würden sich nicht entmutigen lassen und nicht aufgeben, denn die Aussicht, Lisa womöglich nie mehr wiederzusehen, gefiel ihm gar nicht.

»Hinter diesem Projekt steht die Regierung, die ein ganzes Hilfsprogramm für die Kolonisten auf die Beine stellte. Aus Arbeitslosen rekrutierte Hilfskräfte stehen ihnen zur Seite, so daß sie nicht ganz allein auf sich gestellt sind wie die ersten Siedler im Matanuska Valley.« Ace kurbelte das Fenster hoch, um vom Straßenstaub verschont zu bleiben.

»Unter den Einheimischen gibt es aber viele, die über diesen Neuzuwachs an Hilfskräften nicht erfreut sind«, meinte Trudy. »Viele brauchen Sommerjobs und befürchten nun, diese billigen Arbeitskräfte von auswärts würden ihnen die Arbeit wegnehmen.«

»Wenn die Menschen in Alaska etwas zu befürchten haben, dann sind es die Japaner«, stellte Ace grimmig fest. »Vergangene Woche flog ich ein paar Leute aus der Konservenbranche hinauf nach Nushgak an der Bristol Bay. Dort unterhielt ich mich dann mit einem Mann von einem Fischerboot. Der sagte mir, er hätte bei den Aleuten ein japanisches Schiff gesichtet, das dort Lotungen vornahm. Es sei nicht der erste Japaner gewesen, den er in diesen Gewässern antraf.«

»Ich glaube, jedermann in Alaska ist wegen der Japaner beunruhigt, seit sie vor vier Jahren in der Mandschurei einmarschierten«, bemerkte Glory.

»Mit gutem Grund. Die westlichen Aleuten sind knapp zwölfhundert Kilometer vom japanischen Stützpunkt auf Paramushiro entfernt. Und was haben wir? Wir haben vierhundert Soldaten in den Chilkoot Barracks, mehr nicht. Dazu kommt, daß diese vierhundert Mann nur per Schiff transportiert werden können, da keine Straßenverbindung existiert und es keine Landepiste gibt. Man kann nur hoffen, daß der Kongreß sich besinnt und etwas unternimmt, damit wir nicht völlig schutzlos sind. Denn es wird zu einem Krieg mit Japan kommen, laßt euch das gesagt sein.«

»Keine Angst, Mom«, äußerte Wylie selbstsicher. »Wenn die Japaner uns angreifen, dann schaffe ich dich und Grandma Cole an einen sicheren Platz in den Bergen und bringe euch bei, wie man an einem Lagerfeuer kocht.«

Es war eine halb scherzhaft gemeinte Bemerkung, doch Glory ahnte, daß diese Vorstellung die Fantasie eines Vierzehnjährigen ungeheuer beflügeln konnte. Für sein Alter stellte Wylie sich ungemein geschickt und erfinderisch an. Berichte über Überlebenstechniken sog er auf wie ein Schwamm, sei es, daß es um die Herstellung eigener Schneeschuhe oder Fallen ging, um den Bau einer Schneehöhle oder um das Erlegen von Wild. Matty hatte ihm beibringen müssen, wie man Seehundlederstiefel und Parkas macht, während Billy Ray ihm zeigte, wie aus Knochen Waffen hergestellt wurden.

Für Ace war es eine heimliche Enttäuschung, daß Wylie seine Begeisterung fürs Fliegen nicht teilte. Der Junge verfügte über sämtliche Eigenschaften des Einzelgängers. In dieser Hinsicht erinnerte er Glory an Deacon. Auch Wylie war nicht der Typ, der viel Worte machte. Zeigte er sich auch nicht ausgesprochen aufmüpfig, so hatte er doch disziplinäre Probleme in der Schule. Verlangte ein Lehrer von ihm etwas, das Wylies Meinung nach unsinnig war, dann weigerte er sich. Zuweilen fragte Glory sich, ob er diesen Zug nicht von ihr mitbekommen hatte – und seine Liebe zur Jagd von den Indianern und den russischen Pelztierjägern. Gut möglich, daß Wylie die Summe aller seiner Vorfahren darstellte.

»Sag mal, Wylie, wer war das hübsche Mädchen, mit dem ich dich zusammen sah?« zog Ace ihn auf. »Du wirst dir doch nicht etwa eine Freundin zulegen?«

»Aber Dad«, protestierte Wylie leicht errötend. »Das war doch nur ein Mädchen aus einer dieser Kolonistenfamilien. Sie fragte mich über Indianer aus.«

»Hat sie auch einen Namen?«

»Ich denke schon.« Wylie tat so, als wüßte er ihn nicht. Er brachte es nicht über sich, über Lisa Blomquist zu sprechen.

Ende Mai trafen Kolonisten aus Michigan und Wisconsin im Matanuska Valley ein und ließen die Anzahl der Familien auf die vorgesehenen zweihundert anwachsen.

Die vierzig Morgen messenden Grundstücke wurden durch das Los ermittelt, das vom Familienoberhaupt gezogen wurde. In jenem ersten Sommer wurde jedoch nur wenig Land gerodet. Die Kolonisten und ihre Helfer bauten als erstes ein Gemeindezentrum in Palmer für Versammlungen und Gottesdienst und dann Farmhäuser und Wirtschaftsgebäude auf den einzelnen Grundstücken.

Im darauffolgenden Jahr wurde von wachsender Unzufriedenheit unter den Kolonisten gemunkelt. Noch vor Ende der warmen Jahreszeit gaben einige der ersten Familien auf und kehrten in die Vereinigten Staaten zurück. Es sollten ihnen noch etliche folgen. Wylie kam nie dahinter, ob Lisa Blomquists Familie unter denen war, die aufgegeben hatten.

Nach einiger Zeit war das zwölfjährige Mädchen mit den blauen Augen und den honigblonden Zöpfen vergessen.

53. Kapitel

ANCHORAGE, ALASKA
JUNI 1940

Wylie schob den Rasenmäher über den Rasen hinter dem Haus vor sich her. Sein blaukariertes Hemd hing an einem Zaunpfahl. Er hatte es ausgezogen, nachdem er den Rasen vor dem Haus, der Pension seiner Grandma Glory, gemäht hatte.

Als er den Rasenmäher wendete, sah er zwei Frauen die Zufahrt zur Pension entlangkommen. Gewöhnlich hätte er nicht darauf geachtet, denn neuerdings herrschte an Quartiersuchenden kein Mangel. In Europa tobte der Krieg, und es war nach allgemeiner Auffassung nur eine Frage der Zeit, bis auch die Vereinigten Staaten hineingezogen würden. Die ersten Schritte zur lange vernachlässigten Verteidigung des Territoriums von Alaska waren endlich unternommen worden. In Fairbanks war ein Kaltwetterfluglabor, ein Vier-Millionen-Dollar-Projekt, geplant und in Anchorage ein Armeestützpunkt, der den Namen Fort Richardson bekommen sollte. Achthundert Mann vom Vierten Infanterieregiment waren bereits in Anchorage eingetroffen und hatten bis zur Fertigstellung der neuen Basis am Stadtrand ihr Lager aufgeschlagen. Diese militärischen Projekte hatten Scharen von Bauarbeitern nach Anchorage gebracht, die alle ein Dach über dem Kopf brauchten.

Daher war es kein ungewohnter Anblick, wenn Leute die Zufahrt zur Pension Cole entlanggingen. Außergewöhnlich war daran allenfalls der Umstand, daß es zwei Frauen waren, von denen besonders die eine jung und hübsch war. Wylie starrte das Mädchen mit dem Pagenkopf bewundernd an, bis das Haus sie seiner Sicht entzog. Dann schob er seinen Rasenmäher weiter, voll Bedauern, daß alle Zimmer besetzt waren.

Lisa Blomquist blieb vor den Eingangsstufen stehen und sah zu dem weitläufigen, zweigeschossigen Haus hoch, dessen Blumenbeete im Vorgarten von einem kleinen Staketenzaun geschützt waren. Nach fünf Jahren, in denen sie auf ihrer Farm im Matanuska Valley vom Glück nicht eben begünstigt worden waren, hatte ihr Vater endlich die Landwirtschaft aufgegeben und bei einer Baufirma in Anchorage Arbeit gefunden. Lisa und ihre Mutter befanden sich nun auf der Suche nach einer Wohnung in der Stadt.

Den ganzen Tag waren sie schon unterwegs, doch alle Häuser, die sie besichtigt hatten, waren mit einem Fehler behaftet gewesen. Schließlich hatte ihnen jemand geraten, sie sollten sich an Mrs. Cole wenden, die neben ihrer Pension noch mehrere Häuser besaß, die sie vermietete.

Lisa stieg hinter ihrer Mutter die Stufen zur Eingangstür hoch, an der sie von einer weißhaarigen Eskimofrau empfangen wurden. Lisa entging der kaum verhüllte Ausdruck von Enttäuschung nicht, der über das Gesicht ihrer Mutter huschte. »Mrs. Cole?« fragte sie.

»Nein.« Die untersetzte Frau lächelte. »Ich bin Matty Townsend. Falls Sie ein Zimmer suchen, wir sind besetzt.«

»Nein, ich wollte Mrs. Cole fragen, ob eines ihrer Häuser zu vermieten wäre.«

»Augenblick, ich hole Mrs. Cole. Bitte, setzen Sie sich doch.« Sie deutete auf die Sitzgruppe in dem an die Diele angrenzenden Aufenthaltsraum.

Lisa trat hinter ihrer Mutter ein und nahm eines der auf dem Tisch bereitliegenden Magazine zur Hand, während ihre Mutter im Raum auf und ab ging, die Einrichtung kritisch begutachtete, neiderfüllt eine Porzellanvase anfaßte und mit begehrlichem Blick eine Kristallampe streifte.

Das Geräusch herannahender Schritte veranlaßte Lisa, das Magazin aus der Hand zu legen und sich umzudrehen. Eine große, schlanke Frau erschien in der Tür. Ihr graues Haar trug sie glatt zurückgekämmt und zu einem schlichten Chignon im Nacken zusammengefaßt. Betroffen registrierte Lisa den Kontrast, den die hellen Haare zu den tiefschwarzen Augen bildeten. Das Alter der Frau war schwer zu schätzen, denn sie wirkte ungemein jugendlich, als sie lächelnd und selbstsicher den Raum betrat.

»Ich bin Mrs. Cole«, stellte sie sich vor.

»Ich bin Mrs. Blomquist, und das ist meine Tochter Lisa.«

»Lisa, freut mich.«

Trotz der freundlichen Begrüßung fühlte Lisa sich eingeschüchtert und brachte kein Wort über die Lippen. Eine Frau wie Mrs. Cole hatte sie außer im Film noch nie gesehen.

Lisa war so vertieft in den Anblick Mrs. Coles, daß ihr das Gespräch zunächst entging, das Mrs. Cole und ihre Mutter führten. Sie horchte erst auf, als Mrs. Cole einen Schritt auf die Tür zu tat. »Wenn Sie mich entschuldigen . . . mein Enkel ist draußen im Garten. Er soll Sie zum Haus fahren.«

Beim Hinausgehen sagte Lisa zu ihrer Mutter: »Mrs. Cole scheint sehr nett zu sein.«

Mrs. Blomquist äußerte mißbilligend: »Sie behauptet, sie sei verwitwet. Hm, möglich ist es ja.« Ihr Blick umfaßte den Raum und die Einrichtung. »Aber ich bezweifle sehr, ob das hier immer eine Pension war.«

»Mama!« Lisa war entsetzt über die Andeutung, es handle sich möglicherweise um ein übelbeleumdetes Haus, das Mrs. Cole geführt haben könnte.

»Ich habe hier schon öfter gehört, daß man in Alaska über die Vergangenheit einer Frau lieber keine Fragen stellt. Viele Männer, die es mit der Zeit zu Ansehen brachten, sollen gefallene Mädchen geheiratet haben, da es hier seinerzeit so wenig anständige Frauen gab.«

»Aber Mama!« Lisa war es peinlich, daß ihre Mutter auch nur den Verdacht äußerte, bei Mrs. Cole könne es sich um eine dieser Frauen handeln. Vermutlich war sie neidisch.

Als Mrs. Cole wiederkam, war sie in Begleitung eines großen, breitschultrigen jungen Mannes in einem blaukarierten Hemd, dessen Gesicht wie aus Bronze gemeißelt war. Seine Augen waren fast schwarz wie die seiner Großmutter, doch fehlte es ihnen an deren Lebhaftigkeit. Er wirkte viel zurückhaltender und verschlossener.

»Darf ich Ihnen meinen Enkel Wylie Cole vorstellen? Das sind Mrs. Blomquist und ihre Tochter Lisa. Sie wohnen in Palmer, suchen aber hier eine Wohnung, da Mr. Blomquist in Anchorage beim Bau der Militärbasis beschäftigt ist.«

Lisa Blomquist. Einen Augenblick war Wylie wie vor den Kopf geschlagen und starrte das Mädchen stumm an. Dann dachte er an die fünf Jahre zurückliegende Begegnung. Sie war im richtigen Alter. Die Haarfarbe war etwas anders, die Zöpfe waren abgeschnitten, aber die Augen waren noch immer groß und blau. Ja, sie mußte das Mädchen von damals sein.

Lisa sah ihn interessiert, aber ohne eine Andeutung des Wiedererkennens an. Sie hatte ihn vergessen. Trotz dieser ziemlich niederschmetternden Erkenntnis schaffte es Wylie, seine Enttäuschung zu verbergen.

»Freut mich.« Er richtete seine Worte an beide Besucherinnen. »Mein Wagen steht draußen. Ich fahre Sie sehr gern hin und zeige Ihnen das Haus.«

Wylie. Ein ungewöhnlicher Name, der ihr aber irgendwie bekannt vorkam. Lisa konnte es sich nicht erklären und grübelte auch noch auf dem Rücksitz des Chevrolet darüber nach, bis es ihr einfiel – Wylie Cole. Sie war fast sicher, daß es der Junge war, den sie vor Jahren zufällig kennengelernt hatte. Aber das lag so lange zurück. Sie beugte sich vor, um einen Blick auf sein Gesicht zu werfen – Augen und Haare schwarz, Indianerprofil. Ja, er mußte es sein.

Lisa wollte etwas sagen, wollte von ihrer ersten Begegnung sprechen, doch sie brachte es in Gegenwart ihrer Mutter nicht über sich.

Im Haus führte Wylie sie durch alle Räume und fragte dann nach dem Rundgang: »Möchten Sie noch etwas sehen, Mrs. Blomquist? Haben Sie noch Fragen?«

»Ich glaube, ich möchte mir noch mal die Küche ansehen.«

»Wie Sie wollen. Lassen Sie sich ruhig Zeit. Ich warte hier.« Er hatte keine Lust mehr, sie zu begleiten.

»Lisa, kommst du nicht mit?« fragte Mrs. Blomquist, schon unterwegs zu der nach hinten hinaus gelegenen Küche.

»Nein . . . ich warte hier.« Sie wandte Wylie beim Sprechen den Rücken zu und sah ihrer Mutter nach. Dann erst drehte sie sich lächelnd zu ihm um. »Ein hübsches Haus.«

»Ja.«

»Ich weiß, die Frage hört sich albern an, aber . . . ist Ihr Vater Buschpilot?«

»Ja.« Wylie runzelte die Stirn.

»Das dachte ich mir. Also . . . wir sind einander schon begegnet. Ich weiß nicht, ob Sie sich erinnern . . .«

». . . an den Abend zu Ehren der Kolonialisten von Matanuska Valley.« Wylie sagte es mit breitem Lächeln.

Erstaunt starrte sie ihn an. »Sie erinnern sich?«

»Damals hatten Sie Zöpfe bis da.« Er zog eine Linie in Brusthöhe, nicht imstande, einer Berührung, und sei sie noch so kurz, auszuweichen.

»Und meine Brüder hielten Sie für einen Indianer.«

»Genau.«

Die Schritte ihrer Mutter wurden hörbar. Lisa warf einen Blick in Richtung Küche.

»Ein hübsches Haus«, wiederholte sie.

»Hoffentlich mieten es Ihre Eltern.«

»Ja, hoffentlich.«

»Dann würden wir uns mal wiedersehen.«

»Ja, sicher.« Sie schien sich darüber ebenso zu freuen wie er.

»Vielleicht könnten wir samstags mal ins Kino«, schlug Wylie vor, als ihre Mutter eintrat.

»Ja, vielleicht.« Sie warf ihm ein Lächeln zu, ehe sie sich ihrer Mutter zuwandte.

Lisa fürchtete schon, das Haus würde nie in die engere Wahl kommen, da ihre Mutter einen gewissen Argwohn gegen seine Besitzerin hegte. Doch noch vor Ablauf einer Woche zogen sie ein. Und zwei Wochen später ging Lisa mit Wylie Cole ins Kino.

Nach dem Film führte Wylie Lisa zu seinem Wagen. Noch immer beherrschte die Sommersonne den Abendhimmel und tauchte die Stadt in ein anhaltendes goldenes Licht.

»Was für ein schöner Abend«, bemerkte Lisa.

»Ja.« Da er während des ganzen Films ihre Hand gehalten

hatte, vermißte er jetzt die leichte Berührung. Plötzlich lachte sie auf und schüttelte den Kopf. »Was ist denn? Ist mir etwas Komisches entgangen?« fragte er.

»Nein.« Wieder schüttelte sie den Kopf. »Ich kann mich nicht genug wundern, daß du dich an mich erinnert hast ... nach so langer Zeit.«

»Ach, so erstaunlich ist das nicht. Das Matanuska-Projekt war hier jahrelang im Gespräch. Ständig waren Geschichten über die Vorgänge in Palmer im Umlauf. Da du der einzige Mensch warst, den ich von dort kannte, war es ganz natürlich, daß ich an dich dachte, wenn das Thema besprochen wurde.« Er grinste. »Außerdem wurde ich nicht oft für einen Indianer gehalten. Aber im Ernst ... hattet ihr es schwer da draußen?«

»Ja, sehr. Der Boden brachte zu wenig Erträge, deshalb hielten wir Milchkühe. Mein Vater rackerte sich redlich ab, und trotzdem hatten wir kaum genug zum Leben.«

»Tut es dir leid, daß ihr damals nach Alaska gekommen seid?«

»Nein! In Minnesota war es noch viel schlimmer.«

»Ja, Alaska ist ein großartiges Land, aber ich als Einheimischer bin natürlich voreingenommen. Wenn jemand unsere langen Winter und im Sommer die Moskitos nicht aushält, dann kann ich das durchaus verstehen.«

»Ja, die Winter sind hier länger« meinte Lisa darauf. »Aber sie sind nicht annähernd so kalt wie in Minnesota. Und die Moskitos sind auch nicht schlimmer als die Mücken in Minnesota.«

»Dann gefällt es dir also hier?« Wylie blieb neben seinem Chevrolet stehen.

»Ja, sehr.«

»Das freut mich.«

Die Fahrt zu ihrem Haus war nur kurz. Viel zu rasch waren sie am Ziel. Widerstrebend brachte Wylie sie an die Tür, von dem Wunsch beseelt, das Zusammensein irgendwie hinauszuzögern.

Als sie sich zu ihm umwandte, schien ihre Miene ein Spiegelbild seiner Gefühle. »Wylie, es war ein wunderschöner Abend.«

»Für mich auch. Du hast zufällig für nächsten Samstag nichts vor, oder?«

»Nein, nichts.« In ihrer Wange zeichnete sich ein Grübchen ab.

»Vielleicht könnten wir wieder ins Kino.«

»Hm, die Vorschau sah verlockend aus.«

»Wenn es dir recht ist, hole ich dich um halb sieben ab.«

»Wunderbar.«

Wylie zögerte den Abschied hinaus, da er sie gern geküßt hätte, obwohl es erst ihre erste Verabredung war. Sie stand da, sah ihn an und schien zu warten. Da neigte er sich zu ihr hin, küßte sie und spürte den warmen Druck ihrer Erwiderung.

Auch am nächsten Samstag gingen sie aus und jedes darauffolgende Wochenende ebenso, den ganzen Sommer und Herbst über und auch ein paar Abende dazwischen. Als Wylie Lisa zum erstenmal zum Sonntagsessen bei seiner Familie einlud, war sie sehr nervös. Zwar hatte er nie ausdrücklich von einer festen Beziehung gesprochen, doch schien das Treffen mit seinen Eltern so etwas wie ein erster Schritt dazu. Deshalb lag Lisa sehr daran, einen guten Eindruck zu machen.

Doch von Anfang an ging alles schief. Das von eisigen Temperaturen abgelöste Januarwetter hatte auf dem Gehsteig Eisflächen hinterlassen. Als Lisa aus dem Wagen stieg und vor Wylie zur Haustür ging, glitt sie aus, ehe er sie auffangen konnte – Lisas einziges Paar Strümpfe bekam Risse, und ein Knie war aufgeschürft. Ihren ersten Auftritt bei Wylies Familie absolvierte sie humpelnd und mit blutendem Knie.

Wylies Mutter und Großmutter machten nun viel Aufhebens und bestanden darauf, daß die Wunde gereinigt und verbunden wurde, obwohl Lisa am liebsten so getan hätte, als sei gar nichts passiert. Um so erleichterter war sie, als man sich endlich zu Tisch setzte und von etwas anderem sprach.

»Wylie, habe ich dir gesagt, daß oben in Fairbanks der neue Flugstützpunkt Ladd Field fertig ist?« Sein Vater häufte sich Kartoffeln auf den Teller und reichte die Schüssel an Lisa weiter. »In die Landebahn wurde mehr Beton hineingebuttert, als wir in Anchorage zusammen in sämtlichen Straßen haben. Die Bahn soll so dick betoniert sein, daß sie sich auch bei dreißig Grad unter Null nicht wirft.«

»Na, diesen Winter wird man die Probe aufs Exempel machen können«, erwiderte Wylie.

»Diese Armeepiloten müssen erst lernen, was es heißt, im hohen Norden zu fliegen«, meinte Ace Cole. »Hier kann es so kalt werden, daß das Öl zu einer gallertartigen Masse gerinnt, die Hydraulik einfriert, die Gummireifen spröde werden, daß sie wie Glas splittern, ganz zu schweigen von den vereisten Tragflächen. In diesem neuen Versuchslabor in Fairbanks versucht man, Bomber und Kampfflugzeuge diesen Wetterbedingungen anzupassen. Und was die Flugplätze betrifft – jede Wette, daß die Armee mindestens ein Dutzend im Bau hat«, sagte Wylies Vater.

»Endlich ist man in Washington aufgewacht«, meinte Mrs. Cole darauf. »Noch vor kurzem wäre es einer Handvoll feindlicher Fallschirmjäger geglückt, Alaska mit Leichtigkeit im Handstreich über Nacht zu nehmen. Jetzt müssen sie mit mindestens einer Woche rechnen.«

Mit einem Blick zu Lisa bat Wylie: »Könnten wir nicht von etwas anderem sprechen? Wenn man euch zuhört, möchte man meinen, es gibt jeden Augenblick Krieg.«

»Das ist gar nicht ausgeschlossen. Wir können nicht den Kopf in den Sand stecken und so tun, als ginge uns der Krieg in Europa und im Pazifik nichts an.«

»Der Präsident hat versprochen, daß die Vereinigten Staaten sich nicht mehr in einen Weltkrieg hineinziehen lassen würden.« Glory griff zur Serviette.

»Aber Japan und Deutschland haben keine Versprechen abgegeben. Denk an den Nachschub, den wir nach England liefern. Was glaubt ihr, wie lange Hitler da noch zusehen wird?«

»Ace, beruhige dich«, sagte Trudy Cole besänftigend, um dann mit einem entschuldigenden Lächeln zu Lisa hin fortzufahren: »Du regst dich nicht bloß selbst auf, sondern auch unseren Gast, wenn du ständig nur vom Krieg redest.«

»Lisa, entschuldigen Sie.« Ace sah seinen Gast mit einer Miene an, aus der so etwas wie Verwunderung sprach.

Wieder war sie in den Mittelpunkt der Aufmerksamkeit gerückt, das Allerletzte, was sie wollte. »Nein, so schlimm ist es nicht.« Sie lächelte schüchtern.

Aber vieles von dem, was zur Sprache gekommen war, hatte sie nicht gewußt. Bei den Diskussionen in ihrer Familie ging es meist um die Frage, wo es gutbezahlte Jobs gab, um die steigenden Kosten für Miete und Lebensmittel, um den Verdienst und was man sich davon leisten konnte.

»Trudy, ich glaube, du irrst dich«, sagte nun Wylies Vater. »Vielleicht ist es ganz gut, wenn jemand wie Lisa Bescheid weiß. Schließlich sind es die jungen Leute, die den Krieg auszukämpfen haben, falls es dazu kommen sollte. Wir beide sind in einem Alter, in dem wir nur die Heimatfront halten können. Aber Lisa und Wylie . . .«

»Dad«, unterbrach Wylie ihn, »du machst die Dinge wirklich schwierig.«

»Warum?«

»Weil . . . ich, ich von Uncle Sam einen Brief mit besten Wünschen bekommen habe.« Er hielt inne, als seine Mutter hörbar nach Luft schnappte. »Ich habe mir lange den Kopf zerbrochen, wie ich es euch beibringen soll . . . also, ich werde eingezogen.«

Lisa brachte kein Wort heraus. Seine Mutter hatte Tränen in den Augen, und seine Großmutter, die neben ihm saß, drückte Wylies Hand.

»Wann mußt du fort?« fragte sie leise.

»Bald.«

»Wie bald?« Seine Mutter mußte sich sichtlich gegen die Antwort wappnen.

»Noch diese Woche.«

Lisa starrte ihn nur an.

»Allmächtiger!« Plötzlich lachte seine Mutter auf und hielt abrupt inne, ehe sich ihr Lachen in ein Schluchzen verwandelte. Lisa hatte vollstes Verständnis dafür. Sie selbst hatte den Mund gehalten aus Angst, sie würde beim ersten Wort in Tränen ausbrechen. »Ich glaube, mein Auflauf brennt an!« rief Trudy Cole aus und verschwand in der Küche. Wylie legte die Serviette neben den Teller, weil er aufstehen wollte, doch sein Vater bedeutete ihm, sitzen zu bleiben.

Später bot Lisa an, den Tisch abzuräumen und beim Geschirrspülen zu helfen. Doch mit einem Blick auf Wylies Mutter schlug Glory vor, es sei vielleicht besser, wenn sie alles allein machten. Lisa sollte ruhig mit Wylie ins Wohnzimmer gehen.

Sie brachte kein Wort heraus, als er sie zum großen Sofa führte. Bemüht, sich zusammenzunehmen, setzte sie sich.

»Lisa, es tut mir leid.« Wylie saß da, den Blick auf seine gefalteten Hände gerichtet.

»Das sollte es auch. Schrecklich, wie du diese Nachricht deiner Familie präsentiert hast.« Sie war wütend auf ihn, wütend, daß er es ihr nicht vorher gesagt hatte und sie es in Anwesenheit seiner ganzen Familie hatte erfahren müssen.

»Ich weiß, es war schlimm, aber ich hoffte, meine Familie würde in deiner Gegenwart nicht gar so gefühlsbetont reagieren. Daß meine Mutter sich aufregen würde, war zu erwarten, ich bin schließlich der einzige Sohn.« Wylie sah sie an. »Lisa, ich wollte dich nicht verletzen.«

Nach diesem katastrophal verlaufenen Sonntagsessen traf Lisa sich mit Wylie nur noch einmal. Er parkte mit laufendem Motor vor ihrem Haus, auf dessen Veranda das Licht brannte, doch Lisa machte keine Anstalten auszusteigen. Den ganzen Abend hatte er getan, als sei es eine Verabredung wie sonst und nicht die letzte für sehr lange Zeit. Sie wünschte, er würde etwas sagen – daß sie ihm nicht gleichgültig war, daß er sie liebte – alles, nur damit sie wußte, wie sie mit ihm dran war. Doch das Schweigen dauerte an.

»Vermutlich sehen wir uns jetzt eine ganze Weile nicht«, sagte sie schließlich.

Er wandte sich ihr halb zu, den Arm auf die Sitzlehne gelegt. »Vermutlich nicht.«

»Wirst du mir schreiben?« fragte sie.

»Klar. Und wirst du mir schreiben? Lange wirst du mich nämlich nicht vermissen. Nicht hier in Alaska. Jede Wette, daß mindestens zehn Burschen schon Schlange stehen, um meine Stelle einzunehmen.«

»Auch wenn es hundert wären, würde es mir gleichgültig sein. Wylie, manchmal kannst du einen schon aufbringen.« Sie war den Tränen nahe. »Möchtest du denn nicht, daß ich auf dich warte?«

»Kein Mensch weiß, was passieren wird. Ich glaube nicht, daß jetzt der Zeitpunkt für Versprechungen ist, die man dann morgen nicht mehr halten möchte. Warum warten wir nicht mal ab, was sein wird, wenn ich zurückkomme?«

»Sicher.«

»Lisa, sieh mich an.« Widerstrebend, fast abwehrend hob sie den Kopf und sah ihn an. »Ich werde zurückkommen, so viel steht fest. Und du tust verdammt gut daran, mich nicht zu vergessen.«

Er zog sie an sich und küßte sie ausdauernd und fordernd, wie um ihr seinen Stempel aufzudrücken. Lisa klammerte sich an ihn, ebenso entschlossen, ihm klarzumachen, daß er sie nicht vergessen sollte.

54. Kapitel

ANCHORAGE
7. DEZEMBER 1941

Es herrschte noch winterliche Finsternis, als Lisa, begleitet von Eltern und Brüdern, die Stufen zum Kirchenportal hinaufging, um dem Neun-Uhr-Gottesdienst beizuwohnen. Erst in zwei Stunden würde es hell werden. Neben dem Eingang stand ein Mann. Lisas Schritt stockte unmerklich, als sie ihn erkannte.

»Lisa, siehst du, wer da ist?« murmelte ihre Mutter, ihre Lippen dabei nur unmerklich bewegend. »Ich möchte wetten, er wartet auf dich.«

»Nur weil er hier draußen steht, muß das nicht bedeuten, daß Mr. Bogardus auf mich wartet.« Insgeheim befürchtete sie aber, daß ihre Mutter recht hatte. Sie hatte ihre Stelle als Verkäuferin in einem Drugstore gegen den Willen ihrer Mutter vor fünf Monaten aufgegeben und eine besserbezahlte Stelle in der Lohnbuchhaltung einer Baufirma aus den Vereinigten Staaten angenommen, deren Niederlassung in Anchorage die Regierungsaufträge in Alaska abwickelte. Der große, jungenhaft wirkende Steve Bogardus war einer der Firmenpartner und leitete die Niederlassung. Er war ihr Boß.

Sie war einen Monat in der Firma beschäftigt, als er sie bat, mit ihm auszugehen. Natürlich hatte Lisa abgelehnt. Vor zwei Monaten war er dann dahintergekommen, daß sie kein Fahrzeug hatte und die Strecke ins Büro zu Fuß zurücklegte. Er hatte angeboten, sie morgens abzuholen und abends nach Hause zu bringen. Nein, es sei für ihn kein Umweg, hatte er behauptet, zudem solle ein junges Mädchen abends nicht allein durch dunkle Straßen gehen, ganz abgesehen von der Kälte. Damals war es ihr albern vorgekommen, dieses Anerbieten abzulehnen, nicht zuletzt, weil der Winter bevorstand. Sie hatte sein Angebot also angenommen.

Natürlich hatte ihre Mutter ihn kennengelernt, als er sie zum erstenmal abholte. Kaum hatte sie herausgefunden, daß er neunundzwanzig Jahre alt war, graduierter Ingenieur, dazu ledig und Firmenteilhaber, waren alle ihre Einwände gegen Lisas neue Stelle geschwunden. Dann hatte Lisa den Fehler begangen, ihr seine Einladung zu gestehen, die sie abgelehnt hatte. Von da an hatte ihre Mutter begonnen, sie ständig zu bearbeiten. Warum sie ihr Leben an jemanden wie Wylie Cole verschwende, der nie etwas darstellen würde, wenn sie doch einen Mann haben könne, dem als selbständigem Unternehmer eine erfolgreiche Zukunft bevorstünde? Mrs. Blomquist konnte nicht einsehen, warum Lisa Abend für Abend zu Hause hockte, wenn sie doch mit Mr. Bogardus hätte ausgehen können. Daß Wylie in Alaska stationiert war und Lisa ihn, wenn auch selten, sehen konnte, spielte in ihren Überlegungen keine Rolle. Lisa zeigte sich jedenfalls immer unnachgiebig, wenngleich ihre Mutter einige Male Mr. Bogardus zum Dinner eingeladen hatte, wenn er Lisa nach Hause brachte. Er hatte immer angenommen.

Lisa war in eine peinliche Situation geraten. Was die Sache noch schlimmer machte, war die Tatsache, daß sie Steve Bogardus sehr nett fand und gern mit ihm zusammen war. Auf diese Weise wuchs ihr Schuldgefühl ständig. Er war auch ganz anders als Wylie. Seine Miene war so offen, daß sie immer wußte, ob er müde war, beruflich unter Druck stand oder wenn er sich über etwas freute. Steve war aufmerksam und nett, hielt ihr die Türen auf, lobte ihre Arbeit, machte ihr Komplimente über ihr Kleid oder ihr Haar – gelegentlich flirtete er sogar mit ihr.

»Guten Morgen, Lisa.« Dann begrüßte er ihre Familie ebenso herzlich. »Ich habe Sie gar nicht vorfahren gesehen. Sie sind doch nicht etwa die ganze Strecke gelaufen?«

»Ach, es ist ja nicht weit. Unser Wagen wollte nicht anspringen. Ich schätze, er hat sich an den kalten Winter noch nicht gewöhnt.«

»Ich auch nicht.« Steve mimte ein Frösteln, und Lisa lächelte unwillkürlich. »Schade, daß ich nichts davon wußte«, sagte er nun. »Ich hätte Sie zur Kirche mitnehmen können.«

»Dafür dürfen Sie uns nach Hause fahren, Mr. Bogardus«, warf ihre Mutter ein. »Aber nur, wenn Sie anschließend zum Essen bleiben.«

»Mrs. Blomquist, es ist Ihnen wie immer geglückt, mich zu überreden.«

Lisa wich seinem Blick aus. »Gehen wir hinein. Wir blokkieren den Eingang.«

»Ganz recht. Außerdem ist es drinnen wärmer.« Er öffnete die Tür und hielt sie für die ganze Familie auf.

Im Vorraum bemerkte Lisa am anderen Ende Wylies Mutter und Großmutter.

»Entschuldigt mich, ich gehe kurz zu Mrs. Cole hinüber. Wir treffen uns dann drinnen.« Sie entfernte sich von ihrer Familie von der Hoffnung getrieben, Mrs. Cole würde Nachricht von Wylie bekommen haben. Über drei Monate waren vergangen, seit sie ihn gesehen hatte, und sein letzter Brief lag fast auch so lange zurück, obwohl sie ihm regelmäßig geschrieben hatte. Seine Warnung, daß er kein Briefschreiber sei, war ihr kein Trost. »Guten Morgen.« Sie lächelte beiden Frauen zu und bemerkte verspätet, daß auch die ältere Eskimofrau mitgekommen war. »Ach, Matty, hallo«, begrüßte sie diese.

»Lisa«, sagte Trudy Cole sehr herzlich, »ich hatte so gehofft, Sie heute zu sehen. Gestern kam von Wylie ein Brief. Eben zeigte ich ihn Mutter Cole. Er schreibt darin, er würde vielleicht keine Zeit haben, Ihnen zu schreiben und bat mich, die Nachricht weiterzugeben.«

»Welche Nachricht?« Lisa nahm den Briefbogen, den Wylies Mutter ihr reichte. Der Brief war nur eine halbe Seite lang.

»Die Armee sucht Freiwillige, die sich in Alaska gut auskennen. Es soll eine Sondertruppe zusammengestellt werden, die Alaska Scouts.«

»›All-Alaska Combat Intelligence Scouts‹«, las Lisa vor.

»Ja, genau. Sie bekommen auch eine Spezialausbildung. Deswegen wußte er nicht, ob ihm noch Zeit zum Schreiben bleiben würde.«

»Er hat ein Foto mitgeschickt.« Matty gab ihr den Schnappschuß, den sie gerade studiert hatte. »Wylie ist der in der Mitte.«

Lisa starrte das Trio auf dem Foto an. Alle steckten in Parkas und hatten ein Gewehr über der Schulter. Die Gesichter waren zwischen den Fellkapuzen und den struppigen Bärten kaum zu erkennen. Wie Soldaten sahen sie nicht aus. Lisa war gar nicht sicher, ob sie Wylie erkannt hätte.

»Er hat ja einen Bart.« Ihre Begeisterung hielt sich in Grenzen.

»Ja.« Seine Mutter schien Lisas Meinung zu teilen, wie ihr Ton vermuten ließ. »Er schreibt, er hielte sein Gesicht warm.«

»Mag sein.« Trotzdem fand Lisa, daß Wylie damit aussah wie ein wilder Bergmensch.

Man hörte die ersten Orgelakkorde. »Ich glaube, wir müssen hinein.«

»Ja.« Lisa gab Brief und Foto zurück. »Vielen Dank, Mrs. Cole.«

»Nichts zu danken«, erwiderte seine Mutter. »Wenn Sie mal nichts anderes zu tun haben, dann können Sie uns doch besuchen.«

»Ja, gern«, versprach Lisa.

Die Coles saßen bereits in einer der letzten Reihen. Lisa

bemerkte verärgert, daß ihre Mutter ihr einen Platz neben Steve Bogardus freigehalten hatte. Sie setzte sich neben ihn und griff nach dem Gesangbuch. Während sie den Orgelklängen lauschte, kreisten ihre Gedanken noch um Wylie. Er hatte sie also nicht vergessen, auch wenn er ihr nicht schrieb.

Mitten in der Predigt hörte man ein fernes, an gedämpfte Explosionen gemahnendes Grollen. Gedämpftes Murmeln durchlief die Gemeinde.

Diesmal faßte der Geistliche sich kurz, so daß der Gottesdienst pünktlich endete. Als sich Lisa in die lange Reihe der hinausströmenden Gläubigen einordnete, hörte sie von allen Seiten die Frage: »Habt ihr die Explosion gehört?«

»Erst dachte ich, es sei Donner.«

Lisa wandte sich an Steve Bogardus: »Was war es Ihrer Meinung nach?«

»Wahrscheinlich sind es Übungen draußen in Fort Richardson.« Sein Lächeln verriet Gelassenheit.

Aber noch ehe sie die unterste Stufe erreicht hatten, ertönte Sirenengeheul. Lisa hielt inne wie alle anderen.

Dann kam jemand gelaufen. »Das Radio meldet einen Angriff der Japaner auf Hawaii!«

»Nein«, murmelte sie.

»Kommen Sie.« Steve nahm ihren Arm. »Mein Auto ist in der Nähe. Ich habe ein Radio.«

Es stimmte. Japanische Bomber hatten die Flugbasis Hikkam Field und den Flottenstützpunkt Pearl Harbor auf Hawaii angegriffen.

Als der Radiosprecher die Evakuierungsmaßnahmen für den Fall eines feindlichen Angriffs erläuterte, murmelte Lisa: »Meine Güte, glaubt man wirklich, die Japaner könnten eine Invasion in Alaska planen?«

»Warum sind wir jemals hierhergezogen? Ich wußte ja, es war ein Fehler!« Ihre Mutter war einer Panik nahe. »Ja, was sollen wir tun?«

»Wir tun, was der Sprecher sagte – nach Hause gehen und warten.«

»Lisa.« Steve Bogardus faßte nach ihrer Hand. »Ich fahre lieber in die Firma. Vielleicht braucht die Armee Bulldozer oder andere schwere Maschinen. Kommt ihr allein zurecht?«

»Sicher.« Im Moment war sie wie betäubt von dem Schock.

Sie verabschiedeten sich, und die Blomquists machten sich zu Fuß auf den Weg nach Hause.

Eine Bedrohung durch die Japaner war durchaus möglich. Alaska war für die Japaner strategisch viel zu bedeutsam, als daß sie lange zögern würden. Man mußte daher auf eine Invasion gefaßt sein.

Die im Herbst begonnenen Bauprojekte wurden im Winter rasch vorangetrieben, da die drohende Invasion einen Ausbau der Verteidigungseinrichtungen immer dringlicher machte. Davon wurden auch Baufirmen wie die Steve Bogardus' in Mitleidenschaft gezogen, und Mitarbeiterinnen wie Lisa, die nun einen zusätzlichen Papierkrieg zu bewältigen hatte.

Es war am Spätnachmittag des ersten Samstags im März, als Steve Bogardus sie nach der Arbeit nach Hause brachte. Lisa war viel zu müde, als daß es sie gestört hätte, daß ihre Mutter ihn zum Dinner einlud. Es machte Lisa auch nichts aus, als auf ihre Hilfe in der Küche verzichtet wurde und man sie mit ihrem Boß ins Wohnzimmer scheuchte. Sie schaltete das Radio ein, weil sie die neuesten Nachrichten hören wollte, und sank dann ermattet auf die Couch.

»Heute sollten wir wirklich feiern.« Steve Bogardus hatte sich zurückgelehnt. Sein jungenhaftes, sommersprossiges Gesicht wirkte abgespannt und hager. »Der Vertrag unserer Firma mit der Regierung über unsere Beteiligung am Bau des Alaska Canada Military Highway ist für uns finanziell sehr vorteilhaft.«

Eine durch Kanada führende und die Vereinigten Staaten mit dem Territorium von Alaska verbindende Straße war schon so lange geplant, daß Lisa glaubte, die Verwirklichung des Planes nie zu erleben. Doch der Krieg mit Japan und die Erkenntnis, daß die überlegene Flotte der Japaner sehr wohl imstande war, die Seewege nach Alaska abzuschneiden, hatte die Lage drastisch verändert. Der Bau der zweitausendvierhundert Kilometer langen Militärstraße war endlich bewilligt worden und wurde vorrangig vorangetrieben. Dieses

Riesenprojekt wurde mit Hilfe ziviler Baufirmen und Arbeiter und den technischen Einheiten der Armee gebaut.

»Sicher haben Sie recht«, meinte Lisa seufzend. »Aber mir macht dabei vor allem die damit verbundene bürokratische Mehrarbeit Sorgen.«

»Keine Angst, wir werden zusätzliche Kräfte einstellen.«

»Mr. Bogardus, das ist seit langem die beste Nachricht.«

»Lisa, wann werden Sie mich endlich Steve nennen?«

Plötzlich wurde sie gewahr, daß er den Arm auf die Rükkenlehne gelegt hatte und ihr sehr nahe war. »Es schickt sich nicht, den Chef beim Vornamen zu nennen.«

»Und ich dachte, wir wären Freunde?«

Sie spürte, wie er mit den Fingerspitzen über ihr Haar strich, und stand hastig auf, um der Berührung zu entgehen. »Ich behauptete nie das Gegenteil, Mr. Bogardus.« Bemüht, ihre innere Erregung zu verbergen, ging sie ans Radio.

»Eigentlich sollte ich Sie zum Dinner ausführen. Es ist höchste Zeit, daß ich mich für Ihre Großzügigkeit revanchiere.« Er stand ebenfalls auf und trat neben sie.

»Meine Mutter würde sich freuen.«

»Lisa, Sie wissen, daß ich Sie meinte – nicht Ihre Familie.«

»Ja.« Sie drehte sich um und sah den kleine Schnappschuß an, den sie in die Ecke von Wylies gerahmter Fotografie gesteckt hatte. Das große Bild zeigte ihn in Uniform, das kleinere, aktuellere, war aufgenommen worden, nachdem er den Scouts zugeteilt worden war.

»Ist das Ihr Soldat?« Er faßte nach dem Schnappschuß, um ihn genauer betrachten zu können.

»Ja, das ist Wylie Cole. Er ist bei den Alaska Scouts.« Sie hatte Steve nie mehr gesagt, als daß sie mit jemandem ausgegangen war, der jetzt Soldat sei.

»Erwartet er wirklich, daß Sie Abend für Abend zu Hause sitzen, nie ausgehen und sich amüsieren?«

»Natürlich nicht.«

»Warum geben Sie mir dann jedesmal einen Korb, wenn ich Sie frage?«

»Nun, weil eben.«

»Weil was?«

»Steve, bitte«, wehrte sie ab.

»Na, wenigstens nennen Sie mich Steve.«

Verwirrt von dem Ausrutscher platzte sie heraus: »Ach, es ist mir so herausgerutscht.«

»Ich finde, wir sollten dabei bleiben.«

Da hörte sie schwere Schritte auf der Veranda. »Das muß Dad sein«, sagte sie erleichtert.

Doch als die Tür aufging, trat ein hochgewachsener, wild aussehender bärtiger Mann ein. Wie vor den Kopf geschlagen starrte Lisa den Fremden an. Mitten im dunklen Bart blitzten weiße Zähne, als der Mann lächelte.

»Mom meinte, ich sollte vorher anrufen, aber ich wollte dich überraschen. Hat mich viel Mühe gekostet, unserem Sergeanten einen Wochenendurlaub abzuluchsen.«

»Wylie.« Sie erkannte seine Stimme und war erschrocken darüber, daß nicht einmal der Schnappschuß sie auf die Veränderung, die mit ihm vorgegangen war, vorbereitet hatte.

Er kratzte an seinem Bart. »Ja, unter diesem Gestrüpp bin ich es.« Er schlüpfte aus seinem Parka, der er auf den Garderobenständer hängte.

»Wylie, ich möchte dich mit meinem Chef, Steve Bogardus, bekannt machen.« Sie nahm seinen Arm und führte ihn zu Steve.

»Ich habe schon viel über Sie gehört, Mr. Cole.« Steve schüttelte ihm mit einem warmen Lächeln die Hand, aber Lisa bemerkte sehr wohl den kühlen Blick, mit dem Wylie ihn bedachte.

»Leider kann ich dasselbe von Ihnen nicht behaupten. Lisa hat Sie nie erwähnt.«

Schuldbewußt errötete Lisa. Zwar war sie mit Steve nie richtig ausgegangen, doch genoß sie seine Gesellschaft. »Mutter hat Mr. Bogardus heute zum Dinner eingeladen, Wylie«, sagte sie.

»Und ich konnte mir die Chance nicht entgehen lassen, Hausmannskost zu bekommen«, setzte er hinzu.

Lisa hätte ihn umarmen mögen, weil er ihr Rückendeckung gab und alles so harmlos aussehen ließ – was es ja auch war, wie sie sich ins Gedächtnis rief. »Wylie, du hast doch noch nichts gegessen, oder? Mama kocht immer für ein ganzes Regiment. Wenn du bleiben möchtest . . . es reicht für alle.«

»Wie Steve lasse ich mir die Chance auch nicht entgehen, Hausmannskost zu bekommen.«

Mit sieben Personen wurde es eng um den Tisch der Blomquists. Wylie fand aber die Sitzordnung sehr zufriedenstellend, da Lisa zu seiner Linken saß und ihr Boß, Steve Bogardus, ihm gegenüber, so daß er beide beobachten konnte.

Er hatte immer gewußt, daß Lisa mit anderen ausgehen würde. Schließlich war Krieg, und kein Mensch konnte wissen, was aus ihm werden würde. Nach seiner Rückkehr war immer noch Zeit, zwischen ihnen alles zu regeln.

Aber immer wenn er sah, wie Bogardus Lisa einen Blick zuwarf – obwohl er der Überzeugung war, daß die beiden noch nicht richtig miteinander gingen –, hätte er dem Burschen am liebsten mit der Faust ins Gesicht geschlagen.

Lisas Vater und ihre Brüder bestürmten Wylie mit Fragen über die Vorgänge draußen, doch bei den meisten Fragen mußte er den Unwissenden spielen, obwohl er die Antworten kannte. Da seine Scout-Gruppe dem Geheimdienst der Armee unterstellt war, wußte er sehr viel – einiges durch Gerüchte, anderes aus verläßlichen Quellen und aus persönlicher Erfahrung.

Doch er konnte ja nicht preisgeben, daß man in den Gewässern um die Aleuten japanische Schiffe gesichtet hatte, deren Anwesenheit und Aktivität darauf schließen ließen, daß sie Ausschau nach geeigneten Landemöglichkeiten hielten. Auch mußte unerwähnt bleiben, daß Strategen in Washington eine Invasion gegen Japan von Nome, Sibirien und Kamtschatka aus in die Wege leiten wollten. Alles deutete darauf hin, daß es irgendwo auf der Inselkette der Aleuten zu kriegerischen Aktivitäten kommen würde. Von einigen Aleuten in seiner Einheit, die die Inseln aus eigener Erfahrung kannten, hatte er ein paar Einzelheiten erfahren. Im großen und ganzen aber wußte man über die Inseln sehr wenig. Mitunter bezweifelte Wylie, ob man im Kriegsministerium überhaupt wußte, wie groß Alaska eigentlich war. Es verfügte über 54 000 Kilometer Küstenlinie, mehr als die gesamten Vereinigten Staaten besaßen. Ein verdammt großes Gebiet, das es zu überwachen galt, denn die Armee verfügte nur über fünf Kampfgeschwader in der Luft und fünftausend Mann Kampftruppen samt zwanzigtausend Mann in der Etappe. Und kein Mensch wußte, wo die Japaner zuschlagen würden.

Wylie war zwar kein Militärstratege, doch sogar er konnte auf der Karte feststellen, daß Alaska näher an Japan lag als Hawaii. Nahmen die Japaner Hawaii ein, mußten sie noch über viertausend Kilometer über den Ozean fliegen, um Ziele an der Westküste zu erreichen. Nahmen sie aber Alaska ein, dann waren die Bremerton-Werft und die Boeing-Werke nur drei Flugstunden entfernt. Ganz Kanada und die Vereinigten Staaten waren ihnen in diesem Fall ausgesetzt, und Rußland lag praktisch in Schußweite. Japan war so nahe, daß der Aufbau einer Nachschublinie ein Kinderspiel war.

Von all dem konnte Wylie nicht sprechen. Er mußte den Unwissenden mimen, während Bogardus mit seinem Wissen glänzte und den Verlauf der Militärstraße von den USA nach Alaska erläuterte. Die Arbeiter, Zivilpersonen und Militärangehörige würden an mehreren Stellen gleichzeitig mit dem Bau beginnen.

Das Dinner an jenem Abend war das längste, das Wylie je abzusitzen hatte. Endlich war es vorbei. Obschon Lisas Mutter Bogardus drängte, noch zu bleiben, lehnte er ab, weil er noch zu tun hatte. Wylie sah wortlos zu, als Lisa ihn an die Tür begleitete.

»Ich hole Sie Montagmorgen ab«, hörte er Bogardus sagen.

»Ich werde bereit sein.«

Wylie entnahm daraus, daß sie jeden Morgen mit ihm zur Arbeit fuhr. Vermutlich auch abends nach Hause. Und er selbst war nicht zur Stelle, um etwas dagegen zu unternehmen. Er wußte nicht einmal, wann sich wieder die Gelegenheit ergeben würde, Lisa zu sehen.

Nachdem Bogardus gegangen war, scheuchte Lisas Vater die Jungen diskret aus dem Wohnzimmer, um Wylie Gelegenheit zu geben, mit Lisa allein zu sein. Sie kam, nervös die Hände reibend, zu ihm.

»Wylie, ich möchte dir die Sache mit Mr. Bogardus erklären . . .« setzte sie an.

Er unterbrach sie. »Lisa, du bist mir keine Erklärung schuldig.«

»Aber . . .«

»Lassen wir das, ja?« Er war wütend und konnte nicht verhindern, daß es ihm anzusehen war.

»Meinetwegen.« Verwirrt und gekränkt durch Wylies Haltung mußte Lisa sich geschlagen geben.

55. Kapitel

DUTCH HARBOR AUF UNALASKA
3. JUNI 1942

Es war in aller Herrgottsfrüh, kurz nach fünf. Von dem kleinen Lager auf der Kuppe des Ballyhoo Mountain aus suchte Wylie die von Bergen umgebene Bucht unter sich ab. Endlich war der Sturm abgeflaut, der über die Inselkette seit nahezu zwei Wochen hinweggefegt war und die unzulänglichen Versuche der Amerikaner behindert hatte, vom Wasser oder von der Luft aus die japanischen Spezialeinheiten auszumachen. Laut geheimdienstlicher Erkenntnisse des Oberkommandos im pazifischen Raum sollten diese die Aleuten ansteuern. Er wurde hier mit seiner kleinen Abteilung von Scouts eingesetzt, um auf Unalaska alles Wissenswerte auszuspähen, während andere auf Kodiak, auf den Pribilow-Inseln, auf Cold Bay und Umnak dasselbe taten.

Hinter ihm wurde eine Zeltklappe gehoben. Wylie drehte sich um und sah Big Jim Dawson aus dem Zelt treten, gähnend und sich streckend. Vor dem Krieg hatte Jim es als Prospektor bis zum Bergbauingenieur gebracht und irgendwo am Polarkreis gearbeitet. Er war ein kräftiger Mann und hatte einen Bart von der Farbe schmutzigen Schnees. Sein Haar war tiefschwarz. Er war zur selben Zeit zu den Scouts gestoßen wie Wylie. Das harte Training hatten sie gemeinsam überstanden – als gute Freunde, deren Beziehung durch das gemeinsam Erlebte gefestigt worden war.

»Ich bin hungrig wie ein Bär.« Big Jim kam auf Wylie zu, sich den Bauch reibend. »Heute bist du mit dem Kochen dran, klar?«

»Ja, ich weiß.«

»Ist dort unten was los?« Big Jim warf einen Blick auf die sechs im Hafen ankernden Schiffe.

»Dort rührt sich nichts. Wahrscheinlich pennen alle noch nach der gestrigen Luftschutzübung.« Wylie hielt inne und horchte angestrengt. Von der Bucht her ertönte ein Hornsignal. »Hörst du? Klingt, als hieße es auf einem Schiff ›Alle Mann auf die Posten‹.«

Noch ehe Jim antworten konnte, ertönte Sirenengeheul über der Bucht, vermischt mit den Pfeiftönen auf den im Hafen liegenden Schiffen, die ihre Besatzungen zu den Gefechtsstationen riefen.

Wylie hob den Feldstecher an die Augen, während Big Jim im Zelt verschwand, seinen eigenen zu holen. Unten im Hafen machten sämtliche Schiffe Dampf, um aus dem Hafen zu flüchten. Auf der Marinestation und in Fort Mears rannten die Leute zu den Luftabwehr- und Maschinengewehrstationen. Dutch Harbor besaß wegen des gebirgigen Geländes keinen Flugplatz. Die einzigen hier stationierten Flieger waren ein paar Wasserflugzeuge, die in nahen Buchten standen.

Als er den Horizont absuchte, erspähte Wylie die japanischen Zeros, die aus der Wolkendecke stießen und von Süden her angriffen. Auch als Big Jim an seiner Seite auftauchte, nahm Wylie das Glas nicht von den Augen und verfolgte die feindlichen Bomber, die vor dem Angriff aus der Formation ausscherten.

»Ich zähle fünfzehn Zeros.«

»Ich auch«, bestätigte Big Jim die Zahl.

Die ersten Schüsse der Flak explodierten am Himmel über dem Hafen. Die schwarzen Rauchschwaden wurden immer dichter, als die Küstenbatterien einstimmten. Das Postflugzeug, das einen verzweifelten Startversuch unternahm, wurde von zwei herabstoßenden Zeros unter Beschuß genommen, ehe es abhob. Brennend torkelte die Maschine auf die Küste zu.

»Die haben es auf die Wasserflugzeuge abgesehen.«

Ihre vorrangigen Zielobjekte schienen die in versteckten Buchten liegenden Wasserflugzeuge zu sein. »Auch in Pearl Harbor konnte keine unserer Maschinen starten.«

»Na, eine wird es schaffen.« Big Jim deutete auf eine aufsteigende Catalina, die sich dem Angriff stellte.

Kaum hatte ein feindlicher Flieger dies bemerkt, als er die Catalina angriff und seine Bordwaffen Feuer spuckten. Im selben Moment bekam die Zero einen Treffer von der Flak ab, geriet ins Trudeln, spie schwarzen Qualm und gelbes Feuer, um in Spiralen herunterzukurven und in die Bucht zu stürzen.

Vier der feindlichen Bomber drehten ab und nahmen Kurs auf das Fort. Über ihrem Ziel warfen sie ihre tausendpfündigen Bomben, verwandelten die Treibstofftanks in eine Flammenhölle und zerstörten die Mannschaftsunterkünfte. Als der Rauch sich verzogen hatte, kamen die Verwundeten aus den geschwärzten Trümmern gekrochen. Wylie vollführte einen Schwenk mit dem Fernglas. Vor seinen Augen verschwamm alles vor ohnmächtigem Zorn.

»Achtung!« rief Big Jim und stieß Wylie in die Schulter, so daß dieser zu Boden ging.

Instinktiv rollte Wylie sich weiter. Rauchspurgeschosse der angreifenden Zero schlugen genau dort ein, wo er vor einer Sekunde gestanden hatte. Er spürte Schweiß auf der Stirn, Trockenheit im Mund und eine Flauheit in der Magengrube. Das alles hinderte ihn nicht, mit dem Maschinengewehr ein paar Runden auf die Zero abzufeuern, die daraufhin abdrehte und sich ein anderes, lohnenderes Ziel suchte.

Der Angriff dauerte volle zwanzig Minuten. Nachdem ihr Bombenvorrat erschöpft war, flogen die Zeros in südlicher Richtung ab. Von Ballyhoo aus machte Dutch Harbor einen total zerstörten Eindruck. Es sah aus wie eine qualmende Trümmermasse. Doch zeigte es sich, daß der Schaden nicht so groß war, wie es zunächst den Anschein hatte. Die Schiffe im Hafen waren praktisch unversehrt, die Funkstation intakt, und die Zahl der Toten machte nur ein Prozent der stationierten Truppen aus. Nahezu sämtliche der zweiundfünfzig Toten waren dem Angriff auf die Unterkünfte von Fort Mears zuzuschreiben.

Am darauffolgenden Nachmittag griffen die japanischen Bomber Dutch Harbor abermals an und trafen ein altes, auf den Strand gesetztes Schiff, die Northwestern. Weiter ließen sie vier große Treibstofftanks hochgehen. Und die amerikanischen Patrouillenschiffe hatten das japanische Sonderkommando, das in den Gewässern um die Aleuten operierte, noch immer nicht ausmachen können.

Tief unten im Süden tobte eine große Seeschlacht um Midway. Für die Männer in Dutch Harbor war dies ohne Bedeutung. Der Krieg um die Aleuten hatte begonnen. Noch vor Ablauf einer Woche wurde bekannt, daß die Japaner die Insel Attu eingenommen hatten.

56. Kapitel

ANCHORAGE
20. JUNI 1942

Als die zweitmotorige Lockheed auf den Hangar mit der verblichenen Aufschrift Ace-Flugservice zurollte, rieb sich Ace Cole seine verspannten Nackenmuskeln. Für ihn war es wieder einmal das Ende eines langen Tages. Das Fliegen machte schon lange nicht mehr so großen Spaß wie einst. Vielleicht war es ihm einfach zu zahm geworden. Die vielen Instrumente und Funkrichtstrahlen ließen nicht viel Aufregendes zu.

Er brachte die Maschine vor dem Hangar zum Stillstand, drosselte automatisch den Motor und schaltete die elektrischen Systeme aus. Durch das Fenster sah er den untersetzten grauhaarigen Billy Ray auf die Maschine zulaufen, in den Händen zwei Bremsklötze. Er konnte sich nicht erinnern, Billy Ray jemals so schnell laufen gesehen zu haben. Er löste den Gürtel und stieg eilig aus.

Billy Ray zog ohne stehenzubleiben einen fettigen Lappen aus seinem verdreckten Overall, um sich die Hände daran abzuwischen. Trotz seines vorgerückten Alters war er noch immer der beste Mechaniker, der Ace je untergekommen war. Fast gleichzeitig tauchte eine Handvoll uniformierter Männer aus dem Dunkel des Hangars auf.

»Wie lange sind sie schon da?« fragte Ace, mit einer Kopfbewegung auf den Leutnant und seinen Begleiter deutend.

»Die kreuzten auf, nachdem du vom Tower Landeinstruktionen wolltest.« Er sah Ace voller Unbehagen an.

Tief einatmend fragte Ace: »Sagten sie, was sie wollen?«

»Nein. Aber irgendwas Komisches geht da vor«, gab Billy Ray zurück. Stirnrunzelnd steckte Ace seine Hände in die Taschen, legte den Kopf ein wenig zurück und starrte die Soldaten an.

»Kann ich etwas für Sie tun, Lieutenant?« fragte er.

Der Offizier kam näher. »Sind Sie Mr. Ace Cole?«

»Der bin ich.«

»Ist das Ihre Maschine?«

»Ja.«

»Es ist meine Pflicht, Ihnen mitzuteilen, daß die Armee aufgrund der Notstandsmaßnahmen Ihre Maschine für militärische Zwecke beschlagnahmt.«

»Was?« Das Wort kam ihm explosionsartig über die Lippen. Auf alles mögliche war er gefaßt gewesen, nur auf das nicht.

»Ihre Maschine untersteht von nun an der Armee.«

»Und was hat die Armee mit ihr vor?«

»Das ist Sache der Armee, Sir.«

»Es ist meine Maschine. Ich verdiene damit meinen Lebensunterhalt, also ist es auch meine Sache.«

»Sie bekommen Ihre Maschine zurück, wenn die Notstandsmaßnahmen aufgehoben werden.«

»Was heißt hier Notstand? Und in was für einem Zustand bekomme ich sie wieder? Ich kenne eure Armeepiloten. Ich sage Ihnen, außer mir fliegt keiner diese Kiste.«

»Die Armee kommt für sämtliche Schäden an Ihrem Eigentum auf«, versuchte der Leutnant ihn zu beruhigen.

»Nein, wird sie nicht.« Ace schüttelte den Kopf. »Wenn ihr Maschinen braucht, dann braucht ihr auch Piloten. Und ich habe mehr Erfahrung mit Flügen über Alaska als ein ganzes Geschwader von euren Jungs zusammen. Wenn ihr diesen Vogel braucht, könnt ihr ihn haben, aber fliegen werde ich ihn.« Er drehte sich zu Billy Ray um. »Tank sie auf und mache sie startklar. Der Leutnant und ich nehmen unterdessen Kontakt mit seiner Dienststelle auf.«

Als Ace dem Vorgesetzten des Leutnants seine Dienste anbot, wurden diese dankbar angenommen. Er sollte bald erfahren, daß seine Maschine nicht die einzige war, die an jenem Abend von der Armee beschlagnahmt wurde. Fast jedes Flugzeug in Alaska war beschlagnahmt worden, dazu sechsundvierzig Linienmaschinen, die der United, der Northwest und anderen Flugesellschaften gehörten.

Bei einer Einsatzbesprechung erfuhr er dann, was die Armee plante. Der Plan war so ungeheuerlich, daß es Ace die Rede verschlug, denn er erschien ihm nicht nur als logistischer Alptraum, sondern als glatte Unmöglichkeit. Doch das Unmögliche hatte ihn immer schon gereizt. Wie oft war er an Stellen gelandet, wo angeblich keine Maschine landen konnte!

Zwei Patrouillenmaschinen hatten auf ihrem Radarschirm einen großen japanischen Kampfverband gesichtet, der mit Kurs Nordwest zwischen den Pribilow-Inseln und der Insel St. Lawrence auf die Beringsee zusteuerte. In Pearl Harbor war eine verschlüsselte Nachricht der Japaner eingefangen worden, die darauf schließen ließ, daß eine Invasion in Westalaska, vermutlich bei Nome, bevorstand. Der Plan der Armee sah vor, mittels einer Luftbrücke die zur Verteidigung der Westküste nötigen Truppen, Waffen und Nachschub in den Norden zu schaffen. Dabei war höchste Eile geboten, da der Zeitpunkt der japanischen Invasion nicht bekannt war.

Im subarktischen dämmerigen Tageslicht überwachte Ace das Beladen seiner Maschine. Ein Sergeant blieb stehen und warf einen Blick auf die Frachtliste, als zwei Soldaten eine Kiste hochhoben und sie durch die Frachtluke hineinschoben.

»Moment, nehmt die Kiste wieder heraus«, befahl der Sergeant.

»Laßt sie drinnen«, sagte Ace.

»Sir, Sie haben bereits achthundert Pfund über das zugelassene Gewicht geladen.« Der Sergeant zeigte ihm die Frachtliste.

»Sergeant, ich bin bereits mit zwölfhundert Pfund Übergewicht gestartet und kam in die Luft. Mein Wort darauf, ich weiß, wieviel die Kiste fassen und damit abheben kann.« Lächelnd registrierte er das Zögern des Sergeanten. »Wir sollen doch so viel wie möglich und so rasch wie möglich alles Nötige transportieren, stimmt's?«

»Das schon, Sir, aber wenn Sie das Ziel nicht erreichen, dann reißt man mir den Arsch auf.«

»Und meiner liegt im Wrack.« Er nahm dem Sergeanten die Liste ab und unterschrieb sie. »Glauben Sie mir, Sergeant, mein Arsch ist mir näher als der Ihre. Also, Jungs, rein damit«, wies Ace die Soldaten an.

Kaum war die zweimotorige Maschine fertig beladen und die Ladung gesichert, als Ace und Skeeter Olson, sein Kopilot, sich in ihren Sitzen im Cockpit angurteten und auf die Starterlaubnis warteten. Endlich holperte die schwerbeladene Maschine die Startbahn entlang, Ace ließ sie nach dem Abheben in geringer Höhe über der Piste dahinfliegen, steigerte langsam die Fluggeschwindigkeit und ging erst dann allmählich höher.

In ausreichender Höhe ging Ace in leichte Querlage und drehte nach Westnordwest ab. In der Ferne sah er die Linienmaschine, die vor ihm gestartet war. Die meisten Zivilpiloten waren die 960-Kilometer-Strecke von Anchorage nach Nome noch nie geflogen. Es existierten keine genauen Karten dieser Region, es gab keine Einrichtungen für Notfälle und keine Rettungseinsätze. Die Fernmeldetruppe war dabei, in aller Eile entlang der Flugroute Funkstationen einzurichten, doch würden die erst in einigen Tagen einsatzbereit sein. Inzwischen hieß es, auf eigene Faust zurechtzukommen.

Im Gebiet des Kuskokwim-Gebirges sichtete Ace in ihrer Flugrichtung eine dunkle Wolkenbank. »Vergewissere dich, ob die Ladung anständig festgezurrt ist«, bat er seinen Kopiloten. »Sieht ganz so aus, als könnte es ruppig werden.«

Olson Skeeter öffnete den Gürtelverschluß und stand auf. Nach einigen Minuten war Skeeter wieder da. Ace drosselte die Antriebe, als sie in die erste stärkere Turbulenz gerieten. Dann warf er einen Blick auf seinen blassen Kopiloten. »Hinten alles gesichert?«

»Jawohl.« Skeeters Adamsapfel zuckte, als er nervös schluckte und dann Ace anstarrte. »In den Kisten sind ja scharfe Granaten.«

»Hast du denn erwartet, wir würden die japanischen Bomber mit Steinen bombardieren«, spottete Ace.

Sie flogen in die Wolkendecke ein, und Ace hatte alle Hände voll damit zu tun, die Maschine ruhig zu halten. Über die Wolken zu steigen, schaffte er nicht, darunter zu fliegen, wagte er wegen der Berggipfel nicht, also entschloß er sich, mittendurch zu fliegen.

Über eine Stunde kämpfte ihre Maschine sich durch die Schlechtwetterfront, wurde von starken Winden und wechselnden Strömungen durchgeschüttelt.

»O Gott, wann sind wir da endlich durch?« fragte Skeeter in gepreßtem Ton.

Ace ging mit der Nase der Maschine herunter. »Wir wollen mal sehen, ob es in den Wolken eine Lücke gibt.«

In eintausendfünfhundert Meter Höhe entdeckte Ace tatsächlich ein Loch in der Wolkendecke und flog hindurch, um in knapp tausend Meter Höhe bei aufgelockerter Bewölkung weiterzufliegen. Unter ihnen erstreckte sich eine mit Eisschollen durchsetzte Wasserfläche.

»Wenn wir nicht weiter vom Kurs abgekommen sind, als ich dachte, dann müßte unter uns der Norton-Sund sein. Man sieht die Küstenlinie im Norden.«

Ace ging auf Nordkurs und folgte der Küste, bis er seine direkt an der See gelegene Geburtsstadt Nome sichtete.

Der Flugplatz lag im Nordosten der Stadt, jenseits des Snake River. Kaum war er von der Landebahn gerollt, als die nächste Maschine zur Landung ansetzte.

Vor Ablauf einer Stunde war seine Maschine entladen und konnte wieder starten mit Ziel Anchorage, um die nächste Ladung zu holen. An jenem Tag unternahm Ace drei Flüge nach Nome. Insgesamt absolvierten 55 Maschinen 179 Flüge und transportierten an die 2300 Mann, 20 Luftabwehrgeschütze und tonnenweise Nachschub und Ausrüstung. Es dauerte weitere vierundzwanzig Stunden, bis die Truppen in Nome in Stellung gehen und die Geschütze in Position gebracht werden konnten.

An den folgenden drei Tagen transportierte Ace Nachschub. Noch drei volle Wochen wurden Transporte geflogen. Das Empfangskomitee stand zum Empfang der Japaner bereit. Doch sollten diese niemals kommen. Und die Aufklärungsflieger konnten die japanischen Einheiten, die angeblich in der Beringsee operierten, noch immer nicht ausmachen.

Inga Blomquist blieb mit der Kaffeekanne in der Hand in der Küchentür stehen und warf einen Blick zu dem Paar hin, das noch bei Tisch saß. Inga gefiel das Bild, das Lisa und Steve Bogardus boten, und sie hoffte, Lisa würde endlich Wylie Cole vergessen.

Im Frühling war sie zweimal mit Steve ausgegangen. Dann war die Nachricht gekommen, die Japaner hätten eine Aleuteninsel angegriffen, und Lisa war außer sich vor Sorge gewesen, Wylie könnte etwas zugestoßen sein.

Als Steve aufblickte, trat Inga ein. »Hier ist frischer Kaffee.« Sie blieb neben Steve stehen und goß nach.

»Ich sagte eben zu Lisa, daß ich hinauf nach Big Delta fliegen möchte. Ich muß mit eigenen Augen sehen, welche Fortschritte der Straßenbau macht. Und ich dachte, es wäre vielleicht ganz gut, wenn Lisa mitkäme, damit sie einen Eindruck von den Baustellen bekommt. Leider hat sie Bedenken mitzukommen. Sie befürchtet wohl, es könnte einen schlechten Eindruck machen.« Er schien sich über Lisa lustig zu machen. »Oder vielleicht traut sie mir nicht über den Weg.«

»Nein, das ist es nicht.« Aber Lisas Ton verriet ihr Zögern.

»Ich glaube, Sie sollten sich die Chance nicht entgehen lassen mit anzusehen, wie Geschichte gemacht wird«, drängte Steve.

»Auch ich bin der Meinung, Lisa sollte die Gelegenheit nutzen«, meinte nun die Mutter.

»Na also. Damit ist die Sache geregelt.« Steve lehnte sich zurück und hob die Hand in einer Geste, die anzeigte, daß er keine Einwände mehr akzeptierte. »Sogar Ihre Mutter ist einverstanden.«

»Ich weiß nicht recht . . .«, murmelte Lisa.

»Ziehen Sie sicherheitshalber feste Schuhe an«, riet Steve.
»Ich habe noch nicht mal gesagt, daß ich einverstanden bin«, legte Lisa Protest ein, doch das leise Auflachen, das folgte, war ein Zeichen ihres Einverständnisses.

Von Big Delta aus ging die Fahrt in einem offenen Jeep weiter. Ein altmodischer Armeehut mit breiter Krempe, an dem man ein Moskitonetz befestigen konnte, schützte Lisa vor der grellen Sonne.

Steve, der zu Jeans und kariertem Hemd eine Sportjacke trug, hatte sie vor Tagesanbruch zu Hause abgeholt. Die Chartermaschine war im ersten Schimmer des Tageslichts gestartet und war bei klarem Himmel auf Nordkurs gegangen. Voller Begeisterung genoß Lisa den Blick, der sich ihr aus der Luft bot. Sie sah die Eisenbahnschienen und die neue Straße, die Anchorage mit Fairbanks verband.

Mit dem Jeep ging es weiter über die neue Straße, die sie von oben gesehen hatte und die sich am Tanana River dahinzog. Die Fahrt durch das weite, offene, von einer großartigen Kulisse umgebene Land erinnerte sie an die Zeit ihrer Ankunft in Alaska, als ihr alles neu und aufregend erschienen war.

Als Steve mit der Geschwindigkeit herunterging, wurde das Rauschen des Windes von einem anderen Dröhnen abgelöst.

»Warum fahren wir langsamer?« fragte sie.

»Wir haben das Ende der fertigen Straße erreicht.« Steve legte den anderen Gang ein. »Hier beginnt die Baustelle.«

Sie fuhren von der Straße herunter und folgten einem holprigen, einspurigen Lastenweg. Weiter vorne sah man die provisorischen Unterkünfte der Arbeiter. Vor einer Baracke stand über Baupläne gebeugt eine Gruppe von Männern mit Helmen auf den Köpfen. Steve hielt bei der Gruppe an. Lisa blieb zunächst sitzen, unsicher, ob die wilde Fahrt zu Ende sei.

»Tut mir leid«, sagte Steve, »das letzte Stück war ziemlich ruppig.«

»Ach, macht nichts.«

Er sprang vom Jeep und lief auf die andere Seite, um ihr

beim Aussteigen zu helfen. Zwei Männer kamen ihnen entgegen, und Steve stellte Lisa seinem Projektingenieur und dem Vorarbeiter seines Arbeitstrupps vor.

Nach dem üblichen Austausch von Höflichkeiten und den Fragen nach dem Flug drehte sich das Gespräch einzig und allein um die Straße. Lisa hörte aufmerksam zu, erstaunt, daß plötzlich alle trockenen Berichte mit Leben erfüllt waren.

»Diese Farbigen von den Siebenundneunzigern sind wirklich Klasse. Die schaffen fast dreizehn Kilometer am Tag«, sagte der Ingenieur.

»Gestern kam die Meldung übers Radio, daß die Armee nur noch knappe vierhundertneunzig Kilometer vor sich hat. Dann ist die Straße komplett.« Der Ingenieur nickte mit dem Kopf. »Alle Achtung. Als die Jungs von der Armee im März hier anfingen, glaubten wir, mit etwas Glück würden wir nächstes Jahr fertig sein. Bei diesem Tempo aber können schon zu Weihnachten hier Laster fahren.«

Eine unglaubliche Leistung – eine zweitausend Kilometer lange Straße durch unberührte Wildnis in knappen neun Monaten zu bauen, eine Leistung, die an die zehntausend unerfahrene Armeeangehörige und sechstausend Zivilisten vollbracht hatten.

»Die Siebenundneunziger haben es bis zum Fluß geschafft. Heute wollen sie ihre Maschinen rüberschaffen. Wenn Sie Zeit haben, könnten Sie hinfahren und sich die Sache ansehen.« Der Ingenieur sah Lisa an, als er den Vorschlag äußerte.

»Gute Idee«, sagte Steve. »Für Lisa sicher sehr interessant.«

Nachdem Steve mit seinen Leuten alles besprochen hatte, stiegen sie wieder ein und fuhren auf der fertigen Trasse weiter.

An der Stelle, wo die Straße den Tanana-Fluß überqueren sollte, herrschte ein totales Durcheinander von Maschinen, Baumaterial und Arbeitern. Steve bog von der Straße ab, umfuhr den Stau und hielt auf einer kleinen Erhebung an, von der aus man eine gute Aussicht hatte.

Lisa stieg aus dem staubbedeckten Jeep, um sich ein Bild

von dem Treiben am Ufer zu machen, und Steve nahm an ihrer Seite Aufstellung. Ein riesiger, zwanzig Tonnen schwerer Caterpillar wurde auf eine aus fünf langen Ponton-Booten provisorisch zusammengebaute Fähre verladen. Unweit der Stelle, an der die Fähre übersetzte, sah man, wie die ersten Brückenpfeiler eingerammt wurden.

»Hier wird rund um die Uhr gearbeitet«, erklärte ihr Steve. »Sowie die Schwarzen die Baumaschinen ans andere Ufer geschafft haben, wird weitergemacht. Inzwischen rammt die Brückenmannschaft aus Iowa die Pfeiler ein, damit mein Straßenbautrupp dann zügig rüber kann, um drüben weiterzuarbeiten.«

Die Straße. Den ganzen Tag war von nichts anderem die Rede. Alles schien sich um die Straße zu drehen. Nachdem sie die Baustelle mit eigenen Augen gesehen hatte, dachte Lisa ähnlich.

Dieser Ausflug veränderte sogar das Bild, das sie von Steve hatte. Den ganzen Tag hatte sie zugehört, wie er über die Arbeiten an der Straße sprach und mit wieviel Sachkenntnis er die verschiedenen Aspekte der Arbeit behandelte. Sie hatte ihn zum erstenmal richtig aktiv erlebt, als Chef, der seinen Leuten direkt Anweisungen erteilt und nicht nur Berichte studiert oder telefonisch Direktiven weitergibt. Seine Arbeit war lebenswichtig für das gesamte Territorium. Dies alles hatte auf Lisa Eindruck gemacht, und Steves Ansehen stieg gewaltig bei ihr.

In der Abenddämmerung ging ihre Maschine auf dem Merrill Field in Anchorage nieder. Trotz des hinter ihr liegenden langen Tages fühlte Lisa sich ausgeruht. Auf dem Weg zu seinem Wagen legte Steve lässig den Arm um die Schultern. »Na, bereuen Sie es, daß Sie mitgeflogen sind?«

»Nein, wo denken Sie hin«, erwiderte sie ehrlich begeistert. »Um nichts in der Welt möchte ich diesen Ausflug missen.«

»So habe ich es mir vorgestellt.« Bei seinem Wagen angekommen, öffnete er ihr die Beifahrertür und hielt dann inne, eine Hand auf dem Türgriff, die andere auf ihrer Schulter. »Wie wär's, wenn wir jetzt zusammen ausgingen und uns noch ein Essen gönnen?«

»Lieber nicht – nicht so, wie ich aussehe.«

Er ging auf Abstand und musterte sie. »Ach, ich weiß nicht, mir gefällt die Schmutzspur auf Ihrer Nase eigentlich sehr gut.« Er fuhr mit dem Finger darüber. »Außerdem bin ich auch nicht sauberer. Also, was halten Sie davon?«

Sie zögerte unentschlossen, um dann wieder den Kopf zu schütteln. »Nein, ich muß heim. Mama wird sich schon Sorgen machen.«

»Nein, wird sie nicht. Und warum nicht? Weil Sie mit mir unterwegs sind.« Er faßte unter ihr Haar und umschlang ihren Nacken. »Und wenn Sie mir nicht glauben, dann rufen wir an und sagen ihr, daß wir gelandet sind.«

Sein rascher Kuß überraschte sie. Verwirrt und verlegen wich sie seinem Blick aus.

»Steckt wieder dein Soldat dahinter?« Aber zur Antwort ließ ihr Steve nicht die Chance. »Lisa, zu den Dingen, die mir an dir von Anfang an gefielen, gehörte die Treue, die du an den Tag legtest. Nur halte ich sie nicht für gerechtfertigt. Ehrlich gesagt, fühle ich mich überhaupt nicht schuldig, weil ich dich ihm abspenstig mache, da ich nicht einsehe, daß er ein Recht auf dich hat. Er hatte genug Gelegenheit, sich an dich zu binden. Aber ich sehe keinen Ring an deinem Finger und möchte bezweifeln, ob er dir einen versprochen hat.«

»Ach, das ist es nicht.« An Wylie hatte sie gar nicht gedacht.

»Lisa, sieh mich an.« Er zwang sie, ihn anzusehen. »Ich habe von einem Kopfstand abgesehen buchstäblich alles getan, damit du mit mir ausgehst.«

»Ich weiß, Steve.«

Er ließ sie los und ließ sich auf Hände und Knie nieder.

Es dauerte eine Sekunde, bis Lisa klar wurde, daß er tatsächlich zu einem Kopfstand ansetzte. »Nein, Steve!«

Als sie nach seinem Arm faßte, um ihn hochzuziehen, rutschte sie auf dem Schotter aus und drohte hinzufallen. Steve fing sie auf. Im nächsten Moment lagen sie zusammen auf dem Boden und lachten. Er rollte sich auf die Seite und stützte sich auf einen Ellbogen.

»Alles klar?«

»Nichts passiert.« Als sie ihn ansah, wurde ihr Lächeln

weich. »Steve, mit einem Kopfstand brauchst du mich nicht zu überzeugen.«

Er starrte ihre Lippen an. Dann küßte er sie.

57. Kapitel

EINE MEILE VOR DER INSEL ADAK
28. AUGUST 1942

Es war schwerer Seegang. Die starken Unterwasserströmungen erschütterten das U-Boot Triton, das eine Meile vor der Küste von Adak unter Wasser auf sein Ziel, die Kuluk Bay, zuhielt. Wylie warf einen Blick auf die künstlich geschwärzten Gesichter der anderen achtzehn Scouts, die dichtgedrängt im Mannschaftsquartier saßen. Neunzehn weitere Scouts befanden sich an Bord des U-Bootes Tuna. Beide Gruppen sollten vor den Riffen der Kuluk Bay zusammentreffen.

Vor einigen Minuten war der Sergeant mit der Meldung gekommen, daß sie sich vor Adak – Kennwort ›Feuerstelle‹ – befanden. Wortlos hatten sie ihre Ausrüstung und Waffen kontrolliert.

Die wasserdichte Lukentür schwang auf, und einer der Offiziere kündigte an: »Der Skipper hat den Befehl zum Auftauchen gegeben.«

Augenblicke später durchbrach das U-Boot die Wasseroberfläche, und die Ausstiegsluke öffnete sich. Stumm kletterten die Scouts hintereinander eine Leiter hinauf und betraten das vom Meerwasser überspülte Deck der Triton. Umgeben von der Tintenschwärze einer wolkenverhangenen Nacht und der dunklen See machten sie die Gummiboote startklar. Unweit von ihnen trieb ein zweites U-Boot auf den Wellen.

Kaum waren die Boote zu Wasser gebracht, als Wylie und die anderen sich über die Seite gleiten ließen und ihre Plätze auf den Gummiflößen einnahmen. Die Küstenlinie von Adak war etwa eine Meile entfernt und nur dank der schweren Brandung auszumachen. Angestrengt paddelten sie vom schwankenden U-Boot auf die Einfahrt der Bucht zu.

In Minutenschnelle waren die U-Boote wieder untergetaucht. Wylie spürte ein beklemmendes Gefühl in der Magengrube. Unruhig wanderte sein Blick über das Gelände auf der Suche nach einer Bewegung, die eine japanische Stellung verriet – falls überhaupt Japaner auf der Insel waren. Kurz nach dem ersten japanischen Angriff hatte man sämtliche Eingeborenen und Zivilisten von der Inselkette evakuiert, die meisten in Lager auf der Halbinsel im Südosten.

Das Kriegsministerium hatte endlich die Errichtung eines neuen Stützpunktes auf den Aleuten bewilligt, einer Basis, die den von den Japanern besetzten Inseln Kiska und Attu näher lag als der Flugstützpunkt Cold Bay. Die Wahl war auf Adak gefallen.

Innerhalb von zwei Tagen sollten Invasionseinheiten in einer Stärke von viertausendfünfhundert Mann auf Adak landen. Man wußte, daß die Japaner regelmäßig kleine Einheiten auf verschiedenen Inseln, so auch auf Adak, absetzten. Man wußte aber nicht, ob diese Einheiten sich noch auf der Insel befanden. Die Mission der von Colonel Castner persönlich befehligten Einsatzkommandos bestand darin, Japaner auf der Insel aufzustöbern und dafür zu sorgen, daß der Funkverkehr mit Kiska lahmgelegt wurde. Das monatelange Training, das Wylie, Big Jim und die anderen Scouts absolviert hatten, mußte sich nun in der Praxis bewähren.

Der eiskalte Wind wehte ohne Unterlaß. Neben seinem unablässigen Brausen und dem Tosen der See waren keine anderen Geräusche auszumachen. Kaum spürte Wylie, daß sein Boot über festen Grund schürfte, kletterte er heraus und half, es an Land zu ziehen. Verstohlen schwärmten die Scouts im Schutz der Dunkelheit aus und begannen, die über siebenhundert Quadratkilometer große Insel durchzukämmen.

Im Morgengrauen trieben Nebelschwaden über die Insel. Wylie kehrte zu seiner Einheit zurück und berichtete, daß er nichts gefunden hätte, rein gar nichts, nicht einmal die Reste eines Lagerfeuers. Für ihn war es nur ein kleiner Trost, daß es seinen Kameraden nicht anders ergangen war.

»Ich komme mir hier reichlich überflüssig vor«, knurrte Big Jim Dawson.

»Es geht uns allen so.« Da hörte Wylie Motorengeräusch und blickte auf. Es war eines der eigenen Wasserflugzeuge, das die Insel am Morgen überfliegen sollte. Der Colonel legte ein Stoffstreifensignal aus, das bedeutete ›Luft rein‹, und die Scouts richteten sich darauf ein, die eigenen Truppen zu empfangen, die auf der bislang nur von Weißkopfadlern und Raben bevölkerten Insel eintreffen sollten. Die Einheiten landeten bei Sturm am Sonntag, dem 13. August. Starker Wind und schwere See richteten großen Schaden an den Transportbooten an, die Maschinen, Ausrüstung und Nachschub an Land bringen sollten.

Während der Landungsoffizier die vom Sturm stark behinderte Landung organisierte, machten sich die Techniker, in kleine Gruppen aufgeteilt, mit Hilfe der Scouts auf die Suche nach einem für eine Landepiste geeigneten Gelände. Wylie und Big Jim übernahmen die Führung einer Technikergruppe durch den gebirgigen Teil der Insel, während noch immer der Sturm tobte.

»Ihr werdet es hier schwer haben«, brüllte Wylie einem der Techniker zu. »Es gibt hier kein ebenes Fleckchen, es sei denn, ihr ebnet es ein.«

Aber Wylie hatte eine Stelle an der Sweeper Cove übersehen, einer Bucht, die jedesmal von der Flut unter Wasser gesetzt wurde. Ein anderer Scout erwähnte diese Bucht wie im Scherz, die Techniker fanden dies aber gar nicht lustig. Doch in ein paar Stunden wurde ein Damm errichtet, einige Deiche und eine Flutschleuse gebaut. Am nächsten Tag wurde bei Ebbe die Öffnung geschlossen. Noch vor Anbruch des 1. September rollte schweres Baugerät durch den Schlick. Die Stahlbewehrung für die Piste lag schon am Grund der Bucht. Bulldozer packten Sand darauf, und der Landestreifen nahm Gestalt an.

Zehn Tage später landete die erste Maschine auf dem neuen Stützpunkt, der den Codenamen ›Longview‹ erhielt. Zwei weitere Tage, und das Sechsunddreißigste Geschwader von B-17 traf ein, dazu achtzehn andere Maschinen und eine Ladung Stahlbewehrungen, die über Nacht ausgelegt wurden. Der neue Stützpunkt wurde in Betrieb genommen, ohne daß die Japaner seine Existenz entdeckten.

Ende November wurde über alle Sender die Fertigstellung des Alaska-Canada-Military Highway am zwanzigsten des Monats gemeldet, acht Monate und elf Tage nach Baubeginn. Wylie las die Daten mit grimmigem Interesse: Länge 2500 Kilometer, 200 Brücken, 8000 Bachüberquerungen, 16000 Arbeitskräfte, 138 Millionen Dollar Baukosten.

Die Straße bildete auch das einzige Thema von Lisas letztem Brief, den er im Oktober erhalten hatte. Sonst stand nichts darin. Sie fragte nicht mal, wann er vielleicht wieder Urlaub bekäme. Kein Wort auch davon, daß sie an ihn dachte oder sich auf ein Wiedersehen freute. Er wehrte sich dagegen, etwas hineinzuinterpretieren, doch wurde er den Argwohn nicht los, daß Steve Bogardus der Grund ihrer Zurückhaltung war.

Mitte Dezember kam der Befehl, auf Amchitka eine vorgeschobene Basis zu errichten, praktisch im Hinterhof des Feindes. Wylies Einheit hatte die Insel bereits im September erkundet. Ein Bomber wurde mit dem Auftrag ausgeschickt, die Insel zu überfliegen und festzustellen, ob sich die Japaner inzwischen dort festgesetzt hätten. Darüber hinaus sollte er das Eingeborenendorf dem Erdboden gleichmachen.

Als Wylie mit seiner Einheit auf der Insel landete, lagen die Behausungen der Eingeborenen und die kleine russisch-orthodoxe Kirche in Schutt und Asche. Die Japaner waren tatsächlich vor ihnen da gewesen, um eine geeignete Stelle für eine Landepiste zu suchen.

Man durfte nicht zulassen, daß die Japaner weitere Stützpunkte auf den Aleuten errichteten und diese womöglich als Sprungbrett benutzten. Aus diesem Grunde ging man unverzüglich daran, die Insel zu besetzen.

Wie immer war es Aufgabe der Alaska Scouts, als Vorhut zu landen. Am 5. Januar 1943 gingen Wylie und seine Einheit an Bord des Zerstörers Worden, der zu einer Einheit von vier Zerstörern, drei Kreuzern und vier Transportschiffen gehörte. Diese Flotte lief trotz eines heftigen Blizzards aus.

Der Schneesturm hielt ohne Unterlaß eine Woche an, während die Flotte in der schweren See im Respektsabstand vor der Insel lag.

Als die Worden schließlich am zwölften kurz vor Anbruch der Dämmerung in die Mündung von Constantin Harbor einlief, sprühte die Gischt bis zur Brücke des Zerstörers hoch. Wylie und die anderen mußten von dem von Brechern überspülten Deck aus in die Boote steigen und dann in einem Schneesturm, in dem man kaum die Hand vor den Augen sah, auf die Küste zurudern. Naß und halb erfroren kämpften sie sich durch die sechs Meter hohe Brandung und landeten unversehrt.

Die Transporter, die eine zweitausendeinhundert Mann kämpfende Truppe samt technischen Einheiten heranschafften, quälten sich in den Hafen und ließen die Truppen an Land gehen.

Der Blizzard tobte bis in die Nacht. Kalt und durchnäßt machte Wylie ständig Bewegungen, um sich zu wärmen und sich vor dem einzigen gefährlichen Feind, den Erfrierungen, zu schützen. Insgeheim verwünschte er die Bomben, die das Eingeborenendorf und den Schutz, den dessen Behausungen darstellten, zerstört hatten.

Fast wurde es als willkommene Abwechslung begrüßt, als die Japaner schließlich am 23. Januar den Stützpunkt Amchitka entdeckten. In den folgenden zwei Wochen begann der japanische ›Amchitka-Expreß‹. Zwei, drei, mitunter sogar sechs Rufe-Wasserflugzeuge starteten von Kiska aus und bombardierten den im Bau befindlichen Landestreifen. US-Kampfflugzeuge sorgten zwar für Deckung, doch warteten die Rufes mit den Angriffen meist, bis der Gegner auftanken mußte. Kaum wurden die Japaner vom Beobachtungsposten auf Aleut Point, wie die Nordwestspitze genannt wurde, gesichtet, als die Alarmmeldung an den Stützpunkt weitergegeben wurde.

Trotz massiver feindlicher Angriffe wurde der Landestreifen fertiggestellt. Ende des Monats landeten Chennaults Flying Tigers mit ihrem Geschwader von P-40 Warhawks auf Amchitka. Wenn nun Wylie den Anflug von ›Pontoon Joe‹, wie sie den Piloten nannten, der regelmäßig den Amchitka-Expreß flog, meldete, starteten die Tigers und sorgten für den gebührenden Empfang. Nach dem Eintreffen des P-40-Geschwaders ließen die feindlichen Angriffe tatsächlich allmählich nach.

Nach einem Monat auf diesem isolierten Vorposten glaubte Wylie, er liefe Gefahr, den ›Aleutenblick‹ zu bekommen. Er hatte diesen Blick an anderen Rekruten wahrgenommen, aber auch an Flugzeugbesatzungen und Piloten. Es war das ins Leere gerichtete Starren eines Menschen, dem alles gleichgültig war. Einige schoben es auf das elende Wetter – ständiger Wind, Kälte und Nebel – und die jämmerlichen Lebensbedingungen, andere auf nicht enden wollende Eintönigkeit ihrer Tätigkeiten.

Eine Ablösung der Truppe gab es nicht, und die Vergnügungsmöglichkeiten waren rar und beschränkten sich meist aufs Radiohören, auf ein paar zerkratzte Schallplatten, und für die in Dutch Harbor, auf Umnak und in letzter Zeit auf Adak stationierten Truppenteile auf alte, billige Hollywoodfilme.

Apathie, Simulantentum, Gereiztheit, Schlaflosigkeit und mangelndes Interesse waren einige der Symptome. Einige Betroffene verloren ihren Humor und konnten nicht einmal mehr über Sexwitze lachen. Andere wurden homosexuell. Jeden Monat kam es zu Selbstmorden. Etliche wiederum zogen sich völlig in sich zurück und starrten vor sich hin. Sie landeten meist in der Heimat – in Zwangsjakken.

Als Mitglied der Alaska Scouts war Wylie sowohl der Armeedisziplin als auch der langweiligen Routine entronnen. Er wußte, was vor sich ging, was bei den meisten anderen nicht der Fall war. Mittlerweile waren in Alaska zweihunderttausend Mann stationiert.

Ende Januar wurde Wylies Einheit von einer anderen Scouteinheit abgelöst. Sie selbst mußten den Treck zurück zur Basis unternehmen, wo die Lebensbedingungen nicht viel besser waren als auf dem winzigen Außenposten. In ihren Unterkünften angekommen, ließen sie ihre Säcke fallen, um sofort das Kantinenzelt aufzusuchen.

»Ich muß was Ordentliches in den Magen kriegen«, äußerte Big Jim klagend.

»Wer sagt, daß es hier was Ordentliches gibt?« war Wylies Antwort.

Beim Betreten des Kantinenzeltes sahen sie, daß etwa ein Dutzend Mann bereits um ihr Essen Schlange standen. Mit einem Tablett, auf dem ein Napf mit einer undefinierbaren Speise stand, kam Big Jim nach einer Weile zu Wylie an den Tisch.

»Maisfladen und Wiener Würstchen.« Big Jim stach mit der Gabel in einen ledern aussehenden Pfannkuchen.

Das Essen schmeckte so scheußlich, wie es aussah. Aber anstatt sich den Kopf darüber zu zerbrechen, was ihnen da zugemutet wurde, griff Wylie in die Innentasche seines Parkas und zog die Post heraus, die er abgeholt hatte. Er sah die Umschläge durch und entdeckte jenen Brief, den er so ungeduldig erwartet hatte – Lisas Brief. Die anderen legte er beiseite und machte Lisas Brief auf.

Lieber Wylie,
es ist lange her, seitdem ich von Dir hörte. Letzten Sonntag sah ich Deine Mutter in der Kirche und fragte sie, ob die Möglichkeit bestünde, daß Du bald nach Hause kämest. Ich dachte, Du könntest vielleicht über das Thanksgiving-Wochenende Urlaub bekommen, aber sie sagte, Du hättest davon nichts geschrieben.

Ich hoffte sehr auf Dein Kommen, denn ich wollte mit dir sprechen und Dir einiges erklären, was ich nur ungern in einem Brief schreibe. Da ich aber nicht weiß, wann ich Dich wiedersehe, will ich nicht länger warten, um Dir die Neuigkeit mitzuteilen. Ich weiß nicht, ob Du Dich an Steve Bogardus erinnerst, meinen Chef. Steve und ich wollen im Dezember heiraten. Ich . . .

Im Dezember . . . Wylie las nicht weiter. Es war der 1. Februar. Sie war bereits verheiratet. Unwillkürlich umfaßte er den Brief fester, so daß der Rand Knitter abbekam. Dann zerknüllte er ihn vollends und stopfte ihn in seine Parkatasche.

58. Kapitel

ATTU
26. MAI 1943

Schritt für Schritt hatten sie die Japsen zurückgedrängt und den Gipfel von Point Abler eingenommen, dann Sarana Nose, indem sie den Feind stetig zum Meer und zum Hauptstützpunkt in Chichagof Harbor trieben. Das lange Chichagof-Tal erstreckte sich offen vor den amerikanischen Truppen, doch war die Strecke eine Straße des Todes. Die zähen Japaner hatten sich entlang des Bergrückens eingegraben. Es gab keine Alternative. Man mußte den Gegner aus dem Fish Hook Ridge hinausdrängen.

Drei Tage zuvor war der Befehl zur Einnahme des Bergrückens gekommen. Drei Tage lang hatten sie Vorstöße unternommen. Doch der verschneite und eisige Rücken war das unwegsamste und schwierigste Gelände, auf das sie je gestoßen waren. Die Japaner hatten sich auf dem steilen, schroffen Kamm konzentriert.

Gestern hatte es geschneit. Die Japaner hatten sich den Schnee als Tarnung ihrer Stellungen zunutze gemacht. Regunglos unter der weißen Decke verharrend, hielten sie ihr Feuer zurück, während eine Abteilung der Amerikaner bergauf vorrückte. Erst aus unmittelbarer Nähe hatten die Japaner das Feuer mit verheerender Wirkung eröffnet und sie mit Granaten beworfen.

Der Morgen dämmerte. Wylie hockte in einem Unterstand, das Gewehr in den Armen. Big Jim stand neben ihm, tief in seinen Parka verkrochen. Sein Atem stand ihm als weiße Wolke vor dem Mund, während er die Zacken des rasiermesserscharfen Bergrückens absuchte. Bis zum Gipfel waren es noch etwa siebzig Meter – nicht weit, doch sie wußten, daß sie sich jeden Schritt schwer erkämpfen mußten.

»Die zwei Japaner, die man gestern gefangengenommen hat, behaupten, es lägen keine tausend Japaner dort oben in Stellung.« Big Jim wandte sein Gesicht Wylie zu. »Wir müssen unterdessen vierzehntausend Mann auf der Insel haben. Wissen diese verdammten Schweinehunde denn nicht, daß sie unmöglich gewinnen können?«

Wylie warf einen Blick auf die anderen GIs, die mit ihnen im Unterstand kauerten – hohlwangig, erfroren und hungrig erwarteten sie den gefürchteten Befehl, sich den feindlichen Stellungen auf dem Bergkamm entgegenzuwerfen. Gegen die Kälte hatten sie sich in erbeutete japanische Decken gewickelt. Die meisten hatten mit Mützen, Kapuzen oder wasserdichtem Schuhwerk, das sie den toten Japanern abgenommen hatten, ihre eigene unzulängliche Ausstattung ergänzt, auch wenn dies unter Umständen bedeuten konnte, daß sie für Japaner gehalten und von den eigenen Leuten erschossen wurden.

Dann fuhr Jim fort: »Wylie, ich möchte dich um einen Gefallen bitten.« Er sagte es zögernd und halblaut. »Ich sagte dir einmal, daß ich in meiner Hütte unterm Polarkreis diese Frau habe, die für mich kocht und saubermacht.«

»Ja. Was ist mit ihr?« brummte Wylie.

»Falls ... falls mir etwas zustoßen sollte, Wylie, würdest du wohl so gut sein und nach ihr sehen? Du weißt schon, nachsehen, wie es ihr geht.«

Diese unerwartete Bitte bewirkte, daß Wylie aufblickte. »Wovon faselst du da? Dir oder mir wird nichts zustoßen – du redest verrücktes Zeug, Dawson, und das weißt du.«

»Ich weiß. Aber für den Fall ... wirst du nach ihr sehen?« Big Jim ließ nicht locker. »Sie heißt Anita Lockwood und lebt in meiner Hütte am Yukon. Ich sagte, sie könne dort bis zu meiner Rückkehr bleiben. Sie ist ... ein Halbblut, stammt von den Athabaskenindianern ab.«

Wylie sah seinen Freund an. »Na und?«

Ein Ausdruck der Dankbarkeit huschte über Big Jims Gesicht, ehe er sich abwandte und murmelte: »Ich wollte nur, daß du es weißt.«

»Jetzt weiß ich es, also lassen wir das Thema. Außerdem werde ich keinen Grund haben, Anita aufzusuchen. Nur zu deiner Information – unter meinen Vorfahren befanden sich Aleuten, Tlingits und Russen.«

Big Jim sah ihn nachdenklich an. Plötzlich hörte man knirschende Schritte im Schnee. Jemand näherte sich dem Unterstand. Ein Sergeant kam in gebückter Haltung gelaufen und schlüpfte schutzsuchend in den Unterstand. »Los, Jungs, es geht weiter. Und ich möchte eure Knarren hören und nicht euer Zähneklappern, klar? Seid ihr bereit?« Auf ihr Nicken hin gab der Sergeant das Zeichen zum Angriff.

Wylie und Big Jim stürmten gleichzeitig aus dem Unterstand, indem sie unablässig jene feindliche Stellung unter Beschuß nahmen, aus der sie zuletzt angegriffen worden waren. Der von drei Seiten zugleich unternommene Angriff auf den Bergrücken hatte begonnen. Wylie war kaum drei Schritte weit gekommen, als Maschinengewehrfeuer losknatterte, bergab, durch den Schnee, und genau auf ihn gerichtet. Er warf sich in die Schneewächte, einen knappen Meter vom Unterstand entfernt. Die ganze Angriffslinie entlang zwang das tödliche japanische Sperrfeuer die Amerikaner, Deckung zu suchen, und ihr Angriff reduzierte sich auf ein schrittweises Vorrücken.

»Sieht aus, als hätten sie in der Wächte dort rechts ein Nest!« brüllte Big Jim.

Sie benötigten fast eine Stunde, um sich ungesehen zu der Schneewächte vorzuarbeiten, hinter der das feindliche Maschinengewehr stand und die vorrückenden Gegner von oben unter Beschuß nahm. Wylie kroch so nahe heran, wie er es wagen konnte, dann nahm er eine Granate vom Gürtel und zog den Auslöser. Er gab Big Jim das Zeichen zum Losschlagen. In perfekt abgestimmtem Bewegungsrhythmus erhoben sie sich nacheinander und schleuderten ihre Granaten gegen das Nest, um sofort wieder in Deckung zu gehen. Schreie und Explosionen folgten, Ausrüstungsteile und Schnee wirbelten durch die Luft. Als das Trümmergeprassel ein Ende nahm, krochen Wylie und Big Jim auf die Stellung zu.

Plötzlich pfiffen Kugeln um ihre Köpfe. Sie duckten sich in den mit Trümmern übersäten Graben, der zur feindlichen Stellung führte, als die übrigen GIs den Hang aufwärts vorzudringen begannen. Die beiden warteten, bis einige Kameraden ihnen in den nassen Graben nachgekrochen waren, erst dann robbten sie weiter. Der Graben führte ein Stück geradeaus, ehe er eine scharfe Wendung machte. Wylie kroch bis zur Ecke und schob vorsichtig den Kopf vor. Direkt gegenüber sah er die Mündung eines einige Meter entfernten japanischen Gewehres. Er zuckte zurück – eine heiße Flamme hatte seine Wange versengt. Erschrocken faßte er sich ins Gesicht – sein Handschuh war blutig. Die Kugel hatte eine Schneise in seinen Bart gesengt und seine Wange angekratzt. Wylie beachtete die Wunde nicht weiter. Bei dieser Kälte gerann das Blut rasch, oder es gefror.

Sie unternahmen etliche Versuche, Granaten den Graben entlangzuwerfen, doch der feindliche Maschinengewehrschütze wurde nicht getroffen. Schließlich kletterte Big Jim mit zwei Kameraden hinaus und versuchte, den Japaner von hinten zu attackieren, während Wylie und die anderen ihn beschäftigten.

Minuten später schickte Big Jim einen zurück, der meldete, daß die Japsen weiter vorne zwei verschiedene Maschinengewehrstellungen hatten. Es bestand keine Möglichkeit, die eine zu knacken, ohne sich dem Feuer der anderen auszusetzen. Sie mußten beide gleichzeitig angreifen. Um dies zu bewerkstelligen, mußten sie erst den Schützen im Graben erledigen, doch Big Jim konnte ihn wegen der Maschinengewehrstellungen nicht von hinten angreifen.

»Also gut.« Wylie stützte sich mit dem Rücken an der Grabenwand ab. Vor ihm standen die drei vor Kälte bibbernden Kameraden. »Wir müssen die Granaten um die Ecke werfen und ihnen sofort nachsetzen. Gebt acht, daß sie um die Ecke landen, sonst habt ihr sie im Gesicht.«

In rascher Folge schleuderten sie die Granaten um die Ecke und setzten ihnen sofort nach, wild in die Richtung feuernd, in der Schlamm und Schnee aufspritzten. Als die Sicht wieder klar wurde, war das gegnerische Feuer verstummt. Geduckt drangen sie weiter vor, bis sie die erste Maschinengewehrstellung ausmachen konnten. Wylie schickte einen Kameraden zurück zu Big Jim mit der Meldung, daß sie in Stellung gehen und auf sein Signal warten würden.

Nun hieß es die ungedeckte Fläche zu überqueren, die den einige Meter über ihnen liegenden Maschinengewehrschützen ausgesetzt war. Aber die Maschinengewehre hatten unterdessen mit Big Jim zu tun.

Plötzlich war das Feuer verstummt. Wylie wandte sich um, um zu sehen, ob Big Jim Hilfe brauchte. Alles war ruhig. Er erkannte Big Jims schneeverkrusteten Bart und Parka, als dieser ihm zuwinkte und zu verstehen gab, daß alles geklappt hatte. Wylie wollte zurückwinken, da explodierte der Boden hinter Big Jim. Für den Bruchteil einer Sekunde schien Big Jim in seiner Position erstarrt, dann fiel er um, quer über den Rand der eingegrabenen Maschinengewehrnester.

»Nein!« schrie Wylie auf und kroch, alle Vorsicht außer acht lassend, den zerklüfteten Hang hinauf.

Die anderen waren vor Wylie bei Big Jim angelangt. Er stieß sie fort und kniete an der Seite des Freundes nieder. Mit äußerster Anstrengung richtete Big Jim den Blick auf ihn und quälte sich ein mattes Lächeln ab.

»Ich . . . ich dachte . . . er sei tot.« Das Todesrasseln in seiner Kehle war unmißverständlich. »Anita . . . Wirst du . . .« Ein tiefer Seufzer schnitt die Frage ab. Big Jim schaffte die restlichen Worte nicht mehr.

»Ja, verdammt, ich kümmere mich um sie, aber du wirst nicht sterben, Jim. Du kannst nicht sterben.« Wylie heulte los.

»Ich glaube, er ist tot, Sir«, bemerkte einer der Soldaten, der sich ein Herz faßte.

»Halt die Klappe!« Wylie warf wilde Blicke um sich. »Sanitäter! Wo bleiben die Burschen?!«

Die anderen zogen sich zurück und ließen ihn allein neben seinem toten Kumpel kniend zurück.

Wylie, der keinen Schlaf finden konnte, lag da und starrte in die Dunkelheit. Um ihn herum schnarchten die anderen, für die Evakuierung vorgesehenen Kameraden. Sie alle litten an Erfrierungen. Bei Wylie lautete die Diagnose: Kriegsneurose.

Er selbst hatte keine Ahnung, wie lange er dagehockt und auf Big Jim eingeredet hatte, doch als man ihn den Hang herunterzerrte, war es bereits dunkel. Und anschließend hatte er nichts getan, als einfach dagesessen. In den vergangenen sechzehn Tagen hatte er viel Grausames und Tödliches mit ansehen müssen, aber die Sache mit Jim, das war etwas anderes. Vielleicht waren sie sich nicht ganz so nahegestanden wie Brüder, doch Wylies Gefühle für Jim waren die eines Bruders.

Er stahl sich aus dem Zelt und bewegte sich ganz leise hinaus in den Nebel. Das allzu vertraute Gewicht seines Gewehres auf der Schulter fehlte ihm. Kaffeeduft und andere Frühstücksgerüche wurden ihm in der kalten Luft zugeweht. Er starrte auf das vom Nebel eingehüllte Kantinenzelt. Die Kampftruppen waren hinter die Linien geschafft worden und bekamen ein warmes Essen, ehe es im Morgengrauen wieder nach vorne ging. Er hatte gehört, daß die geplante Offensive den Widerstand der Japaner endgültig brechen sollte. Er hatte getan, als ginge es ihn nichts an. Es war nicht mehr sein Kampf. Er hatte seinen Teil geleistet, er hatte es satt.

Da drang ein schriller Klageschrei durch die Nacht. Erst glaubte Wylie, es sei der Wind, der eine Schlucht herunterheule, doch es klang mehr nach Stimmen, nach einem ganzen Chor von Stimmen. Er sah zum Bergkamm hin. War er denn total übergeschnappt? Plötzlich fluteten Soldaten – amerikanische Soldaten – über den Kamm, so schnell, als sei der Teufel hinter ihnen her.

»Die Japsen!« brüllte ein Soldat in Panik ihm zu. »Sie kommen! Gleich hinter uns! Eine ganze verfluchte Armee!« Ohne im Laufen innezuhalten, warf er einen entsetzten Blick über die Schulter. »Mensch, lauf! Die Japsen kommen!« Immer mehr strömten mit demselben Schrei über den Hang. Sonderbar unbeteiligt stieg Wylie hinauf zum Kamm und blickte durch die Nebelschwaden hinunter. Im schwachen Licht vor der Dämmerung konnte er sehen, wie die Japaner sich unten zusammenrotteten.

Langsam dämmerte Wylie, daß die japanischen Einheiten die Front durchbrochen hatten. Und die Amerikaner hatten keine Kampfeinheiten mehr, um sie aufzuhalten. Es hatte eines sechzehntägigen, brutalen und blutigen Kampfes bedurft, um sie in dem Tal zusammenzudrängen. Und jetzt waren sie aus der Falle ausgebrochen. Und zwischen den Japanern und den Tonnen von Munition und Nachschub hinter

Wylie gab es nur Versorgungspersonal, das noch nie im Leben in Kampfhandlungen geraten war. Die sechzehn Höllentage waren umsonst gewesen. Wylie weigerte sich hinzunehmen, daß der Tod Big Jims umsonst gewesen sein sollte. Das durfte er nicht zulassen.

»Ein Gewehr her, Granaten – alles!« brüllte er.

Jemand drückte ihm eine M-1 in die Hand, dazu einen Patronenstreifen. Rasch warf er sich zwischen zwei Soldaten, die hinter einer Bodenwelle am Bergkamm kauerten. Sein linker Nachbar schob ihm ein paar Granaten zu.

»Da, nimm sie«, drängte er nervös. »Ich habe seit der Grundausbildung keine mehr in der Hand gehabt.«

Mit gespenstischem Geheul drängten die Japaner massiert den Hang hoch. Ihr Kriegsruf ›Banzai‹ hallte unheilvoll in Wylies Ohren wider. Ein Artillerieoffizier gab so ruhig Befehle, als leite er ein Artilleriesperrfeuer. Wylie zog die Auslöser und warf seine Granaten den anstürmenden Japanern entgegen, bis sein Vorrat aufgebraucht war. Doch die Lükken, die in der Front entstanden, wurden rasch wieder gefüllt. Der fanatische Angriff blieb ungebrochen.

Wylie nahm die M-1 und schoß ununterbrochen. Noch immer rückten sie vor. Sogar die Getroffenen bewegten sich weiter vorwärts. Schweiß lief ihm über die Stirn. Es war unfaßbar. Das von oben auf sie gerichtete Feuer mähte die Japaner wie Halme nieder, und doch konnte sie nichts aufhalten. Jetzt waren sie so nahe, daß er ihre Gesichter unterscheiden konnte, ihre offenen Münder, aus denen das ›Banzai‹ ertönte.

Einen Streifen hatte er bereits verbraucht und schob hastig den nächsten ein. Als er wieder anlegte, sah er die erste Reihe wanken. Die Distanz war jetzt so knapp, daß man blind feuern konnte. Seine Schüsse verschmolzen mit denen der anderen, die Schulter an Schulter lagen und ununterbrochen feuerten. Einen Augenblick sah es aus, als hätten sie den japanischen Angriff zurückgeworfen.

Doch das Zurückweichen der Japaner schien nur dazu zu dienen, wieder Stoßkraft zu gewinnen, ehe sie sich erneut in einem wahnwitzigen Ansturm vorwärtswarfen. Wylie feuerte weiter, bis sein ganzer Körper von dem ununterbrochenen Rückschlag der Waffe zu vibrieren schien. Er richtete sich auf, als ihm klar wurde, daß man die Japaner nicht mehr aufhalten konnte. Die Stoßkraft ihres Angriffs würde sie über den Kamm hinwegtragen.

Plötzlich sah er sich einem Japsen direkt gegenüber, der ein Bajonett auf seinen Leib zielte. Im allerletzten Moment schaffte er es, die feindliche Bajonettspitze wegzuschlagen, so daß sie ihm wie ein heißes Eisen in den Schenkel fuhr. Als der Japse sie herauszerrte, gab Wylies Bein nach, und er fiel hin, in Erwartung des tödlichen Stiches in den Nacken, der nie kommen sollte.

Der Pionier hinter Wylie stoppte den Angriff. Die restlichen Japaner fielen zurück, sammelten sich auf den unteren Abhängen und versuchten vergeblich, wieder die Höhe zu gewinnen. Angesichts des unehrenhaften Todes aus den Händen der Amerikaner hielten sich etwa fünfhundert Japaner Granaten vor die Brust und zogen den Zünder, da sie den Tod vorzogen, dem japanischen Sprichwort folgend: ›Sterben ist einfacher als leben.‹

59. Kapitel

ANCHORAGE
SEPTEMBER 1943

Die Wände seines alten Zimmers kamen Wylie vertraut und doch irgendwie verändert vor – wie etwas aus ferner Vergangenheit. Erst seit zwei Tagen war er wieder daheim. Man hatte ihn nach Hause geschickt, nachdem sein Bein einigermaßen verheilt war. Es war ein langer und langsamer Prozeß gewesen, und jetzt konnte er das Bein noch immer nicht uneingeschränkt bewegen und stützte sich beim Gehen auf einen Stock.

Seine Verwundung hatte ihn daran gehindert, an der Invasion auf Kiska teilzunehmen, doch diese war ohnehin nicht mehr als eine Übung gewesen, wie es sich zeigen sollte. Die Japaner hatten ihren Stützpunkt auf den Aleuten bereits aufgegeben und die Truppen abgezogen, indem sie es irgendwie schafften, die Blockade der Amerikaner zu durchbrechen.

Jemand klopfte an die Tür. Vermutlich seine Mutter, die ihm sagen wollte, daß sie für den Kirchgang bereit seien. Widerwillig schwang er sein verwundetes Bein vom Bett und griff nach dem am Nachttischchen lehnenden Stock.

Die Flanken der Chugach Mountains rings um Anchorage trugen ihr goldenes Herbstkleid, die Felsgipfel ragten schroff in den Septemberhimmel. Trockenes braunes Laub wirbelte über die staubigen Straßen, als Ace vor der Kirche anhielt und sie aussteigen ließ.

Ganz langsam und auf seinen Stock gestützt ging Wylie zur Kirchentreppe. Seine Mutter strahlte vor Stolz, als die Leute ihn erkannten. Mühsam stieg er die Stufen hoch, bei jedem Schritt sein Bein nachziehend, während Freunde und Bekannte seiner Familie ihn von allen Seiten begrüßten.

Er hatte diese Begegnungen mit ihren Fragen und Bemerkungen, die so banal und sinnlos waren, gefürchtet. Jetzt aber hörte er sich alles geduldig an, lächelte, nickte und lieferte jedesmal eine passende Antwort.

Jemand hielt ihm die Tür auf. Er trat ein und hielt im Vorraum inne, um seine Augen nach dem hellen Sonnenschein an das Halbdunkel zu gewöhnen. Mutter und Großmutter waren sofort an seiner Seite.

»Wir sollten hier auf Vater warten«, sagte seine Mutter. Und dann sah er über ihren Kopf hinweg Lisa. Seit seiner Rückkehr hatte sie niemand erwähnt, und er hatte nicht nach ihr gefragt. Daß er die ganze Zeit über gewußt hatte, er würde ihr in der Kirche begegnen, war ihm klar.

Lisa kam ihm verändert vor, reifer und irgendwie raffinierter, ein Eindruck, der unter anderem durch ihren Pelzmantel und die schicke Pelzkappe, Zeichen ihres neuen Wohlstandes, hervorgerufen wurde. Ihr dunkelblondes Haar trug sie noch immer als Pagenkopf, und auch ihre Züge hatten sich nicht verändert, dennoch wirkte sie nicht mehr wie das schüchterne, stille Mädchen, das er in Erinnerung hatte.

Sie sah ihn, zögerte kurz und sagte dann etwas zu dem Mann an ihrer Seite. Steve Bogardus. Wylie erkannte ihn sofort. Nur einen Augenblick verspürte er den Stich der Eifersucht. Er schien zu erstarren, als die beiden auf ihn zukamen. Seine Mutter faßte besorgt nach seinem Arm. Als er sich zu ihr umwandte, wurde ihm klar, daß auch sie das Paar gesehen hatte.

»Vielleicht sollten wir hineingehen, damit du dich setzen kannst.«

Er wußte, daß damit nichts gewonnen war, wenn er die Begegnung hinausschob, so sehr er es sich auch wünschte. »Mom, mir geht es tadellos.«

Und dann war Lisa da. »Hallo, Wylie.«

»Lisa.«

»Sicher erinnerst du dich an Steve Bogardus, meinen Mann?«

»Natürlich.« Wylie nahm den Stock in die Linke, damit er mit Steve einen Händedruck wechseln konnte. »Hallo, Steve. Nehmen Sie meine Glückwünsche entgegen – wenn auch verspätet.«

»Danke. Nett, Sie wiederzusehen – komplett, wenn auch lädiert. Wie ich hörte, haben Sie draußen viel mitgemacht.«

»Nicht mehr als die anderen.«

»Ich bin froh, daß du wieder da bist«, sagte Lisa.

»Ich auch.« Wylie wußte nicht, was er noch sagen sollte.

Ein Anflug von Verwunderung huschte über ihr Gesicht. »Du hast dich verändert.«

»Der Bart fehlt.« Er strich sich über das glatte Kinn. »Der wächst wieder nach.«

»Vater ist da, Wylie«, unterbrach seine Mutter ihn. »Ich glaube, wir sollten jetzt hineingehen und uns setzen.«

»Ja.« Gern machte er von dem Vorwand Gebrauch. Im Austausch von höflichen Belanglosigkeiten hatte er niemals viel Geschick bewiesen.

»Wylie, es hat mich gefreut, dich zu sehen«, sagte Lisa.

»Mich hat es auch gefreut.« Er nahm den Stock in die andere Hand und setzte sich mit seinem schleppenden Gang in Bewegung.

Im Fortgehen fragte Lisa: »Ist es schlimm?«

Wylie hielt auf seinen Stock gestützt inne. »Ach, es ist ja nur vorübergehend und braucht eben seine Zeit.«

Seine Mutter nahm Wylies Arm. »Wylie, es tut mir leid«, raunte sie ihm im Weitergehen zu.

»Ich bitte dich, dazu liegt kein Grund vor.«

»Ich weiß, aber . . .«

»Kein Aber, Mom. Ich habe sie nie gebeten, zu warten.«

Nach dem Gottesdienst verließen sie die Kirche vor Lisa. Wylie hatte keine Gelegenheit mehr, mit ihr zu sprechen. Auf der Heimfahrt blieb er stumm. Er blickte aus dem Fenster und registrierte die Veränderungen seiner Heimatstadt. Auch am Sonntagmorgen waren die Straßen bevölkert. Soldaten, wohin man auch blickte. An der Fourth Avenue drängte sich eine Bar an die andere. Zeichen dafür, daß in dieser Stadt der Alkohol reichlich floß. Hatte Anchorage schon vor dem Krieg einen Boom erlebt, so platzte es jetzt praktisch aus allen Nähten. Aber vermutlich war es schlechterdings unmöglich, bei der Rückkehr an einen Ort alles unverändert vorzufinden. Orte waren wie Menschen Veränderungen unterworfen.

Als sie sich dem Haus näherten, warf er einen Blick zu seinem Vater hin. »Dad, hast du kommende Woche viel zu tun?«

»Nein, gar nicht. Skeeter und Sledge Chadwick übernehmen die meisten Flüge, damit ich zu Hause bei dir bleiben kann. Ich dachte mir, wir könnten mal nachsehen, ob die Forellen anbeißen.«

»Du könntest mich in der ersten Wochenhälfte an den Polarkreis fliegen. Ich muß dort jemanden besuchen.« Mit dieser Erklärung war es nicht getan, wie er wußte. »Ein Kumpel von mir, der auf Attu gefallen ist, bat mich, ich solle mich um sein Mädchen kümmern, und ich versprach es ihm.«

»Sicher können wir hin. Du brauchst nur den Tag zu bestimmen, dann wird die Maschine startklar sein.«

Aus dem Rauchfang der Blockhütte, die sich unter eine Birkengruppe schmiegte, stieg eine dünne Rauchspirale und verlieh der frischen Herbstluft ein zusätzliches Aroma.

Wylie stützte sich schwer auf seinen Stock. Sein Atem

kam stoßweise. Nicht einmal einen ganzen Kilometer war er gelaufen, und schon machte sich in seinem Bein ein unangenehmes Pochen bemerkbar. Langsam dämmerte ihm, daß es um seine Kondition noch schlechter bestellt war, als er befürchtet hatte. Während er innehielt, um zu Atem zu kommen, unterzog er die Hütte einer genauen Betrachtung. In dieser Umgebung konnte man sich Big Jim sehr gut vorstellen – irgendwo in der Nähe beim Holzfällen. Das Haus sah aus, wie Big Jims Zuhause sein sollte, einfach und stark, ehrlich und aufrichtig, ohne Kinkerlitzchen.

Vor der Hütte waren zwei Huskies angekettet. Der große graue erhob sich und starrte Wylie zunächst an, dann hob er die Schnauze und versuchte, seine Witterung aufzunehmen. Steifbeinig kam der Hund heran, so weit die Kette es zuließ. Ein Knurren ertönte. Nun rasselte die Kette des zweiten Hundes, als dieser sich erhob und ebenfalls in Wylies Richtung lief. Beide begannen wütend zu kläffen. Aus dem Augenwinkel nahm Wylie Bewegung am Hüttenfenster wahr. Ohne Rücksicht auf den Schmerz im Bein stieß er sich mit dem Stock ab und ging los. Jetzt gerieten die Hunde außer Rand und Band und sprangen wild bellend trotz ihrer straff gespannten Ketten hoch. Die Hüttentür ging auf, eine dunkelhaarige Frau trat auf die kleine Veranda. Sie trug Hosen und ein kariertes Männerhemd. Ihr schwarzes, glattes Haar fiel ihr bis auf die Schultern. Der Anblick des kleinen Kindes auf ihrem Arm ließ Wylie stutzen.

»Stony! Rocky!« brachte die Frau die Hunde zur Ruhe.

Wylie blieb am Fuße der Treppe stehen. »Sind Sie Anita Lockwood?« Sie entsprach so gar nicht seinen Erwartungen. Die hohen Wangenknochen, der dunkle Ton von Haar und Augen, die kräftige Nase, dies alles wirkte indianisch, doch fehlte es ihren Zügen an Derbheit. Und ihr Teint war nicht wie stumpfe Bronze, sondern von einer satten, cremigen Schattierung.

»Ja.« Sie rückte ihr Kind auf dem Arm zurecht, während sie den wachsamen Blick nicht von ihm wandte.

»Ich bin Wylie Cole. Vor ein paar Monaten schrieb ich Ihnen . . . wegen Jim.«

Ihre Wachsamkeit schien nachzulassen. »Ja, den Brief

habe ich bekommen. Vielen Dank. Ich bin nicht sicher, ob ich . . .« Verlegen hielt sie inne und wechselte hastig das Thema. »Ihren Brief schickte ich an seine Eltern in den Staaten weiter. Ich dachte mir, sie würden es wissen wollen.«

Wylie wußte, daß sie sich fragte, ob die Armee ihr von Big Jims Tod Mitteilung gemacht hätte. Es war der eigentliche Grund seines Schreibens gewesen, denn er hatte in diesem Punkt große Zweifel gehabt. »Das geht in Ordnung«, sagte er.

»Sie schrieben zwar, Sie würden kommen, aber ich habe nicht geglaubt, daß Sie tatsächlich kämen.«

»Ich versprach es Jim.«

»Wie sind Sie hergekommen? Sie können doch nicht die ganze Strecke gelaufen sein?« Das alles hörte sich an, als sei sie krampfhaft bemüht, das Gespräch nicht ins Stocken geraten zu lassen. Und er war ähnlich befangen.

»Mein Vater flog mich von Anchorage hierher.« Er sah, wie ihr Blick den Pfad entlangeilte. »Er angelt hier irgendwo. Das letzte Stück bin ich im Auto gefahren.«

»Ach so.«

»Darf ich mich setzen?« Wylie verlagerte das Gewicht noch mehr auf den Stock. »Das letzte Stück von der Straße hierher hat meinem Bein schon stark zugesetzt.«

»Natürlich. Entschuldigen Sie, und treten Sie doch ein.« Sie öffnete die Tür, während Wylie sich über die Stufen quälte. »Leider haben wir nicht oft Besuch.«

Das Innere der zwei Räume umfassenden Blockhütte war gemütlich und praktisch. Wylie humpelte in den Wohnbereich und begutachtete die einfache Einrichtung. Tische, Stühle, Schränke und Regale, alles wirkte wie von geschickter Hand selbstgemacht, mit Ausnahme eines lederbezogenen Polstersessels neben dem Holzofen. Die Armlehnen waren abgeschabt und rissig. Die zusammengefaltete Decke auf dem Sitz ließ vermuten, daß ein größerer Riß verdeckt werden sollte. Ohne zu fragen, wußte er, daß es Big Jims Lieblingssessel war.

»Setzen Sie sich.« Anita deutete auf den Sessel und stellte den Jungen auf den Boden. »Ich mache uns Kaffee.«

Nicht gewillt, Jims Platz einzunehmen, und sei es auch

nur symbolisch, zögerte Wylie und sah ihr zu, wie sie Kaffee aus einem Küchenschrank holte. Dabei zeigte ihm ein kurzer Blick, daß die Schrankfächer fast leer waren, und er fragte sich, wie sie ohne Big Jims monatliche Überweisung zurechtkäme. Seine vorsorglichen Nachforschungen hatten ergeben, daß Jims Versicherung nicht an sie überwiesen worden war. Wylie humpelte jetzt doch zum Sessel und setzte sich. Der kleine Junge, der zwei oder drei Jahre alt sein mochte, kam unsicheren Schrittes auf ihn zu. Erst starrte er Wylie an, dann den Stock. Wylie wunderte sich, daß Jim das Kind nie erwähnt hatte.

»Na, was ist, Kleiner?« fragte Wylie lächelnd. »Wie heißt du denn?« Der Junge plapperte etwas Unverständliches und deutete auf den Stock. »Der gefällt dir wohl, wie? Leider ist er viel größer als du.«

Nachdem sie Kaffeewasser aufgestellt hatte, hob Anita mit einem entschuldigenden Blick zu Wylie hin den Jungen hoch und setzte ihn ein Stück weiter inmitten von hölzernen Bauklötzen auf den Boden. »Spiel hier«, sagte sie mit Nachdruck, um sich dann in einem Schaukelstuhl niederzulassen. »Der Kaffee wird gleich fertig sein.«

»Der Junge hat mich nicht gestört.« Wylie sah sie aufmerksam an.

Sie senkte den Kopf und preßte die Lippen zusammen. Dann blickte sie auf. »Er heißt Michael. Jim nannte ihn nach seinem Vater, gerufen aber hat er ihn Mikey. Als Baby wurde Mikey sehr krank und hatte hohes Fieber. Damals brauchten wir drei Tage, um einen Arzt zu holen. Wir taten, was wir konnten, aber Jim konnte ein schlechtes Gefühl nicht loswerden. Später sagte man uns, daß Mikey einen bleibenden Schaden davongetragen hat. Jim hatte immer Sorge, die Leute würden sich über ihn lustig machen, weil sein Verstand so langsam ist.« Sie sah auf ihre Hände. »Wahrscheinlich hat Ihnen Jim deshalb nichts von dem Kleinen erzählt. Aber geschämt hat er sich nicht«, setzte sie quasi zu seiner Ehrenrettung hinzu. »Es war seine Art, ihn zu schützen.«

»Ich verstehe.« Wegen des Kindes hatte Jim also so hartnäckig darauf bestanden, daß Wylie sich um Anita kümmerte. Es blieb die Frage offen, wieso Jim sie nicht geheiratet hatte – Halbblut oder nicht. »Hübsch ist es hier«, sagte Wylie.

»Ja. Jim hat die Hütte selbst gebaut und auch alle Möbel gezimmert. Er hatte so geschickte Hände.« Stolz und Liebe sprachen aus ihrer Miene. Anita schien von innen zu strahlen, wenn sie von Jim sprach. Dann wurde ihr Ausdruck wieder ernst und sachlich. »Ich schrieb seinen Eltern und fragte sie, ob ich hier weiter wohnen dürfe. Bis jetzt habe ich von ihnen noch keine Antwort.«

»Anita, haben Sie Angehörige?«

»Meine Mutter ist schon sehr alt. Mein jüngerer Bruder Joe ist auf einem Internat für Eingeborene in White Mountain.«

Seit Beginn des Jahrhunderts existierten in Alaska zwei Bildungssysteme. Das eine für Eingeborene, das andere für Weiße und für Mischlinge, die ein ›zivilisiertes‹ Leben führten. Wylie wunderte sich, warum Anitas Bruder sich nicht für das zweite entschieden hatte. Vielleicht hatte er es vorgezogen, nicht ständig gegen bestehende Vorurteile ankämpfen zu müssen.

»Sind Sie auch dort zur Schule gegangen?« Man merkte ihr an, daß sie eine über die einfache Schulbildung der meisten auf dem Lande lebenden Indianer hinausgehende Bildung erhalten hatte.

»Nein, ich besuchte die Sheldon Jackson School in Sitka. Eigentlich wollte ich Lehrerin werden, aber . . . als mein Vater starb, wurde ich zu Hause gebraucht.« Sie warf einen Blick zu einem eingebauten Schrank hin, hinter dessen Glastüren Bücher standen. Wieder wurde ihre Miene weich. »Jim ging aufs College. Im Winter lasen wir immer sehr viel und diskutierten über unsere Lektüre. Er war sehr intelligent und brachte mir viel bei. Eigentlich sollte ich seine Bücher zusammenpacken und sie samt seinen anderen Sachen an seine Familie schicken.«

»Ich glaube, Jim hätte gewollt, daß Sie sie behalten«, meinte Wylie darauf.

Der Kaffee fing zu kochen an und erfüllte mit seinem aromatischen Duft den Raum. Anita goß für jeden eine Tasse ein. Ob es dem Kaffee zuzuschreiben war oder nicht, hätte

Wylie nicht zu sagen vermocht, aber plötzlich war die anfängliche Befangenheit zwischen ihnen verschwunden, und sie plauderten ungezwungen miteinander. Wylie hatte noch nie mit jemandem so ausführlich über Jim sprechen können. Bei Anita konnte er sich nun endlich über seinen besten Freund aussprechen, so daß die Zeit viel zu schnell verflog. Ehe er es sich versah, mußte er aufbrechen und zu dem Treffpunkt zurückkehren, an dem er mit seinem Vater verabredet war.

Er gab Anita etwas Geld und behauptete, es stamme von Big Jim. Daß sie seine Lüge durchschaute, war fast anzunehmen. Gleichzeitig wußte er, daß es Big Jim getan hätte, wenn er daran gedacht hätte. Dann verabschiedete sich Wylie und versprach, wiederzukommen.

In dem Monat, den er zu Hause als Rekonvaleszent verbrachte, schaffte es Wylie einmal wöchentlich zur Blockhütte. Er freute sich jedesmal auf das Wiedersehen und auch darauf, der Hektik von Anchorage zu entkommen. In Big Jims Hütte fand Wylie ein gewisses Maß an Frieden und Zufriedenheit. Ob das die Umgebung oder Anitas Gesellschaft bewirkte, wußte er nicht. Es mußte wohl beides sein.

Mit einem gekonnten Axthieb halbierte er den Stamm und zerkleinerte das splitternde Holz weiter. Als Wylie genügend Kleinholz beisammen hatte, sammelte er die Scheite ein, ohne daß sein Bein protestiert hätte. Er legte das Holz auf den langen Holzstoß, der den gesamten Wintervorrat darstellte. Da raschelte hinter ihm trockenes Laub. Wylie warf einen Blick über die Schulter und sah den kleinen Mikey daherlaufen, ein paar Scheite in den behandschuhten Händen. Der Junge lief zum Holzstoß, reckte sich ganz hoch in dem Bemühen, das Holz so hinzulegen, wie Wylie es getan hatte.

»Komm, Mikey, ich heb dich hoch.« Wylie packte ihn und hob ihn so, daß er die Scheite ganz oben abladen konnte. Dann setzte er sich Mikey auf die Hüfte. »Du bist ja eine richtige große Hilfe.«

Der Junge lachte. Er lachte immer. Noch nie hatte Wylie ein Kind gesehen, das unausgesetzt so guter Laune war. Das mochte mit seiner Behinderung zusammenhängen. Wylie hoffte, Mikey würde nie entdecken, daß er sich von anderen Kindern unterschied. Er hoffte, sein Lächeln würde nie vergehen.

Die Hüttentür quietschte. Anita trat an den Rand der Veranda, die Arme verschränkt, um die Kälte abzuwehren. »Kommt herein, wenn ihr fertig seid. Eben holte ich das Brot aus dem Ofen, und der Kaffee ist frisch. Ich dachte, wir könnten die Marmelade kosten, die deine Mutter uns schickte.«

»Klingt ja verlockend.« Wylie trug Mikey an die Tür, leichten Schrittes und ohne auf sein Bein zu achten. Als Anita die Tür öffnete, schauderte er übertrieben beim Quietschen der Türangeln. »Ich wollte die Tür ölen.«

»Das war das letzte, was auch Jim vor seinem Abschied sagte.«

Wylie warf einen nachdenklichen Blick zur Tür und trat ein.

»Ich gieße Kaffee ein.

Er stellte Mikey auf den Boden und kniete neben ihm hin, um ihm Mütze, Mantel und Handschuhe auszuziehen. Dann erst zog er sich selbst aus. Er ging an den Tisch und ließ sich nieder. Dabei strich er gedankenverloren über die glatte Tischfläche.

»Du mußt wissen, ich habe Jim gern gehabt.« Er lächelte schief. »Das habe ich noch nie von einem anderen Mann gesagt.«

Sie sah von dem frischen Laib Brot auf, den sie anschnitt. In ihrem Blick lag Verständnis. »Er war ein guter Mensch.«

Mikey kam gelaufen und kroch auf Wylies Schoß. »Ich glaube, der mag mich.« Liebevoll fuhr Wylie dem Kleinen durchs Haar.

»Ja, ich weiß.« Anita lächelte.

»Es klingt vielleicht sonderbar, aber . . .« Er hielt inne, nach den Worten suchend, die das, was er im Sinn hatte, nicht zu albern klingen lassen würden. »Anita, wir beide haben außer unserer Familie niemanden. Der Mann, den du geliebt hast, ist tot, und mein Mädchen heiratete einen anderen. Ich finde, wir kommen prächtig miteinander aus. Jim ist etwas, das wir gemeinsam haben. Vielleicht ein lausiger Grund für eine Ehe, aber ... ich glaube, ich bin bei einem Antrag gelandet. Mikey braucht einen Vater, und du könntest einen Mann brauchen, der hier nach dem Rechten sieht. Jetzt hat mich natürlich noch die Armee im Griff, aber fürs erste kannst du mich auf Teilzeitbasis haben.«

Er hörte nicht auf zu sprechen, weil sie nichts dazu sagte. Anita sah ihn nicht mal an. Dann wischte sie sich ihre Hände seitlich an der Hose ab. »Wylie, ich weiß nicht, ob deine Eltern von dieser Heirat sehr begeistert sein würden. Jims Eltern waren außer sich, als er ihnen unsere Beziehung gestand. Ich möchte nicht, daß es Probleme in deiner Familie gibt ...«

Wylie unterbrach sie. »Warum fliegst du nicht heute mit mir zurück und lernst meine Leute kennen? Jetzt brauchst du noch keine Entscheidung treffen. Und wenn du nachher noch immer glaubst, es sei keine gute Idee, dann lassen wir es eben.«

Erst zögerte Anita, dann nickte sie. »Meinetwegen.«

Die Begegnung verlief zufriedenstellender, als sogar Wylie erwartet hatte. Es zeigte sich, daß seine Mutter Billy Ray und Matty an diesem Abend zum Essen eingeladen hatte. Anita konnte bei dieser Gelegenheit am besten sehen, wie die beiden behandelt wurden. Er hatte seinen Eltern gegenüber Anitas Situation schon angedeutet und von seiner engen Freundschaft mit Jim berichtet. Als er nun Anita vorstellte, ließ er durchblicken, daß sie die Gelegenheit für Einkäufe in der Stadt nützen wolle. Daß hinter diesem Besuch mehr steckte, verschwieg er zunächst. Später, als seine Mutter mit Anita hinaufgegangen war, um Mikey zu Bett zu bringen, und als Matty den Raum verlassen hatte, um zu sehen, wie lange Billy Ray und sein Vater noch an dem Wagen herumwerkeln würden, saß Wylie mit seiner Großmutter allein im Wohnzimmer und hörte Radio.

»Grandma Glory, was hältst du von Anita?«

»Ein nettes, intelligentes Mädchen«, antwortete sie bereitwillig. »Man kann verstehen, wieso dein Freund sich für sie entschied.«

»Und wenn ich nun sgen würde, wir dächten an eine Ehe? Ich habe ihr den Vorschlag gemacht.«

»Ist es wegen Lisa?«

»Nein, wegen Jim, obwohl ich zugeben muß, daß ich Anita wahrscheinlich keinen Antrag gemacht hätte, wenn Lisa noch frei wäre. Aber es ist Zeit für einen Neuanfang – auch für Anita.«

»Nun, sie wird hier nicht von allen akzeptiert werden. Das weißt du«, sagte sie. »Seinerzeit war es hier anders. Was man war und welche Vergangenheit man hatte, spielte keine Rolle. Jetzt sind wir zivilisierter geworden. Das bringt mit sich, daß manche Menschen sich anderen überlegen fühlen.«

»Das ist deren Problem.«

»Vielleicht. Aber du mußt darauf gefaßt sein.«

»Das bin ich.«

Glory lächelte. »Ich wollte es nur aus deinem Munde hören.«

»Anita macht sich Sorgen, wie Mom und Dad es aufnehmen werden.«

»Dein Vater wird sich überhaupt nichts dabei denken. Wenn aber deine Mutter die Wahl gehabt hätte, dann hätte sie dir sicher nicht Anita als Ehefrau ausgesucht. Mütter wollen für ihre Kinder immer mehr. Nur ganz selten sind sie mit der Partnerwahl ihrer Kinder einverstanden. Doch ich bezweifle sehr, daß sie es dich oder Anita je fühlen lassen würde.«

»Und du, Grandma?«

»Schmerz, Glück, Sorgen, Zufriedenheit – das alles wirst du erleben. Nie wird es nur das eine oder das andere davon geben. Ich habe mein Leben gelebt, ohne etwas bereuen zu müssen. Das hatte ich mir stets für dich und deinen Vater gewünscht – und für alle, die ich liebe. Wenn Anita deine Wahl ist, dann ist sie auch die meine.«

»Sie ist meine Wahl, doch bin ich noch nicht sicher, ob sie einverstanden ist.«

Mattys Eintreten machte dem Gespräch ein Ende. Minuten später kamen auch seine Mutter und Anita herunter. In Bluse und Rock sah Anita viel weiblicher aus – und auch viel verletzlicher.

»Na, habt ihr Mikey zum Einschlafen gebracht?« fragte er.

»Ja.« In Gegenwart seiner Familie zeigte sie sich eher wortkarg. Immerhin wirkte sie aber entspannter.

»Ich holte deinen alten Teddybär. Mikey flog darauf«, sagte Trudy lachend. »In kürzester Zeit war er eingeschlafen.«

»Ich fürchte, er gibt ihn nicht wieder her«, meinte Anita.

»Das geht in Ordnung. Mikey kann ihn behalten«, sagte Wylie.

»Möchte jemand Kaffee?« fragte Trudy. »In der Küche steht er bereit.«

Da trat Ace ein. »Hört sich gut an.«

»Für mich auch«, sagte Billy Ray hinter ihm eintretend.

»Mrs. Cole, lassen Sie mich den Kaffee holen«, bot Anita an.

Erst zögerte seine Mutter, dann sagte sie mit einem Lächeln: »Meinetwegen. Die Tassen sind in dem rechten Schrank . . .«

»Mom, ich helfe Anita«, unterbrach Wylie sie. Er folgte Anita in die Küche und nahm die Tassen aus dem Schrank. »Na, was hältst du von meiner Familie?«

»Sie sind alle sehr nett.« Sie setzte die Kaffeekanne ab und wandte sich ihm zu. »Wylie, bist du sicher, daß du mich heiraten möchtest? Ich meine, es geht ja nicht nur um mich, es geht auch um Mikey. Er wird nie ein normaler Junge sein. Ich glaube, du weißt gar nicht, wieviel Verantwortung du dir aufbürdest.«

»Nicht mehr als das, was du dir allein zugetraut hast«, rief er ihr ins Gedächtnis. »Das alles habe ich gründlich überlegt, ehe ich dir den Antrag machte. Ob du es glaubst oder nicht, ich weiß genau, was ich tue.«

Sie schüttelte den Kopf, und es sah aus, als kämpften in ihr Belustigung und Staunen. »Ich glaube jetzt zu wissen, warum Jim dich so mochte.«

»Ist das ein Ja oder ein Nein?«

»Ein Ja. Wenn du mich und Mikey noch immer willst, dann werde ich dich heiraten.«

Zögernd beugte Wylie sich zu ihr hin, hielt kurz inne und hob ihr Kinn mit den Fingerspitzen an. Er küßte sie mit prüfendem Druck und spürte ihre unsichere Erwiderung.

Doch der erste Kuß machte den zweiten leichter. Jeder hatte eine Menge Liebe zu geben und brauchte jemanden dazu. Es würde alles gut werden.

Sie feierten die Hochzeit ganz still und nur im engsten Kreis. Dann kehrten sie für einige Tage in die Blockhütte zurück, um Anitas und Mikeys Sachen zu packen und nach Anchorage zu bringen, wo Anita bei seiner Familie bleiben würde, während Wylie wieder zu seiner Einheit zurückkehrte. Sie nahmen Glorys Angebot an und bezogen die kleine Einzimmerwohnung, die Chou Ling bewohnt hatte. Der alte chinesische Koch war im Frühling gestorben, und die neue Köchin hatte bereits eine Unterkunft. Es war eine ideale Lösung. Außerdem konnte Anita Matty bei der Arbeit in der Pension helfen und etwas dazuverdienen, denn in Alaska war alles sehr teuer.

Wylie hatte seine Verwundung völlig ausgeheilt und meldete sich wieder bei seiner Einheit. Nach der Vertreibung der Japaner von den Aleuten schien die Bedrohung für Alaska gebannt.

In jenem Frühjahr wurde den Alaska Scouts eine Aufgabe übertragen, bei der sie ihre hervorragenden Kenntnisse der Natur des Landes voll nutzen konnten. Wylie und ein paar andere wurden in die arktische Wüste des hohen Nordens versetzt. Anfangs begleitete Wylie ein Geologenteam, das vom Kriegsministerium beauftragt war, jenes riesige Gebiet zu erkunden, das man 1923 als Naval Petroleum Reserve Nr. 4 aufgegeben hatte. Pet 4 wurde das Gebiet genannt. Seit 1886 waren Ölsickerstellen bekannt. Eine Expedition in den zwanziger Jahren bestätigte das Vorhandensein ölhaltiger Schichten, worauf die Bundesregierung das Land für späteren Bedarf reservierte.

Mit der Möglichkeit eines längeren Krieges konfrontiert, war man zu der Entscheidung gelangt, die Größenordnung des Ölvorkommens von Pet 4 festzustellen. Geologische Untersuchungen und Probebohrungen waren geplant. Während im Eskimodorf Barrow, dem nördlichsten Punkt des Kontinents, ein ständiges Basislager errichtet wurde, begleitete Wylie die Geologen zu einem Gelände am Colville River, knapp hundertdreißig Kilometer von einem Ort namens Umiat entfernt.

Durch Erosion war der ganze Hang eines Hügels abgetragen worden, und es war ein Steilabfall entstanden. Öl tropfte aus den freigelegten Sedimentschichten und verunreinigte den Fluß. Die Geologen schwärmten nun auf dem Hügel aus und untersuchten die freigelegten Schichten.

Es war geplant, mit den Bohrungen im folgenden Jahr, 1945, zu beginnen. Wylie wurde einer Gruppe von Scouts zugeteilt, die den günstigsten Verlauf einer Pipelinestrecke von Barrow nach Fairbanks festlegen sollte. Die geplante Pipeline sollte mitten durch das Herz der Brooks Range führen, jener gewaltigen und abweisenden Gebirgsschranke, die den North Slope vom inneren Alaska trennt. Wylie hatte die schroffen Gipfel schon des öfteren überflogen, doch von unten sahen sie noch viel unheimlicher aus.

In der Brooks Range erreichte Wylie Mitte August die Nachricht vom Abwurf der Atombombe über Hiroshima. Aber es gab auch noch eine gute Nachricht. Er war Vater geworden, denn Anita hatte einem Mädchen das Leben geschenkt.

Am 15. August kapitulierte Japan, doch erst am 2. September fand die offizielle Zeremonie statt. Der Krieg war zu Ende. Ende September kam Wylie nach Hause und konnte seine zwei Monate alte Tochter Dana Marie Cole zum erstenmal in den Armen halten.

Doch die Freude über seine Heimkehr war nur kurz. Matty, die mittlerweile Anfang Siebzig war, erkrankte. Glory vertraute ihm an, daß sie seit Billy Rays Tod gekränkelt habe. Noch vor Ablauf eines Monats folgte sie ihrem Mann.

Wylie stand neben seiner Großmutter am Grab. In ihren Augen glänzten Tränen, ihre Haltung war aufrecht, ihre Schultern gestrafft. Und doch wirkte sie zerbrechlich wie eine fragile Porzellanfigur.

Einmal sah Wylie, wie seine Großmutter mit dem Taschentuch ihre Augen abtupfte. Dann kam sein Vater und führte sie zum Wagen. Wylie folgte mit seiner Mutter nach. Anita war nicht zur Beerdigung gekommen, da sie für die zwei Kinder keine Aufsicht hatten.

Wylie saß am Steuer, seine Großmutter neben ihm. Sie sah aus dem Fenster auf die vorübergleitende Szenerie.

»In den letzten Jahren hat sich so viel geändert«, murmelte sie vor sich hin. »Gebäude und Häuser schießen überall hoch wie seinerzeit das Unkraut im Gemüsegarten meiner Tante in Sitka. Jetzt gibt es hier Straßen, die ich noch nie gesehen habe.«

»Anchorage ist keine Kleinstadt mehr. Es ist jetzt eine richtige Stadt«, antwortete Ace vom Rücksitz her. »Neununddreißig hatten wir viertausend Einwohner, jetzt sollen es an die vierzigtausend sein.«

»Ja.« Glory seufzte. »Ich finde es unfair, daß Matty ausgerechnet jetzt sterben mußte, da das Rassentrennungsgesetz aufgehoben wurde. Sie hätte es aus ganzem Herzen genossen, die Läden mal von innen zu sehen. Diese Chance hatte sie nie.«

»Von Anfang an ein dummes, überflüssiges Gesetz«, meinte Trudy. »Höchste Zeit, daß es abgeschafft wurde.«

In der Woche darauf rief Glory an und bat Wylie, zu ihr zu kommen. Nach seiner Entlassung hatte er eines der Häuser seiner Großmutter gemietet und war mit seiner kleinen Familie eingezogen. In dem Wirbel der Heimkehr, des Umzugs und jetzt mit Mattys Tod hatte er keine Zeit gehabt, sich nach Arbeit umzusehen. Die meiste Zeit hatte er seinem Vater beim Flug-Service ausgeholfen.

Er hatte sich noch nicht hingesetzt, als Glory ankündigte: »Ich habe mich entschlossen, die Pension zu schließen. Da Matty und Chou Ling nicht mehr sind, ist es ohnehin nicht mehr wie früher. Ich bin zu alt, um das Haus zu führen.«

»Grandma Glory, du bist nicht alt.«

»Mit zwei Jahren nanntest du mich zum erstenmal Grandma? Und wann war das? Vor zweiundzwanzig Jahren. Nun, damals fühlte ich mich nicht alt, heute aber schon. Es ist höchste Zeit, daß ich mich verändere und ein neues Leben beginne.«

»Was für Pläne hast du? Willst du verkaufen? Wo willst du leben? Möchtest du zur Familie ziehen?« fragte Wylie.

»Nein, so alt bin ich auch wieder nicht, daß ich mich nicht

selbst versorgen könnte«, spottete sie. »Erinnerst du dich an die Blockhütte mit den vier Räumen, die ich besitze? Nun, die jetzigen Mieter ziehen aus. Das Blockhaus wird mein neues Heim. Aber die Pension hier möchte ich nicht verkaufen, obwohl ich es bei den gegenwärtigen Immobilienpreisen tun sollte. Nein, ich will sie in kleine Wohnungen aufteilen.« Sie reichte ihm einen Bogen Papier, auf dem sie bereits die neue Einteilung skizziert hatte. »Ich dachte mir, du könntest den Umbau überwachen.«

»Wenn du möchtest?«

»Ja, genau das möchte ich.«

»Und was wirst du anfangen? Ich kann mir nicht vorstellen, daß du die Hände in den Schoß legen wirst.«

Sie lachte. »Nun, neben der Verwaltung meiner verschiedenen Immobilien und dem Spielen mit meinen Urenkeln werde ich schon noch eine Beschäftigung finden. Und im kommenden Frühjahr möchte ich einen großen Blumengarten pflanzen, so einen, wie ihn Anchorage noch nie gesehen hat. Das hatte ich immer schon vor. Und jetzt gehe ich das Projekt endlich an. Und nirgends auch nur eine Gemüsepflanze, mein Wort darauf. Nur Blumen.«

Wylie verbrachte die meiste Zeit des Winters damit, den Umzug seiner Großmutter in ihr neues Zuhause zu organisieren und die Pension umzubauen. Kaum war die letzte Tapete geklebt, waren auch die Wohnungen vermietet. Und im Frühling bepflanzte Glory die gesamte Länge des Vorgartens ihres Blockhauses mit Blumen.

60. Kapitel

ANCHORAGE
30. JUNI 1958

Wylie drängte sich durch die Menge der Festgäste, die zu Tausenden den Delaney Park, allgemein als Park Strip bekannt, bevölkerten. Er ließ den Blick auf der Suche nach seiner Familie über die Köpfe wandern. Spätnachmittags, als er mit einem routinemäßigen Frachtflug nach Anchorage unterwegs gewesen war, hatte er über Funk die Nachricht gehört.

Es war nie seine Absicht gewesen, ins Familienunternehmen einzusteigen. Es hatte sich einfach so ergeben. In dem Sommer nach seiner Entlassung aus der Armee war sein Vater bei einem Flugzeugabsturz verletzt worden. Wylie war für ihn eingesprungen – und dabei war es geblieben. Seither hatte er immer mehr Verantwortung übernommen und war in die Leitung des Unternehmens hineingewachsen.

Vor einer halben Stunde war er am Merrill Field gelandet und hatte die Schlagzeilen der Anchorage Times gelesen, die mit drei Worten die Nachricht verkündeten: »Wir sind drinnen.« Zu Hause hatte er Anitas Nachricht vorgefunden und war zu Fuß zum Park Strip geeilt, um Alaskas neuen Status als Bundesstaat zu feiern.

Nach sechstägiger Debatte hatte der Senat schließlich den Antrag um acht Uhr abends angenommen, und Alaska war zum Bundesstaat erklärt worden. Jetzt mußten nur noch zwei Drittel der einzelnen Bundesstaaten das Gesetz ratifizieren. Und die Ratifizierung war so gut wie sicher. Allenthalben hupten Autos, heulten Sirenen und läuteten Kirchenglocken. Im Park loderte ein Freudenfeuer zum Himmel, das von fünfzig Tonnen Brennholz unterhalten wurde, von denen neunundvierzig Tonnen zu Ehren Alaskas als neunundvierzigstem Staat abgebrannt wurden. Die zusätzliche Tonne galt Hawaii und war als Geste der Zuversicht gedacht, damit auch Hawaii den Kampf um den Status des Bundesstaates gewinnen möge.

Wylie blieb stehen und versuchte, Anita oder seine Eltern in dem Meer von Gesichtern auszumachen.

»Wylie!«

Er hörte seinen Namen trotz des Lärms und der Jubelstimmung ringsum. Innehaltend wandte er sich um, da er die Stimme erkannt hatte. Lisa stand einige Schritte entfernt vor ihm. Ihr schlichtes blaues Kleid wirkte lässig und elegant. Oder vielleicht wirkte es nur teuer, ging es ihm durch den Kopf.

Er hatte sie schon länger nicht gesehen, und wenn, dann in

der Kirche. Und da waren stets ihr Mann und ihre beiden Söhne bei ihr, und er hatte seine Familie bei sich gehabt. Jetzt war sie allein. Niemand stand zwischen ihnen.

Langsam ging er auf sie zu, alle kleinen Einzelheiten in sich aufnehmend, die er zuvor nicht gewagt hatte zu studieren. Sie war wenn möglich noch schöner geworden. Daß er sie vergessen hatte, das hatte er sich nie vorgemacht. Er hatte sie nicht vergessen – ebensowenig wie Anita Big Jim vergessen hatte.

»Hallo.« Wie sie es sagte, klang es ein wenig atemlos.

»Hallo.« Er lächelte.

»Wir haben uns lange nicht gesehen«, sagte sie.

»Das dachte ich mir eben auch.« Dann zwang er seine abschweifenden Gedanken zurück in die Gegenwart und blickte um sich. »Ich suche meine Familie. Sie sollen hier irgendwo sein. Du hast sie doch nicht gesehen, oder?«

»Nein, aber in dieser Menschenmenge kann man leicht verlorengehen. Steve sucht unsere Söhne. Eine schöne Feier.«

»Ja, das ist sie.«

»Unglaublich, daß Alaska jetzt Bundesstaat ist. Mir kommt es vor wie gestern, daß ich mit meiner Familie hier in Anchorage aus dem Zug stieg und wir auf Pionierabenteuer gefaßt waren.«

»Tja, ich muß gestehen, mir kommt es auch nicht lange vor, seit ich dir und deiner Mutter das Haus meiner Großmutter zeigte.« Einen schmerzlichen Augenblick lang spürte Wylie, wie die dazwischenliegenden Jahre sich in Nichts auflösten.

Über Lisas Gesicht huschte ein wehmütiger Ausdruck. »Ja, es mag uns vorkommen, als sei nicht viel Zeit seit damals vergangen, aber ich habe zwei halbwüchsige Söhne, die es beweisen.«

»Und meine Tochter ist inzwischen auch schon dreizehn.«

»Es freut mich, daß wir uns wiedersehen konnten, ehe wir hier fortziehen.« Sie versuchte ein Lächeln, doch es lag Traurigkeit darin, vielleicht sogar eine Spur Bedauern.

Dann erst begriff er, was sie gesagt hatte. »Ihr geht fort?«

»Ja.« Sie sagte es mit gespielter Munterkeit. »Steve wurde

nach San Francisco in die Firmenzentrale versetzt. Die Zweigstelle in Anchorage übernimmt ein Jüngerer. Allgemein heißt es, in Alaska sei der Bauboom vorüber, zumindest für die nächste Zeit.«

»Dann werdet ihr also in Kalifornien leben?«

»Ja, meine Eltern freuen sich sehr. Sie sind schon 1952 zurück in die Staaten. Seither hat Mutter ständig gejammert, daß sie wegen der Entfernung ihre zwei Enkel so selten sehen kann.«

»Ja, sie war immer schwer zufriedenzustellen.«

»Ich bin froh, daß ich so lange blieb, um mitzuerleben, wie Alaska ein Bundesstaat wurde«, sagte Lisa.

»Ja.« Steve konnte jeden Moment wiederkommen, und Wylie wollte eine Begegnung vermeiden. »Also . . . ich suche lieber meine Familie weiter. Lebwohl, Lisa, und viel Glück.« Er wagte nicht, sie zu berühren, nicht mal ihre Hand zu drücken, deshalb begnügte er sich mit einem saloppen Heben der Hand.

»Lebwohl, Wylie.« Als er sich umgedreht hatte, hörte er noch, wie sie sagte: »Ich werde dich vermissen.« Doch er tat, als hätte er es nicht gehört, und drängte sich blindlings durch die Menge.

Er ließ sich im Lärm und Geschiebe der Leute treiben und achtete nicht darauf, wohin er ging, ständig bemüht, die Sehnsucht nach etwas abzuschütteln, das er nicht haben konnte. Zuweilen fragte er sich, ob Anita es nicht einfacher hatte, denn Jim war tot und hatte ihr nichts als Erinnerungen hinterlassen. Aber für ihn existierte Lisa. Und jetzt flog sie fort und war damit seiner Sicht entzogen – vielleicht sogar seinem Bewußtsein –, ob sie aber jemals aus seinem Herzen verschwinden würde?

Plötzlich sah er Anita direkt vor sich stehen, das Gesicht dem Feuer zugewendet. Auch seine Eltern und Grandma Glory waren da. Mikey stand neben Anita und starrte mit großen Augen in das riesige Freudenfeuer, wie gebannt von den lodernden Flammen. Mit fünfzehn war er fast so groß wie Anita, verfügte aber nur über den Verstand eines Sechsjährigen. Er hatte gelernt, sich selbst anzuziehen und sich die Schnürsenkel zu binden. Er wußte seinen Namen und die Adresse, kleine Errungenschaften, aber Meilensteine in seinem Leben.

Dana, Wylies dreizehnjährige Tochter, stand kichernd mit einer Freundin ein wenig abseits. Bei ihr war schwer zu unterscheiden, wem sie ähnelte, da das schwarze Haar, die dunklen Augen und markanten Züge von beiden stammen konnten, doch war sie lebhafter als beide Eltern zusammen. Sie trug Jeans und eines von Wylies alten Hemden. Das war gerade die ›richtig coole‹ Art, sich anzuziehen. Wylie fiel es schwer, mit ihren Ausdrücken Schritt zu halten. Sie war ein richtiger Wildfang, der im Begriff stand, eine junge Frau zu werden.

Seine Aufmerksamkeit richtete sich wieder auf Anita. Ihr Kleid war einfach und kleidsam, aber nicht annähernd so teuer wie das Lisas. Seine Flug-Firma ging zwar ganz gut, aber der materielle Ertrag hielt sich in Grenzen. Anita war eine gute Frau. Und sie führten eine verdammt gute Ehe. In gewisser Hinsicht paßten sie ideal zueinander. Mochte es ihrer Ehe an Leidenschaft fehlen, so wurde dieser Mangel durch die tiefe Achtung und aufrichtige Zuneigung, die sie füreinander empfanden, ersetzt.

Wylie hatte sich wieder ganz beruhigt, als er von hinten an Anita herantrat und den Arm um sie legte. »Ach, hast du uns endlich gefunden!« rief Anita aus.

»Ja, aber langsam glaubte ich, ich würde euch hier nie finden.«

»Kann ich mir denken, aber ist das nicht aufregend? Nach all den Jahren sind wir ein Bundesstaat geworden.«

»Und es waren gute Jahre«, warf Glory ein. »Ich weiß noch, wie Richter Wickersham 1912, oder war es 1911, den Antrag auf Aufnahme in die Union stellte. Natürlich war er damals nicht Richter. Er war Kongreßabgeordneter. Damals schaffte er es wenigstens, daß wir den Status eines Territoriums erhielten.«

»Ja, es ist ein Ereignis, von dem ich noch meinen Urenkeln erzählen werde. In dreizehnhundert Meter Höhe über dem Tanana River empfing ich die Meldung aus Fairbanks, daß Alaska nun der neunundvierzigste Staat ist. Ich gestehe, daß ich mit den Tragflächen gewackelt habe.« Wylie lächelte.

Ein großes Scheit, das ganz zuoberst auf dem Haufen lag, brach in einem Funkenregen in sich zusammen. Mikey klatschte aufgeregt in die Hände.

»Das Feuer fasziniert ihn.« Anita behielt ihn genau im Auge.

»Er erinnert mich an Ace, als dieser vier Jahre alt war«, sagte Glory. »Halb Nome stand in Flammen, und er sah aus dem Fenster, klatschte in die Hände und lachte.«

Ihre Erinnerung wanderte noch weiter zurück, zu jenem wahnwitzigen Sommer in Nome, als die Leute zu Tausenden auf den Strand geströmt waren. Glücksritter allesamt, ob es nun Goldsucher, Händler, Spieler, Taschendiebe, Schwindler, Dirnen oder Möchtegernkönige waren. Dieses Land und sein Reichtum brachten das Schlimmste und das Beste der Menschen an den Tag.

Glory dachte an jene Zeit, als sie selbst immer im Mittelpunkt der Aufmerksamkeit gestanden hatte. Jetzt nahm nur mehr ihre Familie Notiz von ihr. Für alle anderen war sie eine hinfällige alte Frau. Keiner ahnte, daß sie einst Glory St. Clair gewesen war. Sie lachte leise auf bei diesem Gedanken.

»Was ist denn so lustig, Mutter Cole?«

»Ach, Trudy, ich dachte an etwas, das vor langer Zeit war. Weißt du noch, wie wir mithalfen, diesen Park zu planieren, damit Anchorage einen Flugplatz bekam? Auch damals gab es ein Freudenfeuer.«

»Das war aber auch eine Piste.« Ace lachte. »Eine Straße querte den Landestreifen. Aber damals gab es hier wenig Autos, daß man deswegen keine Bedenken zu haben brauchte.«

»Es hat sich so viel verändert.« Glory deutete mit ihrer von Altersflecken gesprenkelten Hand auf die Skyline der Stadt. »Seht ihr diese hohen Gebäude? An klaren Tagen konnte ich von meiner Hütte aus den Mount McKinley sehen. Jetzt nimmt mir ein hohes Bürohaus die Sicht.«

Fast alle Bauten waren in den letzten zwölf Jahren entstanden, als Folge des kalten Krieges mit Rußland, der das Kriegsministerium bewogen hatte, die militärischen Einrichtungen Alaskas zu vergrößern und auf den neuesten Stand zu bringen.

»Man kann wirklich nicht behaupten, Alaska sei vergessen, nicht wenn das Verteidigungsministerium Millionen und Abermillionen hier investiert«, sagte Ace.

»Aber wieviel davon bleibt hier?« erwiderte Glory herausfordernd. »Die meisten Baufirmen, ihr Maschinenpark und die Arbeiter kamen von auswärts. Von dem verdienten Geld geben sie einen Teil hier aus, den Rest nehmen sie mit nach Hause. Während des Goldrausches wurden aus Alaska siebenhundertfünfzig Millionen Dollar ausgeführt, ganz zu schweigen von den Millionen, die die Morgans und Guggenheims mit Kupfer machten.«

»Ich glaube, die Ölfunde auf der Halbinsel Kenai werden uns dafür entschädigen«, sagte Ace mit einem Grinsen. »Dem Geologen, der gegen einen Baum trat und sagte: ›Hier wird gebohrt‹, hat die Handelskammer den Schuh mit Gold sohlen lassen. Nicht zu fassen!«

Bei der Erwähnung von Öl ließ Wylie seine Gedanken in die Vergangenheit schweifen.

»Die Ölgesellschaften schicken Geologen hinauf zu den alten Bohrstellen, die Anfang der fünfziger Jahre aufgegeben wurden. Nach den Ölfunden auf Kenai wird man sich Alaska wieder genauer vornehmen. Ich glaube, man kann davon ausgehen, daß es hier mehr an Öl zu holen gibt.«

Öl. Man nannte es auch schwarzes Gold, wie Glory sich entsann, und Gold heizte immer ein ›Fieber‹ an. Die Symptome waren stets die gleichen – das Abstecken der Claims, die Anträge und Prozesse, das Stoßen und Schieben, die Horden von Menschen mit Bergen von Ausrüstung. Sie fragte sich ernsthaft, ob ihre Energie für einen weiteren Boom ausreichte, denn Booms waren etwas für junge Leute.

»Grandma Glory?« Dana kam herangeschlendert, die Hände in den hinteren Taschen ihrer Jeans. »Stimmt es, daß du einmal in Nome Tingeltangelmädchen warst?«

»Wie alt bist du?« Glory zuckte nicht mit einer Wimper.

»Dreizehn.«

»Wenn du ein wenig älter bist, werde ich deine Frage beantworten und dir alles erzählen«, gab Glory zurück.

»Und du kannst es uns weitererzählen, Dana«, meinte Wylie.

»Aber Grandma Glory, du bist schon alt. Vielleicht lebst du nicht mehr, wenn ich älter bin«, protestierte Dana.

»Dana, das sagt man nicht«, rügte Anita sie.

»Das Kind hat nicht so unrecht«, meinte Glory. »Ich bin weiß Gott schon alt. Aber keine Angst, Dana, ich habe die feste Absicht, hundert Jahre alt zu werden!«

Epilog

ANCHORAGE
MÄRZ 1974

Glory Cole überlebte das Karfreitagserdbeben vom 27. März 1964 – jenes Beben, das ganz Alaska erschütterte und in Anchorage viel Zerstörung anrichtete. Sie überlebte es, erfuhr von den gewaltigen Ölfunden an der Prudhoe Bay und erlebte tatsächlich noch die Anfänge des Booms, als von neuem Ölfirmen, Bohrmannschaften, Versorgungsunternehmen, Bauarbeiter, Dirnen und Glücksritter nach Alaska strömten, um am Öl zu verdienen. Sie erlebte die erbitterten Auseinandersetzungen um die geplante Pipeline – die gerichtlichen Verfügungen und Prozesse, den Haß gegen die Landschaftsschützer, die erneut aufbrechenden Vorurteile gegen die Eingeborenen, die Gier und den Kampf um ein besseres Leben.

An dem Tag, als die Bewilligung zum Bau der von der Prudhoe Bay nach Valdez verlaufenden Pipeline erteilt wurde – vier Tage vor ihrem hundertsten Geburtstag –, starb Glory friedlich und still im Schlaf, umgeben von ihrer Familie. Sie starb, wie sie gelebt hatte – ohne Bedauern und ohne einen Blick zurück.

Ace behauptete, sie sei nicht wirklich gestorben, sondern befände sich nur an einem neuen Ort vor einem Neubeginn.

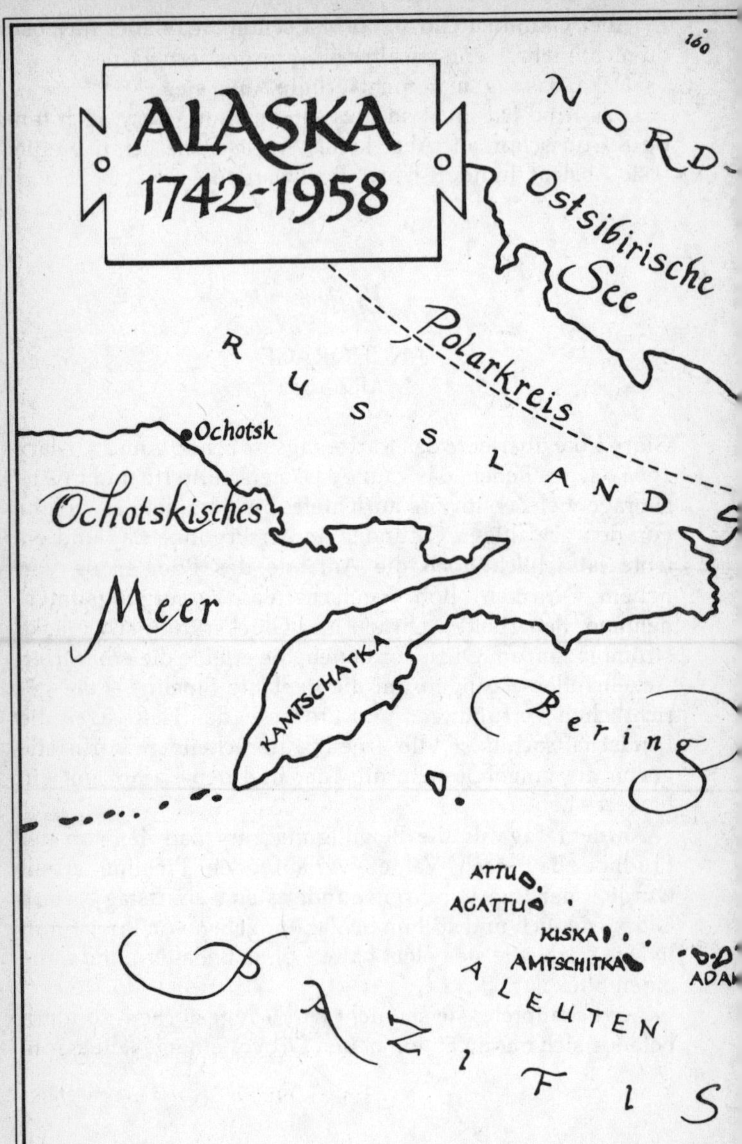

ALASKA 1742-1958

160

NORD-

Ostsibirische See

Polarkreis

RUSSLAND

Ochotsk

Ochotskisches Meer

KAMTSCHATKA

Bering

ATTU

AGATTU

KISKA

AMTSCHITKA

ADA

ALEUTEN

PAZIFIS

160

170

180

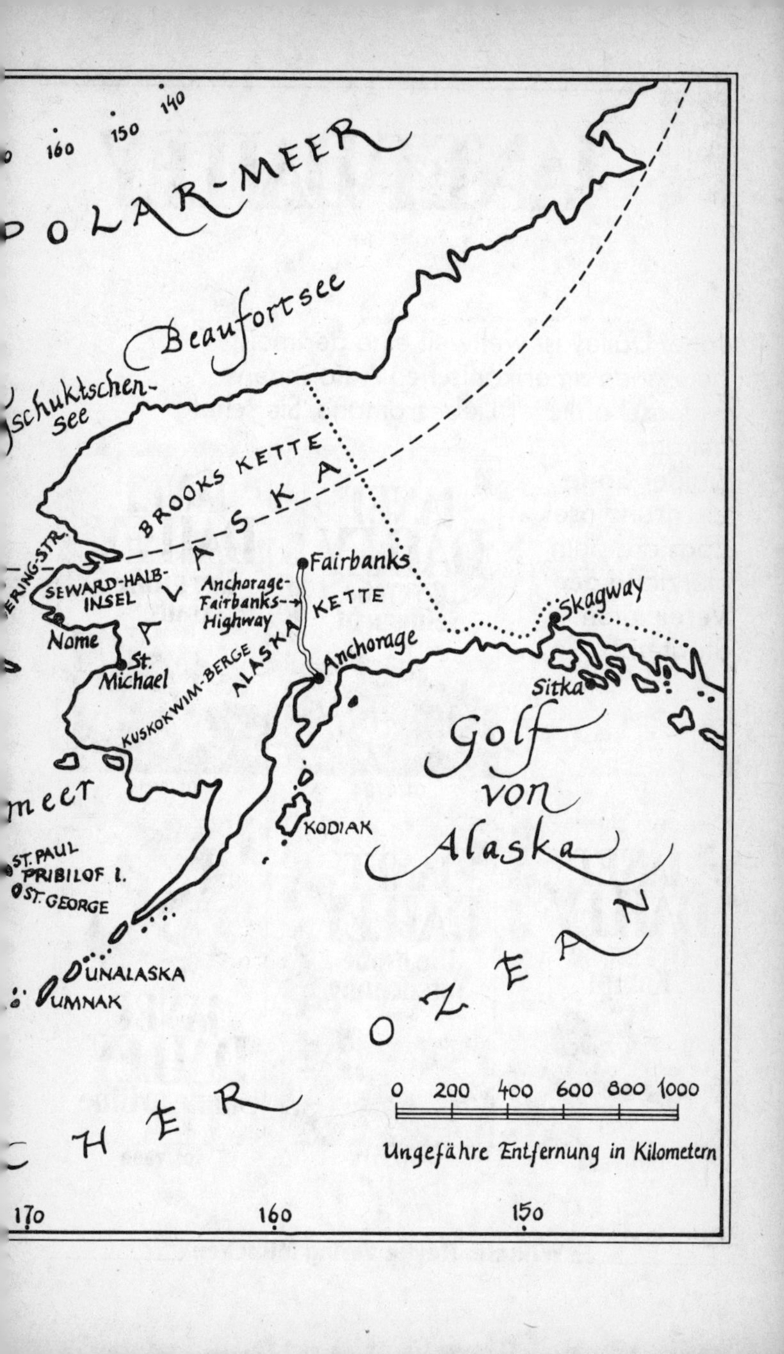

160
150
140
POLAR-MEER
Beaufortsee
Tschuktschen-
see
BROOKS KETTE
ALASKA
BERING-STR.
SEWARD-HALB-
INSEL
Nome
St.
Michael
Fairbanks
Anchorage-
Fairbanks-
Highway
ALASKA KETTE
KUSKOKWIM-BERGE
Anchorage
Skagway
Sitka
Golf
von
Alaska
meer
KODIAK
ST. PAUL
PRIBILOF I.
ST. GEORGE
UNALASKA
UMNAK
OZEAN
HER
0 200 400 600 800 1000
Ungefähre Entfernung in Kilometern
170
160
150